ITALIE DU SUD

Collection sous la responsabilité d'Anne Teffo

Ont contribué à l'élaboration de ce guide :

Édition	Catherine Guégan
Rédaction	Serge Guillot, Émilie Morin, Philippe Pataud-Célérier, Maura Marca, Erica Zane, Véronique Nègre
Cartographie	Géraldine Deplante, Thierry Lemasson, Thierry Rocher, Michèle Cana, Dominique Defranchi, APEX Cartographie, DzMap Algérie
Informations pratiques	www.istat.it (chiffres de population)
Conception graphique	Laurent Muller (couverture), Agence Rampazzo (maquette intérieure)
Relecture	Auriane Vigny
Régie publicitaire et partenariats	michelin-cartesetguides-btob@fr.michelin.com *Le contenu des pages de publicité insérées dans ce guide n'engage que la responsabilité des annonceurs.*
Remerciements	Francesca Discepoli, Philippe Orain
Contacts	Michelin Cartes et Guides Le Guide Vert 46, avenue de Breteuil 75324 Paris Cedex 07 ✆ 01 45 66 12 34 – Fax : 01 45 66 13 75 LeGuideVert@fr.michelin.com www.cartesetguides.michelin.fr www.viamichelin.com

Parution 2008

Note au lecteur
L'équipe éditoriale a apporté le plus grand soin à la rédaction de ce guide et à sa vérification. Toutefois, les informations pratiques (prix, adresses, conditions de visite, numéros de téléphone, sites et adresses Internet…) doivent être considérées comme des indications du fait de l'évolution constante des données. Il n'est pas totalement exclu que certaines d'entre elles ne soient plus, à la date de parution du guide, tout à fait exactes ou exhaustives. Elles ne sauraient de ce fait engager notre responsabilité.

Le Guide Vert,
la culture en mouvement

Vous avez envie de bouger pendant vos vacances, le week-end ou simplement quelques heures pour changer d'air ? Le Guide Vert vous apporte des idées, des conseils et une connaissance récente, indispensable, de votre destination.

Tout d'abord, **sachez que tout change**. Toutes les informations pratiques du voyage évoluent rapidement : nouveaux hôtels et restaurants, nouveaux tarifs, nouveaux horaires d'ouverture... Le patrimoine aussi est en perpétuelle évolution qu'il soit artistique, industriel ou artisanal... Des initiatives surgissent partout pour rénover, améliorer, surprendre, instruire, divertir. Mêmes les lieux les plus connus innovent : nouveaux aménagements, nouvelles acquisitions ou animations, nouvelles découvertes enrichissent les circuits de visite.

Le Guide Vert **recense** et **présente ces changements** ; il réévalue en permanence le niveau d'intérêt de chaque curiosité afin de bien mesurer ce qui aujourd'hui vaut le voyage (distingué par ses fameuses 3 étoiles), mérite un détour (2 étoiles), est intéressant (1 étoile). Actualisation, sélection et évaluation sur le terrain sont les maîtres mots de la collection, afin que Le Guide Vert soit à chaque édition le reflet de la réalité touristique du moment.

Créé dès l'origine pour **faciliter et enrichir vos déplacements**, Le Guide Vert s'adresse encore aujourd'hui à tous ceux qui aiment connaître et comprendre ce qui fait l'identité d'une région. Simple, clair et facile à utiliser, il est aussi idéal pour voyager en famille. Le symbole 👤👤 signale tout ce qui est intéressant pour les enfants : zoos, parcs d'attractions, musées insolites, mais également animations pédagogiques pour découvrir les grands sites.

Ce guide vit pour vous et par vous. N'hésitez pas à nous faire part de vos remarques, suggestions ou découvertes ; elles viendront enrichir la prochaine édition de ce guide.

Anne Teffo
Responsable de la collection
Le Guide Vert Michelin

ORGANISER SON VOYAGE

QUAND ET OÙ PARTIR
L'Italie du Sud au fil des saisons.... 8
Nos propositions d'itinéraires 8
Nos conseils de lieux de séjour par région 10
Nos idées de week-ends 11
Escapade frontalière............. 11

À FAIRE AVANT DE PARTIR
Où s'informer 12
Formalités 13
Réserver son hébergement 14
Se rendre en Italie du Sud........ 15
Qu'emporter 17

ITALIE DU SUD PRATIQUE
Adresses utiles 18
Se déplacer en Italie du Sud...... 18
Se loger........................ 22
Se restaurer 24
L'Italie du Sud au quotidien 25

À FAIRE ET À VOIR
Activités et loisirs de A à Z....... 28
Que rapporter.................. 29
Voyager en famille.............. 31
Événements.................... 31

POUR PROLONGER LE VOYAGE
Nos conseils de lecture 34
Idées CD 36
Quelques films 36
Retrouver l'Italie du Sud en France 37

COMPRENDRE L'ITALIE DU SUD

ENTRE MER ET MONTAGNE
Un relief rude et contrasté 42

HISTOIRE
L'héritage du passé 46

ART ET ARCHITECTURE
Les civilisations antiques........ 54
Un héritage fécond 59
ABC d'architecture............... 72
Quelques termes d'art 76

CULTURE
Littérature 77
Musique 81
Cinéma 84
Photographie 87
Quelques personnalités......... 88

L'ITALIE DU SUD AUJOURD'HUI
Le réveil du Sud 90
Un mode de vie, des caractères... 91
Arts et traditions populaires...... 92
Gastronomie 93

VILLES ET SITES

Dans le premier rabat de couverture, la **carte des plus beaux sites** donne :
  une vision synthétique de tous les lieux traités ;
  les sites étoilés visibles en un coup d'œil ;

Dans la partie « **Découvrir l'Italie du Sud** » :
  les **destinations principales** sont classées par région puis par ordre alphabétique ;
  les **destinations moins importantes** leurs sont rattachées sous les rubriques « Aux alentours » ou « Circuits de découverte » ;
  les informations pratiques sont regroupées dans les **encadrés pratiques** sous un fond vert.

L'index permet de retrouver rapidement la description de chaque lieu.

SOMMAIRE

DÉCOUVRIR L'ITALIE DU SUD

ROME ET LE LATIUM
Rome 100
Anagni. 144
Gaète 147
Rieti 153
Tarquinia. 155
Viterbe 158

LES ABRUZZES ET LE MOLISE
Parc National des Abruzzes 164
Parc National du Gran Sasso-Monti della Laga 168
L'Aquila 171
Pescara et la côte 175
Sulmona 179
Le Molise 182

NAPLES ET LA CAMPANIE
Naples 186
Golfe de Naples 208
Bénévent 218
Île de Capri. 220
Le palais royal de Caserte 224
Parc national du Cilento. 227
La Côte Amalfitaine. 231
Herculanum. 238
Île d'Ischia 240
Pæstum. 243
Pompéi 246

LES POUILLES
Bari. 256
Promontoire du Gargano 266
Lecce 272
Terre des Trulli. 280

LA BASILICATE
Matera. 286
Venosa. 292

LA CALABRE
Au cœur de la Calabre 298
La Côte Ionienne 302
La Côte Tyrrhénienne 306
Reggio di Calabria 308

LA SARDAIGNE
Alghero. 318
Arzachena 320
La Barbagia 321
Barumini. 324
Cagliari 325
La Côte d'Émeraude 327
Oristano 329
Île de Sant'Antioco 331
Sassari 332

Index 334
Cartes et plans 349
Votre avis nous intéresse 351

Les majoliques du cloître de Santa Chiara à Naples.
Lara Pessina/MICHELIN

ORGANISER SON VOYAGE

ORGANISER SON VOYAGE

QUAND ET OÙ PARTIR

L'Italie du Sud au fil des saisons

LA BONNE PÉRIODE

Les meilleurs moments pour partir à la découverte de l'Italie sont les mois d'avril, mai, juin, septembre et octobre, quand le climat est doux et que touristes et estivants n'ont pas encore envahi les sites et les lieux de villégiature. Mieux vaut éviter les mois de juillet et d'août. La chaleur, la foule et les prix incroyablement élevés (au minimum 30 % de hausse) feraient de vos vacances un cauchemar composé de files d'attente, d'embouteillages monstrueux, et d'air irrespirable. Si malgré tout vous décidiez de partir à cette période, prenez soin de réserver suffisamment à l'avance vos billets d'avion, de train ou de bateau, ainsi que les nuitées d'hôtels (voir p. 14).

Nos propositions d'itinéraires

ITINÉRAIRES DE DÉCOUVERTE

Rome et ses environs

400 km environ – 8 jours dont 3 à Rome. La Ville éternelle est d'une telle richesse qu'il vous faudra au minimum 3 jours pour l'appréhender. Composez un programme varié en alternant visites de musées et promenades pour goûter à l'ambiance de cette ville à nulle autre pareille (pour un séjour romain moins éphémère nous vous renvoyons au *Guide Vert Rome*). Puis partez en direction du littoral avec comme point de transition, entre l'univers minéral des vieilles pierres et la mer Tyrrhénienne, la ville **d'Ostie**, (30 km environ), le port de Rome à l'époque romaine. D'Ostie longez le littoral vers le sud jusqu'à **Sabaudia** (avec la visite du **parc de Circeo**), puis filez sur Terracina (110 km de Rome et Gaëte). Retour par l'intérieur des terres en passant par l'abbaye de **Montecassino** et la cité des Papes, **Anagni**. L'itinéraire peut se prolonger par deux superbes sites antiques, **Palestrina** et **Tivoli**, avant de regagner le centre de Rome.

Les Abruzzes : mer et montagnes

400 km environ, en boucle – 7 jours. Après la visite de **L'Aquila**, en particulier de sa très belle basilique romane, Santa Maria di Collemaggio, suivez la route qui traverse les grandioses paysages du **Campo Imperatore**, dans le Parc national du **Gran Sasso**. Faites étape dans la cité médiévale de **Teramo** et le village de **Civitella del Tronto** avant de partir en direction de la côte adriatique. Vous y découvrirez la ville de **Pescara** avant de repartir par l'intérieur des terres sur Chieti, l'abbaye de Casauria, et **Sulmona**, aux portes du **Parc national de la Maiella**.

Les trésors de la côte napolitaine

600 km – 8 jours. Sans doute le plus lumineux des itinéraires, coloré du bleu intense de la mer, du rose fuchsia des bougainvilliers et du blanc des maisons qui s'élèvent sur la **Côte Amalfitaine**. Consacrez au moins trois jours à la visite de **Naples** puis réservez le reste de votre séjour à l'exploration de son golfe : excursion sur l'île de **Capri**, ascension du **Vésuve** et visite de sa non moins célèbre victime, **Pompéi**, vous n'aurez que l'embarras du choix ! Si vous disposez de plus de temps, faites un tour par **Pæstum** jusqu'au **golfe de Policastro**.

Richesses méconnues des Pouilles et de la Basilicate

1 000 km – 10 jours. Cet itinéraire associe beautés naturelles et singularité architecturale. Vous commencerez par le **promontoire du Gargano** en suivant la belle route côtière entre **Peschici** et Manfredonia, ponctuée de *trabucchi*, les traditionnels filets de pêche, et profiterez des eaux cristallines pour vous baigner. Puis cap sur la **vallée d'Itria** qui offre l'une des plus belles et insolites promenades en milieu rural. C'est ici qu'on trouve les fameux *trulli*, belles maisonnettes coniques éclatantes dans leur

Le Palais des Conservateurs à Rome.

blancheur calcaire (prévoyez une nuit sur place en réservant à l'avance). Après l'extraordinaire ville de **Lecce**, surnommée « la Florence baroque », vous longerez la **péninsule du Salento** qui abrite, côté ouest, de très belles plages de sable fin. Dernière étape en Basilicate, à **Matera**, pour découvrir ses habitations troglodytiques, les *Sassi*, et ses églises rupestres.

La Calabre, de mers en monts et en détroit
900 km – 7 jours. À la découverte des beautés naturelles de la Calabre, du massif de la **Sila** à l'**Aspromonte**, entre mer Ionienne et côte tyrrhénienne, sans manquer Reggio et son magnifique détroit. Vous pourrez prolonger cet itinéraire en faisant une étape en Sicile ou sur les îles Éoliennes.

La Sardaigne
1 100 km – 7 jours. Terre âpre et rude entre toutes, la **Sardaigne** est une île façonnée par le vent qui porte les parfums des fleurs sauvages. Le tour de l'île est un voyage au cœur d'une nature préservée, d'impressionnantes formes d'art primitif, et plongée dans des eaux si limpides qu'elles semblent être un mirage.

ITINÉRAIRES À THÈME

Abruzzes
Faune et flore sauvage
140 km, 2 nuits, Sulmona, Pescasseroli. Ce circuit au départ de **Sulmona** permet de découvrir la faune et la flore sauvages des grands plateaux du **Parc national des Abruzzes**. Ce parc abrite des ours bruns, des loups des Apennins, des chamois des Abruzzes et des lynx. Il est traversé par de nombreux sentiers de randonnée : informez-vous des itinéraires auprès du centre d'accueil de Pescasseroli.

Basilicate
Évocation littéraire
130 km, 2 nuits, Aliano et Matera. Les passionnés de littérature peuvent suivre les lieux décrits par Carlo Levi dans *Le Christ s'est arrêté à Eboli* en circulant de **Matera** jusqu'au cœur de la Basilicate pour atteindre le village d'**Aliano**, Gabliano dans le texte, superbe région flanquée de *calanchi*.

Les églises rupestres
120 km, 1 nuit dans un sassi de Matera. Églises rupestres, habitats troglodytiques (les *Sassi* de Matera), jalonnent cet itinéraire organisé autour de trois lieux clefs : **Matera**, **Mottola** et **Massafra**.

Calabre
Traditions ancestrales
350 km, 1 nuit à Cosenza et 1 nuit à Scilla. Vous traverserez la région du nord au sud, du village albanais de **Civita**, sur les contreforts du massif du Pollino, à **Bova**, « capitale » de la communauté grecque perchée au-dessus de la mer Ionienne, en passant par **Palmi**, qui possède un remarquable musée ethnographique.

Aux origines de la Magna Graecia
350 km, 1 nuit à Gerace et 1 nuit à Crotone. Colonisée dès le 8e s. par les Grecs, la côte calabraise de la mer Ionienne est jalonnée de sites antiques, **Sibari**, **Crotone**, **Locri**, sans oublier **Reggio**, le plus ancien, dont le musée renferme les célèbres guerriers de Riace, chef-d'œuvre de l'art grec.

Forêts calabraises
370 km, 1 nuit à Camigliatello Silano et 1 nuit à Gerace. Pins des Balkans majestueux sur les pentes du **Pollino**, pins noirs géants sur le plateau de la **Sila**, forêts de hêtres et de châtaigniers recouvrant les massifs des **Serre** et de l'**Aspromonte** : les montagnes calabraises forment un chapelet de paysages verdoyants.

Campanie
Volcanisme et thermalisme
70 km, 1 nuit à Naples. Des fumerolles de **Solfarata** aux thermes de **Castellammare di Stabia**, vous aurez l'occasion de sillonner le golfe de Naples, sans manquer l'incontournable ascension du **Vésuve** !

Villas mythiques
100 km, 1 nuit à Capri. Villas antiques recouvertes de fresques à **Pompéi** et ses environs, jardins suspendus au-dessus de la Méditerranée à **Capri** et à Ravello : le golfe de Naples et la **Côte Amalfitaine** forment un écrin de rêve pour ces résidences des délices.

Légendes du cinéma
150 km. Sur les traces du *Mépris* de Godard, du *Voyage en Italie* de R. Rossellini ou encore du *Mariage à l'Italienne* de V. de Sica, redécouvrez **Naples** et son golfe mille fois filmés, **Capri** la belle, et la **Côte Amalfitaine**, symbole de la Dolce Vita.

Latium
Sur la route des Étrusques
180 km environ. La plus ancienne civilisation d'Italie se rappellera à vous au gré des nombreuses nécropoles et musées archéologiques disséminés dans la région, avec entre autres **Cerveteri** et

ORGANISER SON VOYAGE

Tarquinia. Cet itinéraire peut commencer à **Rome** avec la visite de deux musées consacrés au monde étrusque : le musée grégorien du Vatican et la Villa Giulia.

Pouilles
Chefs-d'œuvre de l'art roman
180 km. Les plus férus d'histoire jalonneront la côte entre Bari et Barletta. Cathédrales (Giovinazzo, Molfetta, Bisceglie, Trani) et fortifications caractérisent ce front occidental ouvert pendant les Croisades sur l'Adriatique et « orienté » (tourné vers l'Orient). Une belle découverte historique et architecturale à laquelle s'ajoutera l'énigmatique château de Frédéric II, Castel del Monte.

ROUTES HISTORIQUES

On peut être surpris, en voyageant en Italie, de constater qu'un grand nombre d'axes routiers portent des noms propres. Il s'agit là d'un héritage de l'époque romaine, largement étendu au fil des siècles lors de la construction de nouveaux axes. Voici les noms de quelques-uns des anciens chemins de pèlerinage traversant le Sud de l'Italie.

La Via Francigena
Vous aurez peut-être l'occasion, lors de votre voyage en Italie, d'apercevoir le logo de la Via Francigena : un pèlerin aux allures de statue romane, un peu courbé, tenant dans une main un bâton et un baluchon sur l'épaule.
La Via Francigena menait de Canterbury à Rome et était empruntée par de nombreux pèlerins du Moyen Âge qui parcouraient en général une vingtaine de kilomètres par jour.
Les étapes étaient les suivantes : Canterbury, Calais, Bruay, Arras, Reims, Châlons-en-Champagne, Bar-sur-Aube, Besançon, Pontarlier, Lausanne, le Grand-Saint-Bernard, Aoste, Ivrée, Santhià, Vercelli, Pavie, Plaisance, Fiorenzuola, Fidenza, Parme, Fornovo, Pontremoli, Aulla, Luni, Lucques, San Genesio, San Gimignano, Sienne, San Quirico, Bolsena, Viterbe, Sutri, Rome.

La Via Aurelia
Construite en 241 av. J.-C., elle reliait Rome et Arles, en passant par Gênes. C'est aujourd'hui la SS 1, appelée « Aurelia » et que l'on peut parcourir à partir de Vintimille.

La Via Appia
Sa construction fut entreprise en 312 av. J.-C. Elle allait, au moment de sa plus grande extension, de Rome à Brindisi. Il n'en reste plus qu'un court tronçon, limité aux abords immédiats de la capitale.

La Via Cassia
Pavée au 2e s. av. J.-C., elle traversait l'Étrurie, de Rome à Arezzo. Par la suite, elle fut prolongée jusqu'à Florence et Modène. L'actuelle SS 2, qui porte le même nom, relie Rome et Florence.

La Via Flaminia
Datant de 220 av. J.-C., elle conduisait de Rome à Rimini. C'est aujourd'hui l'une des artères modernes de la Ville éternelle.

Nos conseils de lieux de séjour par région

Les Abruzzes
Destination de prédilection pour tous les amoureux de la nature, ce territoire montagneux et sauvage, possède des parcs naturels incomparables en Europe. Ses villes et villages consacrent de très belles étapes urbaines et découvertes architecturales parmi lesquelles : **L'Aquila**, **Sulmona**, **Chieti** et le village de **Scanno**.

La Basilicate
Point d'orgue de cette région méconnue, **Matera**. Cette ville inscrite au Patrimoine mondial de l'Unesco pour ses habitations creusées dans la terre, les *Sassi*, consacre une découverte exceptionnelle dont on peut jouir pleinement en dormant dans l'un d'entre eux. Aux alentours, **Massafra** et **Venosa**, plus au nord, permettent de sillonner opportunément l'une des plus petites régions d'Italie.

La Calabre
La région de **Cosenza** forme une base de départ idéale pour aller à la découverte du cœur de la Calabre, et en particulier des massifs de la Sila et du Pollino. Ceux qui préfèrent la proximité de la mer séjourneront plutôt dans les jolies cités de **Tropea** ou **Scilla**. Et les amateurs de vieilles pierres privilégieront **Gerace**.

La Campanie
La belle cité de **Naples** représente le meilleur point de départ pour sillonner la région. La presqu'île de **Sorrente** et la **Côte Amalfitaine** raviront les amateurs de paysages majestueux. Ceux qui voudront éviter les régions trépidantes feront étape dans les environs du **parc du Cilento**.

Le Latium
Le Latium n'est pas, comme on pourrait le supposer, une banlieue romaine post-industrielle finissante, mais une région dotée d'un patrimoine attractif : au nord-ouest, **Tarquinia**, **Viterbe** et le **lac de Bolsena** composent des itinérai-

QUAND ET OÙ PARTIR

res historiques (berceau des Étrusques) d'une grande richesse. Le célèbre jardin des monstres de **Bomarzo** est une belle découverte. Le sud dessine en bordure de mer un superbe littoral où se détachent le **Parc national du Circeo** avec à l'ouest l'étrange ville plane de **Sabaudia**, au nord-est la belle abbaye de Fossanova), et la ville de **Gaète**. Plus à l'ouest de Rome, à l'intérieur des terres, la ville des Papes, **Anagni**, et les sites antiques de **Palestrina** et **Tivoli** (Villa d'Este et Villa d'Hadrien) étayent un axe historique incontournable.

Les Pouilles

Cette région incroyablement féconde offre d'innombrables facettes. Pour les séjours en bord de mer, on privilégiera : côté **Gargano** le village de **Peschici** ; côté **Salento** la très gracieuse **Gallipoli**. Au sud de Bari, **Polignano a Mare** et **Monopoli** sont deux petits bourgs maritimes d'un très grand charme. Pour les amateurs d'art roman, **Trani**, **Barletta**, **Bitonto**, sont quelques-unes des étapes architecturales incontournables. Quant à la vallée d'Itria, **Alberobello**, **Martina Franca**, et **Ostuni** sont des points de passage qu'il serait regrettable de manquer.

La Sardaigne

Les ports de Cagliari et de Sassari forment une escale d'appoint pratique. Mais plus encore, la belle **côte d'Émeraude** – un vrai paradis pour les amateurs de baignade et de sports nautiques – et la région sauvage de la **Barbagia** – aux paysages montagneux d'une austère beauté – forment des étapes de caractère pour découvrir les beautés naturelles de la Sardaigne.

Nos idées de week-ends

Week-end de 3 jours

Nous proposons ici les villes desservies directement par avion, c'est-à-dire **Rome** et **Naples**.

Rome

La visite du Colisée et des Forums impériaux occupera votre matinée. Puis marchez jusqu'au quartier du Panthéon pour une pause sur la délicieuse piazza della Rotonda. Consacrez le reste de votre journée au quartier s'étendant entre la piazza Navona et le Campo dei Fiori. Le lendemain, si vous êtes passionné par les églises et les musées, optez pour St-Pierre et le Vatican ; si vous préférez

Les Pouilles et leurs eaux cristallines.

le monde antique, partez plutôt à la découverte du Forum romain. L'après-midi, partez de la piazza di Spagna et offrez-vous une promenade le long de l'élégante via dei Condotti et de la via Margutta jusqu'à la piazza del Popolo. Contemplez le coucher du soleil depuis la terrasse du Pincio.

Votre dernière journée pourra être consacrée à la découverte du quartier autour de la célèbre fontaine de Trevi et à une promenade de l'autre côté du Tibre, dans le Trastevere.

Naples

Pour votre première journée, immergez-vous dans l'ambiance inimitable de la cité parthénopéenne en parcourant les rues de **Spaccanapoli**. Le lendemain, après la visite du **Musée archéologique national**, prenez le funiculaire pour admirer la ville depuis la **chartreuse San Martino**. Votre troisième journée sera consacrée à la découverte du centre monumental et du lungomare.

Pour un week-end prolongé

Lecce, la Florence baroque, est une ville à privilégier si l'on dispose de 3 ou 4 jours, tout particulièrement pour les fêtes de Noël. Vous pouvez également combiner **Rome** et **Naples**, pour un séjour entre collines éternelles et golfe majestueux.

Escapade frontalière

Pour ceux qui partent 3 ou 4 semaines, il est possible de faire une étape de quelques jours dans les pays voisins. La **Croatie**, au large de l'Adriatique, est aisément accessible en bateau à partir de Bari (Dubrovnik, Korčula, Hvar, Split, Zadar). De même la côte ionienne de la **Grèce** (Igoumenítsa, Pátra) et les proches îles (Corfou) sont desservies à partir de Brindisi.

ORGANISER SON VOYAGE

À FAIRE AVANT DE PARTIR

Où s'informer

OFFICES DE TOURISME

Pour organiser son voyage, rassembler la documentation nécessaire, vérifier certaines informations, s'adresser en premier lieu à **l'Office National Italien du tourisme** ou **ENIT (Ente Nazionale Italiano per il Turismo)** :

– **France** – 23 r. de la Paix - 75002 Paris - ☎ 01 42 66 66 68 / 01 42 66 03 96 - fax 01 47 42 19 74 - www.enit-france.com - lun.- vend. 9h-17h.

– **Belgique** – av. Louise, 176 - 1050 Bruxelles - ☎ 02 647 11 54 - fax 02 640 56 03 - enit-info@infonie.be - lun.-vend. 11h-16h.

– **Canada** – 175 Bloor Street E. Suite 907, South Tower - M4W3R8 Toronto - ☎ (416) 925 48 82 - fax (416) 925 47 99 - www.italiantourism.com - lun.- vend. 9h-17h.

– **Suisse** – Uraniastrasse, 32 - 8001 Zürich - ☎ 43 466 40 40 - fax 43 466 40 41 - www.enit.ch - lun.- vend. 9h-17h.

On peut bien sûr se renseigner auprès de l'**ambassade d'Italie**, 51 r. de Varenne, 75007 Paris - lun.-vend. 9h-13h, 14h-17h - ☎ 01 49 54 03 00 - fax 01 49 54 04 10 - www.ambparigi.esteri.it. On trouvera sur le site le réseau consulaire au niveau national.

On peut aussi consulter la bibliothèque de l'**Institut culturel italien** (plusieurs instituts en France) et participer aux activités proposées : à Paris, 50 r. de Varenne, 75007 Paris - ☎ 01 44 39 49 39 - www.iicparigi.esteri.it - lun.-vend.10h-13h, 15h-18h.

SITES INTERNET

Pour les amoureux de l'Italie, Internet offre une mine d'informations. Il vous sera par conséquent difficile de vous orienter parmi toutes les sources potentielles. Nous vous indiquons ci-dessous quelques sites intéressants pour préparer votre voyage :

www.enit.it : site de l'Office National Italien du Tourisme, très complet avec tous les renseignements pratiques (en français).

www.touristie.com : guide pratique en ligne avec un service de petites annonces, d'hébergement et de forum.

www.voyagerenitalie.com : guide pratique.

www.museionline.it : informations sur tous les musées italiens (en italien).

www.trenitalia.com : site des chemins de fer italiens (en français).

AGENCES DE VOYAGE SPÉCIALISÉES

Autrement l'Italie – 72 bd St-Michel - 75006 Paris - ☎ 01 44 41 69 95 - fax 01 44 07 21 80 - www.autrement-italie.fr. Escapades originales permettant de découvrir l'Italie autrement : séjours en thalasso, escapades pour mélomanes dans les plus grands opéras italiens, croisières au large de la Sicile, au pied des volcans, etc.

Bravo Voyages – 5 r. de Hanovre - 75002 Paris - ☎ 01 45 35 43 00 - fax 01 45 35 65 33 - www.bravovoyages.com. Découverte de l'Italie du Sud à la carte, séjours et locations.

Donatello – 10 r. Daunou - 75002 Paris - ☎ 01 44 58 30 81 - fax 01 42 60 32 14 - www.donatello.fr. Large choix sur le Sud : Rome, Naples et sa région, Sardaigne, Pouilles. Circuits et croisières organisés, week-ends dans les villes d'art et formules permettant à chacun de réaliser « son propre voyage », en toute liberté. Large choix d'hôtels de trois et quatre étoiles. Agences dans toute la France (vous retrouverez leurs adresses sur le site Internet).

Images du monde – 14 r. Lahire - 75013 Paris - ☎ 01 44 24 87 88 - fax 01 45 86 27 73 - www.images-du-monde.com. L'Italie du Sud à la carte, locations d'appartements et de villas.

Voyages de marque – (Groupe Pauli) ☎ 0 821 002 022 - www.voyages-de-marque.fr. Séjours, locations, croisières, week-ends prestige à Naples, Rome et Sorrente.

Pêcheurs dans les Pouilles.

À FAIRE AVANT DE PARTIR

VO Italie – 175 r. du Faubourg Poissonnière - 75009 Paris - ☎ 01 42 80 22 83 - fax 01 42 81 01 22 - www.vo-italia.com. Voyages thématiques pour une découverte personnalisée de la culture et de l'art de vivre à l'italienne.

Voyageurs en Italie – 55 r. Ste-Anne - 75002 Paris - ☎ 0 892 235 656 - fax 01 42 86 17 88 - www.vdm.com
Bordeaux : ☎ 0 892 234 834.
Grenoble : ☎ 0 892 233 533.
Lille : ☎ 0 892 234 634.
Lyon : ☎ 0 892 231 261.
Marseille : ☎ 0 892 233 633.
Nantes : ☎ 0 892 230 830.
Nice : ☎ 0 892 232 732.
Rennes : ☎ 0 892 230 530.
Toulouse : ☎ 0 892 232 632.
Voyages en individuel, sur mesure ou selon itinéraires proposés, logements en hôtels ou agritourisme.
Vous trouverez aussi des courts séjours et escapades chez :

Nouvelles Frontières – ☎ 0 825 000 825.

Jet tours – ☎ 0 825 302 010.

Voyages culturels

Clio – 27 r. du Hameau - 75015 Paris - ☎ 0 826 101 082 - fax 01 53 68 82 60. De l'étranger ☎ 33 1 53 68 48 43 - www.clio.fr. Itinéraires culturels et thématiques avec conférenciers, notamment dans les Pouilles et en Calabre.

Intermèdes – 60 r. La Boétie - 75008 Paris - ☎ 01 45 61 90 90 - fax 01 45 61 90 09 - www.intermedes.com. Conférences culturelles le jeudi à 18h et certains lundi à 16h. Différents circuits culturels de 5 à 7 jours avec conférencier vous sont proposés, que ce soit en Campanie, dans les Pouilles ou les Abruzzes.

L'Italie en randonnée

Allibert – 37 bd Beaumarchais - 75003. www.allibert-trekking.com.
France – ☎ 0 825 090 190.
Benelux – ☎ 02 526 92 90.
Suisse – ☎ 022 849 85 51.
Les Abruzzes, les îles éoliennes, la Sardaigne ou la Dolce Vita en 6 jours avec un guide-accompagnateur, pour un groupe de 6 à 15 participants.

Chemins du Sud – 52 r. des Pénitents - 84120 Pertuis Cedex - ☎ 04 90 09 06 06 - fax 04 90 09 06 05 - www.cheminsdusud.com. Sept circuits au choix dans le sud de l'Italie, de 8 à 10 jours.

Terres d'aventure – www.terdav.com - ☎ 0 825 847 800. Antennes à Bordeaux, Grenoble, Lille, Lyon, Marseille, Nantes, Nice, Paris, Rennes, Toulouse et bientôt à Rouen et Montpellier. Plusieurs circuits organisés en Sardaigne, dans les Pouilles et le golfe de Naples, ou en toute liberté.

Belgique – **Terres d'aventure - Vitamin Travel** – Rue Van Artevelde, 48 - 1000 Bruxelles - ☎ 2 512 74 64 - fax 2 512 69 60.

Suisse – **Terres d'aventure - Neos Voyages** – 50 r. des Bains - 1205 Genève - ☎ 22 320 66 35 - fax (41) 22 320 66 36 - 11 r. du Simplon - 1006 Lausanne - ☎ 21 612 66 00 - fax (41) 21 612 66 01.

Formalités

DOCUMENTS IMPORTANTS

Passeport
Pour un voyage de moins de 3 mois, il suffit d'être en possession d'une carte d'identité en cours de validité pour les citoyens de l'Union européenne ou d'un passeport (éventuellement périmé depuis moins de cinq ans). Pour les mineurs, se renseigner auprès de la mairie ou du commissariat de police.

Permis de conduire
Permis de conduire à 3 volets ou permis de conduire international.

Documents pour la voiture
Outre les papiers du véhicule, il est recommandé de se munir d'une carte internationale d'assurance automobile, dite « carte verte ». Se renseigner auprès de sa propre compagnie d'assurances.

Attention : pour circuler en Italie, il est obligatoire de se munir d'un triangle de signalisation et d'un gilet homologué UE (à conserver dans l'habitacle et non dans le coffre, et à utiliser en cas de panne ou d'accident). Tout automobiliste contrôlé sans ces accessoires est passible d'une amende (de 33,75 € à 137,55 €) et du retrait de deux points sur son permis.

ANIMAUX DOMESTIQUES

Se munir d'un certificat vétérinaire de moins de dix jours prouvant que son animal de compagnie a été vacciné contre la rage depuis plus d'un mois et moins de onze. Il faut également que l'animal soit tatoué et/ou porteur d'une puce électronique.

Attention, les Italiens ont beaucoup moins d'animaux domestiques que les Français. Nombre d'établissements hôteliers et de terrains de camping ne les admettent pas : consulter Le Guide-Michelin Italia de l'année pour choisir un hôtel acceptant les chiens.

ORGANISER SON VOYAGE

TOURISME ET HANDICAPS

Depuis quelques années, un effort remarquable a été fait en Italie ; la majorité des lieux publics prévoient un accès pour handicapés. Les trottoirs, quand ils existent, sont quasiment toujours équipés d'un bateau.

Un certain nombre de curiosités décrites dans le guide (musées, palais, etc.) sont accessibles aux handicapés et signalées à votre attention par le signe ♿. Le signe (♿) indique que l'édifice n'est pas équipé en totalité et qu'il n'est accessible que partiellement.

Toutes les précisions concernant l'accessibilité aux handicapés des sites et monuments peuvent être obtenues auprès de l'**Associazione Italiana Disabili**, via S. Barnaba 29, 20122 Milan - ☎ 02 55 01 75 64 - www.disabili.com (en italien uniquement), et du **Consorzio Cooperative Integrate (CO.IN)**, via Enrico Giglioli 54/a, ☎/fax 06 23 269 231. Le site Internet www.coinsociale.it (en italien et en anglais) fournit des informations sur les hôtels, restaurants, musées et monuments accessibles aux personnes handicapées. Pour de plus amples renseignements sur les conditions d'accessibilité, nous vous conseillons toutefois de téléphoner préalablement au musée que vous souhaitez visiter.

SANTÉ

Afin de profiter d'une assistance médicale en Italie au même coût que dans leur pays d'origine, les citoyens de l'UE doivent se procurer la carte européenne d'assurance maladie, nominative et individuelle, valable un an, avant leur départ (il en est de même pour les citoyens de la principauté de Monaco). Les Français doivent s'adresser à leur centre de Sécurité sociale au moins deux semaines à l'avance. L'obtention du formulaire est possible par Internet : www.cerfa.gouv.fr.

Pour les accidents de voiture, les Suisses jouissent de la convention prévue par le formulaire ICH.

Attention : les médicaments homéopathiques sont chers en Italie, il vaut mieux le prévoir et les prendre avec soi.

BUDGET

En haute saison (de mars à octobre), les prix de l'hébergement et même des restaurants peuvent être majorés à la hausse. Il est donc prudent de se renseigner auparavant.

Petit budget – Avec un hébergement dans un hôtel modeste voir très modeste et des repas pris dans des pizzerias ou dans des trattorias, il faut compter par jour et par personne entre 60 € et 100 €. Pour des villes comme Rome, ajouter au minimum 30 %.

Budget moyen – Pour un hébergement dans un hôtel de charme et des repas pris au restaurant, prévoir une dépense autour de 140 €.

Budget confortable – Vous vous faites plaisir en descendant dans un hôtel haut de gamme, en faisant un repas dans un restaurant gastronomique, prévoyez plutôt autour de 250 €. Mais attention, il ne s'agit pas d'un budget « luxe » car les hôtels de cette catégorie et notamment dans les villes d'art peuvent rapidement être hors de prix.

Les détenteurs d'une carte de crédit doivent penser à vérifier avant leur départ leur autorisation de retrait hebdomadaire *(voir aussi p. 25)*.

Réserver son hébergement

PAR INTERNET

Vous pouvez réserver tout type d'hébergement par Internet.

Hôtels – *www.venere.com*. Un excellent site avec un large choix d'hôtels. Réservation également possible d'un téléphone fixe ☎ 00 800 83 63 73 00 (gratuit) ou d'un portable ☎ (39) 091 971 99 80 au tarif international de votre opérateur.

Gîtes ruraux – *www.agriturist.it* ou bien *www.terranostra.it* ou encore *www.turismoverde.it*

Camping – Le site de la Fédération italienne de camping : *www.federcampeggio.it*

AGENCES SPÉCIALISÉES

Gîtes et logement chez l'habitant

Agritourisme et FAR voyages – *8 r. St-Marc - 75002 Paris -* ☎ *01 40 13 97 87 - fax 01 40 13 96 33 - www.locatissimo.com.* Partenaires des Gîtes de France, ils vous proposent des gîtes ruraux à l'italienne.

T.C.H. Voyages – *15 r. des Pas-Perdus - BP 8338 - 95804 Cergy-St-Christophe -* ☎ *01 34 25 44 72 ou 0 892 680 336 (service privilège, attente téléphonique réduite) - fax 01 34 25 44 45 - www.tch-voyages.com.* Spécialiste des chambres d'hôte, mais également des hébergements en

À FAIRE AVANT DE PARTIR

L'agriturismo Il Vitigno à Ischia (voir p. 242).

couvents, maisons fermes et appartements. Sa **Formula Italia** vous propose des hôtels à prix discount, des vols secs avec location de voitures et des forfaits week-end.

Bed & Breakfast Italia – *Palazzo Sforza Cesarini - Corso Vittorio Emanuele II, 284 - 00186 Roma -* ✆ *00 (39) 06 68 78 618 - fax 00 (39) 06 68 78 619 - www.bbitalia.it.* Plus de 1 600 adresses sur tout le territoire, réservation en ligne.

Demeures de charme, fermes, villas, manoirs et appartements

Cuendet – *Strada di Strove 17 - Monteriggioni (SI) Italia - appel gratuit France :* ✆ *0 800 900 381 ; Suisse* ✆ *0 800 553 183 - fax 00 (39) 05 77 30 11 93 ; Belgique :* ✆ *0 800 153 30 - www.cuendet.fr.*

Interhome Solemar – *15 av. Jean-Aicard - 75011 Paris -* ✆ *0 805 650 350 - fax 01 48 06 88 43 - www.interhome.fr.*

Italie Loc'appart – *75 r. de la Fontaine-au-Roi - 75011 Paris -* ✆ *01 45 27 56 41 - fax 01 42 88 38 89 - www.destinationslocappart.com.* Louez un appartement au cœur des plus belles villes d'art (Rome, Naples) et vivez à l'italienne. De trois nuits minimum à trois mois.

Villas du monde – *255 r. St-Honoré - 75001 Paris -* ✆ *01 42 86 15 15 - fax 01 42 86 85 32 - www.villasdumonde.fr.*

Bellavista – *24 r. Ravignan - 75018 Paris -* ✆ *01 42 55 41 92 - fax 01 46 06 77 21 - www.bellavista-villas.com.*

FORFAITS INTÉRESSANTS

Pour des séjours courts dans des villes données (surtout Rome, Naples et Bari), ne pas hésiter à consulter une agence de voyages pour obtenir un forfait train + hôtel ou avion + hôtel, de façon à bénéficier de prix négociés, plus avantageux qu'en direct.

Une carte permettant d'accéder à divers musées de la ville peut également faire partie du forfait.

Se rendre en Italie du Sud

Voir la rubrique « voyager moins cher » *(p. 18)* pour les tarifs les plus intéressants pour les billets d'avion et de train.

EN VOITURE

Les voies d'accès pour l'Italie, hormis le passage côtier Menton/Ventimille, sont tributaires des cols et tunnels alpins. Les routes principales utilisent le col du Montgenèvre près de Briançon, le tunnel du Fréjus et le col du Mont-Cenis près de Saint-Jean-de-Maurienne, le col du Petit-Saint-Bernard près de Bourg-Saint-Maurice et le tunnel du Mont-Blanc. Au départ de la Suisse, trois routes sont possibles : par le col ou le tunnel du Grand-Saint-Bernard, le col du Simplon, et celui du Saint-Gothard qui, via le Tessin et Lugano, permet d'accéder à la région des lacs lombards.

Pour atteindre le sud de l'Italie, plusieurs grands axes peuvent être empruntés. L'autoroute **A 1** relie Rome à Naples (230 km). L'**A 14** relie Bologne à Tarente et Foggia à Bari. Entre ces deux grandes villes, l'**A 16** relie Naples à Bari, en rattrapant à hauteur de Canosa di Puglia, à une soixantaine de kilomètres au nord de Bari, l'A 14. De Naples on peut aussi prendre l'**A 3** qui file via Pompéi, Eboli, Lagonegro (pour Maratea) puis Cosenza jusqu'à Reggio di Calabria *(voir carte autoroutes p. 16).*

Pour définir l'itinéraire entre votre point de départ et votre destination en Italie, consultez les **cartes Michelin** : Regional **563** et **564** au 1/400 000 et Local **360, 361, 362, 363, 364, 365** et **366** au 1/200 000 (seules ces deux dernières - Sardaigne et Sicile- sont vendues en France ; vous trouverez les autres en Italie) ou encore l'Atlas routier Italie au 1/300 000.

Vous trouverez également toutes les informations dont vous avez besoin sur le site Internet **www.viaMichelin.fr** : outre le calcul d'itinéraire, ce service affiche le coût des péages autoroutiers, le kilométrage total et le temps de parcours (ainsi que les sites touristiques et la sélection Michelin des hôtels, des restaurants et des terrains de camping).

EN TRAIN

Les grandes villes italiennes sont reliées à **Paris** (gare de Bercy) par des trains de nuit fort pratiques : le *Palatino* part chaque soir des gares de Paris-Bercy et de Dijon à destination de **Rome** (exemple :

ORGANISER SON VOYAGE

départ de Paris à 19h06, arrivée à Rome-Termini à 9h50. Environ 110 € l'aller simple). Existe également le *Stendhal* pour Milan (environ 10h), le *Rialto* pour Venise (environ 12h), le *Galilée* pour Florence (environ 12h).

Pour ceux qui veulent aller plus vite ou voyager de jour, il existe également une liaison TGV entre Paris, Turin (5h) et Milan (7h) qui passe par Chambéry.

Les grandes villes de province (comme Lyon, Nice, Bordeaux, Strasbourg…) et celles de Belgique et de Suisse sont également reliées par le chemin de fer à l'Italie. Partant de **Bruxelles**, un train de jour dessert la ville de Milan tandis qu'un train de nuit va jusqu'à Bologne. **Genève** quant à elle est reliée directement à Milan et Florence.

Pour les **Abruzzes**, différentes connections font la jonction entre Rome et **L'Aquila** via **Terni**, ou avec **Pescara** et **Chieti** via **Sulmona**

Quant aux principales villes du Sud, **Naples** est accessible quotidiennement en Eurostar depuis la majorité des grandes villes. De Naples, compter 2 à 3 heures pour se rendre à Maratea en Basilicate (un train par heure) ; partent de nombreux trains en direction de **Cosenza** (Calabre).

Bari est reliée quotidiennement aux grandes villes italiennes : compter 8h de trajet pour Turin, Milan ; 4h30 pour Rome (www.baricentrale.it). De Bari, le ferrovie Appulo Lucane dessert **Matera** ; pour le **promontoire du Gargano** : Foggia et Bari sont très bien reliés à San Severo de laquelle part, entre autres, un

À FAIRE AVANT DE PARTIR

omnibus pour Peschici (www.ferrovie-delgargano.com). Plus au sud, il existe la ligne **Bari-Brindisi-Lecce** (un train toutes les heures, compter 35mn entre Lecce et Brindisi ; 1h30 entre Brindisi et Bari). La ligne **Lecce-Gallipoli** (environ 1h) est active plusieurs fois par jour. Pour **Otrante**, il faut changer à Maglie.
Tarente est très bien desservie par les trains de Trenitalia et de la Compagnie régionale Ferrovie del Sud-Est.
Pour obtenir des **réductions**, penser à se renseigner auprès de la SNCF en France et des chemins de fer belge (SNCB) et suisse (CFF).

EN BUS

De Paris (départ de la gare de Gallieni pour Rome), plusieurs liaisons hebdomadaires (lundi, mercredi, vendredi, samedi) sont assurées par la compagnie Eurolines ; se renseigner au 55 r. St-Jacques, 75005 Paris, ℘ 01 43 54 11 99 ou avenue du Général-de-Gaulle, BP 313, 93541 Bagnolet Cedex, ℘ 0 892 899 091, www.eurolines.fr et www.eurolines.be. Exemple : pour un départ de Paris (Gallieni) le mercredi à 17h15, on arrive à Rome le jeudi à 15h30. Compter autour de 180 € AR.

EN AVION

Les principales villes d'Italie sont reliées aux capitales et autres grandes villes de France, de Belgique et de Suisse. Se renseigner auprès des agences de la ville de départ. Les principales **compagnies régulières** sont : la compagnie nationale italienne **Alitalia** *(www.alitalia.com)*, **Air France** *(www.airfrance.fr)*, **Swiss International Air Lines** *(www.swiss.com)*.
Les aéroports desservis quotidiennement au départ de Paris sont ceux de Turin, Milan, Venise, **Rome**, Pise, Bologne, Gênes.

Compagnies « low cost »

Ces dernières années nombre de lignes ouvertes par des **compagnies aériennes à bas coût** (low cost) se sont multipliées entre la France, la Suisse, la Belgique et l'Italie ; plus précisément aux départs de Paris et de Lyon, de Bâle-Mulhouse, Genève, de Bruxelles pour les villes de Rome et de Naples en vols directs.
Easyjet (www.easyjet.com) de Paris (Orly), de Lyon (Satolas), Bâle-Mulhouse, Genève, à destination de Rome Ciampino. Les prix sont particulièrement attractifs au départ de Lyon.
Meridiana (www.meridiana.com) entre Paris (CDG) et Naples.

Bâteau de croisière au large de Capri.

Ryanair (www.ryanair.com) qui part de l'aéroport Paris Beauvais/Tillé (www.aeroportbeauvais.com) pour l'aéroport de Rome Ciampino.
Virgin express (www.virgin-express.com) entre Bruxelles et Rome.
Vueling (www.vueling.com) de l'aéroport Paris CDG pour Roma Fiumicino. (voir les nouvelles propositions que ne manquera pas de faire **Transavia-France**, la filiale low cost d'Air France : www.transavia.com).
Pour trouver des tarifs attractifs on peut consulter quelques **sites de réservations** parmi lesquels : www.fr.lastminute.com, www.ebookers.fr, www.edreams.com, www.anyway.com, JeReserve.com/Avion, www.lookvoyages.fr, www.avion.fr, www.expedia.fr.

EN BATEAU

Des liaisons sont assurées au départ de Marseille, Toulon, Nice et la Corse vers la Sicile et la Sardaigne. On peut s'informer auprès de la SNCM société nationale maritime méditerranée ferry Corse (℘ *0 891 702 802, www.sncm.fr*), et la CMN (℘ *0 810 201 320, www.cmn.fr*).
Îles mineures – *Voir les encadrés pratiques propres à chaque île.*

Qu'emporter

Rien de plus que ce que vous prendriez pour voyager en France, exception faite d'un petit dictionnaire franco-italien, l'anglais étant moins parlé que le français dans le sud de l'Italie et ce en raison des nombreux Italiens venus travailler en France dans les années 1960. Si vous voyagez en voiture, n'oubliez pas de prendre les cartes Michelin en liaison avec votre itinéraire *(voir p. 15)*. Si vous utilisez un appareil photo argentique, emportez des pellicules car il est difficile d'en trouver en dehors de Rome et de Naples.

ORGANISER SON VOYAGE

ITALIE DU SUD PRATIQUE

Adresses utiles

OÙ S'INFORMER

Offices de tourisme

En Italie, dans une grande partie des capitales de province, il existe un office provincial de tourisme portant le nom de **APT (Azienda di Promozione Turistica)** ; dans d'autres provinces, le nom est **EPT (Ente Provinciale per il Turismo)** ; dans chaque station touristique, une **Azienda Autonoma di Soggiorno, Cura e Turismo (AS)**, qui fait office de syndicat d'initiative, fournit les renseignements touristiques nécessaires sur la localité elle-même, rôle que remplissent ailleurs les agences **Pro Loco**.

Les principaux offices de tourisme et points d'information sont signalés au début de chaque « encadré pratique » du guide. On s'adressera de préférence à eux pour obtenir des renseignements plus précis sur une ville, une région, les manifestations touristiques ou les possibilités d'hébergement. Il fournit aussi les adresses des bureaux de l'**Automobile Club Italien (ACI)**.

Ambassades et consulats

France – Palazzo Farnese - piazza Farnese, 67 - **Rome** - ✆ 06 68 60 11 - www.france-italia.it. Consulat à **Naples**, via F. Crispi, 86 - ✆ 0 815 980 711 - www.consulfrance-naples.org

Belgique – via dei Monti Parioli, 49 - **Rome** - ✆ 06 360 95 11 et via Depretis, 78 - **Naples**, ✆ 0 815 512 111.

Suisse – via Barnaba Oriani, 61 - **Rome**, ✆ 06 80 95 71 et via dei Mille, 16 - **Naples**, ✆ 0 814 107 046.

Canada – À **Rome** : sections politique, académique, culturelle et commerciale : via Salaria, 243 - ✆ 06 854 441, et sections des visas et affaires consulaires, via Zara, 30 - ✆ 06 854 443 - www.canada.it. À **Naples**, via G. Carducci, 29 - ✆ 081 401 338.

Urgences

Quelques numéros de téléphone valables en cas d'urgence (appels gratuits) :
SOS Police Secours : ✆ 113 (Police, Croix-Rouge… n'appeler qu'en cas d'urgence absolue)
Intervention d'urgence des carabiniers : ✆ 112
Pompiers : ✆ 115
Urgences sanitaires : ✆ 118
SOS Feux de forêt : ✆ 1515
Secours routier de l'ACI : ✆ 803 116

Santé

Les pharmacies *(farmacia)* sont signalées par une croix rouge et blanc. Les jours de fermeture, on y trouve affichés les noms des médecins et de la pharmacie de garde.

Se déplacer en Italie du Sud

VOYAGER MOINS CHER

Pour les offres de logement les plus économiques, reportez-vous directement aux « encadrés pratiques », à l'intérieur des différents chapitres ; vous y trouverez des adresses de campings, de gîtes d'agritourisme, d'hôtels et de pensions, de couvents et de maisons religieuses *(pour ces dernières, voir la rubrique « Se loger » p. 24)*.

Les tarifs les plus intéressants

Train

La carte **Interrail Global Pass** vous permet de voyager librement en 2e classe dans 30 pays en Europe et en Turquie (exception faite de votre pays de résidence) pendant 12 jours, 22 jours ou 1 mois. Les tarifs varient selon l'âge du voyageur, la durée et le nombre de zones. S'informer dans les gares ou les agences de voyages agréées ou visiter le site www.interrail.net.

Selon vos projets, il sera peut-être plus intéressant de prendre la carte **Interrail One Country Pass** qui vous permet, quel que soit votre âge, de circuler librement dans un seul pays d'Europe (exception faite de votre pays de résidence) pendant 3 à 8 jours. Ces jours de libre circulation peuvent être consécutifs ou non et vous pouvez les répartir comme vous le souhaitez dans une période de validité d'un mois. Les prix dépendent de la formule choisie. S'informer dans les gares ou les agences de voyages agréées ou sur le site www.interrail.net.

Les chemins de fer italiens proposent également des promotions et des offres avantageuses. Pour consulter ces offres et réserver un billet en ligne, consulter le site www.trenitalia.com.

Avion

Les compagnies aériennes offrent des tarifs intéressants si l'on achète le billet plusieurs semaines à l'avance, mais sans possibilité de remboursement en cas d'annulation. Il existe en outre des tarifs week-end, des promotions pour les vols hors-saison ou à des horaires peu fréquentés et des réductions de dernière minute sur les invendus. Consulter les sites Internet des compagnies aériennes et des voyagistes ou se rendre dans une agence de voyage *(voir rubrique « Avion low cost » p. 17).*

Pour les jeunes et les seniors

Train
Les cartes **Interrail Global Pass** et **Interrail One Country Pass** décrites précédemment sont moins chères pour les moins de 26 ans. S'informer dans les gares ou les agences de voyages agréées ou sur le site *www.interrail.net.*
La **carte Senior** de la SNCF donne des réductions jusqu'à 25 % sur certains trajets en Italie. S'informer dans les gares ou sur le site *www.senior-sncf.com.*

Avion
Tarifs réduits pour les jeunes de plus de 12 ans et de moins de 26 ans au moment du départ.
Les plus de 60 ans au moment du départ ont droit à des réductions. Les plus de 65 ans au moment du départ bénéficient d'une réduction de 10 % sur le tarif Pex réservé aux « moins » jeunes.

Voyager en famille ou en groupe

En train
Pour les familles (2 adultes et un enfant de moins de 12 ans voyageant ensemble), l'enfant ne paye pas le voyage si les adultes voyagent avec un billet plein tarif. Les groupes d'au moins 6 personnes bénéficient d'une réduction de 20 % en 1re et 2e classes (10 % pour les Eurostar) à condition de voyager ensemble. L'offre est valable sur tous les trains, sauf en juillet, août, et pendant les périodes de Pâques et de Noël.

En avion
Les familles bénéficient de tarifs avantageux aux conditions suivantes : que le groupe familial voyage ensemble et soit composé d'au moins 4 personnes (2 adultes maximum, et 2 enfants minimum, âgés de 2 ans à moins de 12 ans), qu'au moins un des adultes soit le père ou la mère des enfants, l'autre adulte ne devant pas avoir nécessairement de lien de parenté avec le groupe familial.

EN VOITURE

Si vous n'êtes pas à l'aise en voiture mieux vaut s'abstenir de conduire en Italie. Les clichés ont parfois la vie dure, mais force est de reconnaître qu'un Italien au volant est toujours source de perplexité pour un conducteur étranger.

Location
La plupart des compagnies aériennes propose une formule vol + voiture qu'on peut réserver par Internet depuis la France, véhicule dont on prendra possession à l'aéroport. On peut aussi réserver son véhicule directement sur le site d'un loueur de voitures :
www.hertz.fr ;
www.europcar.fr ;
www.avis.fr.
Les principaux loueurs sont généralement présents dans les aéroports.

Code de la route
Le réseau routier comprend des routes départementales, des nationales et des autoroutes. Les départementales et les nationales sont balisées par des panneaux de signalisation routière bleus avec des inscriptions en blanc, les autoroutes par des panneaux verts avec des inscriptions en blanc.

Limitation de vitesse pour les voitures (moins de 3,5 t) : 130 km/h sur autoroute (depuis le 1er janvier 2003, certains tronçons d'autoroute, peuvent être limités à 150 km/h, ils sont alors signalés par un panneau), 110 km/h sur route principale hors agglomération, 90 km/h sur route secondaire hors agglomération, 70 km/h sur voie rapide (avec signalisation), 50 km/h en agglomération.

Le port de la ceinture de sécurité est obligatoire à l'avant et à l'arrière du véhicule.

Avertissements routiers – Pour les indications routières les plus communes, consulter le lexique en dernière page.

Indications touristiques – Lorsque vous circulez en voiture en Italie, les curiosités touristiques sont portées à votre attention par des panneaux de signalisation à fond jaune.

Péages
Le péage sur les autoroutes italiennes peut être effectué en espèces ou avec la carte Viacard. Cette carte magnétique est en vente dans les bureaux régionaux de l'Automobile Club français et, en Italie, à l'entrée des autoroutes, dans les restaurants Autogrill ou dans les bureaux de l'ACI (Automobile Club Italiano).

ORGANISER SON VOYAGE

Distances en km	Bari	Brindisi	Consenza	Lecce	Matera	Naples	Reggio	Rome	Salerne	S.M. Leuca
Bari		115	305	150	70	260	475	430	240	220
Brindisi	115		305	40	140	375	530	545	320	110
Consenza	305	305		370	210	315	190	525	265	390
Lecce	150	40	370		165	410	515	580	350	70
Matera	70	140	210	165		255	390	465	200	220
Naples	260	375	315	410	255		500	230	55	480
Reggio	475	530	190	515	390	500		710	450	565
Rome	430	545	525	580	465	230	710		270	650
Salerne	240	320	265	350	200	55	450	270		400
S.M. Leuca	220	110	390	70	220	480	565	650	400	

Parking

Le stationnement est souvent réglementé dans les grandes villes comme dans les petites. Pour le stationnement payant (le plus souvent de 8h à 20h avec parfois une pause gratuite entre 13h et 16h, heure de la sieste dans le Sud), généralement signalé par des lignes bleues au sol, il vous faudra soit vous servir d'un horodateur, soit acheter des cartes de stationnement à gratter dans les bureaux de tabac, kiosques à journaux ou cafés (« *gratta e parcheggia* »), soit payer votre dû à un préposé. Pour le stationnement limité, vous devrez vous reporter aux panneaux : les deux marteaux croisés indiquent les jours ouvrables tandis que la croix indique le dimanche et les jours fériés.

Il est fréquent de trouver des parkings surveillés par des **gardiens**, en particulier dans la région de Naples. Se renseigner sur les tarifs avant de se garer, afin d'éviter toute surprise désagréable. Il est cependant conseillé, dans le Sud, d'accepter ces conditions plutôt que de laisser sa voiture sans surveillance.

Dans de nombreuses villes, de grands panneaux rectangulaires portant l'inscription « **Zona a traffico limitato riservata ai veicoli autorizzati** » ceinturent le centre historique. Ils signalent le début d'une zone à trafic limité (réservée aux véhicules autorisés) : éviter de pénétrer dans ces quartiers anciens, aux rues généralement très étroites, voire sans trottoirs, et prévoir de se garer impérativement en dehors.

Si jamais vous étiez verbalisé pour dépassement d'horaire par exemple, la contravention peut être réglée soit au bureau de police soit dans n'importe quelle poste italienne.

Cartes et plans

Outre les **cartes Michelin** *(voir p. 15)*, vous pouvez vous référer aux cartes au 1/200 000 couvrant les différentes régions du pays qu'édite le **Touring Club Italien (TCI)**, corso Italia 10, 20122 Milano, 02 85 261.

Carburant

Super = essence super.
Senza piombo = essence sans plomb, indice d'octane 95.
Super Plus ou Euro Plus = essence sans plomb, indice d'octane 98.
Sur les **routes**, les stations-service ferment généralement de 12h30 à 15h. Le règlement peut être effectué directement sur certaines pompes, soit par carte de crédit, soit en liquide.

EN AVION

Les vols intérieurs sont assurés par la compagnie nationale italienne Alitalia. Ils sont relativement chers mais si l'on s'y prend suffisamment à l'avance on peut obtenir de bonnes promotions (www.alitalia.fr.)

EN TRAIN

Le réseau des chemins de fer italiens (**Ferrovie dello Stato**) est plutôt dense et fiable surtout pour les lignes reliant les grandes villes (*Intercity* ou *Eurostar*). La qualité de service pour les lignes régionales est moins rigoureuse aussi bien en temps qu'en nombre de points desservis (le train est presque inexistant en Calabre, en Basilicate et dans les Pouilles).
Pour le détail des liaisons voir p. 16.

L'innovation a de l'avenir quand elle est toujours plus propre, plus sûre et plus performante.

Le pneu vert MICHELIN Energy dure 25 % plus longtemps*.
Il permet aussi 2 à 3 % d'économie de carburant
et une réduction d'émission de CO_2.

* en moyenne par rapport aux pneus concurrents de la même catégorie

MICHELIN
Une meilleure façon d'avancer

ORGANISER SON VOYAGE

EN BUS

C'est le moyen le plus économe et souvent le seul outil de transport pour se déplacer en Italie du Sud. Il n'y a pas de compagnie nationale mais de multiples compagnies privées qui ont parfois le monopole de leur région avec des prix donc en conséquence.

EN BATEAU

Reliées au reste de l'Italie par des navettes et des hydroglisseurs, les nombreuses îles d'Italie sont des destinations touristiques très fréquentées, surtout pendant l'été. Il est par conséquent conseillé de réserver longtemps à l'avance son billet, en particulier si l'on souhaite traverser avec son véhicule ou voyager en cabine. Les jeunes ou les plus « sportifs » feront la traversée sur le pont : une réservation est alors préférable mais non nécessaire (il est possible d'obtenir un billet en se présentant à l'embarquement quelques heures avant le départ).

Dans tous les cas, pour obtenir des informations détaillées, consulter le Guide Michelin Italia de l'année qui fournit les adresses, numéros de téléphone et durée indicative de la traversée.

Sardaigne – Les principales liaisons sont assurées par les mêmes compagnies :
– la Tirrenia Navigazione *(www.tirrenia.it)* : Civitavecchia/Cagliari, Olbia ou Arbatax ; Gênes/Cagliari, Olbia, Arbatax ou Porto Torres ; La Spezia/Olbia ; et Naples/Cagliari ;
– la Sardinia Ferries *(www.corsicaferries.com)* : Livourne/Golfo Aranci, Civitavecchia/Golfo Aranci, Plombino/Golfo Aranci ;
– la Grandi Navi Veloci *(www1.gnv.it)* : Gênes/Olbia ou Porto Torres.

Se loger

LES ADRESSES DU GUIDE

Pour que votre séjour soit le plus agréable possible, nous avons sillonné toute l'Italie pour repérer les gîtes d'agritourisme, les hôtels, les restaurants, et même des campings, les plus représentatifs possibles de la Péninsule, que ce soit par leur position remarquable ou par leur cuisine traditionnelle. Nous avons pris en compte tous les types de budgets, en n'oubliant pas les plus jeunes.

Le Guide Michelin Italia de l'année recommande un choix d'hôtels beaucoup plus large.

N'oubliez pas que les prix des chambres augmentent sensiblement (entre 20 et 50 % selon les lieux) en haute saison et qu'il est préférable de réserver assez tôt. Une réservation par Internet peut permettre parfois une réduction de 10 %. Si vous voulez limiter vos frais et si vous voyagez par vos propres moyens, n'hésitez pas à loger loin des villes : vous bénéficierez souvent d'un service agréable et d'un bon rapport qualité/prix.

NOS CATÉGORIES DE PRIX

Au fil des pages, vous découvrirez nos **encadrés pratiques**, sur fond vert. Ils présentent une sélection d'établissements dans et à proximité des villes ou des sites touristiques remarquables auxquels ils sont rattachés. Pour repérer facilement ces adresses sur nos plans, nous leur avons attribué des pastilles numérotées.

Les prix que nous indiquons sont ceux pratiqués en **haute saison** ; hors saison, de nombreux établissements proposent des tarifs plus avantageux, renseignez-vous… Dans chaque encadré, les adresses sont classées en quatre catégories de prix pour répondre à toutes les attentes *(voir le tableau ci-dessous)*.

Premier prix – Choisissez vos adresses parmi celles de la catégorie ⊖ : vous trouverez là des hôtels, des chambres d'hôte simples et conviviales et des tables souvent gourmandes, toujours honnêtes.

Prix moyen – Votre budget est un peu plus large. Piochez vos étapes dans les adresses ⊖⊖. Dans cette catégorie, vous trouverez des maisons, souvent de charme, de meilleur confort et plus agréablement aménagées, animées par des passionnés, ravis de vous faire découvrir leur demeure et leur table. Là encore, chambres et tables d'hôte sont au rendez-vous, avec également des hôtels et des restaurants plus traditionnels, bien sûr.

Haut de gamme – Vous souhaitez vous faire plaisir, le temps d'un repas ou d'une nuit, vous aimez voyager dans des condi-

NOS CATÉGORIES DE PRIX		
	Se restaurer (prix déjeuner)	**Se loger** (prix de la chambre double)
⊖	jusqu'à 20 €	jusqu'à 80 €
⊖⊖	20 à 50 €	80 à 130 €
⊖⊖⊖	50 à 70 €	130 à 180 €
⊖⊖⊖⊖	plus de 70 €	plus de 180 €

tions très confortables ? Les catégories ❀❀❀ et ❀❀❀❀ sont pour vous... La vie de château dans de luxueuses chambres d'hôte pas si chères que cela ou dans les palaces et les grands hôtels : à vous de choisir ! Vous pouvez aussi profiter des décors de rêve de lieux mythiques à moindres frais, le temps d'un brunch ou d'une tasse de thé... À moins que vous ne préfériez casser votre tirelire pour un repas gastronomique dans un restaurant renommé. Sans oublier que la traditionnelle formule « tenue correcte exigée » est toujours d'actualité dans ces élégantes maisons !

LES DIFFÉRENTS TYPES D'HÉBERGEMENT

Les hôtels et pensions

Il n'est pas toujours facile de faire la différence entre une pension et un hôtel. Habituellement, une pension est une petite structure familiale, parfois située dans un immeuble résidentiel, qui offre un confort de base (en particulier, les chambres sont souvent dépourvues de salle de bains).

Dans tous les cas, avant de réserver, il vaut mieux vérifier les prix par téléphone car ils peuvent varier en fonction de la période ou de la disponibilité des chambres. En raison du nombre limité de chambres par rapport à la demande, les hôteliers vous demanderont une confirmation par fax avec indication d'un numéro de carte de crédit.

« Agritourismo »

C'est ce qui correspond à nos gîtes ruraux. Dans la plupart des cas, la formule prévoit l'hébergement et la possibilité de goûter aux produits et spécialités de la ferme (huile, vin, miel, légumes et viande). Ces dernières années, certaines régions italiennes ont connu un véritable boom de l'agrotourisme et la formule se fait parfois si raffinée que le client est traité aussi bien que dans les meilleurs hôtels (en termes de prix aussi, il faut bien le reconnaître !). Dans certaines structures, vous pourrez vous régaler d'un repas préparé avec les produits de l'exploitation ; dans d'autres, votre appartement sera équipé d'un coin cuisine, ce qui vous permettra d'être totalement autonome. Il existe également des gîtes qui ne proposent que le petit-déjeuner. Concernant les établissements inclus dans le guide, il est généralement possible de ne rester qu'une seule nuit, mais, pendant la haute saison, certains gîtes privilégient les séjours à la semaine ou proposent une formule avec demi-pension ou pension complète pour un séjour d'une durée minimum. Les prix de ces formules ne sont indiqués que lorsque celles-ci sont obligatoires.

Notez également que, dans la plupart des cas, les gîtes proposent seulement des chambres doubles et que le prix indiqué se réfère par conséquent à une chambre pour deux personnes ; si vous voyagez seul, vous pouvez toujours essayer de négocier le prix, on ne sait jamais ! Dans tous les cas, vu le succès croissant de ce genre d'établissements, nous ne pouvons que vous recommander de réserver très longtemps à l'avance.

Pour avoir les coordonnées et caractéristiques des gîtes, se procurer dans toute bonne librairie italienne les guides *Vacanze e Natura* (édité par l'Associazione Terranostra, ☎ (00 39) 06 46 82 368 ou 06 46 82 370, www.terranostra.it), *Vacances à la ferme* (édité en français par l'**Associazione Agriturist** – ☎ (00 39) 06 68 52 337, www.agriturist.it), *Guida all'Agriturismo* de Demetra et *Vacanze Verdi*, publié par Edagricole, qui offrent une sélection de plus de 400 adresses.

Pour plus d'informations, on peut aussi contacter **Turismo Verde** (Via Mario Fortuny, 20, Roma – ☎ (00 39) 06 32 401 111, www.turismoverde.it).

Les Bed and Breakfast

Si vous cherchez un autre mode de logement pour un prix intéressant, vous pourrez aussi loger chez l'habitant. Vous serez hébergés chez un particulier qui mettra à votre disposition plusieurs chambres (en général de 1 à 3). Sachez qu'une durée minimum de séjour est souvent demandée, et que les cartes de crédit sont rarement acceptées. En règle générale, cependant, les Bed and Breakfast vous offrent une ambiance plus intime et plus familiale qu'un hôtel, à des prix compétitifs.

Pour avoir une vue d'ensemble du secteur, contactez les **Bed & Breakfast Italia**, Palazzo Sforza Cesarini, corso Vittorio Emanuele II, 282, 00186 Roma, ☎ (00 39) 06 68 78 618, fax ☎ 06 68 78 619, www.bbitalia.it., ou les **Bed & Breakfast Bon Voyage**, via Procaccini, 7, 20154 Milano, ☎ (00 39) 02 33 11 814 - fax 02 33 13 009 - www.bbbv.it. Voir également les sites : www.dolcecasa.it et www.caffelletto.it.

Les campings

Malgré leur nombre limité et la distance qui les sépare du centre-ville, les campings permettent de se loger, pour un prix très abordable, dans un cadre souvent verdoyant. Ils disposent en général d'un restaurant, d'un bar et d'un petit magasin d'alimentation, et parfois même d'une piscine : certains mettent à votre disposition des bungalows ou des mobile homes d'un confort moins spartiate. Renseignez-vous directement auprès des campings pour les tarifs. Les prix indiqués dans le guide s'entendent par nuit, pour deux personnes et un emplacement de tente.

Pour toute information, adressez-vous à la **Federazione Italiana del Campeggio e del Caravanning**, via Vittorio Emanuele, 11, 50041 Calenzano (FI), ℘ 055 88 23 91 - fax 055 88 25 918 - www.federcampeggio.it

Les auberges de jeunesse

Réservées aux seuls membres. La carte peut être facilement obtenue auprès de n'importe quelle auberge associée à la Fédération et permet de séjourner dans les centaines d'auberges situées dans le monde entier. Il n'y a pas de limite d'âge et la carte est valable une année. À côté de ces auberges officielles existent de nombreuses structures, fréquentées surtout par des jeunes, et qui proposent des dortoirs ou des chambres à plusieurs lits pour des prix intéressants. Pour une vue d'ensemble de ces établissements, voir les sites www.italiayhf.org et www.hostels-aig.org.

En Italie, ces auberges sont gérées par l'Association italienne des Auberges de jeunesse (l'**Associazione Italiana Alberghi per la Gioventù** ou **AIG**), via Cavour, 44 - 00184 Roma - ℘ 06 48 71 152.

Les couvents et maisons religieuses

C'est une façon économique de passer une nuit dans une grande ville. Le cadre est simplissime, mais soigné. Seul inconvénient : le « couvre-feu » ! Il faut être rentré vers 22h30 ou 23h. Pour toute information, contacter les offices de tourisme ou le Centre italien de tourisme social, Association pour l'hébergement religieux (CITS, Centro Italiano Turismo Sociale, Associazione dell'ospitalità religiosa) - ℘ 06 48 73 145 - www.citsnet.it.

Se restaurer

Les horaires des restaurants varient d'une région à l'autre (ils ouvrent et ferment souvent plus tard dans le Centre et au Sud). En règle générale, ils sont ouverts de 12h30 à 14h30 et le soir de 19h30 à 23h. Le service est souvent compris, mais il est de coutume de laisser un pourboire. Les rares cas où le service n'est pas compris ont été indiqués : après le prix, vous trouverez le pourcentage à appliquer en sus. Le pain et le couvert *(pane e coperto)* devraient être inclus dans le prix, mais dans certaines trattorias, et surtout dans les pizzerias, ils sont le plus souvent comptés à part.

Rappelez-vous que les cartes de crédit sont rarement acceptées dans les petits restaurants et dans les trattorias familiales.

Pour toute information sur la cuisine italienne, reportez-vous au chapitre « Gastronomie » p. 93.

LES DIFFÉRENTS TYPES DE RESTAURATION

Restaurants, trattorias et « osterie »

Il n'est plus si facile aujourd'hui de distinguer nettement ces trois types d'établissements : en règle générale, dans un restaurant, vous trouverez un service et un cadre soignés, voire élégants ; dans une trattoria ou une osteria, de gestion familiale, on vous servira une cuisine authentique à des prix plus abordables, dans une atmosphère animée et conviviale, arrosée d'un pichet de vin maison (de qualité variable). Dans les trattorias typiques, ne vous étonnez pas si le serveur ou le propriétaire vous énonce à haute voix la liste des plats du jour ; pour éviter toute mauvaise surprise au moment de l'addition, n'hésitez pas à demander un menu ! Attention au menu touristique, le choix est parfois très limité. On vous proposera en général une carte offrant une bonne sélection de vins régionaux.

Pizzerias et repas sur le pouce

La pizza est souvent une alternative savoureuse, rapide et économique à un véritable repas au restaurant. Nous vous signalons dans ce guide quelques pizzerias que nous avons particulièrement appréciées. Toutefois, étant donné le nombre de ces établissements, il y a de grandes chances que ce soit vous qui nous recommandiez de nouvelles adresses « immanquables », découvertes au hasard d'une promenade. Les prix des pizzas ne sont pas indiqués pour chaque établissement ; on compte en moyenne 13 € par personne, boisson comprise.

Pour ceux qui souhaitent prendre un repas sur le pouce, notamment le midi, nous avons également choisi quelques adresses où vous trouverez aussi bien des sandwichs (délicieux !) que des plats du jour. De même que pour les pizzerias, les prix ne sont pas indiqués, mais comptez qu'un sandwich vous coûtera en moyenne 5 €, et un plat du jour 10 €, boisson comprise.

Bars à vins et œnothèques

Étant donné la richesse œnologique du pays, les bars à vins et les œnothèques ont connu ces dernières années un large succès. Ils proposent souvent des plats du jour et des amuse-gueules, mais vous y trouverez surtout un très grand choix de vins, servis à la bouteille ou au verre.

ET AUSSI…

Si d'aventure, vous n'avez pas pu trouver votre bonheur parmi nos adresses, vous pouvez consulter le Guide Michelin Italia. Pour chaque restaurant, les prix minimum et maximum sont indiqués, auxquels s'ajoutent de nombreux renseignements pratiques. Les symboles « **bib gourmand** » ou « **petites pièces** » indiquent un excellent rapport qualité/prix.

Terrasse sur la Piazza Navona à Rome.

L'Italie du Sud au quotidien

ACHATS

Avant même d'essayer, sachez que les tailles des vêtements italiens ne correspondent pas aux tailles françaises : retirez 2 tailles pour obtenir la taille française (un 44 italien correspond à un 40 français).
À l'inverse, pour les pointures de chaussures, ajoutez-en une (un 37 italien correspond à un 38 français).

Horaires d'ouverture

Dans le centre des grandes villes, les magasins restent généralement ouverts à l'heure du déjeuner. Les autres adoptent l'horaire suivant : 9h-12h, 15h30-19h30. Beaucoup de magasins restent ouverts tard le soir dans les stations balnéaires.

ARGENT

Devises
Depuis début 2002, la lire a laissé place à l'euro. Pour les Français et les Belges, aucun change n'est à prévoir.

Banques
Elles sont généralement ouvertes de 8h30 à 13h30 et de 15h à 16h, et fermées le samedi, le dimanche et les jours fériés.
Pour les ressortissants de pays n'appartenant pas à l'UE, on peut également changer de l'argent à la poste (sauf les chèques de voyage) et dans les agences de change. Une commission est toujours perçue.
Quelques appareils automatiques assurent également le change à partir de billets de banque suisses.

Cartes de crédit
Il est de plus en plus courant de pouvoir payer par carte, les commerçants et les établissements hôteliers (tout particulièrement dans les grandes villes) s'étant équipés des appareils nécessaires.
Attention, avant de partir, vérifiez bien de quel plafond de retrait vous disposez chaque semaine. Si celui-ci vous semble insuffisant n'hésitez pas à modifier votre contrat bancaire avant de partir et assurez-vous du montant des commissions perçues par votre établissement bancaire pour chaque retrait fait à l'étranger. Une fois sur place si vous êtes à cours de liquide et que votre autorisation de retrait est dépassée, ne comptez pas trop sur un transfert de fond entre votre banque et une banque locale, la grande majorité des banques – et ceci est particulièrement vrai dans le Sud de l'Italie (Bari excepté et encore…) – étant incapable de faire ce genre d'opérations. L'astuce consistera à se faire prêter de l'argent par l'hôtel (où l'on a passé la nuit) qui débitera le compte d'un de vos proches (au-delà de ce que vous avez consommé pour avoir du liquide disponible), moyennant communication de son numéro de carte de crédit et photocopie de son passeport envoyé par fax ou mail.
Le Guide Michelin Italia signale les cartes de crédit acceptées par les hôtels et restaurants sélectionnés, lorsque ces établissements permettent ce type de paiement.
Les distributeurs automatiques acceptent généralement toutes les cartes de crédit internationales.
Une dernière recommandation : il est rare en Italie de composer son code dans

les magasins, une signature suffit ; faites donc bien attention à ne pas vous faire dérober votre carte, les voleurs peuvent l'utiliser facilement ! Pensez à prendre avec vous les coordonnées téléphoniques permettant de faire opposition en cas de perte ou de vol de votre carte de crédit.

ÉLECTRICITÉ

Le voltage est le même qu'en France (220 V), mais l'écartement des prises de branchement varie parfois quelque peu par rapport aux normes françaises : il est recommandé en conséquence de se munir d'un adaptateur.

HEURE

L'Italie est à la même heure que la France, la Belgique et la Suisse, et applique l'heure d'été à la même date. Les Italiens appellent l'heure d'été « heure légale », l'heure d'hiver « heure solaire », et se réfèrent aux actes de changement d'heure lorsqu'ils divisent sommairement l'année en deux : l'été et l'hiver (ceci est vrai tout particulièrement pour les horaires d'ouverture des musées et monuments).

Aperçu du forum de Pompéi.

M. Zabatino / MICHELIN

HORAIRES DE VISITE

Dans la partie descriptive du guide, les conditions de visite des monuments sont précisées. Ces informations sont données à titre indicatif dans la mesure où les prix peuvent varier et les horaires être modifiés pour cause de restauration. Il est donc conseillé de téléphoner auparavant.

Ces indications sont valables pour les touristes voyageant seuls et ne bénéficiant d'aucune réduction. Pour les ressortissants de l'UE, beaucoup d'institutions prévoient l'entrée gratuite pour les moins de 18 ans et les plus de 65 ans, et une réduction de 50 % pour les moins de 25 ans. Renseignez-vous à la caisse avant d'acheter votre billet. Pour les groupes, il est généralement possible d'obtenir des conditions particulières concernant les horaires et les tarifs, sous réserve d'accord préalable.

À l'occasion de la Semaine du patrimoine (Settimana dei Beni Culturali), dont la date est fixée d'une année sur l'autre, certaines institutions publiques ouvrent leurs portes gratuitement. Informations plus détaillées auprès des Offices de tourisme.

Si, dans un musée, une église ou une institution, un gardien vous accompagne pendant votre visite, il est d'usage de lui laisser un pourboire.

Musées, sites archéologiques et parcs

La plupart des musées stoppent leur billetterie une demi-heure ou une heure avant la fermeture. Cette règle, rigoureusement appliquée, rend pratiquement impossible l'entrée dans un musée à quelques minutes de sa fermeture. En général, ils sont fermés le lundi.

Les monuments archéologiques et les parcs publics ferment environ une heure avant le coucher du soleil, selon l'horaire suivant :

– du 1er novembre au 15 janvier : de 9h à 15h ;

– du 16 janvier au 15 février : de 9h à 15h30 ;

– du 16 février au 15 mars : de 9h à 16h ;

– du 16 mars au dernier jour de l'heure d'hiver : de 9h à 16h30 ;

– du premier jour de l'heure d'été au 15 avril : de 9h à 17h30 ;

– du 16 avril au 1er septembre : de 9h à 18h ;

– du 2 septembre au dernier jour de l'heure d'été : de 9h à 17h30 ;

– du 1er au 31 octobre : de 9h à 16h.

Dans de nombreux musées, les sacs doivent être déposés au vestiaire. En outre, l'usage du flash est généralement interdit.

Églises

En règle générale, elles sont fermées de 12h à 16h. Lorsque leur ouverture est soumise à un horaire différent, celui-ci est précisé dans les conditions de visite. Les grandes basiliques sont ouvertes de 7h à 18h.

Une tenue appropriée est de mise (pantalons pour les hommes, jupes d'une longueur correcte et épaules couvertes pour les femmes). Le personnel responsable est habilité à refuser l'entrée aux visiteurs ne respectant pas cette règle.

ITALIE DU SUD PRATIQUE

Les visites sont interdites pendant les offices. Il est préférable de programmer la visite le matin, car, pour des problèmes de personnel, les églises n'arrivent pas toujours à assurer l'ouverture de l'après-midi ; en outre, on peut le matin bénéficier d'un meilleur éclairage naturel de l'intérieur. Il est également utile d'avoir de la monnaie pour l'éclairage de certaines œuvres. Il est conseillé de se munir de jumelles afin de pouvoir admirer dans les meilleures conditions les œuvres d'art situées en hauteur.

Visites guidées

Les agences de voyages donnent tous les renseignements utiles. On peut également contacter le Sindacato Nazionale CISL, Centro Guide Turistiche, via Santa Maria alle Fornaci, 8 - ☏ 06 63 90 409.

JOURS FÉRIÉS

Un jour férié se dit *giorno festivo*, un jour ouvrable *giorno feriale*. Sont fériés les 1er et 6 janvier, dimanche et lundi de Pâques, 25 avril (anniversaire de la libération de 1945), 1er Mai, 15 août (Ferragosto), 1er novembre, 8, 25 et 26 décembre. De plus, en Italie, chaque ville fête son saint patron *(Voir la rubrique « Événements » p. 31)*.

POSTE

Les bureaux de poste sont ouverts de 8h30 à 13h50 (11h50 le samedi). Dans les grandes villes, certains bureaux de poste sont ouverts l'après-midi jusqu'à 18h les jours ouvrables, et le samedi jusqu'à 14h.

Les timbres *(francobolli)* sont en vente dans les postes et les bureaux de tabac. Pour des envois en Italie et en Europe, comptez 0,41 € pour une lettre au tarif normal *(posta ordinaria)* jusqu'à 20 g, et 0,62 € pour une lettre ordinaire expédiée par courrier prioritaire *(posta prioritaria)* jusqu'à 20 g.

En Italie, les boîtes aux lettres sont rouges. Les lettres pour l'étranger peuvent aussi être postées dans les boîtes aux lettres bleues réservées au courrier international que vous trouverez dans les grandes villes italiennes.

PRESSE

La presse est très décentralisée, tout au moins en ce qui concerne les quotidiens, presque toutes les grandes villes ayant le leur. Toutefois, *La Repubblica* de Rome, le *Corriere della Sera* de Milan et *La Stampa* de Turin sont diffusés dans tout le pays, ainsi que le plus important quotidien économique *Il Sole 24 ore* de Milan.

La passion des Italiens pour le sport permet, en outre, à plusieurs quotidiens sportifs de paraître conjointement dont *La Gazzetta dello Sport* de Milan et *Tuttosport* de Turin, auxquels s'ajoute l'hebdomadaire *Guerin Sportivo*.

TÉLÉPHONE

Les cabines à pièces tendent à disparaître et vous ne trouverez quasiment plus que des cabines à carte. On peut se procurer des cartes magnétiques *(scheda telefonica)* dans les agences Telecom Italia ainsi que dans les bureaux de tabac. Prix des cartes : 1 €, 2,50 €, 5 €, 7,50 € et 10 €. Ne pas oublier de détacher le coin prédécoupé pour que la carte fonctionne ! Parmi les numéros utiles :

☏ **176** : **Renseignements internationaux** (International Directory Assistance). Fournit des informations sur les numéros de téléphone à l'étranger, en italien et en anglais. Service payant.

☏ **170** : **Appels internationaux par l'intermédiaire d'opérateurs** (Operator Assisted International Calls). Service payant.

Appels internationaux
Appels depuis l'Italie :
– vers la France : 00 + 33 + le n° du correspondant sans le 0 initial ;
– vers la Belgique : 00 + 32 + n° de la zone sans le 0 + n° du correspondant ;
– vers le Luxembourg : 00 + 352 + n° de la zone sans le 0 + n° du correspondant ;
– vers la Suisse : 00 + 41 + n° de la zone sans le 0 + n° du correspondant.

Appels vers l'Italie :
depuis la France, la Belgique, le Luxembourg et la Suisse : 00 + 39 + n° du correspondant (avec le 0 pour les téléphones fixes, sans le 0 pour les portables).

Appels à l'intérieur du pays

Composer l'indicatif de la ville commençant toujours par 0 + le n° du correspondant. En Italie, les numéros n'ont pas été uniformisés et comportent 5 à 10 chiffres. Les numéros de téléphone mobile commencent par 3.

ORGANISER SON VOYAGE

À FAIRE ET À VOIR

Activités et loisirs de A à Z

L'Italie possède un territoire à la morphologie très variée, à même de satisfaire tous les goûts. Les côtes sont un véritable paradis pour les adeptes de la natation, de la planche à voile… ou des siestes sur la plage. Ainsi le littoral adriatique, aux eaux peu profondes et aux plages étendues conviendra particulièrement aux familles avec des enfants ; les côtes tyrrhéniennes et ioniennes, plus escarpées, permettent des baignades dans de superbes décors naturels. De vastes espaces naturels préservés, constitués en parcs régionaux ou nationaux, offrent la possibilité de randonner dans un havre de verdure souvent sauvage. Pour toute information sur les activités sportives, vous pouvez vous adresser aux offices de tourismes régionaux ou locaux dont les adresses figurent dans l'encadré pratique de chaque chapitre.

Randonnée dans les Abruzzes.

LES PARCS

Ils constituent le but d'un voyage privilégiant par excellence le contact avec la nature. Pour plus de précisions sur les activités proposées dans ces parcs, adressez-vous aux centres d'information dont les adresses figurent dans les encadrés pratiques des chapitres concernés.

Abruzzes
– le **Parc du Gran Sasso**, au nord-est de L'Aquila, abrite les sommets les plus spectaculaires, très prisés des alpinistes *(voir le chapitre Parc national du Gran Sasso).*
– le **Parc des Abruzzes** s'étend sur 40 000 hectares dans le sud de la région *(voir le chapitre Parc national des Abruzzes).*
– le **Parc de la Maiella,** au nord de Sulmona, offre une végétation et une faune très diversifiées *(voir le chapitre Sulmona).*

Latium
– le **Parc du Circeo** couvre une bande littorale entre Anzio et Terracina. Il fait partie des réserves de la biosphère protégées par l'Unesco *(voir le chapitre Gaète).*

Campanie
– le **Parc du Cilento et du val de Diano** vous donnera – entre autres – l'occasion de visiter des grottes ainsi qu'un refuge aquatique *(voir le chapitre Parc national du Cilento).*
- le **Parc national du Vésuve** existe depuis 1995 et a pour mission de préserver l'extraordinaire écosystème prospérant sur les pentes du volcan *(voir le chapitre Golfe de Naples).*

Pouilles
– le **Parc du Gargano** englobe la totalité du promontoire de ce nom et s'étend jusqu'aux îles Tremiti. Il offre parmi les plus beaux paysages d'Italie *(voir le chapitre Le Promontoire du Gargano.)*

Calabre
– le **Parc du Pollino** s'étend sur les pentes du mont Pollino (2 248 m), l'un des sommets des Apennins lucano-calabrais *(voir le chapitre « Au cœur de la Calabre ».)*
– le **Parc national de la Sila** couvre les massifs boisés de la Grande et de la Petite Sila *(voir le chapitre « Au cœur de la Calabre »).*
- le **Parc national de l'Aspromonte** se situe à l'extrême pointe de la botte *(voir le chapitre « Au cœur de la Calabre »).*

Sardaigne
– le **Parc national du Gennargentu et du golfe d'Orosei** offre des paysages extrêmement variés, des sommets du Gennargentu aux calanques du golfe.
– le **Parc national de l'archipel de la Maddalena,** au nord de l'île, a été classé Parc national marin en 1994. Ses eaux émeraude et ses côtes préservées constituent un petit paradis.

SPORTS

Alpinisme – Les Apennins présentent un bon réseau de parcours et sentiers de diverses difficultés. Pour toute informa-

À FAIRE ET À VOIR

tion, s'adresser au **Club Alpino Italiano (sezione di Milano)** - *via Petrella, 19 - 20124 Milan,* ℘ *02 20 57 231- www.cai.it* ou consulter le site de la **Federazione Italiana Escursionismo** (section pour chaque région) : *www.fieitalia.it*

Canoë-kayak – Pour toute information, s'adresser à la Federazione Italiana Canottaggio - *Viale Tiziano, 74 - 00196 Roma -* ℘ *06 36 85 85 25 - www.canottagio.org* et à la Federazione Italiana Canoa e Kayak - *Viale Tiziano, 70 - 00196 Rome -* ℘ *06 36 85 84 18 - www.federcanoa.it*

Chasse – Pour toute information, s'adresser à la Federazione Italiana della Caccia – *Via Salaria, 298/a – 00199 Rome -* ℘ *06 84 40 941 – www.fidc.it*

Cyclotourisme – Pour toute information, s'adresser à la Federazione Ciclistica Italiana, *Stadio Olimpico, curva Nord, Via dei Gladiatori - 00194 Foro Italico, Rome -* ℘ *06 36 85 78 13 - www.federciclismo.it*

Équitation– Pour toute information, s'adresser à la Federazione Italiana di Turismo Equestre - *Piazza Antonio Mancini, 4 - 00196 Rome -* ℘ *06 32 65 02 30 - www.fiteec-ante.it*

Golf – Pour toute information, s'adresser à la Federazione Italiana Golf - *Viale Tiziano, 74 - 00196 Rome -* ℘ *06 32 31 825 - www.federgolf.it*

Pêche – Pour toute information, s'adresser à la Federazione Italiana Pesca Sportiva e Attività Subacquee - *Viale Tiziano, 70 - 00196 Rome -* ℘ *06 36 85 82 38 - www.fipsas.it*

Ski nautique – Pour toute information, s'adresser à la Federazione Italiana Sci nautico - *Via Piranesi, 44 - 20137 Milan -* ℘ *02 75 29 181 - www.scinautico.com*

Spéléologie – Pour toute information, s'adresser à la Società Speleologica Italiana - *Via Zamboni, 67 - 40127 Bologne -* ℘ *051 25 00 49 - www.ssi.speleo.it*

Sports d'hiver – Pour toute information, s'adresser à la Federazione Italiana Sport Invernali - *Via Piranesi, 44b - 20137 Milan -* ℘ *02 75 731 - www.fisi.org*

Voile et planche à voile Pour toute information, s'adresser à la Federazione Italiana Vela - *Piazza Borgo Pila, 40 - corte Lambruschini, Torre A, 16129 Genova -* ℘ *010 54 45 41 - www.federvela.it*

THERMALISME

L'Italie est, depuis les Étrusques, une destination privilégiée pour qui veut profiter des vertus thérapeutiques des eaux thermales, partout présentes. Les eaux thermales de l'île d'Ischia, dans le golfe de Naples, sont réputées depuis

Quand le vent est au rendez-vous...

l'Antiquité. *Pour plus de précision, consulter le site de l'ENIT (voir les « où s'informer » p. 18).*

Que rapporter

Chacune des régions d'Italie possède un patrimoine artisanal et culinaire qui fait, à juste titre, sa fierté. Nous vous présentons ici une liste de produits traditionnels région par région. Sachez que l'huile, les pâtes et toutes sortes de vins délicieux sont produits partout. Pour plus de détails, reportez-vous au chapitre « Gastronomie » *(p. 93)*.

Abruzzes : ouvrages en laine, objets en bois et en fer forgé. Jambon de pays et saucisses sèches. *Confetti* (fameuses dragées de Sulmona). *Zafferano* (safran), lentilles, pois chiches et quelques vins locaux comme le Trebbiano, ou le fameux Montepulciano.

Basilicate : sifflets en terre cuite (les *cuccù*), les santons de Matera, jarres, amphores et céramiques.

Calabre : réglisse de Rossano, bergamote, huile d'olive, céramiques de Seminara. Oignons rouges de Tropea.

Campanie : corail de Torre del Greco, majoliques de Vietri, santons à Naples.

Pouilles : les fameuses *biscotte pugliesi*, qu'on lustre avec un filet d'huile locale, les sifflets en terre cuite (*fischietti*) de Rutigliano, les figurines en *cartapesta*, (carton-pâte) de Lecce ; sont particulièrement prisés les personnages et animaux liés à la Nativité.

Latium : parapluies de Carpineto Romano, objets en cuir de Tolfa et cornemuses de Villa Latina.

Sardaigne : tapisseries en laine à dessins traditionnels (géométriques ou simples), paniers tressés (Castelsardo), objets en sucre, corail ; alliances sardes, en argent comme le veut la tradition.

ORGANISER SON VOYAGE

	👥 SITES OU ACTIVITÉS À FAIRE EN FAMILLE		
Chapitre du guide	**Nature**	**Musée**	**Loisirs**
Rome (LATIUM)		Le Colisée Le Forum romain Les Thermes de Caracalla St-Louis-des-Français La galerie Borghèse	Descendre dans les Catacombes Jeter des pièces dans la fontaine de Trevi Grimper dans la coupole de St-Pierre du Vatican
Anagni (LATIUM)			Se promener dans le quartier médiéval
Gaète (LATIUM)	Le mont Circeo Les plages de Sabaudia		
Rieti (LATIUM)			La crèche du couvent de St-François
Tarquinia (LATIUM)	La plage de Civitavecchia		
Viterbe (LATIUM)			Le parc des monstres de Bomarzo
Parc national des Abruzzes (ABRUZZES)	Excursion guidée au départ de Pescasseroli		
L'Aquila (ABRUZZES)	Le Parc régional du Sirente-Velino Les grottes de Stiffe		
Parc national du Gran Sasso (ABRUZZES)	Campo Imperatore		
Pescara (ABRUZZES)	La plage de Giulianova		
Sulmona (ABRUZZES)			Visite de l'atelier de dragées Pelino
Naples (CAMPANIE)		Crèches et santons de la chartreuse San Martino	L'aquarium de la Villa Comunale
Golfe de Naples (CAMPANIE)	Les fumerolles de Solfatara	La cité des Sciences de Bagnoli	
Capri (CAMPANIE)	La grotte Azzurra		
Caserte (CAMPANIE)			Le parc du palais royal et ses fontaines
Parc national du Cilento (CAMPANIE)	L'oasis de Persano Les grottes de Castelcivita et de Pertosa		
La Côte Amalfitaine (CAMPANIE)	Histoires et légendes dans la grotte dello Smeraldo		
Herculanum (CAMPANIE)			L'histoire dramatique des dernières heures de la cité
Pompéi (CAMPANIE)			Les maisons et les fresques qui content la terrible journée
Bari (POUILLES)	La grotte de Castellane	Le château médiéval de Castel del Monte	
Le Promontoire du Gargano (POUILLES)	Pique-niquer dans la Foresta Umbra	Le sanctuaire de San Michele	La découverte des trabucchi sur la belle route côtière de Peschici à Vieste
Lecce (POUILLES)	La côte sauvage entre Otrante et Leuca Les plages de Gallipoli		
Terre des Trulli (POUILLES)	Pique-niquer au pied d'un trulli abandonné dans un champ d'oliviers		
Matera (BASILICATE)			La découverte des Sassi (maisons troglodytiques)
Venosa (BASILICATE)		Le parc archéologique	
Au cœur de la Calabre (CALABRE)	Le centre de visite de Cupone La réserve des géants de Fallistro		
La Côte Ionienne (CALABRE)		Le château du Castella	
La Côte Tyrrhénienne (CALABRE)		Le musée ethnographique de Palmi	
Alghero (SARDAIGNE)	La grotte de Neptune		
La Barbagia (SARDAIGNE)	Les grottes d'Ispinigóli et du bœuf marin		
Barumini (SARDAIGNE)			Le village nuragique
Cagliari (SARDAIGNE)	Le jardin botanique		
La Côte d'Émeraude (SARDAIGNE)	La mer transparente	La maison de Garibaldi	

À FAIRE ET À VOIR

Voyager en famille

Le Sud de l'Italie se visite aisément en famille. Et comme dans toute l'Italie la concorde règne souvent aux heures des repas : pizza, pasta et gelato ont généralement raison des enfants les plus grincheux. Des différentes régions, les Pouilles cumulent des atouts considérables : une grotte étonnante (les cristaux de calcite de la grotte blanche de Castellana sont inoubliables), des petites maisons fascinantes (les fameux *Trulli*), des châteaux forts étonnants (l'énigmatique castel del Monte) et des plages à profusion.

Événements

Voici une liste non exhaustive des nombreuses fêtes scandant la vie des Italiens du Sud. Pour plus de détails sur la nature de ces événements présentés par ordre chronologique, on se reportera au chapitre les concernant. Pour les dates on peut vérifier auprès de l'Office National Italien du Tourisme : www.enit-france.com. Attention à ne pas confondre un *giorno festivo*, en italien jour férié et un *giorno feriale*, jour ouvrable.

6 janvier

Italie – Épiphanie (*Epifania*) mais surtout fête de la **Befana** (équivalent des Rois mages) : la gentille sorcière dépose des confiseries dans les chaussettes des enfants sages.
Rome (Latium) – Épiphanie sur la piazza Navona.

11-12 janvier

Castellana (Pouilles) – *La nuit de fanove* célèbre la fin de la peste grâce à la Madonna della Vetrana.

17 janvier

Rutigliano (Pouilles) – Fête des *Fischietti* (sifflets en l'honneur de saint Antoine).

Février

Italie – Carnaval de Mardi gras.

19 mars

Rome (Latium) – Fête de la Saint-Joseph dans le quartier de la Triomfale.

6 avril

Bitonto (Pouilles) – *Fiera di San Leone*, traditionnel défilé historique.

Vendredi saint

Rome (Latium) – Le chemin de croix du Vatican au Colisée sous la houlette du pape.
San Marco in Lamis (Gargano, Pouilles) – Procession des *fracchie*.

Semaine sainte

Tarente (**Pouilles**) – Processions de l'*Addolorata* (Notre-Dame-des-Sept-Douleurs) et des Mystères.
Civita (Calabre) – Semaine sainte célébrée selon le rite gréco-byzantin.

Dimanche de Pâques

Rome (Latium) – Bénédiction *urbi et orbi* du pape, place Saint-Pierre à 12h.
Sulmona (Abruzzes) – Fête de la *Madonna che scappa in piazza*.

21 avril

Rome (Latium) – Commémoration de la fondation de Rome près du Capitole.

25 avril

Italie – Anniversaire de la Libération de 1945.

1er Mai

Italie – Fête du travail *(Festa del Lavoro)*.
Cagliari (Sardaigne) – Fête de Sant'Efisio.

1er jeudi de mai

Cocullo (Abruzzes) – *Festa di San Domenico*.

1er samedi de mai

Naples (Campanie) – Miracle de San Gennaro (saint Janvier).

7 au 9 mai

Bari (Pouilles) – *Festa di San Nicola*.

Le jour de l'Ascension

Accettura (Matera, Basilicate) – *Festa del Maggio* : un chêne est abattu puis uni sur la place du village avec une branche de houx.

Fin mai

Sassari (Sardaigne) – *Cavalcata sarda*. Dernier dimanche de mai.
Campobasso (Molise) – *Sagra dei Misteri* : grande fête remémorant miracles et fêtes sacrées.

ORGANISER SON VOYAGE

1er dimanche de juin
Amalfi (Campanie) – Régate des quatre républiques maritimes (tous les 4 ans).

24 juin
Rome (Latium) – Fête de la Saint-Jean (Piazza di porta San-Giovanni).

27 juin
Amalfi (Campanie) – Miracle de saint André.

29 juin
Galatina (Pouilles) – Fête de Saint Paul, patron des victimes de la Tarentule. Bonne occasion de voir la danse de la Tarentelle.
Rome (Latium) – Fête de saint Pierre et saint Paul (Vatican).

Juillet
Positano (Campanie) – Rencontres cinématographiques, début juillet.
Sulmona (Abruzzes) – *La Giostra Cavalleresca* : joute chevaleresque.

2 juillet
Maratea (Basilicate) – *Festa della Madonna Bruna* : procession historique.

Mi-juillet
Bénévent (Campanie) – *Quattro notti e… più di luna piena* : spectacles de rue.
Naples (Campanie) – Fête de Santa Maria del Carmine.
Tropea (Calabre) – *Sagra della cipolla rossa* (fête de l'oignon rouge).
Rome (Latium) – *Festa de Noantri* du quartier du Trastevere.
Brindisi (Pouilles) – Festival de blues.

Fin juillet
Trani (Pouilles) – Festival de cinéma.
Martina Franca (Pouilles) – Festival de musique lyrique.
Ravello (Campanie) – Festival de musique classique.
Bova (Calabre) – *Paleariza* : festival de musique traditionnelle grecque.

15 août
Torre Padudi (près de Ruffano, Pouilles) – *Festa di San Rocco* (Tarentelle dansée avec des couteaux).

25-27 août
Ostuni (Pouilles) – *Festa di Sant'Oronzo*, en souvenir des miracles accomplis par le patron de la ville.

28-29 août
L'Aquila (Abruzzes) – *Perdonanza Celestiniana*. Festival et évocation historique portant sur le pape Célestin V.

Septembre
Viterbe (Latium) – Transport de la *macchina di Santa Rosa* (3 sept.). Festival du Mime ; Festival de la musique baroque (sept.-oct.).
Naples (Campanie) – Fête de la Madone de Piedigrotta (8 sept.).

1ère semaine de septembre
Bénévent (Campanie) – *Benevento Città Spettacolo* (festival des arts).

Mi-septembre
Barletta (Pouilles) – *La Disfida di Barletta* (Le défi de Barletta).
Naples (Campanie) – Miracle de la liquéfaction du sang de San Gennaro (19 sept.).

Dernier w.-end d'octobre
Melfi (Basilicate) – Festival international de fauconnerie.

1er novembre
Italie – Toussaint (*Ognissanti*).

8 décembre
Rome (Latium) – Immaculée Conception (Piazza di Spagna).

13-24 décembre
Lecce (Pouilles) – Marché aux *cartapesta* (figurines en papier mâché).

Noël
Messes de minuit dans la plupart des églises italiennes la nuit du 24 ; nombreuses crèches de noël.

26 décembre
Italie – Fête de saint Étienne (*Santo Stefano*).

voyage

La télé comme point de départ

Partagez les secrets des plus beaux hôtels

HÔTELS DE CHARME
Le mardi à 20h50

Évadez-vous avec les invités de marque de Philippe Gildas

RÊVES DE COMPTOIR
Le jeudi à 21h50

Saisissez les plus grands espaces

SAMEDI ÉVASION
Le samedi à 20h50

... ALLEZ JUSQU'AU BOUT DE VOS RÊVES

Allez plus loin sur www.voyage.fr   Sur le mobile, le câble, numericable et CANALSAT NOUVEAU

POUR PROLONGER LE VOYAGE

Nos conseils de lecture

HISTOIRE

Le monde grec colonial d'Italie du Sud et de Sicile, Georges Vallet, École française de Rome.
L'Amour à Rome, Pierre Grimal, Petite Bibliothèque Payot.
L'Europe des Anjou : Aventure des princes angevins du 12e au 15e s., Collectif, Somogy.
La Reine impénitente : Jeanne Ire de Naples, comtesse de Provence, Marguerite Vivoli, Cheminements.
Naples : Le Vésuve et Pompéi, Collectif, Belin/Terre des villes.
Le Sac de Rome, 1527, André Chastel, Gallimard.

ART ET ARCHITECTURE

La Renaissance italienne 1460-1500, André Chastel, Gallimard, « Quarto ».
L'Art italien, André Chastel, Flammarion, « Tout l'art ».
Peintures italiennes du 17e s. du musée du Louvre : Florence, Gênes, Lombardie, Naples, Rome et Venise, Stéphane Loire, Gallimard.
À l'ombre du Vésuve : Collections du musée national d'Archéologie de Naples, Paris Musées.
Collection « Où trouver », Hazan. Sur les chefs-d'œuvre de Rome et de Naples.

BEAUX LIVRES

Italie : Alchimie des sens, Jean-Luc Bertini, Vilo.
Dictionnaire amoureux de Naples, Jean-Noël Schifano, Plon.
Rome côté jardin, François Roche, Actes Sud.
Rome, Dominique Fernandez et Ferrante Ferranti, Editions Philippe Rey.
Ruines italiennes, photographies des collections Alinari, Vincent Jolivet, Gallimard. Photographies prises dans les années 1850-1900, présentées selon l'itinéraire logique du nord au sud.
La peinture de Pompéi, Hazan.
Les monstres de Bomarzo, André Pieyre de Mandiargues, Grasset.
Pompéi, Marisa Ranieri Panetta, Gründ.
Trésors d'Italie du Sud (exposition galerie de l'ancienne douane, Strasbourg 1998), Skira/Seuil.
Splendeurs baroques de Naples, Ed. Gourcuff Gradenigo.

RÉCITS DE VOYAGE

Voyage en Italie, Jean Giono, Gallimard.
Voyages en Italie, Stendhal, Gallimard.
Voyage en Italie, À Rome, Taine, Éditions Complexe.
Voyage en Calabre, Alexandre Dumas, Éditions Complexe.
Pompéi, Théophile Gautier, Magellan & Cie.
Italies excentriques, Giorgio Manganelli, Le Promeneur. Un récit de voyage original et poétique.

LITTÉRATURE

Chroniques italiennes, Stendhal, Folio.
Anthologie de la littérature italienne, Jean-Luc Nardone, 3 vol., PUM.
Le roman de l'Italie insolite, Jacques Saint-Victor, Éditions du Rocher.

Rome
Le goût de Rome, Mercure de France.
Six personnages en quête d'auteur, Luigi Pirandello, Gallimard.
L'Enfant de volupté, Gabriele D'annunzio, Calmann-Lévy.
Les Indifférents ; Le Conformiste ; l'Ennui ; Le Mépris, Alberto Moravia, Gallimard.
La Storia, Elsa Morante, Gallimard.
L'Affreux Pastis de la rue des Merles, Carlo Emilio Gadda, Seuil, Points.
Nouvelles romaines ; Actes impurs, Pier Paolo Pasolini, Gallimard.
Je n'ai pas peur ; Et je t'emmène, Nicoló Ammaniti, Le livre de poche.
La Modification, Michel Butor, Minuit.
Autour des sept collines, Julien Gracq, José Corti.
Mémoires d'Hadrien, Marguerite Yourcenar, Gallimard.

Un ange au Vatican.

POUR PROLONGER LE VOYAGE

La Course à l'abîme, Dominique Fernandez, Grasset (Le roman de Caravage).

Naples
Le goût de Naples, Mercure de France.
Chroniques napolitaines, Jean-Noël Schifano, Gallimard, Folio. Six histoires vraies dérobées aux archives dormantes et aux mémoires anonymes couvrant les scandales des plus puissantes familles du royaume de Naples, du 15e au 18e s.
Samedi, dimanche et lundi, Eduardo De Filippo, Éditions Théâtrales.
Dernière frontière, Bruno Arpaia, Liana Lévi. L'auteur s'attache à la grande histoire européenne d'entre-deux-guerres.
Rage de dents, Domenico Starnone, Actes Sud.
Les Princes de Francalanza, Federico de Roberto, Stock.
Le naufrageur, Francesco De Filippo, Métailié.
Tu, mio ; *Trois chevaux* ; *Montedidio*, Erri de Luca, Gallimard. Trois romans qui se nourrissent des réalités de leur ville, Naples, et teintent fortement leur langue de dialecte.
La Mer ne baigne pas Naples, Maria Ortese, Gallimard.
Porporino ou les Mystères de Naples, Dominique Fernandez, Grasset.

Capri
Le goût de Capri et autres îles italiennes, Mercure de France.
Le livre de San Michele, Axel Munthe, Albin Michel. L'histoire se passe à Anacapri.

Basilicate
Le Christ s'est arrêté à Eboli, Carlo Levi, Gallimard, Folio.
Isabella Morra, André Pieyre de Mandiargues, Gallimard.

Sardaigne
Elias Portolu ; *Braises*, Grazia Deledda, Autrement.
Mal de pierres, Milena Agus, Liana Levi.
Le Facteur de Pirafeka, Salvatore Niffoi, Zulma.

Calabre
La Ronde de Costantino ; *La Moto de Skanderbeg* ; *Entre deux mers*, Carmine Abate, Seuil. L'auteur narre sa Calabre de tradition albanaise avec brio.
Le Bel été, Cesare Pavese, Gallimard.

Pouilles
Le Soleil des Scorta, Laurent Gaudé, Actes Sud.

Pompéi
Arria Marcella, Théophile Gautier, Le Livre de Poche, Libretti.

LIVRES SUR LE CINÉMA
Le cinéma italien de 1945 à nos jours : Crise et création, Laurence Schifano, Armand Colin, collection 128.
Antonioni (entretiens et analyse des œuvres), Aldo Tassone, Flammarion, collection « Champs ».
Fellini par Fellini, entretiens avec Giovanni Grazzini, Flammarion, collection « Champs ».
Rossellini, le cinéma révélé, Petite Bibliothèque des Cahiers du cinéma.
La plus belle, c'est toi : La piu bella sei tu, Federico Patellani, Actes Sud. Photos splendides des divas du sud comme Sophia Loren et Gina Lollobrigida.

PHOTOGRAPHIE
Italia, portrait d'un pays en 60 ans de photographie, Collectif, Marval.
Hors champs, Federico Patellani, Nathan/Carré Photo.
Des Hommes, Giorgia Fiorio, Marval.
Mario Giacomelli, Phaidon.

POLARS
Sempre Caro ; *Le sang du ciel* ; *Plutôt mourir*, Marcello Fois, Points Seuil. Tétralogie sarde.
L'état des âmes ; *La peur et la chair*, Giorgio Todde (Sardaigne), Folio policiers.
Rien, plus rien au monde ; *L'Immense obscurité de la mort,* Massimo Carlotto, Métailié. Né à Padoue, l'auteur vit aujourd'hui à Cagliari (Sardaigne). Du très noir et du très poignant.
Palladion, Valerio Manfredi, Liana Levi.

POÉSIE
Anthologie bilingue de la poésie italienne, Gallimard, La Pléiade.
Canzioniere, Pétrarque, Gallimard.
Poésies, Pasolini, Gallimard.

BANDES DESSINÉES
Dans la Rome des Césars, Gilles Chaillet, Glénat.
Astérix gladiateur, Uderzo et Goscinny, Dargaud.
L'Alligator, Massimo Carlotto et Igort, Casterman.
Italia normannorum, Eramiel et Bad, Assor BD. Quand les Normands envahirent l'Italie du Sud aux 11e et 12e s.

CONTES ET LÉGENDES
Contes et légendes d'Italie, Galina Kabakova, Flies France.
Les plus belles comptines italiennes (1 CD audio), Liliana Brunello, Didier Jeunesse.

ORGANISER SON VOYAGE

Le Pentaméron ; Le conte des contes, Basile, Circé. Écrits en langue napolitaine, des contes populaires remplis d'érotisme et de cruauté.
Douze récits et légendes de Rome, Michel Laporte, Flammarion « Castor poche ».
Contes et récits des héros de la Rome antique, Jean-Pierre Andrevon, Nathan.
L'Ogre Babborco, Muriel Bloch, Didier Jeunesse. Conte de Sardaigne.
Contes napolitains, Frédéric Morvan, L'École des loisirs.

LIVRES POUR ENFANTS

Les Hommes en sucre, Gianni Rodari, Rue du Monde.
L'imagerie français-italien, Emilie Beaumon, Fleurus.

LIVRES DE CUISINE

La Cuisine italienne, histoire d'une culture, Alberto Capatti, Massimo Montanari, Seuil.
La Cuillère d'argent, Phaidon. La bible de la cuisine italienne authentique.
Naples : Balades secrètes et gourmandes en Campanie, Anna Bini, Minerva.
Saveurs de Naples et de Sicile, Souvenirs culinaires d'un Italien new-yorkais, David Ruggerio, Könemann.
Les Saveurs de Naples, Domenico Sommella, Fayard, Mille et une nuits.
La Cuisine de la Rome antique, Martina Krcmar, Aedis.
La Cuisine du Sud de l'Italie, Cornelia Schinharl, Chantecler.

Idées CD

LA CAMPANIE

Chants Traditionnels Napolitains, Neapolis Ensemble, Calliope.
La Chanson Napolitaine, Roberto Murolo, Iris Musique.
Made in Italy, Renato Carosone, EMI (il chante entre autres « tu vo fa l'americano »).
Pe'mme, Tu Si', Nino D'Angelo, Replay.
Napoli punto e a capo, Renzo Arbore, Warner (il vient des Pouilles mais il chante en napolitain).
Quanti amori, Gigi D'alessio, BMG.
Iguana Cafe : Latin Blues E Melodie, Pino Daniele, Sony BMG Music.
L'Uomo occidentale, Edoardo Bennato, BMG International. Pop Rock.
Tamarria, Tarabanda, LCProd. Le répertoire est composé de tarantelles calabraises, napolitaines, chants d'amour et de travail sur des rythmes actuels.

Couleurs de Sardaigne.

ROME ET LE LATIUM

Quelli Degli Altri Tutti Qui, Claudio Baglioni, Sony BMG Music.
Diamanti, Antonello Venditti, Sony BMG Music. Auteur notamment de « Roma Capoccia » dont le refrain est souvent chantonné dans la ville.
Titanic, Francesco de Gregori, BMG.

SARDAIGNE

Rimini, Fabrizio De Andre, BMG. Inspiré par Brassens et Dylan, ce génois a beaucoup aimé la Sardaigne et y a écrit de nombreuses chansons avant d'y être kidnappé par des Sardes. Il revient de façon très polémique sur cet évènement dans l'album *Fabrizio De Andre,* BMG.

LES POUILLES

Tarentelle E Canti Tradizionali Delle Puglie, Malicanti, Felmay.
Lontano, Sud Sound System, V2. Reggae, rap. Groupe très populaire auprès des jeunes.
Tra te e il mare, Laura Pausini, BMG.
Le Verita' Supposte, Caparezza, Extra. Slam joyeux originaire de Bari.

LA CALABRE

Aida, Rino Gaetano, Sony BMG Music.

Quelques films

Voici quelques films ayant pour décor le sud de l'Italie :
Mon frère est fils unique, Daniele Luchetti (2007).
Le Caïman, Nanni Moretti (2006). Satire de Berlusconi.
Libero, Kim Rossi Stuart (2006).
Romanzo criminale, Michele Placido (2005).
Gente di Roma, Ettore Scola (2005).
Nos meilleures années, Marco Tullio Giordana (2003).

POUR PROLONGER LE VOYAGE

Le Maître de la camorra, G. Tornatore (1986). Film dédié au « milieu » napolitain.
L'Argent de la vieille, Luigi Comencini (1972).
Le Christ s'est arrêté à Eboli (1979), *Cadavres exquis* (1976) et *Main basse sur la ville* (1963*)*, Francesco Rosi.
Le Voleur de bicyclette, Vittorio de Sica (1948).

Oscars de l'Academy Awards
Mediterraneo de G. Salvatores : meilleur film étranger (1992).
Cinema Paradiso de G. Tornatore : meilleur film étranger (1990).
Hier, aujourd'hui, demain de V. de Sica : meilleur film étranger (1965).
Huit et demi de F. Fellini : meilleur film étranger (1964).
Les Nuits de Cabiria de F. Fellini : meilleur film étranger (1957).
La Strada de F. Fellini : meilleur film étranger (1954).

Palmes d'Or au Festival de Cannes
Padre Padrone des frères Taviani (1977).
L'Affaire Mattei de F. Rosi (1972).
La Dolce Vita de F. Fellini (1960).

Lions d'or à Venise
Main basse sur la ville de F. Rosi (1963).

Ours d'or à Berlin
La Notte (La Nuit) de M. Antonioni (1961).

Retrouver l'Italie du Sud en France

ASSOCIATIONS ET CENTRES CULTURELS

Association Dante Alighieri – *12 r. Sédillot - 75007 Paris -* 01 47 05 16 26 *- www.dantealighieri.fr.* Fondée en 1889 par le poète Giosue Carducci, cette association diffuse la culture italienne et propose des cours d'italien de tous niveaux.

Association Polimnia – *4 r. de Valence - 75005 Paris -* 06 68 10 08 80 *- http://polimnia.free.fr.* Cette jeune association propose des cours de langues dispensés selon les plus récentes techniques d'apprentissage pour tout public, à la carte, ou dans le cadre d'une formation professionnelle. Bibliothèque ouverte aux adhérents le mardi de 12h à 16h ou sur rendez-vous.

Centre de langue et culture italienne – *4 r. des Prêtres-St-Séverin - 75005 Paris -* 01 46 34 27 00 *- fax 01 43 54 20 85 - www.centreculturelitalien.com -- lun.-jeu. 9h30-13h30, 14h30-19h ; vend.-sam. 10h-13h.* Cours de langue italienne, de civilisation, de cuisine, conférences, vernissages et projections de films.

Institut culturel italien
Paris – *50 r. de Varenne - 75007 -* 01 44 39 49 39 *- fax 01 42 22 37 88 - www.iicparigi.esteri.it - lun.-vend. 10h-13h, 15h-18h - manifestations culturelles le soir, 73 r. de Grenelle.* Situé au cœur du quartier Saint-Germain, dans le bel hôtel Gallifet, cet institut est dédié aux échanges culturels et linguistiques franco-italiens. Il organise des cours de langue, des évènements culturels et est doté d'une riche bibliothèque et vidéothèque.
L'institut est présent à **Grenoble, Lille, Lyon, Marseille** et **Strasbourg**.
Belgique – *Rue de Livourne, 38 - 1000 Bruxelles -* 2 533 27 20 *- fax 2 534 62 92 - www.iicbruxelles.esteri.it*
Suisse – *Gotthardstrasse 27 - CH- 8002 Zurich -* 44 202 48 46 *- www. iiczurigo. esteri.it.*
Canada – *1200, Dr Penfield - Montréal H 3A19, Québec -* 849 34 73 *- fax 849 25 69 - www.iicmontreal.esteri.it.* Et aussi : *496, Huron street - Toronto M5R2R3, Ontario -* 921 38 02 *- fax 962 25 03 - www. iictoronto.esteri.it.*

Association « Parfums d'Italie » – *9 r. de Provence - 93290 Tremblay-en-France - www.parfumsditalie.fr.* Association dynamique et très inventive qui propose nombre de rencontres artistiques (littérature, théâtre, musique, cuisine, etc.) et de projets, comme des déjeuners champêtres ou des festivals de cinéma. L'écrivain napolitain Erri de Luca y a fait une intervention très remarquée.

Art et Culture en Sardaigne – *179 r. de Charonne - 75011 Paris -* 01 43 71 81 98 *- www.sardaigne-in-paris.org.* Depuis 1985, les moyens d'action de cette association sont la publication de livres ou d'œuvres audiovisuelles, la production d'expositions, l'organisation de concerts, etc. Elle a l'ambition de présenter des aspects peu connus de cette île qui ne se résume pas au soleil et à la mer l'été : ses racines antiques, ses traditions, la musique, la gastronomie, l'artisanat…

La semaine italienne – organisée par la mairie du 13e arrondissement à Paris. Renseignements sur le site www.italieaparis.net ou à la mairie du 13e.

LIBRAIRIE
Tour de Babel – *10 r. du Roi-de-Sicile - 75004 Paris -* 01 42 77 32 40. À la fois

librairie (11 000 titres) et lieu d'échanges pour les Italiens et les amoureux de l'Italie. Rencontres avec des écrivains.

Librairie Attica – *106 bd Richard-Lenoir - 75011 Paris - ℘ 01 55 28 80 14 - www.attica.fr*. Méthodes de langues, vidéos et jeux.

La Libreria –*89 r. du Faubourg Poissonnière - 75009 Paris - ℘ 01 40 22 06 94.* La Libreria, qui a ouvert ses portes en 2006, vend des livres italiens et français.

Franco Maria Ricci – *15 galerie Véro-Dodat - 75001 Paris - ℘ 01 40 41 02 02.* Franco Maria Ricci, éditeur de Parme, publie de très beaux livres, raffinés et élégants. Les couvertures en soie noire d'Orient, avec dorures à l'or fin, papier vergé de Fabriano, les planches couleurs collées à la main font partie du goût de l'éditeur pour la beauté du corps de l'écriture et de l'objet livre. Ses publications sont disponibles en plusieurs langues, dont l'italien et le français.

La Libraire Internationale VO – *36 r. Tournai - 59000 Lille - ℘ 03 20 14 33 96.* Littérature, conférences et rencontres italiennes.

MUSIQUE

Conservatoire italien de musique – *3 r. St-Philippe-du-Roule - 75008 Paris - ℘ 01 53 75 33 70.* Cours de musique et de chant lyrique, concerts s'attachant à promouvoir la musique italienne.

Duc des Lombards – *42 r. des Lombards - 75001 Paris - ℘ 01 42 33 22 88.* Ouvert en 1984, on y trouve musique de qualité et vraie convivialité. Les grands noms du jazz italien y jouent très régulièrement.

RESTAURANTS

Si les restaurants italiens ne manquent pas à Paris, ceux-ci vous offriront une cuisine typique du Sud :

Enzo – *72 r. Daguerre - 75014 Paris - ℘ 01 43 21 66 66.* Le patron originaire des Pouilles met un point d'honneur à rester fidèle aux recettes traditionnelles. Spaghetti alla barese, pizza gargano, focaccia, aubergines gratinées, sans oublier son fameux tiramisu, vous ouvriront les portes du Sud de l'Italie.

La Lucania – *4 r. Pierre Leroux - 75007 Paris - ℘ 01 53 69 06 03.* Ce restaurant élégant et chaleureux propose une savoureuse cuisine typique de la Basilicate. Fraîcheur et qualité des produits assurée.

Baraonda – *9 r. René Boulanger - 75010 Paris - ℘ 01 42 06 38 07.* Restaurant très sympathique où vous ne trouverez ni pasta ni pizza : spécialités de poissons, d'une fraîcheur inégalable et remarquablement préparés.

La Calabraise – *20 bd Roy - 93320 Pavillons-sous-Bois - ℘ 01 48 02 18 16.* Les pâtes du chef, à l'ail et aux piments, sont parmi les meilleures de la région, les viandes cuisinées exhalent toutes les saveurs du Sud de l'Italie.

SALLES DE CINÉMA

Cinéma le Latina – *20 r. du Temple - 75004 Paris - ℘ 01 42 78 47 86.* Dans ce cinéma d'art et d'essai, une large place est faite au cinéma italien. Une vingtaine de nouveautés sont diffusées en exclusivité, cycles consacrés aux grands réalisateurs italiens.

Accatone – *20 r. Cujas - 75005 Paris - ℘ 01 46 33 86 86.* Pour les amateurs des classiques du cinéma italien. Chaque semaine, grand choix de films italiens classiques mais aussi de productions assez récentes.

SITE INTERNET

www.italieaparis.net – Art, culture, cinéma, théâtre… tout ce qui concerne la présence italienne à Paris.

http://lescalabrais.free.fr/ – Culture, évènements, émissions, tourisme, etc. La calabre et le Sud de l'Italie à l'honneur en France.

THÉÂTRE

Théâtre de la Comédie italienne – *17 r. de la Gaîté - 75014 Paris - ℘ 01 43 21 22 22 - www.comedie-italienne.fr.* Seul théâtre italien en France. Dans une jolie salle à l'italienne de 100 places, pièces d'auteurs italiens classiques et contemporains, jouées en français.

RADIO

Aligre FM (93.1) – Chaque dimanche de 7h30 à 12h deux magazines italiens ; du lundi au vendredi de 6h30 à 8h. Créée en mai 1997 sur l'initiative de la Chambre de commerce italienne pour la France et du Consulat général d'Italie à Paris, la série radiophonique, *L'Italie en direct*, a pour mission principale de mieux faire connaître la Péninsule aux Parisiens et aux Franciliens. Les thèmes sont axés surtout sur la situation actuelle afin de véhiculer l'image d'un pays moderne et dynamique.

ViaMichelin

Clic je choisis, clic je réserve !

RÉSERVATION HÔTELIÈRE SUR
www.ViaMichelin.com

Préparez votre itinéraire sur le site ViaMichelin pour optimiser tous vos déplacements. Vous pouvez comparer différents parcours, sélectionner vos étapes gourmandes, découvrir les sites à ne pas manquer... Et pour plus de confort, réservez en ligne votre hôtel en fonction de vos préférences (parking, restaurant...) et des disponibilités en temps réel auprès de 60 000 hôtels en Europe (indépendants ou chaînes hôtelières).

- Pas de frais de réservation
- Pas de frais d'annulation
- Pas de débit de la carte de crédit
- Les meilleurs prix du marché
- La possibilité de sélectionner et de filtrer les hôtels du Guide Michelin

MICHELIN
Une meilleure façon d'avancer

BUCH CORPORATE – www.buchco.fr

Les paysages enchanteurs du Gargano dans les Pouilles.
Tips/PHOTONONSTOP

COMPRENDRE L'ITALIE DU SUD

COMPRENDRE L'ITALIE DU SUD

ENTRE MER ET MONTAGNE

Étirée sur 1 300 km du nord au sud, de la latitude de Dijon à celle de Tunis, l'Italie avance au sein de la Méditerranée, entre l'Espagne et la Grèce, sa caractéristique « botte », bénéficiant d'une extraordinaire variété de climats et de paysages. En bas de cette fameuse botte, plongeant dans la mer, l'Italie du Sud décline sous le soleil sa chaîne des Apennins, ses côtes et ses plages, ses collines volcaniques, ses petites plaines peuplées d'oliveraies.

La silhouette de l'impressionnant Vésuve domine toute la baie de Naples.

Un relief rude et contrasté

Un littoral d'une exceptionnelle étendue (près de 7 500 km) baigné par quatre mers intérieures, des plaines couvrant environ un quart des 301 262 km² que représente sa superficie totale : tels sont les principaux traits de l'espace italien.

Au sein de cet espace étiré, le Latium, les Abruzzes, le Molise, la Campanie, les Pouilles, la Basilicate et la Calabre constituent l'Italie du Sud, traversée par la chaîne des Apennins et bordée par les mers Tyrrhénienne, Ionienne et Adriatique – tandis que la Sardaigne dessine le partage entre le bassin occidental de la Méditerranée, à l'ouest, et la mer Tyrrhénienne, à l'est et au sud.

Cette variété de paysages a pour corollaire quelques nuances sur le climat qui oscille entre la douceur et la chaleur, l'altitude et la mer. Le long des côtes, la température méditerranéenne domine ; au cours de l'été, elle peut dépasser 40 degrés, tout au sud, la sécheresse – et les incendies qui l'accompagnent souvent – pose ses éternels problèmes, tandis qu'en hiver la douceur se fait reine. Sur les sommets des massifs montagneux des Abruzzes et de Calabre par contre, la neige n'est pas rare.

EN ALTITUDE

Se greffant sur les Alpes qui couronnent l'Italie du Nord, et se prolongeant jusqu'à la pointe de Reggio di Calabria, la longue chaîne des **Apennins**, issue un peu plus tardivement que les Alpes d'un plissement tertiaire, forme l'arête dorsale de la péninsule, qu'elle divise en deux par sa longueur. Remarquable balcon sur la Méditerranée, ses reliefs, essentiellement calcaires, vigoureux, présentent des altitudes plus modestes que les sommets alpins. La nature grandiose et sauvage du massif du Gran Sasso (culminant à 2 914 m) forme la partie des Apennins qui revêt le plus un aspect de haute montagne. Dans la même région, se côtoient les parcs nationaux du Gran Sasso, de la Maiella, et des **Abruzzes**. Dans le prolongement des Abruzzes, autour de Campobasso, capitale du Molise, se déploie une géographie semblable, avec un relief montagneux, de profondes vallées et des bois sauvages.

Au fil d'un paysage qui s'enfonce dans la péninsule, entre la Basilicate et la Calabre se trouve le Parc national du Pollino, créé en 1990. Dominé par le massif du même nom, grimpant à 2 248 m, il est particulièrement intéressant pour sa flore et sa faune que l'on rencontre également dans ses musées.

ENTRE MER ET MONTAGNE

Au cœur de la **Basilicate**, les montagnes pelées par l'érosion offrent un paysage étrange, rocheux et tourmenté, creusé de gorges profondes.

Plus au sud encore, la **Calabre** est dominée par le sévère massif de la Sila, avec une altitude moyenne de 1 200 m, aux vastes alpages et aux horizons infinis, et par le mont Botte Donato (1 928 m), avec ses hauts plateaux granitiques couverts de forêts de hêtres et de pins. À l'extrême pointe de l'Italie, se dresse le massif de l'Aspromonte, fort de ses 1 955 m. Son versant tyrrhénien plonge rapidement dans la mer, en formant de larges terrasses. Son versant ionien, aux pentes plus douces, est boisé de pins, de hêtres, de chênes et de châtaigniers. Le massif se caractérise aussi par son réservoir d'eau d'où rayonnent de profondes vallées creusées par les petits cours d'eau, les « fiumare », lits de torrents, à sec l'été, capables aussi de se remplir de courants violents.

La **Sardaigne** à elle seule pourrait constituer un condensé de la variété des paysages du Mezzogiorno, littéralement le « Midi » : une altitude moyenne de 1 000 m ; une mosaïque de plateaux ; un massif volcanique aride ; un autre massif, le Gennargentu où La Marmora culmine à 1 834 m, où la Barbagia sauvage abonde en crevasses, peuplée de sangliers et de renards, survolée par les rapaces ; des forêts enfin, tapissées de chênes-lièges, de chênes verts et de lauriers roses.

COMPRENDRE L'ITALIE DU SUD

Abruzzo : *Abruzzes*	**Lazio** : *Latium*	**Sardegna** : *Sardaigne*
Basilicata : *Basilicate*	Liguria : *Ligurie*	Sicilia : *Sicile*
Calabria : *Calabre*	Lombardia : *Lombardie*	Toscana : *Toscane*
Campania : *Campanie*	Marche : *Marches*	Trentino Alto Adige : *Trentin-Haut-Adige*
Emilia-Romagna : *Émilie-Romagne*	**Molise** : *Molise*	Umbria : *Ombrie*
Friuli Venezia Giulia : *Frioul-Vénétie Julienne*	Piemonte : *Piémont*	Valle d'Aosta : *Val d'Aoste*
	Puglia : *Pouilles*	Veneto : *Vénétie*

PLAINE ET LITTORAL

Contre la muraille des Apennins, les fleuves ont apporté une accumulation de dépôts permettant la formation de plaines. À l'est et au nord du Latium, des collines volcaniques, dont les cratères enserrent des lacs solitaires, dominent cette harmonieuse campagne romaine avec ses étendues désolées appréciées des écrivains et des peintres, lieux de villégiature privilégiée d'où surgissent des ruines antiques, alternant avec les pinèdes. Aujourd'hui, ces terrains, où sévissait la malaria, ont repris vie grâce à l'assainissement des marais, tout comme la plaine marécageuse de la Nurra, en Sardaigne, occupée maintenant par la culture des céréales.

Tandis que la plaine de Foggia, dans les Pouilles, à l'abri des collines et surtout du promontoire du Gargano, est devenue le second grenier à blé de l'Italie (après la plaine du Pô), les terres fertiles de la Campanie ont fait d'elle la première région agricole du Sud. Et comme ailleurs, dans les Abruzzes, le Molise, les Pouilles, ou dans la plaine sarde du Campidano essentiellement maraîchère, on y croise vignes et oliveraies.

Calée entre les mers Tyrrhénienne, Ionienne et Adriatique, l'Italie du Sud ne manque évidemment pas de côtes, ni de plages, ni de ports. Entre la mer Tyrrhénienne et les Apennins, depuis la Maremme toscane jusqu'à Gaète, s'étend le littoral sablonneux du Latium, où les ports antiques, tel Ostie à l'embouchure du Tibre, ont été comblés par les alluvions. Aujourd'hui, Civitavecchia, assurant une liaison avec la Sardaigne, se veut l'un des ports les plus modernes du littoral. Sur la côte Adriatique, le port de Bari est tout aussi actif, relayé par les autres cités portuaires de Brindisi et Tarente.

ENTRE MER ET MONTAGNE

« Au-dessous du volcan »

L'arc de terres qui s'étend de Naples à la Sicile est soumis depuis toujours à une activité souterraine tumultueuse : volcans et tremblements de terre modifient périodiquement le relief de cette partie extrême de l'Italie. Le Vésuve connut une violente éruption, en 79 après J.-C, avant d'engloutir les villes de Pompéi, Herculanum et Stabies. Quarante éruptions ont été relevées depuis. En 1980, Naples tremblait une fois de plus dans l'ombre du Vésuve. 3 millions de personnes vivent actuellement dans l'un des secteurs les plus dangereux d'Europe. Même si le volcan semble s'assoupir, la découverte d'une roche magmatique sous la capitale campanienne, en 2001, renforce l'inquiétude générale. D'après les experts, les risques seraient sous-estimés, malgré une haute surveillance, et un plan d'évacuation qui concernerait seulement 500 000 à 600 000 habitants. La Campanie abrite également les champs Phlégréens dont la lisière du volcan (la *caldeira*) connaît parfois de dangereux phénomènes d'élévation et d'abaissement du sol. La plupart du temps, les cratères y sont agités par le bouillonnement de la boue et les fumerolles blanches de soufre.

Mais surtout, cette Italie du Sud est caractérisée par la beauté de ses côtes et de ses plages. La Sardaigne, échancrée par quatre golfes principaux, peut faire valoir ses transparences marines. Et si la Côte d'Émeraude (Costa Smeralda) a cédé à un complexe balnéaire, la Costa del Sud a préservé ses caractères sauvages. Non moins merveilleux, le golfe de Naples, avec ses côtes dentelées, est dominé par la silhouette caractéristique du Vésuve. Bien qu'abîmés par les constructions, ses rivages ont conservé quelques sites enchanteurs : à l'ouest du golfe, les îles d'Ischia et de Procida ont su rester plus sauvage ; à l'est, la presqu'île de Sorrente et plus encore l'île de Capri ont livré leur splendeur partout dans le monde. Une splendeur qui se poursuit au sud, avec la Côte Amalfitaine, accidentée, étirée de Sorrente à Salerne, où se succèdent des petits villages de pêcheurs au milieu d'une végétation luxuriante, avec orangers, citronniers, oliviers et amandiers… Plus au sud encore, en Calabre, aux montagnes qui plongent dans la mer succède un littoral particulièrement découpé, en partie enlaidi par de nouvelles infrastructures touristiques auxquelles ont échappé tout de même, sur le flanc ouest, des lieux comme Palmi et Scilla, sur la Costa Viola, qui doit son nom aux reflets mauves de ses eaux.

Enfin, dans la cambrure de la botte, le golfe de Tarente s'ouvre sur la mer ionienne. Ses 35 km de côtes ont des allures de petit paradis de sable clair, cependant que la côte adriatique des Abruzzes égrène ses stations balnéaires : Alba Adriatica, Giulianova Lido, Roseto degli Abruzzi, Silvi Marina et Vasto. De nombreuses plages du Sud ont d'ailleurs obtenu le label « Pavillon bleu d'Europe », drapeau garantissant la qualité des eaux de baignade (pour la liste des plages sélectionnées, consultez le site *www.blueflag.org*).

Des parcs naturels à foison

Si l'Italie compte 5 % de son territoire couvert de parcs naturels, ceux-ci se concentrent essentiellement dans le Mezzogiorno. Le Parc national des Abruzzes peut s'enorgueillir d'être le doyen des parcs italiens, institué en 1921, dans la haute vallée du Sangro. 50 000 ha de forêt séculaire abritent l'ours brun, le loup, le chamois, une quarantaine d'autres animaux, 300 espèces d'oiseaux et une flore richement variée. Toujours dans les Abruzzes, s'étendent les Parcs nationaux du Gran Sasso-Monti della Laga et de la Maiella. En Campanie, le Parc national du Cilento, véritable océan de verdure, a été inscrit par l'Unesco au nombre des réserves de la biosphère de même que le Parc national du Circeo sur le littoral du Latium, entre Anzio et Terracina.
Citons également, en Sardaigne, le Parc national du Gennargentu et du golfe d'Orosei, particulièrement sauvage et, à cheval sur la Basilicate et la Calabre, le Parc national du Pollino. Le Parc national du Gargano, dans les Pouilles, englobe le promontoire du même nom et les îles Tremiti. Enfin, clôturant la chaîne des Apennins, les Parcs nationaux de la Sila et de l'Aspromonte se dressent entre les mers Tyrrhénienne et Ionienne.

COMPRENDRE L'ITALIE DU SUD

HISTOIRE

Suivons pas à pas la progression de l'histoire italienne et les traces qu'elle a laissées. Une louve légendaire marque le début du parcours. César et ses concitoyens nous conduisent le long de routes qu'empruntent encore aujourd'hui les Italiens et qui traversent tout le pays. Les Barbares arrivent, les empereurs naissent et meurent, les combats font rage entre guelfes et gibelins, un « nouveau monde » s'ouvre au-delà des mers, en même temps qu'une époque où l'homme devient la mesure de toute chose. Commençons le voyage…

Détail d'un bas-relief de l'arc de Constantin à Rome (4ᵉ s. ap. J.-C.).

L'héritage du passé

AVANT ROME

Environ **2 000 ans avant notre ère**, la présence de peuples est attestée en Italie. Puis la Ville éternelle pose ses bases avant que ne se succèdent la dynastie des Tarquins, une conjuration et deux triumvirats.

Vers 2000 – Les Sicules s'installent dans le Sud de la Péninsule, tandis que la côte adriatique est occupée par des peuples balkaniques.

1800-500 – La civilisation nuragique peuple la Sardaigne.

8ᵉ s. – Les Étrusques prennent place en Italie centrale, principalement en Toscane actuelle mais aussi le long du Tibre et au sud. Parmi les cités étrusques, Caere (Cerveteri), Rome, Vellitrae (Velletri), Tarquinia et Capua en Campanie. Les Phéniciens entrent en Sardaigne, suivis par les Carthaginois le long des côtes.

8ᵉ s.-5ᵉ s. – Plusieurs peuples italiques occupent le Latium, formant par la suite une véritable confédération freinant l'expansion romaine. Les Èques à Palestrina, les Volsques au sud-est du Latium, les Herniques au sud de Rome, les Samnites entre le Latium, la Campanie et les Abruzzes, les Sabins entre Amiterne et Fidènes. Cependant que les **Étrusques** fondent un puissant empire (qui durera jusqu'à l'affirmation de la suprématie romaine au 3ᵉ s. av. J.-C.), les Grecs créent un grand nombre de colonies (ioniennes, achéennes et doriennes) sur les côtes méridionales de l'Italie et en Sicile. Parmi les cités grecques, constituant alors la **Grande Grèce**, comptent Cumae (Cumes), Neapolis (Naples), Poseidonia (Paestum), Crotone et Tarente *(voir carte p. 56)*.

DES ORIGINES DE ROME À L'EMPIRE

753 – Selon la légende, **Romulus** fonde Rome (née en fait de l'union de villages latins et sabins, vers le 8ᵉ s.).

7ᵉ-6ᵉ s. – Après le règne des rois sabins, s'installe à Rome la dynastie des **Tarquins** : le roi, le Sénat et les comices se partagent le pouvoir.

509 – Établissement de la République : les pouvoirs sont attribués à deux consuls élus pour un an.

451-449 – Loi des XII Tables, premier pas vers l'égalité civile entre patriciens (nobles pouvant prouver leurs origines) et plébéiens (jusqu'alors dépourvus de tout droit politique).

HISTOIRE

390 – Les Gaulois envahissent l'Italie, occupent Rome, mais en sont chassés par Camille.

281-272 – Guerre contre Pyrrhus, roi d'Épire, et soumission à Rome de tout le Sud de la péninsule.

264-241 – Première guerre punique : Carthage cède la Sicile aux Romains.

218-201 – Deuxième guerre punique. **Hannibal** traverse les Alpes, bat les Romains au lac Trasimène, les écrase à Cannes, mais au lieu de marcher sur Rome il s'amollit dans les « délices de Capoue ». En 210, **Scipion** porte la guerre en Espagne, puis en Afrique ; Hannibal est rappelé à Carthage. En 202, Scipion est vainqueur d'Hannibal à Zama.

146 – La Macédoine et la Grèce deviennent provinces romaines. Destruction de Carthage.

133 – Occupation de toute l'Espagne et fin des grandes conquêtes en Méditerranée.

133-121 – Échec de la politique des Gracques, promoteurs de lois agraires en faveur du peuple.

125 – Les Romains en Gaule méridionale.

112-105 – Guerre contre Jugurtha, roi de Numidie (l'actuelle Algérie), qui est vaincu par **Marius**.

102-101 – Marius arrête les invasions des Cimbres et des Teutons.

88-79 – **Sylla**, le rival de Marius, triomphe de Mithridate et établit sa dictature à Rome.

70 – Pompée et Crassus, nommés consuls, deviennent maîtres de Rome.

63 – **Conjuration de Catilina**, démasquée par Cicéron, déclaré « père de la patrie ».

60 – **Premier triumvirat** : Pompée, Crassus, César. Rivalité des trois hommes.

59 – César consul.

58-51 – Campagne des Gaules (52 : reddition de Vercingétorix à Alésia).

49 – César franchit le Rubicon et chasse Pompée de Rome.

49-45 – **César** triomphe de Pompée et de ses partisans en Espagne, en Grèce et en Égypte. Il écrit ses *Commentaires sur la guerre des Gaules*.

Début 44 – César se fait nommer dictateur à vie.

15 mars 44 – César est assassiné par des partisans de la République, dont Brutus, son fils adoptif.

43 – **Deuxième triumvirat** : Octave (neveu et héritier de César), Antoine, Lépide.

41-30 – Lutte ouverte entre Octave et Antoine. Après sa défaite à Actium (31), Antoine se suicide avec Cléopâtre, auprès de laquelle il s'était réfugié. La tragédie marque la fin de ce mode de gouvernement et le début de l'Empire romain.

LE HAUT-EMPIRE

Un titre suprême, crimes et successions marquent le Haut-Empire.

27 – Octave, seul maître de l'Empire, reçoit du Sénat le titre d'**Auguste** et tous les pouvoirs.

14 apr. J.-C. – Mort d'Auguste.

54-68 – Règne de **Néron**, qui fait mourir Britannicus, sa mère Agrippine, ses femmes Octavie et Poppée, incendie Rome et organise la 1re persécution violente des chrétiens.

68 – Fin de la **dynastie des Julio-Claudiens** : Auguste, Tibère, Caligula, Claude, Néron.

69-96 – **Dynastie des Flaviens** : Vespasien, Titus, Domitien.

96-192 – « Siècle d'or des **Antonins** » : règnes heureux de Nerva, Trajan, Hadrien, Antonin le Pieux, Marc Aurèle, qui consolident l'organisation de l'Empire.

193-275 – **Dynastie des Sévères** : Septime Sévère, Caracalla, Héliogabale, Alexandre Sévère, Dèce, Valérien, Aurélien.

235-268 – Période troublée : les légions font et défont les empereurs.

270-275 – Aurélien rétablit l'unité de l'Empire.

LE BAS-EMPIRE ET LA DÉCADENCE

284-305 – Règne de **Dioclétien** ; institution de la tétrarchie ou gouvernement à quatre ; persécution des chrétiens (303) ; ceux-ci appellent le règne de Dioclétien « l'ère des martyrs ».

306-337 – Règne de **Constantin**, qui décrète par l'édit de Milan (313) la liberté de tous les cultes. **Constantinople**, nouvelle capitale de l'Empire.

379-395 – Règne de **Théodose le Grand**, empereur chrétien, qui en 382 déclare le christianisme religion d'État. À sa mort, partage de l'Empire entre ses deux fils : Arcadius (Orient) et Honorius (Occident), qui s'établit à Ravenne.

5e s. – L'Empire romain est livré aux assauts répétés des Barbares : en 410, Alaric, roi des Wisigoths, s'empare de Rome ; en 455, prise et sac de Rome par les Vandales de Genséric.

476 – Le germain **Odoacre** dépose l'empereur Romulus Augustule : fin de l'empire d'Occident (l'empire d'Orient durera jusqu'en 1453, date de la chute de Constantinople).

DE L'EMPIRE ROMAIN AU SAINT-EMPIRE ROMAIN GERMANIQUE

Une période bousculée par une lutte de pouvoir qui voit le triomphe de la papauté.

493 – Odoacre est chassé par les Ostrogoths de Théodoric.

535-553 – L'empereur romain d'Orient **Justinien** (527-565) regagne l'Italie.

568 – Invasion lombarde conduite par le roi Alboin.

590-604 – Le pape **Grégoire Iᵉʳ le Grand** amorce l'évangélisation des peuples germaniques et anglo-saxons.

752 – Rome menacée par les Lombards : le pape appelle Pépin le Bref.

756 – **Donation de Quierzy** : Pépin le Bref restitue au pape Étienne II les territoires autrefois byzantins reconquis sur les Lombards, événement qui, sans aucun doute, fut à l'origine de l'État pontifical et du pouvoir temporel du pape.

774 – Le fils de Pépin, **Charlemagne**, devient roi des Lombards.

800 – À Rome, le pape Léon III couronne Charlemagne empereur d'Occident.

9ᵉ s. – La dissolution de l'Empire carolingien provoque en Italie l'anarchie la plus complète et la création de nombreux États féodaux rivaux. La papauté traverse une période de graves troubles ; la corruption se répand parmi les membres de la hiérarchie ecclésiastique.

962 – Otton Iᵉʳ, sacré empereur, fonde le Saint-Empire romain germanique.

LA QUERELLE DU SACERDOCE ET DE L'EMPIRE

11ᵉ s. – Installation progressive des Normands en Sicile et en Italie du Sud.

1076 – La réforme grégorienne (**Grégoire VII**) tente de redonner du prestige à l'Église. La **querelle des Investitures** éclate à la suite d'une rencontre entre le pape et l'empereur Henri IV.

1077 – L'empereur Henri IV s'humilie devant le pape Grégoire VII à Canossa.

1155 – **Frédéric Barberousse** sacré empereur par le pape. Reprise de la lutte entre l'Empire et la papauté : conflits entre **gibelins** (partisans de l'empereur) et **guelfes** (partisans du pape).

1167 – Création de la **Ligue lombarde** (union de villes guelfes du Nord de l'Italie contre l'empereur, sous l'égide du pape).

1176 – Bataille de Legnano et préliminaires de paix entre Frédéric Barberousse et le pape Alexandre III, qui se réconcilient en 1177.

1216 – À la mort d'**Innocent III**, la papauté est à son apogée.

« Tu es Pierre et sur cette pierre je bâtirai mon Église. » Évangile selon saint Matthieu, XVI, 18

Le titre de pape (du grec *pápas*, père) était à l'origine attribué aux patriarches et évêques d'Orient. À partir du 5ᵉ s., l'appellation se diffusa également en Occident, où, avec le prestige grandissant de la thèse du siège romain, elle devint la prérogative de l'évêque de Rome. La doctrine de la suprématie de l'évêque de Rome en tant que successeur direct de saint Pierre s'affirma progressivement à la suite de situations historiques et politiques déterminantes et de l'influence du dirigeant romain et de la figure impériale. Les premiers siècles, le pape était désigné sur ordre du peuple ou du clergé, mais à partir de 1059, le conclave des cardinaux, dont les modalités furent réglementées par Grégoire X au 13ᵉ s., fut institué. De nos jours, les cardinaux se réunissent en conclave dans la chapelle Sixtine et le vote est exprimé deux fois par jour : après chaque vote, les bulletins de vote sont brûlés, de façon à produire une fumée noire. L'élection se conclut par l'obtention de la majorité des deux tiers plus une voix : une fumée blanche s'élève alors du Vatican. À ce moment, le premier des cardinaux-diacres se présente à la loge des bénédictions sur la façade de St-Pierre et annonce la future élection avec la formule suivante : « *Annuntio vobis gaudium magnum : habemus papam* » (je vous annonce une grande joie : nous avons un pape).

Au cours des siècles, le pape assuma un rôle politique toujours plus marqué, ainsi l'histoire de la papauté devint également celle des rapports entre l'Église et les grands pouvoirs politiques. Le processus du Risorgimento italien et les accords du Latran de 1929 ont défini l'actuelle configuration de la Cité du Vatican, qui constitue, à l'intérieur du territoire italien, un État libre dont le pape est le souverain. Le Saint-Père est le chef indiscuté de toute l'Église catholique et son infaillibilité en ce qui concerne le dogme ecclésiastique est absolue, ainsi qu'il en fut établi en 1870 par le premier concile du Vatican. La figure du pape permet à l'Église catholique d'étendre son influence spirituelle dans le monde entier.

HISTOIRE

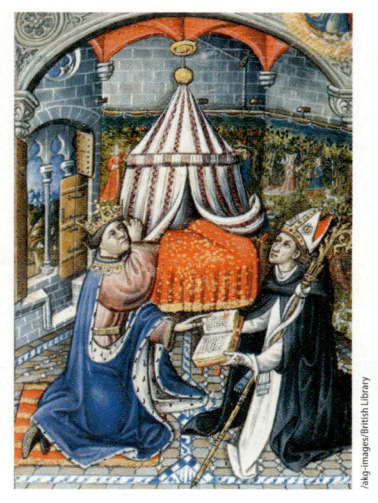

Le roi Alphonse V d'Aragon.

1227-1250 – Nouvel épisode de la lutte entre l'Empire (Frédéric II) et la papauté (Grégoire IX et Innocent IV). Nouveau triomphe de la papauté.

INFLUENCES FRANÇAISE ET IMPÉRIALE

La dynastie d'Anjou, des papes en Avignon, Philippe le Bel ou encore Charles VIII. Telles sont les figures qui soulignent cette influence.

13e s. – Apogée de la prospérité économique des communes.
1252 – Le **florin**, frappé à Florence en argent depuis 1182, devient une pièce d'or, très en faveur dans les échanges internationaux.
1265 – Charles d'Anjou, frère de Saint Louis, est couronné roi de Sicile.
1282 – **Vêpres siciliennes** : massacre des Français établis en Sicile.
1300 – Boniface VIII instaure le premier jubilé à Rome.
1302 – La **dynastie d'Anjou** s'établit à Naples.
1303 – **Attentat d'Anagni**, fomenté par Philippe le Bel contre le pape Boniface VIII *(voir Anagni, LATIUM)*.
1309-1377 – Établissement des papes en Avignon (de Clément V à Grégoire XI, qui revient à Rome sur la prière de sainte Catherine de Sienne).
1328 – Échec de l'intervention en Italie de l'empereur Louis de Bavière. De cette époque date la lente renonciation des empereurs germaniques à leur volonté de pouvoir politico-religieux sur les territoires de l'antique Empire romain.
1378-1418 – **Grand schisme d'Occident** (antipapes à Pise et en Avignon), auquel met fin le concile de Constance (1414-1418).
1402 – Dernière intervention allemande en Italie (l'empereur est battu par les milices lombardes).
1442 – **Alphonse V**, roi d'Aragon, devient roi des « Deux-Siciles » *(voir encadré p. 50)*.
1453 – Constantinople, capitale de l'Orient chrétien, devient turque.
1492 – Mort de **Laurent le Magnifique** et découverte de l'Amérique par Christophe Colomb.

L'ÂGE D'OR ÉCONOMIQUE ET CULTUREL
(15e S. ET DÉBUT DU 16e S.)

Alors que le Sud maintient ses structures féodales fondées sur la grande propriété, le Centre et le Nord sont transformés par l'activité dynamique des corporations et ateliers d'artisans. Le poids économique de l'Italie à cette époque s'explique non pas tant par le volume des biens de consommation produits que par le commerce et l'importante activité bancaire qu'il génère. Les négociants et banquiers installés à l'étranger contribuent à divulguer à travers l'Europe la civilisation italienne. Entretenir les artistes et posséder le plus beau palais devient un véritable terrain de rivalité pour ces souverains-mécènes que sont les Médicis à Florence, ou les papes à Rome (comme Jules II et Léon X).

Mais la découverte du Nouveau Monde entraîne un inexorable déclin. Le déplacement vers l'Atlantique des courants commerciaux est dommageable pour les républiques maritimes, si florissantes au Moyen Âge : Gênes est rapidement ruinée, Pise est absorbée par Florence, Amalfi et Venise connaissent de sérieuses difficultés en raison de l'avancée des Turcs vers l'Ouest.

DU 16e S. À L'ÉPOQUE NAPOLÉONIENNE

Carrefour de l'Europe, l'Italie demeure l'objet de convoitises, de Charles Quint à Napoléon Ier.

16e s. – Lutte entre la France et l'Espagne pour la suprématie en Europe.
1515-1526 – **François Ier**, vainqueur à Marignan, vaincu à Pavie, doit renoncer à l'héritage italien.
1527 – Sac de Rome par les lansquenets de **Charles Quint**.
1545-1563 – Avec le **concile de Trente**, l'Église tente de retrouver l'autorité et la crédibilité auxquelles la réforme protestante avait porté atteinte.

COMPRENDRE L'ITALIE DU SUD

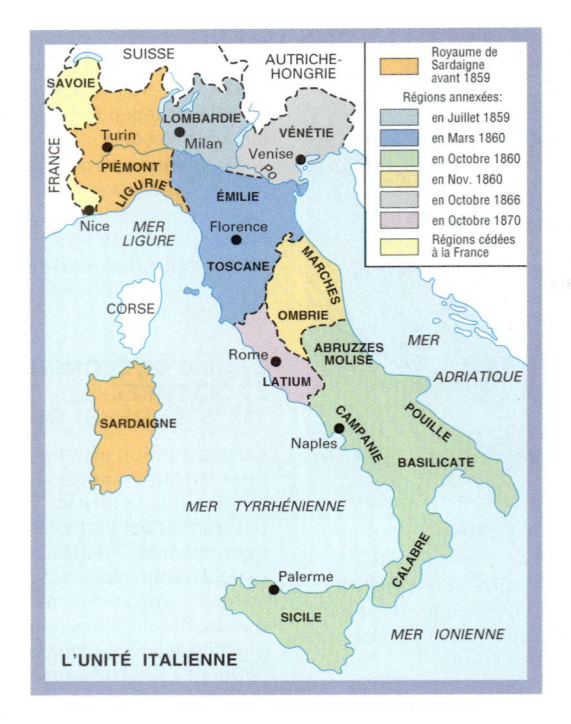

1559 – Traité du Cateau-Cambrésis : domination espagnole sur les royaumes de Naples, de Sicile et de Sardaigne jusqu'au début du 18e s.
1713 – Victor-Amédée II de Savoie devient roi de Sicile, qu'il échangera en 1720 contre la Sardaigne.
1796 – Campagne de Bonaparte en Italie, qui crée la République cispadane au Sud du Pô.
1797 – Traité de Campoformio : cession de la Vénétie à l'Autriche. Création des Républiques cisalpine et ligurienne.
1798-1799 – Proclamation des Républiques romaine et parthénopéenne (Naples).
1805 – Napoléon Ier transforme la République italienne en royaume, ceint la couronne de fer des rois lombards et confie la vice-royauté à son beau-fils Eugène de Beauharnais.
1808 – Rome occupée par les troupes françaises. Murat est roi de Naples.
1809 – Les États pontificaux sont rattachés à l'Empire français.
1814 – Écroulement de la politique napoléonienne. Pie VII revient à Rome.

Le royaume des « Deux-Siciles »

Si le royaume de Naples est passé entre différentes mains, la Sicile a été l'objet de nombre de convoitises à travers les siècles. De l'un à l'autre territoire, l'histoire se mêle, entre mariage et séparation. Comprise dans l'Empire byzantin, Naples devient normande au 11e s. Dominée par les Arabes depuis le 9e s., la Sicile est acquise par les Normands à la fin du 11e s., puis reprise par l'empereur germanique (Frédéric II), et cédée aux Anjou (Charles Ier) en 1265. Après la révolte des Siciliens contre les Français (massacre des Vêpres siciliennes, 1282), l'île est sous la domination espagnole des Aragon. En 1442, Alphonse V d'Aragon, vainqueur de Louis XIII d'Anjou, réunit Naples et la Sicile. C'est le premier royaume des « Deux-Siciles ». À la mort d'Alphonse V, le royaume se partage à nouveau, entre les fils légitime et illégitime. En 1713, Naples est sous occupation autrichienne, tandis que la Sicile, revient à la Savoie, avant d'être échangée avec la Sardaigne, cinq ans plus tard. En 1735, Naples et la Sicile appartiennent aux Bourbon d'Espagne. Après la parenthèse napoléonienne, les Bourbon unifient à nouveau les royaumes (1816). La prise de la Sicile et de Naples, en 1860, dans l'expédition des Mille, sous la houlette de Garibaldi, marque la fin des royaumes pour entrer dans l'unité italienne.

HISTOIRE

VERS L'UNITÉ ITALIENNE (1815-1870)

L'unification des provinces d'Italie nécessita quelque cinquante années et s'élabora au cours d'événements nombreux et complexes.

Amorcé dès le lendemain du Congrès de Vienne en 1815, le **Risorgimento** fut préparé par un grand nombre de carbonari et de tentatives diverses d'insurrection durement réprimées. La fondation du mouvement de la Jeune-Italie en 1831 par **Giuseppe Mazzini** enflamma plus tard les âmes des patriotes. En 1848 éclate la **première guerre d'indépendance** contre l'Autriche, menée par Charles-Albert de Savoie, roi de Sardaigne. La défaite piémontaise à Custoza entraîna l'abdication de Charles-Albert (mars 1849) et l'avènement de **Victor-Emmanuel II**. La politique subtile de son premier ministre **Cavour** et la participation du Piémont à la guerre de Crimée aux côtés de la France (1854) portèrent la question italienne au centre des préoccupations européennes. Les accords de Plombières entre Cavour et Napoléon III (1858), conduisirent l'année suivante à la **seconde guerre d'indépendance**, à l'issue de laquelle Piémontais et Français sortirent victorieux (victoires de Magenta et Solferino). À la suite des révoltes populaires dans l'Italie centrale et du Nord, la Lombardie, l'Émilie-Romagne et la Toscane furent annexées au royaume de Sardaigne. En 1860, après que **Garibaldi** et l'**expédition des Mille** eurent libéré la Sicile et l'Italie du Sud de la domination des Bourbons (la Savoie et Nice furent en revanche cédées à la France), le Mezzogiorno, les Marches et l'Ombrie furent rattachés à l'État italien naissant. **Le 17 mars 1861, le Parlement de Savoie proclama le royaume d'Italie** ; Victor-Emmanuel II en devint le souverain, Turin la capitale jusqu'en 1866, date à laquelle Florence lui succéda pour des raisons politiques.

Avec la **troisième guerre d'indépendance**, l'Italie, alliée à la Prusse contre l'Autriche, parvient malgré les défaites de Lissa et Custoza à obtenir l'annexion de la Vénétie. Quatre années plus tard, le 20 septembre 1870, les troupes du général Cardona entrèrent dans Rome par la **brèche de la Porta Pia** : Rome fut alors annexée à l'Italie et proclamée capitale (1871).

DE 1870 À 1946

À peine unifiée, la jeune Italie connaît déjà une période agitée.

La « Question romaine »

Au cours du 19e s., la papauté fut impliquée dans les événements du Risorgimento : l'unification du pays ne pouvait en fait être complète si le souverain pontife ne renonçait pas au pouvoir temporel qu'il exerçait sur une partie de la Péninsule. Lorsqu'en 1870 les troupes de Victor-Emmanuel II entrèrent dans Rome, le pape Pie IX s'enferma au Vatican, se considérant prisonnier de l'État italien. Ce n'est qu'en 1929 que la « Question romaine » fut résolue définitivement, sous le pontificat de Pie XI, avec les accords du Latran passés entre le Saint-Siège et le gouvernement fasciste de Benito Mussolini. Ils reconnaissaient la souveraineté du pape à l'intérieur de la Cité du Vatican, l'extraterritorialité de quelques institutions et édifices romains et même une autorité spécifique de l'Église en matière d'enseignement et de mariage en Italie. Les accords furent intégrés en 1947 à la nouvelle Constitution de l'Italie républicaine et furent redéfinis en termes plus modernes dans le nouveau Concordat de 1984.

1882 – L'Italie, l'Allemagne et l'Autriche signent la **Triple Alliance**.

1885 – Les Italiens s'installent en Érythrée et sur la côte des Somalis.

1900 – Assassinat du roi Humbert Ier par l'anarchiste Bresci. Avènement de Victor-Emmanuel III.

1903-1914 – « Dictature parlementaire » de **Giolitti**, qui ne règle pas les graves problèmes de chômage et de misère, poussant à l'agitation révolutionnaire et anarchiste (grandes grèves).

1904-1906 – Rapprochement de l'Italie avec la France et l'Angleterre.

1911-1912 – Guerre italo-turque. Occupation de la Libye et du Dodécanèse.

1914 – **Première Guerre mondiale**. L'Italie entre en guerre le 24 mai 1915 aux côtés de la France, de la Grande-Bretagne et de la Russie (la Triple Entente) contre l'Autriche-Hongrie, puis (le 28 août 1916) contre l'Allemagne.

1918 – Avec la victoire de la bataille de **Vittorio Veneto**, l'Italie conclut la Première Guerre mondiale.

1919 – Le traité de Saint-Germain-en-Laye accorde à l'Italie le Trentin et le Haut-Adige, Trieste et l'Istrie. D'Annunzio, à la tête de ses *arditi* (légionnaires), s'empare de Fiume (Rijeka en Croatie),

COMPRENDRE L'ITALIE DU SUD

Dates clés

753 av J.-C. – Romulus fonde Rome.
390 av J.-C. – Les Gaulois envahissent l'Italie jusqu'à Rome.
27 ap J.-C. – Octave, seul maître de l'Empire romain, est proclamé Auguste.
476 – Le germain Odoacre dépose l'empereur Romulus Augustule : fin de l'empire d'Occident.
962 – Otton Ier fonde le Saint-Empire romain germanique.
12e s. – Lutte de pouvoir et rivalités entre guelfes (partisans du pape) et gibelins (pour l'empereur).
1442 – Alphonse V devient roi des « Deux-Siciles ».
1527 – Sac de Rome par Charles Quint.
1814 – Fin de la mainmise napoléonienne en Italie.
1861 – Victor-Emmanuel II est proclamé roi d'une Italie unifiée.
1925 – Installation d'un régime dictatorial fasciste.
1946 – Proclamation de la République italienne.
1957 – Traité de Rome. L'Italie entre dans « l'Europe des six ».
1970-1980 – Les « années de plomb », marquées par des actes terroristes.
1994 – Victoire du centre-droit, premier gouvernement de Silvio Berlusconi.
2006 – Victoire de la coalition de gauche menée par Romano Prodi.

annexée à l'Italie en 1924. Les déceptions nationalistes et la crise économique persistante profitent aux partis extrémistes : fondation des « Faisceaux de combat » par **Mussolini**.

1920-1921 – Désordres sociaux et premières affirmations du parti fasciste de Benito Mussolini.

1922 – Marche sur Rome des fascistes, **Mussolini** est chef du gouvernement.

1925 – Après l'assassinat à Rome du député socialiste Matteotti (1924), qui avait dénoncé les méthodes fascistes, et la protestation des parlementaires de l'opposition (« Aventino »), Mussolini proclame les lois d'exception (les lois fascistissimes) : la « **dictature** » s'installe.

1929 – Au Vatican, les **accords du Latran** entre le gouvernement italien et la papauté mettent fin à la séculaire « Question romaine » des rapports entre l'État et l'Église.

1936 – Après le succès de la guerre d'Éthiopie, occupation du pays par les Italiens et fondation de l'Empire. La Société des Nations condamnant Mussolini, celui-ci se rapproche de l'Allemagne nazie : création de l'axe Rome-Berlin.

1939 – Début de la **Seconde Guerre mondiale**.

1940 – L'Italie entre en guerre aux côtés de l'Allemagne contre la France et la Grande-Bretagne.

1943 – 10 juillet : les Alliés débarquent en Sicile. 25 juillet : destitution et arrestation de Mussolini. 8 septembre : armistice ; une grande partie du pays est occupée par les troupes alle-

Romano Prodi (1er à gauche) lors du sommet du G8 de juin 2003.

mandes. 12 septembre : libéré par les Allemands, Mussolini fonde dans le Nord la **République sociale italienne** avec Salò comme capitale (lac de Garde).
1944-1945 – Difficile reconquête de l'Italie par les Alliés. Libération (25 avril 1945) du pays et fin de la guerre : Mussolini, en fuite vers la Suisse, est arrêté et fusillé sur les rives du lac de Côme.
1946 – En mai, abdication de Victor-Emmanuel III pour son fils Humbert II.
2 juin : proclamation de la République par référendum. Destitution de Humbert II.

DEPUIS 1946

Après-guerre, l'Italie se redresse assez rapidement pour vivre un « miracle économique » avant de sombrer dans les « années de plomb ».
1947 – Le traité de Paris enlève à l'Italie ses colonies ainsi que l'Istrie, la Dalmatie et le Dodécanèse, et lui impose des rectifications de frontière au profit de la France.
1948 – Le 1er janvier : entrée en vigueur de la nouvelle Constitution.
1954 – Trieste est définitivement rattachée à l'Italie.
Fervent défenseur de l'unité européenne, le démocrate-chrétien **De Gasperi** est élu président de la Communauté européenne du charbon et de l'acier (Ceca).
1955 – L'Italie adhère à l'Onu.
Mars 1957 – **Traité de Rome** instituant la Communauté économique européenne (Marché commun) : l'Italie entre dans l'« Europe des Six ».
1970-1980 – Les « Années de plomb » : des actes terroristes secouent l'Italie.
1978 – Assassinat d'Aldo Moro, ancien président du Conseil, par les terroristes des « Brigades rouges ».

LES VINGT-CINQ DERNIÈRES ANNÉES

1981 – Attentat contre le pape Jean-Paul II commis par le turc Mehmet Ali Agca place St-Pierre.
1991 – Scission historique du PCI (Parti communiste italien) dirigé par Achille Occhetto en PDS (Partito Democratico della Sinistra) et RC (Rifondazione Comunista).
Au mois de mars, avec un déferlement de réfugiés, commence le débarquement dramatique des Albanais sur les côtes de la Pouille.
1992 – Début de l'époque des scandales de Tangentopoli et de l'opération « mains propres » *(mani pulite)* dirigée contre la corruption économico-politique, qui entraîne l'effondrement de la classe dirigeante de la Ire République.
Assassinat des juges Giovanni Falcone et Paolo Borsellino, engagés dans la lutte contre la Mafia.
1994 – Le parti du centre-droit dirigé par **Silvio Berlusconi** gagne les élections au scrutin majoritaire. Début de la IIe République.
21 avril 1996 – Victoire électorale de la coalition de l'Ulivo : pour la première fois de l'histoire de la République, la gauche est au pouvoir.
27 mars 1998 – L'Italie adopte la monnaie unique européenne.
2001 – Victoire du parti de centre-droit aux élections le 13 mai : second gouvernement Berlusconi.
2003 – Présidence italienne de l'Union européenne (juillet à décembre).
2005 – Le 2 avril, mort du pape Jean-Paul II. Benoît XVI lui succède.
2006 – En avril, victoire de la coalition de gauche menée par **Romano Prodi**.
En mai, **Giorgio Napolitano** succède à Carlo Azeglio Ciampi à la Présidence de la République italienne.
En juillet, l'italie remporte en Allemagne sa quatrième Coupe du monde de football.

« Il cavaliere »

Loué ou honni, Silvio Berlusconi est une personnalité incontournable de la vie politique italienne de ces quinze dernières années. Il a fondé la Fininvest, société mère d'un groupe de communication et médias, qui possède la moitié des télévisions italiennes et qui est aussi le principal éditeur de livres et de périodiques. Son équipe de football, le Milan AC, glane les trophées. Fils d'un directeur de banque, Berlusconi s'est lancé en politique en 1993. Il crée son parti, Forza Italia, puis est élu chef du gouvernement en 1994. Neuf mois plus tard, sa coalition s'est effondrée, tandis que la justice enquête sur ses affaires (notamment la corruption de magistrats et de responsables économiques). En 2001, Berlusconi revient au pouvoir, en homme le plus riche d'Italie, au sein d'une coalition de centre droit, la Maison des libertés. En dépit des affaires en justice, il y reste encore cinq ans, battu aux élections législatives de 2006.

COMPRENDRE L'ITALIE DU SUD

ART ET ARCHITECTURE

À partir du second millénaire av. J.-C., l'Italie a vu fleurir de grandes civilisations, dont la culture occidentale est aujourd'hui encore imprégnée. Promenade au cœur d'un pays au patrimoine artistique d'une exceptionnelle richesse. Partout, l'éclat des mosaïques, les perspectives jouant avec la lumière, la pureté des lignes et le réalisme surprenant des œuvres s'attachent à vos pas. Au point de se demander, comme Oscar Wilde, si dans cette Italie artistique, ce n'est pas finalement la nature qui imite l'art…

Le temple de Neptune à Paestum, un des plus beaux témoignages de la Grande Grèce.

Les civilisations antiques

LES GRECS

Tandis que les Étrusques occupaient le Centre, les Grecs fondèrent, entre le 8ᵉ et le 5ᵉ s. av. J.-C., un grand nombre de colonies sur les côtes d'Italie méridionale, qui constituèrent la **Grande Grèce**. On y distinguait les colonies ioniennes, achéennes et doriennes, d'après les peuples qui les avaient développées. L'élément fondamental de ces colonies était la « cité-État », qui contrôlait les territoires environnants.

Aux 6ᵉ et 5ᵉ s. av. J.-C., période d'apogée de la civilisation grecque en Italie, les cités grecques de l'Italie méridionale s'enrichirent par le trafic maritime au point que Syracuse put rivaliser avec Athènes. Malheureusement, le nombre et la diversité des cités les firent sombrer dans les rivalités et les dissensions. Des luttes entre tyrans de villes voisines et la difficile coexistence avec les Carthaginois furent la cause d'un déclin qui se termina par la conquête romaine à la fin du 3ᵉ s. av. J.-C.

La cité

La subdivision rationnelle du territoire en lieux de culte, espaces publics et espaces destinés au logement, fut établie approximativement dès les premières vagues de colonisation au 8ᵉ s. av. J.-C. En principe, le plan de la cité était établi selon le système de la maille orthogonale – mis au point par **Hippodamos de Milet**, philosophe et géomètre grec ayant vécu en Asie Mineure au 5ᵉ s. av. J.-C. – organisé autour de deux axes : le **cardo** (*stenopos* en grec), orienté du nord au sud, et le **decumanus majeur** (*plateia* en grec), orienté d'est en ouest. Le réseau de rues était complété par les *cardi* et les *decumani* mineurs, qui délimitaient les pâtés de maisons. À l'intérieur de ce plan en damier étaient insérés les complexes et édifices divers, parmi lesquels l'*agorà*, place principale et centre de la vie publique, l'*ekklesiastérion*, édifice public profane réservé aux réunions de l'assemblée populaire (*ekklesià*) et le *bouleutérion*, destiné à accueillir le conseil restreint (*boulé*) des habitants de la cité.

Les temples, parfois à l'extérieur du périmètre urbain, étaient fréquemment entourés d'enceintes sacrées, qui pouvaient comprendre, dans les structures plus monumentales, des portiques, des monuments votifs, des gymnases et des théâtres. L'espace urbain était en général protégé par des fortifications, au-delà desquelles s'étendaient les terres agricoles subdivisées en parcelles familiales, et la zone consacrée à l'enterrement des morts.

Le temple

Le cœur de l'édifice est le *naos*, qui renferme la statue du dieu ; il est orienté vers l'est, de telle sorte que le soleil levant, principe de la vie, illumine la divinité. Devant le *naos* se trouve le *pronaos*, sorte d'antichambre, tandis que dans la partie postérieure l'*opisthodome* sert de chambre du trésor. Tout autour se déploie une colonnade, le *péristyle*. Le temple est soutenu par un soubassement ; sur le dernier gradin, le *stylobate*, reposent les colonnes qui soutiennent l'entablement. La couverture est constituée d'un toit à deux versants.

Le style prédominant en Grande Grèce est le style dorique : les colonnes, imposantes et sobres à la fois, se dressent, sans base aucune, directement sur le stylobate. Le chapiteau, dépourvu de décorations sculptées, est constitué d'un simple coussinet rond, l'échine, que surmonte un élément de forme carrée, l'abaque. L'entablement dorique est composé d'une architrave simple, dont la partie supérieure est formée par une frise sur laquelle alternent métopes (panneaux généralement constitués de bas-reliefs sculptés) et triglyphes (panneaux présentant deux profondes cannelures au centre et deux autres plus petites sur les côtés).

En raison de la simplicité de la structure et la parfaite harmonie des proportions, l'architecture du temple dorique fut souvent et longtemps considérée comme le prototype de la beauté idéale. Les architectes, ayant constaté la tendance de l'œil humain à déformer les lignes des édifices de grandes dimensions, pouvaient apporter à la structure conventionnelle quelques corrections optiques : les entablements, dont la partie centrale semblait s'affaisser légèrement, furent surhaussés au centre, adoptant ainsi une imperceptible forme arquée ; afin de créer une impression de parfait équilibre, les colonnes disposées au bord de la façade des temples furent inclinées vers l'intérieur, de façon à éviter l'effet de divergence ; enfin, dans les édifices particulièrement grands (tels le temple de la Concorde à Agrigente et la basilique de Pæstum), comme les colonnes semblaient se rétrécir dans la partie supérieure, l'on faisait en sorte de compenser cette illusion d'optique avec un renflement *(entasis)* à environ deux tiers de la hauteur du fût.

Art des peuples italiques

Il est resté peu de traces de l'art des peuples italiques, sinon quelques nécropoles, à Fossa, Amiternum, Alfedena, des fortifications à Castel di Sangro, des temples à Schiavi d'Abruzzo ou à Quadri. Cependant, le musée archéologique de Chieti (Abruzzes) peut s'enorgueillir de diverses pièces consacrées aux cultes funéraires des Abruzzes préromaines, dont quelques trousseaux provenant des plus grandes nécropoles de la région (10e-6e s. av. J.-C.). Le célèbre Guerrier de Capestrano (6e s. av. J.-C.), d'une majesté à la fois magique et inquiétante, symbole des Abruzzes, constitue l'œuvre la plus prestigieuse de la civilisation picénienne. Le musée Jatta à Ruvo di Puglia (Pouilles) présente, de son côté, une collection de vases attiques, italiques et apuliens, dont la plus belle pièce demeure le Cratère de Talos, un vase noir à figures rouges.

D'un point de vue décoratif, les temples présentaient fréquemment des cycles de sculptures et bas-reliefs, et étaient généralement peints en rouge, bleu et blanc, afin de donner le maximum de relief plastique et chromatique à la décoration sculptée et à la projection des colonnes sur le *naos*.

Dans l'ensemble, la comparaison avec les édifices sacrés de la patrie d'origine révéla pour les temples de Grande Grèce une propension persistante à la monumentalité et aux effets spatiaux, ainsi qu'à un goût particulier pour l'abondance de l'ornementation.

Sculpture

Le manque de marbre et le goût particulier des Italiques pour les effets picturaux et les clairs-obscurs firent du calcaire et du grès les matériaux privilégiés. L'argile fut largement employée dans les frontons et les acrotères des temples, ainsi que dans les statuettes votives de terre cuite.

À partir de la fin du 6e s. av. J.-C., le style dorique, caractérisé par une importante individualisation des traits, un élément d'intensité dramatique croissante et une grande douceur des formes, s'affirma dans les colonies. Parmi les principaux centres artistiques de la période, figurent Tarente, Naples et Pæstum.

Peinture et céramique

Les Grecs considéraient la peinture comme l'expression artistique la plus

COMPRENDRE L'ITALIE DU SUD

Akragas : *Agrigente*	**Tuder** : *Todi*
Caere : *Cerveteri*	**Velitrae** : *Velletri*
Clusium : *Chiusi*	**Veii** : *Véies*
Faesulae : *Fiesole*	**Volsinii Novi** : *Bolsena*
Felsina : *Bologne*	**Volsinii (veteres)** : *Orvieto*
Poseidonia : *Paestum*	**Zancle** : *Messine*

noble et la plus éloquente ; malheureusement, en raison de la détérioration des pigments, rares sont les témoignages de cet art. Les uniques exemples, témoins clés, de la peinture monumentale grecque sont conservés à l'intérieur des tombes ou sur les façades des hypogées.

Les vases à figures noires sur fond rouge ou jaune remontent à l'époque archaïque et au début de l'époque classique. Les détails des figures sont obtenus simplement en incisant le vernis noir avec une pointe d'acier. Les scènes les plus récurrentes sont généralement liées à la mythologie et à la vie quotidienne. Les vases à figures rouges apparaissent en Italie du Sud vers la fin du 5e s. av. J.-C. Le vernis noir, employé auparavant pour dessiner les figures, sert alors uniquement de fond aux décorations réalisées en rouge brique avec des touches de noir et de blanc. Cette inversion, qui confère une plus grande liberté de composition, constitue une découverte révolutionnaire pour les artistes, dont les dessins gagnent en traits plus doux. Les thèmes représentés ne subissent en revanche pas de variations notables. À partir du 3e s. av. J.-C., la production artistique italique et de Grande Grèce tend de plus en plus vers l'ornementation.

LES ROMAINS

Pour la partie historique, voir p. 46.

La ville romaine

Les villes romaines de fondation nouvelle ont souvent une origine militaire ou sont intégrées, lors de l'établissement du projet, au plan du *castrum*, le camp militaire. Les nouvelles villes, réalisées selon ce modèle, étaient divisées en général en quatre quartiers par deux rues principales, le *decumanus* et le *cardo*, se coupant à angle droit et aboutissant à des portes. Les autres rues sont parallèles à ces deux premières.

Les **rues** de la ville étaient bordées parfois de trottoirs hauts de 50 cm et pouvaient être longées de portiques destinés à protéger les promeneurs des intempéries. La chaussée, revêtue

ART ET ARCHITECTURE

La géographie du mythe
Les rivages d'Italie du Sud ont exercé une sorte de fascination sur les Grecs primitifs, pour lesquels ils représentaient les proches confins des terres habitées. De nombreuses scènes de la mythologie grecque s'y déroulent : les Champs Phlégréens, près de Naples, cachent l'entrée du royaume d'Hadès ; Coré (Perséphone), la fille de Déméter (Cérès), est enlevée par Hadès (Pluton), sorti du fleuve Tartare près d'Enna. Dans l'*Odyssée*, Homère (9e s. av. J.-C.) raconte les aventures d'Ulysse (Odusseus), après la guerre de Troie, tombant de Charybde en Scylla dans le détroit de Messine, et en proie au chant envoûtant des sirènes dans le golfe de Sorrente.

de grandes dalles parfaitement jointes, était par endroits coupée de bornes plates aussi hautes que le trottoir, entre lesquelles pouvaient passer les chevaux et les roues des chars. Ces bornes permettaient aux piétons de traverser la rue de plain-pied.

La maison romaine
Il existe deux types fondamentaux de maisons romaines : les *insulæ*, immeubles de rapport à plusieurs étages divisés en appartements, souvent avec boutiques donnant sur la rue, et les *domus*, grandes et luxueuses habitations patriciennes avec atrium, évolution d'origine hellénistique de la *domus* italique. La nudité extérieure des murs et la rareté des fenêtres donnaient à ces dernières un aspect modeste. Mais l'intérieur, décoré de mosaïques, de statues, de peintures, de marbres, et comprenant parfois des thermes privés et un vivier, témoignait de la richesse de leur propriétaire. À l'entrée, une inscription ou une mosaïque *(cave canem)* invitait parfois le visiteur à prendre garde au chien, tandis qu'un vestibule, sur lequel s'ouvrait la loge du gardien, conduisait à l'atrium.

L'**atrium (1)**, constituant dans un premier temps le centre de la *domus*, se transforma par la suite en une cour intérieure, se déployant autour d'un bassin destiné à recevoir les eaux de pluie *(impluvium)*. Sur les côtés de l'atrium, seule partie de la maison où les étrangers étaient habituellement admis, s'ouvraient quelques pièces pourvues d'un lit *(cubicula)* ; le fond était occupé par le **tablinum (2)**, salle à manger-séjour. L'atrium et les pièces qui y prenaient jour constituaient la forme la plus primitive de la maison romaine, telle que l'ont conservée les citoyens peu fortunés.

La partie réservée à la famille s'organisait autour d'un **péristyle (3)**, cour entourée d'un portique, se présentant généralement sous forme de jardin avec bassins pavés de mosaïques, jets d'eau et statues. Les *cubicula*, simples pièces à dormir, comportent un lit en maçonnerie appliqué contre la paroi ou un lit mobile ; il y a matelas, coussins, couvertures, mais pas de draps. La salle à manger, ou **triclinium (4)**, prend son nom des trois lits où les convives étendus sur des coussins prenaient leur repas, selon la coutume grecque, appuyés sur un coude. La table centrale n'était entourée que sur trois côtés, le quatrième restant ouvert aux esclaves chargés du service. L'ensemble était complété par un grand salon ou *œcus*, parfois doté d'une colonnade.

Les communs comprenaient : la cuisine avec tout-à-l'égout, fourneau en maçonnerie, four ; les bains, qui sont une réduction des thermes ; les logements des esclaves ; les greniers, celliers, écuries, etc. Les latrines occupaient un coin de la cuisine pour bénéficier de la même canalisation.

Le forum
Grande place souvent entourée d'un portique à l'époque impériale, le forum, qui était à l'origine un marché généralement situé à l'intersection des deux rues principales, devint le centre de la vie publique et commerciale des villes romaines.

Autour du forum sont groupés les édifices officiels : la curie ou siège de l'administration locale, les salles de vote pour les élections, la tribune aux harangues, la basilique « argentaria » (des changeurs), le trésor municipal, les greniers publics, la basilique judiciaire (tribunal), la prison et les temples.

Plan d'une maison romaine.

Les tombes

Les nécropoles romaines se situaient à l'extérieur de l'enceinte de l'agglomération. Les tombes étaient signalées par une simple stèle, par un autel, ou, pour les familles plus aisées, par un mausolée. Pour les familles les moins fortunées, l'on utilisait une pièce, dite *colombarium*, dont les parois étaient quadrillées de niches destinées à accueillir les urnes cinéraires. La plus célèbre nécropole romaine est celle de la Via Appia Antica, au sud de Rome. Aussitôt après sa mort, le défunt était exposé sur un lit spécial entouré de candélabres et de guirlandes de fleurs, puis enterré ou incinéré par les siens. Le corps était accompagné d'un mobilier funéraire qui devait servir après la mort : vêtements, armes, outils pour les hommes ; jouets pour les enfants ; parures et objets de toilette pour les femmes.

L'architecture

L'architecture romaine diffère de l'architecture grecque, non seulement par sa vocation fondamentalement « plastique » et organique, mais encore par l'étroit rapport entre la forme extérieure et l'espace intérieur ; de plus, d'importantes innovations techniques et la liberté de conception permirent de recourir largement aux formes incurvées, plus douces et plus souples. La colonne, qui dans l'architecture grecque était le fondement du système (dont les éléments de base étaient deux colonnes portant une architrave), fut remplacée pour des raisons fonctionnelles par le mur et le pilastre. L'utilisation du **béton** rendit possible la réalisation d'énormes espaces unitaires couverts. Le caractère technique et urbain, essentiellement public, de l'art de la construction romaine doit être souligné puisqu'il se traduit dans la réalisation d'ouvrages gigantesques, comme les ponts, les aqueducs, les routes, les tunnels, les égouts, les installations thermales, les théâtres et amphithéâtres, les stades et cirques, les basiliques et nymphées, les palestres, colonnades et autres arcs de triomphe. Les ordres architecturaux romains dérivent des ordres grecs, dont ils se distinguent uniquement par quelques détails : à Rome, prédominent le style corinthien et le style composite.

Les temples

Il s'agit de lieux dédiés aux cultes des dieux et des empereurs, élevés au rang de divinité à partir d'Auguste. Le temple, inspiré des modèles grecs, comprend une *cella*, qui contient l'effigie du dieu, et que précède un portique entouré d'une colonnade.

Les arcs de triomphe

Ils étaient destinés à commémorer le « triomphe » des généraux ou des empereurs, dont les actions victorieuses étaient représentées dans les bas-reliefs, afin de rappeler des événements importants ou honorer quelque membre de la famille impériale.

Les thermes

Les thermes romains, publics et gratuits, sont un élément important de la vie sociale : on ne fait pas qu'y prendre des bains et s'exercer à la palestre, on y donne aussi rendez-vous, on y converse, lit, joue, traite ses affaires. Dans ces vastes bâtiments fastueusement décorés de marbre, mosaïques, statues et colonnes, le baigneur suit en principe un itinéraire médicalement établi : de la palestre on passe dans une salle tiède, le **tepidarium**

Le Canope de la Villa Adriana à Tivoli.

ART ET ARCHITECTURE

qui prépare à l'étuve et au bain chaud ou **caldarium** ; puis, on repasse par une salle tiède avant de se plonger dans une piscine d'eau froide ou **frigidarium**. Un système complexe de chauffage courant sous le dallage et le long des parois permet, à partir de chaudières souterraines (les hypocaustes), de porter l'atmosphère des pièces et l'eau des bassins aux températures souhaitées.

L'amphithéâtre

Cette création romaine est une grande construction à plusieurs étages, de forme légèrement elliptique, destinée à recevoir les spectateurs des jeux du cirque. L'anneau extérieur était surmonté d'un mur auquel pouvait être suspendu un immense voile, le **velarium**, qui protégeait le public du soleil et des intempéries. À l'intérieur, clôturant l'arène, un mur défendait les spectateurs des premiers rangs contre les bêtes féroces lâchées sur la piste. Un ensemble de galeries circulaires, d'escaliers et de couloirs permettait aux spectateurs de gagner leurs places sans bousculades depuis les différentes entrées ou vomitoires.

Les spectacles consistent essentiellement en combats variés : animaux entre eux, gladiateurs contre fauves ou gladiateurs entre eux. En principe, un duel de gladiateurs doit toujours se terminer par la mort de l'un des adversaires, mais le public peut demander sa grâce et le président des jeux lever le pouce en signe d'assentiment. Le combattant victorieux reçoit une forte somme d'argent si c'est un professionnel, ou, s'il s'agit d'un esclave ou d'un captif, il obtient l'affranchissement.

Dans certains cas, l'arène pouvait être inondée pour accueillir de spectaculaires combats navals, les naumachies, réalisés avec des embarcations spéciales à fond plat.

Le cirque

En général relié au palais impérial, long et droit, avec un des côtés court en courbe et un autre rectiligne (ligne de partage), le cirque était utilisé pour les courses de chars et de chevaux. Au centre de la piste se trouvait la *spina*, autour de laquelle tournaient les concurrents. À l'époque tardive, le cirque accueillit tout type de spectacles. Le stade, d'origine grecque et au départ destiné aux compétitions d'athlétisme, présente une forme analogue à celle du cirque, mais en plus petit.

Les théâtres

Formant un hémicycle, ils comprenaient des gradins souvent terminés par une colonnade, l'**orchestre** réservé aux personnages illustres ou à la figuration, et la **scène**, surélevée par rapport à l'orchestre. Les acteurs évoluaient en avant d'un imposant mur de scène richement décoré de colonnes, niches et sculptures, et revêtu de marbre et de mosaïques, à l'image d'une façade de palais. La perfection de l'acoustique était obtenue grâce à un ensemble de facteurs architecturaux d'une grande subtilité. Les décors étaient tantôt fixes, tantôt mobiles et l'on pouvait, du sous-sol ou des cintres, créer des effets spéciaux surprenants (fumées, éclairs, coups de tonnerre, apparition de dieux – le fameux *deus ex machina* – ou de héros).

Si le théâtre servait avant tout à la représentation des comédies (les Romains étaient particulièrement friands de farces et de pantomimes souvent assez grossières) et des tragédies (le plus fréquemment simples transpositions de leurs homologues grecques), on s'y rendait également pour assister à des concours, des tirages de loterie ou des distributions de pain et d'argent.

Jusqu'à la fin du 2e s. av. J.-C., tous les acteurs portaient des perruques dont la forme et la couleur variaient avec la nature du personnage interprété ; après cette date, ils adoptèrent un masque en carton-pâte qui correspondait également à un rôle déterminé. Pour paraître plus majestueux, les acteurs de tragédie portaient (comme les tragédiens grecs) des cothurnes, sandales pourvues d'une très haute semelle de liège.

Un héritage fécond

DES CLEFS DE LECTURE

Pour saisir justement l'art italien, la profusion et la variété des œuvres qu'il n'a cessé de produire, du 12e s. à la fin du 18e s., il faut avoir clairement présentes à l'esprit les conditions qui ont favorisé son développement : d'une part, il est demeuré sans conteste l'héritier des civilisations étrusque, grecque et romaine dont il reprend, à chaque époque, un certain nombre de motifs essentiels et de caractères profonds ; d'autre part, la géographie même du pays, s'étirant des Alpes à la Sicile, a favorisé la pénétration de multiples influences extérieures.

Après Byzance qui, dès la chute de l'Empire romain d'Occident, imprime son sceau pendant plusieurs siècles sur les rives septentrionales de l'Adriatique, ce sont les Ostrogoths, les Lombards, les Francs, les Arabes et les Normands qui apportent à chacune des régions conquises des solutions formelles originales.

C'est l'extraordinaire souplesse du caractère italien, capable d'absorber les leçons étrangères et de les mettre à profit, qui permettra à Florence, Sienne, Vérone, Ferrare ou Milan, puis **Rome**, Venise, **Naples** et **Lecce**, d'être l'une après l'autre le foyer d'une éclosion artistique particulière.

En dépit des particularismes régionaux, les artistes de la Péninsule présentent, dès le 12e s., un certain nombre de traits communs qui iront se multipliant jusqu'à la Renaissance : un intérêt prononcé pour l'harmonie et la rigueur des formes, ainsi qu'un sens inné de l'espace, probablement hérité de la culture classique. Grâce à ce patrimoine, il est possible d'affirmer que l'art italien est caractérisé par un sens de la mesure et de l'harmonie, interprété comme l'ordre rationnel et intelligible des choses, étranger aux autres civilisations artistiques.

Rejetant les accents naturalistes propres aux écoles du Nord, atténuant en même temps l'abstraction intellectuelle et le côté décoratif importés d'Orient, l'artiste italien invente peu à peu un système de représentation qui lui permet de mettre en perspective sa propre émotion, ressentie comme parfaite et définitive. La tendance classique à l'idéalisation se manifeste particulièrement dans le culte voué à la figure humaine, qu'il soit d'inspiration religieuse ou profane. En dépit de cette conception savante et élitiste, l'art en Italie a toujours été un important facteur de la composante sociale. Parallèlement à cette recherche de l'ordre, toujours soutenue par une tension intellectuelle, se développe peu à peu une ouverture au réalisme, constamment idéalisé par la mémoire des modèles grecs. En témoigne la **place** médiévale, cette fameuse *piazza* qui regroupe sur le modèle de l'antique forum romain les principaux édifices de la vie sociale : l'église et le baptistère d'abord, le palais communal ou celui du prince ensuite, auxquels s'ajoutent parfois un tribunal ou un hôpital ; au centre s'élève souvent une fontaine ; des marchés, des réunions s'y tiennent. C'est dans ce décor urbain que s'affirme avec le plus d'évidence le goût du peuple italien pour les prestiges de l'illusion et son amour du spectacle. Dessinée comme une scène de théâtre – mais plus souvent le fruit d'une lente stratification riche de stimuli esthétiques et d'humeurs sociales –, embellie de toutes sortes d'ornements, la place est l'endroit où se concluent les affaires, où se prennent les décisions politiques, où se déroulent les cérémonies de la communauté ; de plus, l'histoire s'y lit dans le réemploi de matériaux, la reprise des motifs ornementaux et la superposition des styles. C'est là que l'artiste, à la fois architecte, sculpteur et peintre, accomplit son œuvre aux yeux de tous.

Cependant, ces urbanistes de génie entretiennent également des rapports privilégiés avec la nature et le paysage. Dans une campagne par essence pittoresque, ils ont élevé, dès l'époque romaine, de somptueuses **villas** entourées de jardins en terrasses que des sources et des bassins rafraîchissent, que des plantations choisies avec soin et savamment agencées ombragent. Toutes ces « fabriques » invitent au repos, à la méditation ou au spectacle, tantôt intime, tantôt grandiose, de la nature. Ainsi, de la Villa d'Hadrien, à Tivoli, aux terrasses fleuries des îles Borromées, en passant par le charme tout oriental de la Villa Rufolo de Ravello, en Campanie, par les fantaisies maniéristes de Rome, Tivoli encore ou Bomarzo, ornées de grottes et de statues, les architectes et les jardiniers italiens, indifférents à la grandeur solennelle que privilégie le classicisme français, ont créé une infinité de lieux où l'homme entretient un rapport paisible et harmonieux avec la nature.

L'ART BYZANTIN

L'époque des invasions barbares eut de considérables répercussions dans le domaine artistique, causant la disparition du langage « impérial » romain tardif et l'émergence du substrat populaire et narratif qui aura caractérisé le développement de l'art paléochrétien et aurait été à la base de l'impressionnisme romantique.

Choisie par **Honorius** comme capitale de l'Empire d'Occident, **Ravenne**, après la mort de Théodoric et la guerre contre les Wisigoths, passa sous le contrôle de l'empereur byzantin **Justinien**, devenant le centre politique et culturel d'un empire qui n'occupait qu'une partie de la Péninsule. Si les empereurs ne purent se maintenir à Ravenne et en Vénétie julienne au-delà du 8e s., ils continuèrent cependant à exercer leur domination sur une partie de l'Italie du Sud jusqu'au 11e s.

L'art byzantin tire ses racines de la tradition artistique hellénistico-romane, dont dérivent un certain réalisme et le sens classique de la mesure, les incorporant avec d'importantes influences orientales, qui en caractérisent le développement en un sens abstrait et décoratif.

ART ET ARCHITECTURE

Architecture et sculpture

L'architecture s'insère dans la tradition romaine tardive en développant, avec des résultats extraordinaires, les potentialités de la voûte et de la coupole. À côté de ces solutions très complexes – tant dans leur conception que dans leur exécution – et donc d'un coût très élevé, le simple plan basilical est très largement utilisé. La simplicité structurale est compensée par l'admirable qualité de la décoration de mosaïque et de marbre. Sur les panneaux des sarcophages, des transennes (clôtures du chœur) et des ambons (chaires), les bas-reliefs manifestent un symbolisme hautement décoratif par l'utilisation de figures d'animaux stylisés. L'église de la Cattolica, élevée au 10e s à Stilo (Calabre), est un bel exemple de ce style, avec ses cinq petits dômes cylindriques, sa disposition des briques et son intérieur partagé entre les colonnes de marbre, les petites coupoles, les voûtes en berceau et son ornementation de mosaïques.

Mosaïques

C'est dans cette forme d'art somptueuse que les artistes byzantins donnèrent toute leur mesure. La préciosité du matériau fit, en fait, de cette technique la plus adaptée à rendre la transcendance des figurations sacrées ou des apparitions de la Cour. Composées de tesselles, fragments de pierres dures, émaillées, taillées irrégulièrement de façon à accrocher la lumière et la refléter à travers une infinité d'angles, les mosaïques revêtent culs-de-four, parois et coupoles, leurs ors scintillant doucement dans une pénombre mystérieuse. Des figures énigmatiques et grandioses se détachent sur un ciel bleu de nuit et sur un paysage qu'animent arbres, plantes et animaux.

Architecture souterraine

Encouragées, favorisées par une géologie qui s'y prêtait, quelques cités de Basilicate, des Pouilles et de Calabre ont vu, dès le 8e s. se bâtir des maisons troglodytes et plusieurs églises. Dans la seule ville de Matera (Basilicate - *voir p. 286*) ont été creusées pas moins de 130 églises rupestres, une véritable architecture souterraine dont l'agencement et la décoration témoignent d'une influence byzantine.

Les plus célèbres parmi ces mosaïques sont celles de Ravenne (5e et 6e s.), mais aux 11e et 12e s., le style byzantin reste prédominant à Venise (St-Marc) et en Sicile (Cefalù, Palerme, Monreale) et perdure à Rome, avec de remarquables variantes, jusqu'au 13e s. (à Santa Maria in Trastevere notamment).

LE MOYEN ÂGE : ROMAN ET GOTHIQUE (11e-14e S.)

Comme tous les pays d'Europe, l'Italie du Moyen Âge se couvre d'édifices religieux ; pourtant, le goût de l'équilibre propre à cette nation et l'exemple de la monumentalité romaine feront que l'art italien ne cherchera jamais à atteindre le sublime vertige des grandes réalisations gothiques de France et d'Europe du Nord.

Époque romane

La renaissance du 11e s., préliminaire nécessaire pour le développement d'un style architectural nouveau et grandiose, mêle campagne et ville. Les nouvelles cathédrales et nouveaux monastères bénédictins combinent l'héritage

L'église rupestre de Santa Lucia alla Malva à Matera (Basilicate) abrite des fresques des 10e-11e s.

classique de l'art carolingien et ottonien aux diverses expériences. Les éléments fondamentaux du langage architectural roman, toujours réalisés de sorte que leur fonction structurale soit évidente, sont l'alternance colonne-pilastre, qui rythme l'espace et génère une plastique vigoureuse, et sa continuation dans les systèmes de couverture, où elle se prolonge en archivoltes et tiercerons supportant les voûtes.

Dans la phase de formation du nouveau langage, un rôle de relief revient aux ouvriers de l'Italie du Nord, connus sous le nom de **maestri comacini**, artisans d'édifices exceptionnels, en pierre dans la zone de prémontagne, en brique dans les plaines, et de **maestri campionesi**, originaires de la région de Lugano et des lacs lombards.

La tradition des nombreuses régions du centre de l'Italie se réfère aux autres modèles culturels et il en résulte ainsi de grandes différences : à Florence, le legs classique est tellement apprécié qu'il est à l'origine d'un « classicisme médiéval », souvent finement intellectuel et d'un grand raffinement chromatique, qui tend à résoudre, tant en surface qu'en plasticité, les problèmes de forme et de structure, tandis qu'à Rome, demeure présente une vive hérédité paléochrétienne, constituée par les célèbres basiliques de l'époque de Constantin. En Toscane, en particulier à Pise, Lucques et Pistoia, le langage roman se développe à partir de la fusion d'une structure architecturale d'origine lombarde et du classicisme florentin, enrichi d'importants détails décoratifs probablement importés d'Orient. Dans le Latium dominaient les **Cosmates** (12e-13e s.), corporation de marbriers, spécialisés dans l'assemblage de fragments de marbre multicolores (pavements, trônes épiscopaux, ambons et chaires, chandeliers pour cierges pascaux) et dans l'incrustation d'émaux bleus, rouges et dorés sur les colonnettes et les frises des cloîtres. En Italie du Sud et en Sicile, enfin se mêlent les influences lombardes et sarrasines, normandes et byzantines *(voir encadré ci-dessous)*. Le style siculo-normand qui en résulte est élevé et monumental, fastueusement oriental dans la vibration créée par les effets de lumière des surfaces décorées, et classique dans le rythme solennel des colonnades.

La **sculpture** est étroitement liée à l'architecture, avec une prédominance marquée pour le bas-relief, parfois développé en cycles complexes de caractère didactique, symbolique ou profane, dans lesquels se construit un nouveau langage très expressif, au point de conjuguer, avec autonomie prononcée et personnalité, des courants disparates.

La **peinture**, comme la **mosaïque** qui en constitue une variante plus précieuse, se développe principalement dans les grandes cathédrales où les immenses surfaces de maçonnerie sont littéralement transfigurées par les couleurs, voûtes comprises. L'aspect actuel, dépouillé et austère, de la majorité des églises, est presque toujours le fruit des méfaits du temps et des restaurateurs. La décoration fantaisiste et vive alternait en fait avec des cycles de fresques grandioses et absorbants, constituant souvent une véritable « bible des pauvres », où l'expérimentation décomplexée d'un nouveau langage figuratif se joignait à l'héritage byzantin.

Époque gothique

D'un point de vue structural, l'architecture gothique représente l'évolution de quelques prémices inhérentes à l'architecture romane. Le développement de l'utilisation de l'arc ogival, dont la potentialité n'avait pas été exploitée

Roman abruzzain et apulien

Dans le sud de la Péninsule se dressent églises et cathédrales qui témoignent d'un carrefour d'influences. Ainsi à **Bari**, l'église romane San Nicola, édifiée vers 1087-1089, révèle une conception plus lombarde que byzantine, avec des tendances pisanes et florentines : façade sobre, flanquée de deux tours, égayée par quelques géminées et un portail sculpté composé de lions et de taureaux – le bestiaire demeurant l'un des éléments originaux du style apulien. Les cathédrales de **Bitonto** (vers 1175) et de **Trani** (vers 1098), proches de l'église de Bari laissent penser qu'une école d'architecture apulienne se développa dans la région, comme en témoigne encore la cathédrale de **Ruvo di Puglia** (sobre façade rehaussée d'une rosace, d'une baie géminée et d'un portail sculpté).

Le style roman abruzzain n'est pas en reste de variantes, faisant la part belle aux absides élégamment ornées, dont l'église Santa Maria Assunta à **Bominaco** est le plus bel exemple, au même titre que l'intérieur sobrement mystique de l'église **San Clemente a Casauria**, non loin de Chieti.

ART ET ARCHITECTURE

Un exemple du style roman apulien, la cathédrale de Trani.

précédemment, permet de porter les croisées à une hauteur maximale, de concentrer le poids sur de très hauts et spectaculaires pilastres formés par des faisceaux de colonnes et de libérer l'ossature de maçonnerie de sa fonction porteuse. Il devient donc possible de substituer aux masses opaques des murs les immenses surfaces vitrées inondant l'église de lumière « divine ». À l'extérieur, l'édifice, qui atteint des hauteurs auparavant impensables, est renforcé par un grand nombre de contreforts et d'arcs rampants, qui, invisibles à l'intérieur, accentuent le côté vertigineux de l'espace et intensifient l'élan vertical. En Italie, l'architecture gothique, introduite par les moines cisterciens, se maintient dans la lignée des modèles élaborés antérieurement, acceptant seulement, et de façon chaque fois différentes, un plus grand emploi de la lumière, comme élément structural. Le caractère concret de la plastique de l'édifice, à côté de l'omniprésence de l'héritage classique, demeure un fondement inaliénable. La diffusion minutieuse du gothique est due à d'innombrables nouveaux ordres religieux, Franciscains et Dominicains en tête, qui adoptent souvent le modèle traditionnel de la basilique paléochrétienne, pratique et économique, l'adaptant aux coutumes courantes.

C'est dans l'architecture civile, les palais et les loggias publiques des villes alors en plein essor, que se manifeste avec le plus d'originalité la manière gothique. En **sculpture** la dynastie des **Pisano** va donner une impulsion décisive, en recourant soit aux modèles antiques, revus à travers le classicisme défendu par l'empereur Frédéric II, avec **Nicola** (v. 1215-v. 1280), soit à l'élaboration d'un réalisme d'une vigueur expressive extrême d'origine implicitement gothique avec **Giovanni** (1248-après 1314). Ces maîtres, suivis par l'architecte et sculpteur **Arnolfo di Cambio** (v. 1245-1302), inventent de nouveaux thèmes et réalisent des programmes ambitieux, tels que chaires et monuments funéraires.

Les premiers témoignages de la **peinture** italienne remontent au 12e s. avec les crucifix peints ou sculptés. Insensiblement, le hiératisme issu de l'art byzantin et ottoman s'assouplit ensuite. Le Romain **Pietro Cavallini** (actif de 1273 à 1321) exécute à la fin du 13e s. des fresques et des mosaïques se réclamant des modèles de l'Antiquité, tandis que **Cimabue** (v. 1240-v. 1302) témoigne dans les fresques de l'église supérieure d'Assise d'un sens du drame

Le règne de Frédéric II

Rien ne destinait l'empereur germanique Frédéric II (1194-1250), à marquer de son empreinte la région des Pouilles. Roi de Sicile, opposé au Saint-Siège, excommunié, participant cependant à la sixième croisade, roi de Jérusalem, finement cultivé, fondateur de l'université de Naples, Frédéric II était bien plus préoccupé par les affaires italiennes qu'allemandes. Il organisa notamment, dans les Pouilles, l'administration et favorisa son essor économique. Surtout, il fit édifier dans la région plusieurs dizaines de châteaux, dont l'architecture de base reposait sur le quadrilatère : ainsi Bari, Barletta, Brindisi, Castel del Monte, Gioia del Colle, Lagopesole ou encore Trani. *(voir Bari p. 262)*

Ermitages et « trulli »

Amplement investies par la montagne, les Abruzzes et la Calabre ont vu s'ériger plusieurs ermitages au cours du Moyen Âge. Certains, en Abruzzes, au sein des grottes, comme à Ripe et à Palombaro, d'autres en Calabre, à San Giovanni in Fiore, dans le massif de la Sila, et à Stilo, perché à 400 m d'altitude, d'autres encore à Serra San Bruno, au milieu d'une forêt de hêtres et de conifères. Il est une autre curiosité, dans les Pouilles, entre Alberobello et Martina Franca : la Terra dei Trulli, une petite région qui a pris le nom des habitations originales qui la couvrent. Certains datant de l'époque étrusque, les *trulli* sont des constructions carrées, composées de blocs de pierre, au toit conique, revêtu de tuiles en calcaire gris. Les murs sont peints à la chaux, tandis qu'au sommet se détachent des pinacles relevant – selon certains – du symbolisme lié à la magie. Chaque *trullo* se veut une pièce d'habitation, ce qui explique pourquoi ils sont régulièrement groupés par trois ou quatre. La petite cité d'Alberobello possède tout un quartier de *trulli*, nommé « zona monumentale » et dont le Trullo Sovrano, sur deux étages, a été érigé au milieu du 18e s.

---

intense et nouveau, rompant en partie avec la tradition byzantine.

C'est **Giotto** (1266-1337), dont l'œuvre est illuminée par le mouvement, par la profondeur de champ, par la solide volumétrie des personnages qui créent l'espace, par une construction innovante de la scène et par une grande émotion, qui recueillera les fruits de cette évolution artistique et proposera une véritable révolution picturale, d'école laïque et civile, avec ses cycles de fresques à Assise, Padoue et Florence. Toute la peinture suivante, jusqu'à Masaccio et Michel-Ange qui s'en inspireront directement, ne pourra faire abstraction de la nouveauté giottesque.

Les maîtres du Trecento (14e s.) florentin développent un style empreint à la fois de réalisme et de mysticisme, éloigné du langage rude et plein de vie de Giotto, que caractérisent souvent des lignes élégantes, des couleurs vives et un grand raffinement décoratif. Entre-temps était né dans les cours européennes le phénomène du « **gothique international** », auquel adhérèrent surtout des artistes de l'Italie du Centre et du Nord, mûri par l'évolution en terme décoratif des cycles de fresques réalisés par Simone Martini et Matteo Giovannetti (?-1367), en Avignon.

LE QUATTROCENTO (15e S.)

Une curiosité passionnée pour l'Antiquité, une société urbaine fortement organisée autour d'un prince mécène, une nouvelle conception de l'homme, considéré désormais comme le centre de l'univers, une pléiade d'artistes, de savants, de poètes caractérisent la première **Renaissance** italienne, qui atteint l'apogée de son expression dans la ville des Médicis, Florence.

Architecture

La nouvelle conception artistique est défendue par son « fondateur », le Florentin **Filippo Brunelleschi** (1377-1446), sculpteur et architecte, disciple passionné de l'Antiquité. Sa puissante personnalité permit la mutation du maître-maçon médiéval, fort de sa solide pratique, en architecte créant son œuvre à sa table de travail. Avec Brunelleschi, l'artiste devient un intellectuel. C'est à lui que l'on doit l'invention de la « perspective géométrique », qui lui permit de concevoir des édifices incroyablement harmonieux et rationnels. Il avait intuitivement perçu que les deux dimensions d'une toile pouvaient reproduire objectivement la réalité tridimensionnelle, recherche qui s'avéra fondamentale en peinture après lui. Sa rigueur intellectuelle détermina le caractère abstrait de ses créations architecturales, que ses successeurs imitèrent et banalisèrent sans toutefois le comprendre. **Leon Battista Alberti** (1406-1472) exploita en revanche sa connaissance de l'Antiquité pour donner vie à un langage expressif nouveau, établi sur un rapport émotionnel entre les pleins et les vides, qui aurait influencé Bramante.

Sculpture

La figure la plus puissante de la sculpture de ce siècle demeure **Donatello** (1386-1466). Profondément intéressé par l'homme et peu enclin à la spéculation intellectuelle, il sut interpréter avec un esprit libre et novateur la forme classique, en l'innervant d'un dynamisme violent et en la portant au sommet de la puissance expressive. Après l'expérience de Padoue, où il créa une œuvre normative pour tout l'art de l'Italie du Nord, il retourna à Florence et, dans le climat changé de la seconde moitié du siècle, il donna forme à une humanité durement

ART ET ARCHITECTURE

éprouvée par la souffrance, présageant la crise de la fin du siècle. Incompris de son temps, il fut considéré avec grand respect par Michel-Ange, dont il anticipa la dissolution bouleversante de la forme classique. Son contemporain **Luca Della Robbia** (1400-1482), se spécialisa dans les ouvrages de terre cuite vernissée et coloriée, tandis que **Agostino di Duccio** (1418-v. 1481), **Desiderio da Settignano** (1430-v. 1464) et **Mino da Fiesole** (1429-1484), continuèrent la manière donatellienne, en esquivant toutefois l'intensité dramatique.

Peinture

Avec Brunelleschi et Donatello, **Masaccio** (1401-1428) est le troisième protagoniste de la révolution du 15ᵉ s. Il applique la perspective brunelleschienne et la renforce en utilisant la lumière pour donner du volume aux corps, qui acquièrent une telle « vérité » physique que, pour la première fois, ils jettent de l'ombre : le nouvel espace en perspective est habité de personnages palpables, dont la matérialité est marquée de dignité morale. Interprétant différemment l'espace, **Paolo Uccello** (v. 1397-1475) utilise une perspective établie sur des points de fuite plus nombreux, démontrant ainsi qu'il est possible de reproduire le visible de diverses façons, avec les implications philosophiques que cela comporte. Parallèlement, **Fra Angelico**, également appelé « il Beato Angelico », (1387-1455), spirituellement attaché encore à la tradition gothique, s'ouvre aux théories nouvelles de la Renaissance, tandis que **Benozzo Gozzoli** (1420-1497) les adapte à la description de brillantes fêtes profanes. **Andrea del Castagno** (1419-v. 1457) met l'accent sur la vigueur du modelé et la monumentalité des formes. **Sandro Botticelli** (1444-1510) possède un dessin d'une extrême pureté qui donne à ses personnages une grâce fragile, quasi irréelle, conférant à ses scènes allégoriques une atmosphère de profond mystère. Mais au changement de siècle, avec la crise des valeurs humanistes, il donnera forme à d'hallucinants personnages, faits de lignes âpres et de couleurs accusées.

Le plein équilibre atteint par la Renaissance toscane se manifeste dans la personne sublime de **Piero della Francesca** (1415-1492), dont la synthèse perspective des formes et couleurs, immergée dans une lumière cristalline, concrétise les idéaux les plus intellectuels et spéculatifs de son temps.

L'autre grand pôle se situe à Venise, où dans les années 1470, grâce à l'apport de la peinture « atmosphérique » du Sicilien **Antonello da Messina** (1430-1479), qui avait assimilé la grande leçon flamande, et à la connaissance de Piero della Francesca, **Giovanni Bellini** (1432-1516) oppose à la construction géométrique, intellectuelle et antinaturaliste des peintres florentins une vision plus empirique de l'espace, dont la profondeur est rendue par la richesse chromatique de l'œuvre et l'utilisation des tons fondus.

LE CINQUECENTO (16ᵉ S.)

Au 16ᵉ s., la sensibilité humaniste qui avait profondément marqué le siècle précédent atteint sa totale maturation. Les artistes sont de plus en plus attirés par la mythologie, l'art de l'Antiquité, la découverte de l'homme. Le foyer de la Renaissance se déplace de Florence à Rome, où les papes rivalisent d'efforts pour orner palais et églises.

Fresques (15ᵉ s.) de l'église Santa Maria in Platea à Campli (Abruzzes).

COMPRENDRE L'ITALIE DU SUD

À la fin du siècle, les modèles esthétiques de la Renaissance sont exportés dans toute l'Europe. L'âge d'or, auquel aspiraient poètes et humanistes, était cependant destiné à décliner probablement même avant d'être né, emporté par la tourmente luthérienne et par le bouleversement des structures politiques en Europe.

Architecture
Le siècle commence avec l'arrivée de **Bramante** (1444-1514), vétéran de l'expérience fondamentale milanaise, à Rome, où il concevra les plans de la nouvelle basilique St-Pierre, terminée par Michel-Ange. En dépit des apparences, son architecture n'est pas radicalement classique, car elle s'inspire de suppositions picturales et illusionnistes (faux chœur de Santa Maria près de San Satiro à Milan) qui simulent une profondeur qui n'existe pas. Il s'ensuit que l'architecture n'est plus un système rationnel de connaissance et de représentation de l'existence : c'est la crise du langage classique, qui trouvera une solution dans la grande architecture baroque.
Michel-Ange, qui s'inspire en partie des idées de Bramante, conçoit l'architecture comme une sculpture, avec anthropomorphisme, en tentant de modeler un espace d'une très grande tension plastique.
Le Vignole (1507-1573) et **Palladio** (1508-1580) traduisent le classicisme théorisé dans leurs traités d'architecture par l'édification d'un grand nombre d'églises, de palais et villas, notamment à Rome et dans le Latium.

Sculpture
Le siècle est dominé par **Michel-Ange** (1475-1564). Après avoir travaillé dans sa jeunesse à Florence, il s'installe à Rome, où des œuvres d'une vigueur plastique inégalée expriment son génie créateur, tourmenté et idéaliste. Le problème de la révélation divine est au cœur de son art, comme l'ardent désir de faire la distinction entre existence terrestre, incomplète et caduque, et éternité de l'âme, qui tend à se libérer des liens de la chair et de la souffrance dialectique entre la raison et la foi. S'inspirant et de l'Antiquité et de l'œuvre de Donatello, il les revisite dans un itinéraire d'une impressionnante tension morale. Dans ses dernières œuvres, il parvient à dissoudre la matière, interprétée comme la matérialité du corps humain, à travers l'immatérialité de la lumière, l'esprit, effritant ainsi sans appel l'optimisme du classicisme humaniste.
Son héritage devient l'inévitable pierre de touche de tous les artistes du siècle, parmi lesquels l'élégant et raffiné **Benvenuto Cellini** (1500-1571) et **Jean Bologne** (1529-1608), auteur de nombreux groupes sculptés à Florence et dans les environs, qui comme ses contemporains, soumet la sculpture aux impératifs d'un art de cour raffiné.

Peinture
Le 16e s. a produit un nombre impressionnant de peintres de tout premier plan, et les grandes lignes de la nouvelle peinture humaniste s'élaborèrent d'abord et surtout à Florence, qui fut relayée ensuite par Rome d'abord, puis Venise. Trois artistes exceptionnels, mais dans une certaine mesure complémentaires, ouvrent le siècle.
Léonard de Vinci (1452-1519), fascinante personnalité qui illustre à merveille la curiosité des nouveaux humanistes, invente le *sfumato*, un modelé vaporeux qui rend sensible la distance séparant les objets. Son constant souci de rechercher et de vérifier les mécanismes du mouvement et du fonctionnement des choses, sa tentative pour traduire la somme colossale de ses observations dans un système cohérent, font de lui un précurseur de la science (et du désir de connaissance) des temps modernes. Ses réflexions sur les « mouvements de l'âme » et leurs illustrations dans d'éminents modèles picturaux influencèrent radicalement ses successeurs.
Raphaël (1483-1520) n'est pas uniquement un prodigieux portraitiste et le peintre de madones au dessin d'une extrême douceur : c'est aussi un décorateur d'une fabuleuse invention, notamment dans les « Chambres » du Vatican, où il fait preuve d'une science exceptionnelle de la composition. Son langage, classique dans le sens le plus complet du terme, est à même de communiquer les contenus les plus intellectuels et les plus subtils, en figurations d'une logique persuasive, séduisante et apparemment facile.
Michel-Ange, s'il fut avant tout sculpteur, réussit également à transférer dans la peinture son extraordinaire expressivité dramatique et son sens des volumes, comme en témoignent les admirables fresques de la Chapelle Sixtine : une humanité grandiose et héroïque, bouleversée par le message divin, ébranle la sécurité du classicisme contemporain pour imposer aux générations successives d'artistes le dilemme entre l'art du « divin » Raphaël et celui du « terrible » Michel-Ange.

L'école vénitienne du 16e s. se développe dans le sens du colorisme. **Giorgione**

(1478-1510) porte sa méditation sur le rapport entre l'homme et la nature dans une atmosphère mystérieuse. **Titien** (1490-v. 1576), qui fut l'élève des Bellini et travailla dans sa jeunesse avec Giorgione, porte l'art vénitien à son apogée, soit dans de grandes compositions mythologiques ou religieuses, soit dans des portraits pénétrants, souvent exécutés sous le mécénat de princes italiens et de souverains européens. Ses dernières œuvres, caractérisées par de hardies compositions très originales et par des dégradés de couleurs en touches denses et grumeleuses, constituent l'héritage impressionnant et très personnel d'un des principaux témoins du siècle. **Le Tintoret** (1518-1594) apporte violence et vertige au luminisme de ses prédécesseurs et s'en sert pour rendre plus dramatique ses grandes compositions religieuses.

LES ANNÉES D'INQUIÉTUDE

La crise de la fin du 15e s., l'invasion en Italie d'armées étrangères, avec pour conséquence une perte de liberté pour de nombreux États, l'accroissement des tensions religieuses (mise à sac de Rome, développement du protestantisme, Contre-Réforme), eurent des répercussions dramatiques sur les artistes les plus sensibles de l'époque.

Les résultats les plus éclatants de la crise anticlassique sont visibles à Florence, où **le Pontormo** (1494-1556) incarne le rôle de l'artiste, génial mais tourmenté et névrosé, lunatique et visionnaire. Ses œuvres, mûries de la méditation de Raphaël et de Michel-Ange, prennent très vite une tension hagarde et inquiétante, bouleversant par leurs couleurs acidulées et leur spatialité irréelle l'ordre de la Renaissance.

LE MANIÉRISME (16e-17e S.)

Le terme ambigu de « maniérisme » désigne un phénomène culturel se situant entre la Renaissance et la période baroque. Il marque l'achèvement de la première, dont il reprend les motifs de « manière » toujours plus insistante, esquivant ou transformant en termes de formalisme intellectuel la crise de conscience de la génération précédente. On peut parler du maniérisme comme d'un art destiné à un public raffiné, d'une thèse qui, voulant se rattacher aux idéaux de beauté suprême définis par Raphaël et Michel-Ange, évolua vers un culte obsessionnel de l'élégance formelle et de la virtuosité d'exécution.

Citons comme représentant caractéristique de cette tendance, **Giorgio Vasari** (1511-1574), auteur des *Vies des plus excellents peintres, sculpteurs et architectes italiens*, ouvrage qui a influencé le jugement historique et critique jusqu'à nos jours.

Tandis qu'en Europe la tendance maniériste se diffuse librement, elle est en partie endiguée en Italie par l'Église catholique qui, après le concile de Trente (1545-1563), est résolue à conformer l'art religieux à une plus grande lisibilité et clarté doctrinales.

LE 17e S. : NATURALISME, CLASSICISME ET BAROQUE

Peinture

La première réaction contre les excès du maniérisme vient de l'**académie des « Incamminati »** de Bologne, qui sous la direction des **Carrache** propose un art moins affecté et plus proche de la nature. À partir de ces positions se

La basilique St-Pierre de Rome, œuvre de Bramante et Michel-Ange.

développent plusieurs courants artistiques successifs. Le classicisme évolue, sur les prémices posées par les Carrache, dans les sphères bolonaises et romaines, d'où il se répandra partout. Il pose pour principe fondamental que les formes artistiques classiques empruntées à l'Antiquité et à Raphaël incarnent les modèles de perfection idéale. La voûte du palais Farnèse à Rome, peinte par Annibal Carrache, ouvre en revanche la voie au style baroque avec sa dynamique irrésistible et ses effets accentués de perspective. Tant la peinture que l'architecture baroques sont caractérisées par l'art du mouvement, par la perspective renversée, par les volutes et par le goût du faux relief. La peinture intègre l'architecture et donne vie à d'impressionnantes visions, telles que l'on peut en voir sur le plafond de l'église du Gesù à Rome, littéralement « ouvert » par **le Baciccia** (1639-1709), qui introduit dans l'espace architectural une vision tangible de la réalité céleste.

L'autre aspect de la révolution qui secoue plusieurs siècles d'idéalisme en Italie vient du **Caravage** (1573-1610), dont l'œuvre, héritière de la tradition lombarde et brésciane et riche de scènes et de personnages empruntés au monde populaire, est marquée par un réalisme cruel et sans compromis ; elle frappe par l'intensité dramatique et les violents contrastes d'ombre et de lumière, expédients utilisés pour dévoiler la réalité morale qui se plie aux agissements et aux sentiments humains. Fuyant Rome, accusé d'homicide et réfugié à Naples vers 1606, parmi d'autres réalisations le Caravage exécutera les *Sept œuvres de la Miséricorde* au Pio Monte della Misericordia. L'exemple offert par le peintre sera suivi en Italie, en France et aux Pays-Bas, par de nombreux artistes appelés les « caravagesques ». Une école d'où se distinguent la Romaine **Artemisia Gentileschi** (1593-1652) ou le Napolitain **Salvator Rosa** (1615-1673), ou encore **Mattia Pretti** (1613-1699), dit le Cavalier calabrais, dont une ample partie de l'œuvre est présente à Naples où il séjourna de 1653 à 1660 (*le Festin de Balthazar*, au Museo di Capodimonte, *le Retour du fils prodigue* au Palazzo Reale).

Ultime figure du 17e s., qui oscille entre le classicisme et le baroque, le Napolitain **Luca Giordano** (1634-1705) déploie un art tourné vers la décoration dans une veine poétique, non sans fougue ni luminosité (voir les fresques à San Gregorio Armeno ou à la Certosa di San Martino à Naples).

Architecture et sculpture

L'architecture maniériste, qui évolue entièrement sur plan et s'avère donc intellectuelle et statique, diffère fondamentalement de l'architecture baroque caractérisée quant à elle par le dynamisme spatial, la compénétration entre l'intérieur et l'extérieur, l'utilisation de lignes courbes et brisées et de la lumière comme véhicule des interventions divines. Le vrai style baroque, essentiellement présent à Rome et à Naples, est la création d'artistes œuvrant souvent à la fois comme architectes, peintres, sculpteurs et scénographes. Les transformations exécutées par **le Bernin** (1598-1680) à la basilique St-Pierre sont la plus parfaite illustration de ce style : la très célèbre colonnade, en permettant de corriger la massive et inerte verticalité de la façade, résout le problème de l'espace en développant, entre ses deux bras

Profusion baroque sur la façade de la basilique Santa Croce à Lecce (Pouilles).

ART ET ARCHITECTURE

Une perle baroque

Lecce s'impose comme la capitale du baroque apulien. S'il n'est pas de palais monumentaux et somptueux comme à Naples ou à Rome, on n'en compte pas moins nombre d'édifices remarquables, la plupart édifiée par **Giuseppe Zimbalo** (1617-1710), dit « Lo Zingarello » en raison de l'audace de son style *(voir p. 273)*. Ainsi de la basilique Santa Croce, dotée d'une façade fastueusement décorée, rehaussée d'une rosace aux allures de broderie fine. Tout comme l'harmonieuse Piazza del Duomo, avec son campanile et sa cathédrale, le Palazzo del Governo présentant une façade à bossages, percée de fenêtres, ou encore l'église du Rosario, pourvue d'une décoration surabondante, minutieuse et gracieuse. Aux pieds de ces édifices se disperse une multiplication de petites cours, des rues étroites, des maisons aux portes ouvragées, tout un raffinement de décorations.

symboliquement ouverts pour accueillir les fidèles, une perspective d'arrière-plan à la place ouverte sur la ville.
À l'intérieur, la cascade de lumière de la basilique et l'imposante masse du baldaquin, qui s'anime dans l'espace, compensent le décentrage de la nef, que son allongement transforme en un extraordinaire tunnel perspectif de tension croissante. Dans l'architecture de **Francesco Castelli Borromini** (1599-1667), qui collabora d'abord avec le Bernin, apparaissent en revanche les tensions déchirantes, les contrastes, les « folles » résolutions d'un esprit inquiet et tourmenté, tendant davantage à approfondir le dilemme et les contradictions de la souffrance spirituelle moderne qu'à exalter la grandeur des vicaires de Dieu sur terre. La galerie du palais Spada, la nef de Saint-Jean-de-Latran ou l'église de Sant'Andrea delle Fratte sont quelques exemples de ses réalisations riches d'articulations nerveuses, de rythmes complexes, toujours tournées vers l'inventivité. Second foyer d'un baroque florissant, illuminé entre autres par **Ferdinando Sanfelice** (1675-1748) et **Luigi Vanvitelli** (1700-1773), Naples distille un art reposant sur deux principes : l'hyperbole et l'ostentation. Un art du superflu dissimulant une angoisse de la mort, la défiant même pour mieux s'en éloigner. S'y mêlent les violences, les contrastes, un ton qui se hausse, voire se gausse. Ainsi la façade de San Domenico Maggiore, les intérieurs exubérants des églises San Gregorio Armeno et San Paolo Maggiore, les fontaines fantaisistes richement ornées qui jalonnent la ville parthénopéenne ou encore le palais royal de Caserte. Une variante intéressante de l'architecture baroque se retrouve dans les Pouilles (notamment à Lecce) où se dressent, sous l'influence du style plateresque espagnol, des édifices d'une fantaisie somptueuse et raffinée dans la recherche décorative.

LE 18e SIÈCLE

Les profondes transformations culturelles du nouveau siècle, projeté vers une vision rationnelle et philosophique des phénomènes, se reflètent sur l'art : le courant baroque, vidé des contenus les plus intimement religieux, évolue dans un sens toujours plus laïc et décoratif. Le Calabrais **Francesco Solimena** (1657-1747) compte parmi les figures essentielles de cette période. Formé dans l'atelier de son père, influencé par le style baroque de Luca Giordano et le caravagisme de Mattia Pretti, il réalise à Naples nombre de fresques et tableaux aux motifs historiques et religieux, où vibrent de vifs effets de couleur et de lumière. Il rayonne sur la vie artistique napolitaine avec une intense production aux commandes des églises et des collectionneurs privés. Si l'on retrouve ses articulations chromatiques dans les églises de San Paolo Maggiore (*Scènes de la vie de saint Paul*), de San Nicola alla Carità (*Scènes de la vie de saint Nicolas de Bari, Vierge avec saint Pierre et saint Paul*), de San Domenico Maggiore ou du Gesù Nuovo (*Héliodore chassé du temple*), il est aussi présent, notamment avec un autoportrait et des portraits, au Museo di Capodimonte et au Museo di San Martino, toujours à Naples.

L'art tend à se libérer de toute signification référentielle, à gagner davantage d'autonomie et à devenir une fin en soi, destinée à divertir plus qu'à instruire. Née en France, cette tendance est appelée *rocaille*. L'Italie, qui a désormais perdu la fonction de pays phare dans le domaine artistique, produit toutefois quelques figures au relief exceptionnel, dont **Guarino Guarini** (1624-1683), **Filippo Juvara** (1678-1736) et **Giovan Battista Tiepolo** (1696-1770).

LE 19e SIÈCLE

Entre la fin du 18e s. et le début du 19e s., l'Italie participe aussi à la vague antiquisante, née de l'intérêt pour Herculanum et Pompéi, par opposition au style baroque, à la « licence » duquel on souhaite substituer une simplicité sobre (et morale), sereine et harmonieuse, modelée à partir des exemples immortels de l'Antiquité. Le néoclassicisme italien est surtout représenté par le sculpteur **Antonio Canova** (1757-1822), dont les œuvres semblent adhérer parfaitement aux principes de « simplicité noble et grandeur tranquille » que Winckelmann attribuait à l'art grec (connu en réalité seulement à travers les copies romaines). Dans l'une de ses plus célèbres sculptures, le groupe des *Grâces*, l'extrême perfection des formes se traduit cependant par une sensibilité ambiguë, rendue vibrante par la nostalgie d'un monde considéré comme parfait mais irrémédiablement perdu, faisant subtilement allusion à la barrière impalpable entre la vie et la mort qui caractérise toute son œuvre et la poétique romantique du temps.

Le courant antiquisant s'impose également en architecture ; combiné à d'autres courants, cet éclectisme régnera à travers tout le siècle avec des résultats très inégaux. **Alessandro Antonelli** (1798-1888), qui constitue un cas à part, innerve le langage néoclassique avec des principes inédits d'ingénierie, mêlant la tradition académique aux expérimentations européennes les plus originales.

En peinture, parallèlement au courant néoclassique, souvent de caractère explicitement académique, s'affirme le langage romantique de **Francesco Hayez** (1791-1882), ami de Canova qui, à travers le prétexte de figurations d'histoire médiévale, fait allusion aux événements du Risorgimento. À partir de 1855 et pour environ une vingtaine d'années, une réaction à l'académisme apparaît avec les **Macchiaioli**, qui anticipent quelques aspects du mouvement impressionniste, sans connaissances théoriques précises, en plantant leur chevalet à l'extérieur et en optant pour la couleur, la touche simplificatrice et l'inspiration naturaliste. Les principaux protagonistes du mouvement sont **Giovanni Fattori** (1825-1908), **Silvestro Lega** (1826-1895), **Signorini** (1835-1901). Certains artistes sont en contact avec le milieu impressionniste de Paris dont **Giuseppe De Nittis**, natif de Barletta *(voir p. 259)*, paysagiste réaliste, aux palettes lumineuses (*La Traversée des Apennins*, au Museo di Capodimonte de Naples, en est un bel exemple). Installé à Paris dans la deuxième partie de sa vie, il se liera d'amitié avec Degas et Manet. À la fin du 19e s., tandis que se répand une forme de peinture à caractère anecdotique, **Segantini** (1858-1899), **Pellizza da Volpedo** (1868-1907) et **Previati** (1852-1920) développent une peinture divisionniste. Reflet des théories des postimpressionnistes français, elle approfondit d'une part l'analyse de la réalité, avec de fortes connotations sociales, et s'ouvre d'autre part aux thématiques allégoriques, très empreintes de symbolisme, en accord avec ce qui se passait en Europe. Leurs solutions furent fondamentales pour les avant-gardes artistiques du 20e s.

LE 20e SIÈCLE

Le 20e s. commence de manière explosive avec la réaction décapante et antiesthétique des **futuristes** qui, sous l'influence du poète **Filippo Tommaso Marinetti** (1876-1944), le théoricien du groupe, proclament haut et fort leur foi en la machine, la vitesse et la foule. Leurs toiles tentent de traduire le dynamisme du monde moderne par des formes fragmentées, apparentées au langage cubiste, dont elles se différencient néanmoins profondément par leur sens du mouvement dans lequel se condensent les leçons de philosophes contemporains comme Bergson et par leurs désordres violents et passionnés d'origine expressionniste.

Umberto Boccioni (1882-1916), **Giacomo Balla** (1871-1958), **Severini** (1883-1966), **Carlo Carrà** (1881-1966) et l'architecte **Antonio Sant'Elia** (1888-1916) sont les protagonistes de cette avant-garde. **Giorgio De Chirico** (1888-1978), flanqué de Carrà qui avait renié la velléité juvénile, inventa la **peinture métaphysique**, mettant en scène d'inquiétantes manifestations où les objets, associés de manière imprévisible dans des perspectives impossibles, mais crédibles, vivent dans une atmosphère énigmatique. Partant de fondements en partie analogues, **Giorgio Morandi** (1890-1964) avec de simples objets regroupés sur un plan unique, invite en revanche à une méditation silencieuse sur le sens le plus profond de l'histoire et de la signification de la peinture.

Après la Grande Guerre, le climat général de « retour à l'ordre » touche aussi de nombreux artistes italiens. C'est à cette époque que se forme le groupe du **Novecento** (20e s.), qui développe les fondements du naturalisme, filtrés à travers une relecture de la métaphysique et de l'art médiéval et classique italien, avec des résultats souvent très poétiques et d'une remarquable concentration formelle. La majeure partie des peintres, sculpteurs et architectes italiens adhèrent à cette attitude ou du moins en sont influencés, surtout lorsque dans les années 1920, le régime s'exprimera en faveur de cette tendance stylistique. S'y opposant explicitement ou tacitement, s'élèvent les voix de ceux qui ne renoncent pas à s'insérer dans une problématique moins provinciale. Autour des représentants du groupe milanais de **Corrente**, de l'**École romaine** et des **Six de Turin** se rassemblent quelques-unes des forces les plus vives de l'art italien de cette époque qui, même dans l'individualisation précise de chaque parcours, ont en commun un intérêt pour les solutions expressionnistes. Celles-ci débouchent souvent sur un réalisme intensément tragique, d'une grande tension sociale et d'une profonde substance humaine. **Renato Guttuso** (1912-1987) parvient à une relecture personnelle des formules postcubistes, appliquées à des modèles explicitement antifascistes. Parmi les sculpteurs, une des voix les plus significatives est celle de **Giacomo Manzù** (1908-1991), qui sut même renouveler, en laïc, les formes de l'art chrétien. Son sens profond de la lumière, qui confère à sa sculpture, notamment aux bas-reliefs, une vitalité donatellienne, lui permet de procéder à une dénonciation de la violence, perçue comme la mortification de l'être humain.

L'APRÈS-GUERRE

La tragédie de la guerre n'est pas sans influencer la pratique artistique : les artistes s'interrogent sur l'importance de l'accomplissement artistique dans un monde où les valeurs morales ont été brutalement effacées. On parle de « mort de l'art », même dans la nouvelle société de consommation et l'aisance des années 1950 et 1960. Le langage artistique n'est plus ressenti comme le mode d'expression de la réalité esthétique ; aussi emprunte-t-il de nouvelles voies que l'on peut estimer antiesthétiques pour avoir été jusqu'alors étrangères à toute représentation artistique, ces nouvelles orientations allant souvent jusqu'au désaveu du support physique traditionnel, la toile.

C'est, en partie, le cas d'**Alberto Burri** (1915-1995), qui se rapproche tardivement de la peinture, sans passer par le milieu académique. En procédant à des collages sur de vieilles toiles abîmées, il n'entend pas représenter autre chose que ce qu'il donne à montrer, selon une réflexion sur « l'art des déchets » mais exposer un fragment de matière qui n'acquiert de signification que par l'intervention de l'artiste, lequel donne ainsi forme à sa propre expérience.

Lucio Fontana (1899-1968) perçoit également les limites traditionnelles de l'expression artistique et cherche, en pratiquant des incisions dans la toile, de nouvelles solutions au vieux problème de l'espace, qui peut être créé mais pas représenté ; ainsi, il souligne l'importance du « geste », de l'action qui met en contact l'en deçà et l'au-delà de la toile, et détruit la classique mise en scène de l'espace.

Au mitan des années 1960, d'autres artistes s'inscrivent dans la tendance dite **« arte povera »**, définie ainsi par la critique, par nette opposition à un monde vu comme « riche » voulant dépasser le Pop'Art. Les principales figures s'expriment avec **Luciano Fabro**, **Alighiero Boetti** et **Giovanni Anselmo**. Pour ces artistes, la rupture avec l'approche classique de l'art est totale et va jusqu'au refus radical de jouer un rôle, ressenti comme mystificateur et soumis au système qu'ils contestent.

Aujourd'hui, comme en témoigne le Museo d'Arte Contemporanea Donna Regina à Naples, rassemblant plusieurs artistes d'Italie du Sud, notamment du Latium et de Campanie, la multiplicité des genres rend compte du dynamisme artistique où formes et matériaux se conjuguent dans une expression libre. **Nino Longobardi** s'attache au corps humain en touches estompées, **Mimmo Paladino** joue de la désarticulation des sujets dans des compositions foisonnantes, aux limites du grotesque, ou se libère parfois par un trait plus épuré, avec une peinture plus griffée que construite. **Carlo Alfano** pose sur la toile sombre ses interrogations existentielles à travers des fragments de sons, **Enzo Cucchi** exécute une figuration dans la lignée de Dali, **Gianni Pisani** s'inscrit entre le surréalisme et le Pop'Art, mêlant, fusionnant, pigments, sculptures et objets, **Ernesto Tatafiore**, au trait vif et léger, traque les figures héroïques (de Mozart à Maradona), tandis que **Domenico Bianchi** travaille sur les espaces, les volumes, entre les pleins et les vides.

COMPRENDRE L'ITALIE DU SUD

ABC d'architecture

Art antique

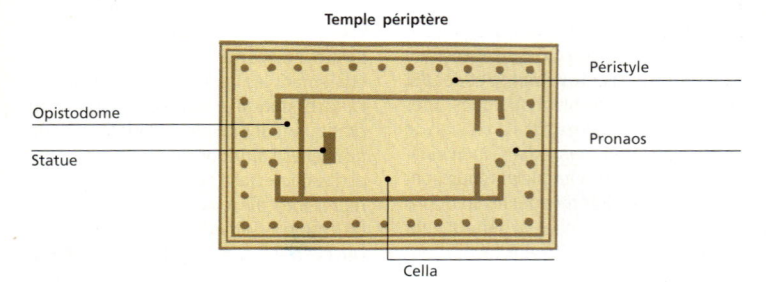

Temple périptère

- Péristyle
- Opistodome
- Pronaos
- Statue
- Cella

Élévation d'un temple d'ordre corinthien, et ordres

L'architrave, la frise et la corniche forment l'entablement

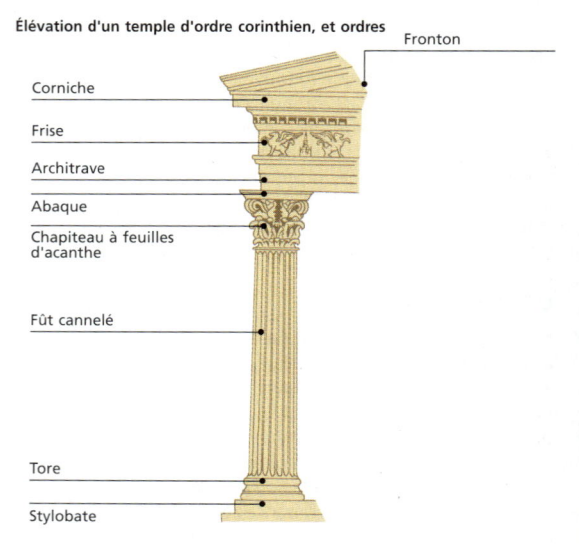

- Fronton
- Corniche
- Frise
- Architrave
- Abaque
- Chapiteau à feuilles d'acanthe
- Fût cannelé
- Tore
- Stylobate

dorique — toscan — ionique — corinthien — composite

ART ET ARCHITECTURE

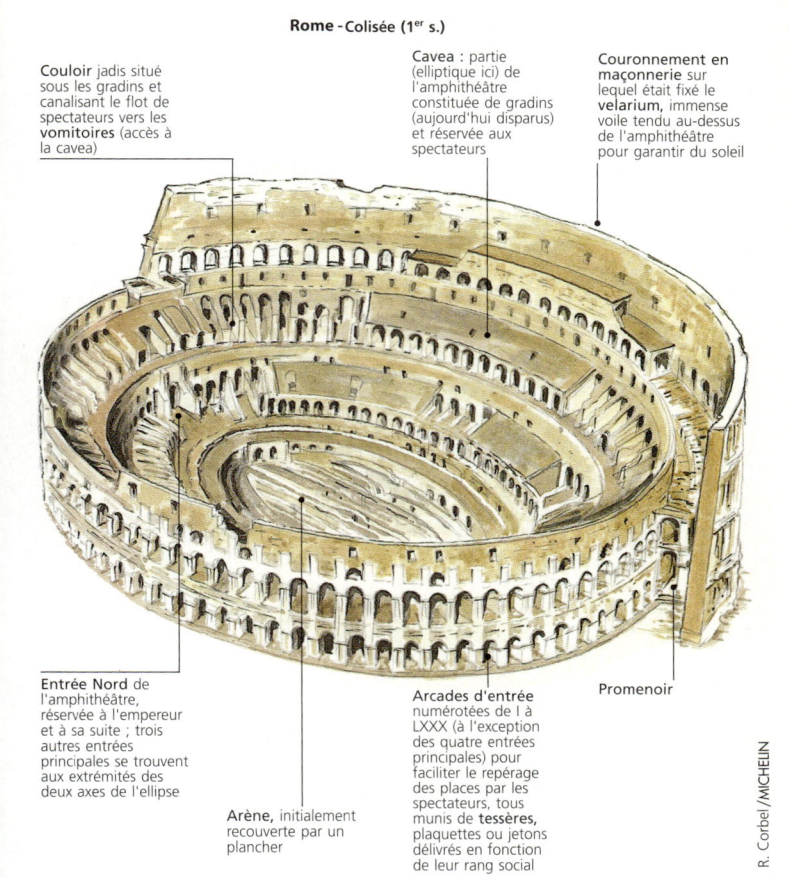

Rome - Colisée (1er s.)

Couloir jadis situé sous les gradins et canalisant le flot de spectateurs vers les **vomitoires** (accès à la cavea)

Cavea : partie (elliptique ici) de l'amphithéâtre constituée de gradins (aujourd'hui disparus) et réservée aux spectateurs

Couronnement en maçonnerie sur lequel était fixé le **velarium**, immense voile tendu au-dessus de l'amphithéâtre pour garantir du soleil

Entrée Nord de l'amphithéâtre, réservée à l'empereur et à sa suite ; trois autres entrées principales se trouvent aux extrémités des deux axes de l'ellipse

Arène, initialement recouverte par un plancher

Arcades d'entrée numérotées de I à LXXX (à l'exception des quatre entrées principales) pour faciliter le repérage des places par les spectateurs, tous munis de **tessères**, plaquettes ou jetons délivrés en fonction de leur rang social

Promenoir

Rome - Arc de Constantin (4e s.)

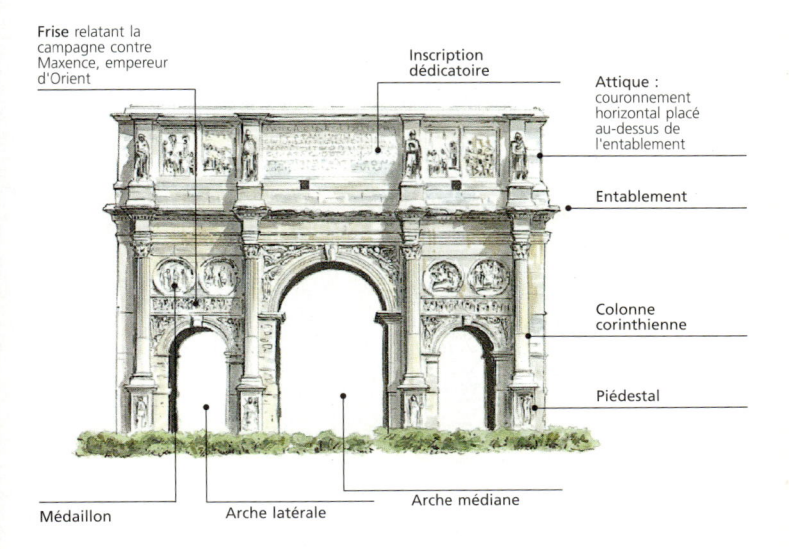

Frise relatant la campagne contre Maxence, empereur d'Orient

Inscription dédicatoire

Attique : couronnement horizontal placé au-dessus de l'entablement

Entablement

Colonne corinthienne

Piédestal

Médaillon   **Arche latérale**   **Arche médiane**

COMPRENDRE L'ITALIE DU SUD

ÉGLISE BAROQUE
Lecce – Basilique de la Sainte-Croix (15e-17e s.)

À Lecce, le style baroque se nourrit des expériences romanes et de la préciosité espagnole ; le goût pour l'exubérance et l'explosion décorative renvoient au style plateresque espagnol (15e-16e s.), où les façades se cisèlent avec la même minutie qu'un ouvrage d'orfèvrerie.

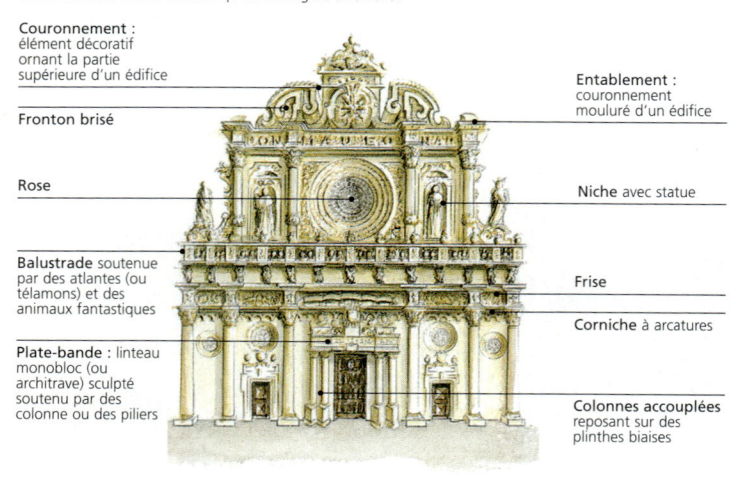

Couronnement : élément décoratif ornant la partie supérieure d'un édifice

Fronton brisé

Rose

Balustrade soutenue par des atlantes (ou télamons) et des animaux fantastiques

Plate-bande : linteau monobloc (ou architrave) sculpté soutenu par des colonne ou des piliers

Entablement : couronnement mouluré d'un édifice

Niche avec statue

Frise

Corniche à arcatures

Colonnes accouplées reposant sur des plinthes biaises

Rome – Intérieur de la basilique St-Jean-de-Latran (4e-17e s.)

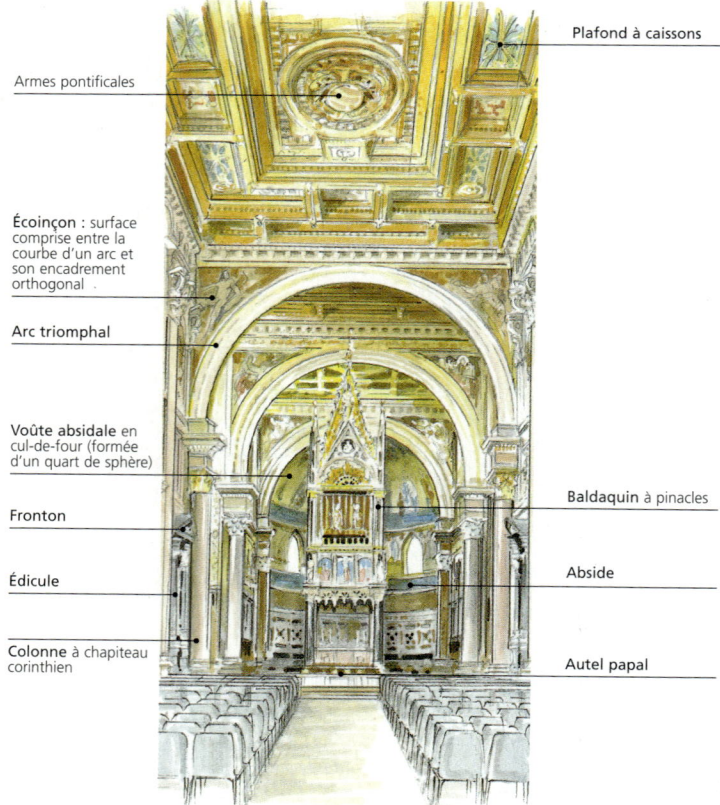

Armes pontificales

Écoinçon : surface comprise entre la courbe d'un arc et son encadrement orthogonal

Arc triomphal

Voûte absidale en cul-de-four (formée d'un quart de sphère)

Fronton

Édicule

Colonne à chapiteau corinthien

Plafond à caissons

Baldaquin à pinacles

Abside

Autel papal

ART ET ARCHITECTURE

Pouilles - Castel del Monte (13e s.)

Édifié à l'initiative de Frédéric II, probablement comme lieu de repos, le château est dominé par le chiffre 8 : de plan octogonal, il comprend huit tours également octogonales et huit pièces par étage.

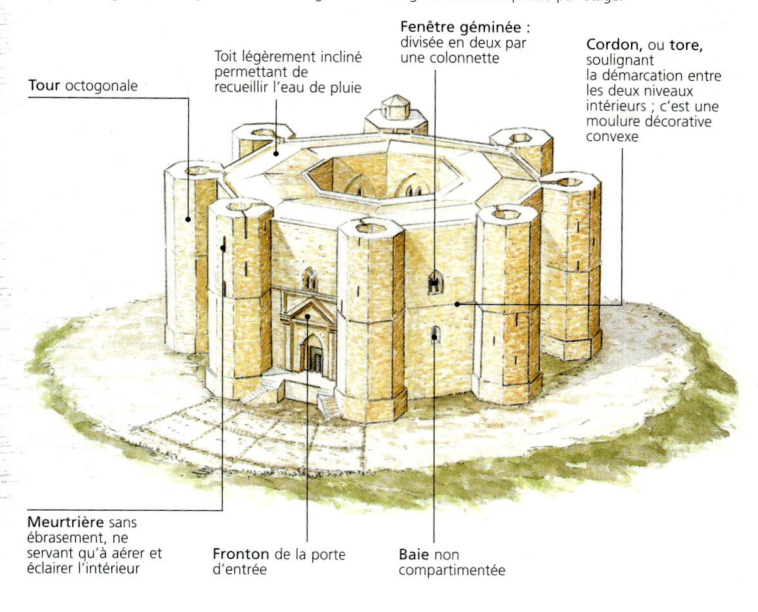

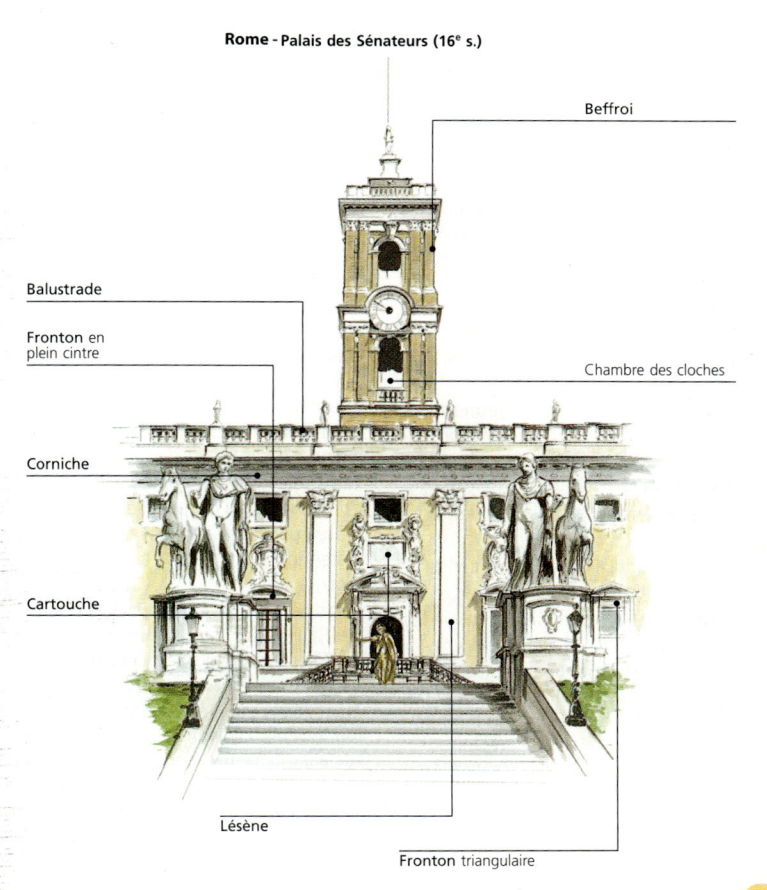

- **Tour** octogonale
- Toit légèrement incliné permettant de recueillir l'eau de pluie
- **Fenêtre géminée :** divisée en deux par une colonnette
- **Cordon**, ou **tore**, soulignant la démarcation entre les deux niveaux intérieurs ; c'est une moulure décorative convexe
- **Meurtrière** sans ébrasement, ne servant qu'à aérer et éclairer l'intérieur
- **Fronton** de la porte d'entrée
- **Baie** non compartimentée

Rome - Palais des Sénateurs (16e s.)

- **Beffroi**
- **Balustrade**
- **Fronton** en plein cintre
- **Chambre des cloches**
- **Corniche**
- **Cartouche**
- **Lésène**
- **Fronton** triangulaire

Quelques termes d'art

Abside : extrémité, en demi-cercle ou polygonale, d'une église, derrière l'autel ; le terme indique aussi bien la partie extérieure que la partie intérieure.

Archivolte : ensemble des arcs ornant une arcade. Il peut être en plein cintre ou brisé.

Atlante (ou **Télamon**) : statue masculine servant de support.

Basilique : édifice religieux rectangulaire, bâti sur le plan de basiliques romaines et divisé en trois ou cinq nefs.

Chapiteau : élément qui forme le sommet d'une colonne, constitué d'une partie lisse qui le relie au fût, et d'une partie décorée. On distingue trois ordres classiques : dorique *(voir p. 72)*, ionique (à double volute), et corinthien, décoré de feuilles d'acanthe. Ce dernier est souvent utilisé dans les édifices des 16e-17e s.

Chœur : dans les églises, partie à l'arrière de l'autel où se tiennent les chantres et meublée de stalles en bois à décorations variées.

Ciborium : dans l'église, édicule surmontant un autel.

Contrefort : bloc de maçonnerie externe, élevé en saillie contre un mur, qui s'oppose aux poussées des arcs et des voûtes.

Cordon : élément ornemental horizontal accusant la démarcation des étages.

Croisée : structure en pierre ou en bois qui divise la baie d'une fenêtre ou d'une porte. Les éléments verticaux sont appelés meneaux.

Croix (plan en) : on distingue la croix grecque, à branches égales, et la croix latine dont les branches du transept sont plus courtes.

Déambulatoire : prolongement des bas-côtés autour du chœur et permettant aux fidèles de circuler devant les reliques dans les églises de pèlerinage.

Encorbellement : saillie par rapport à l'alignement.

Enroulement : motif décoratif constitué de feuilles s'enroulant en spirale.

Entablement : couronnement constitué de l'architrave, la frise et la corniche.

Exèdre : partie munie de sièges, placée au fond des basiliques romaines ; par extension, édicule aux formes arrondies ou espace semi-circulaire en plein air.

Fenêtres jumelées, trilobées, bigéminées : fenêtres divisées verticalement par deux, trois, quatre compartiments.

Fronton : ornement, généralement triangulaire, placé au-dessus des édifices, portes, fenêtres, niches.

Grotesque : motifs d'ornementation fantastiques inspirés des motifs de décoration de l'Antiquité. Le terme provient de « grottes », nom donné aux vestiges romains enfouis de la Domus Aurea, découverts à la Renaissance.

Jambage (ou **piédroit**) : montant vertical qui délimite latéralement une baie (porte, fenêtre, etc.) et qui soutient le linteau.

Lanternon : tambour avec des fenêtres, surmontant une coupole.

Linteau : élément horizontal qui sert à relier des pilastres ou des colonnes et qui constitue la partie inférieure de l'entablement (dans les édifices classiques comme le temple).

Modillon : petite console soutenant une corniche.

Narthex : portique précédant la nef d'une église.

Nef : chaque partie de plan allongé d'une église. La nef centrale, souvent de dimensions plus grandes, est appelée simplement nef, tandis que les nefs latérales sont appelées bas-côtés.

Ogive : arc tendu diagonalement qui sert à soutenir une voûte.

Péristyle : colonnade formant un portique qui entoure l'extérieur d'un édifice.

Prédelle : partie inférieure d'un polyptyque ou d'un retable.

Pronaos : dans le temple grec, espace qui se trouve devant la *cella*. Par la suite, portique sur colonnes qui précède l'entrée d'une église ou d'un palais.

Retable : construction verticale portant un décor peint ou sculpté, placée sur un autel ou en retrait de celui-ci.

Rosace : fenêtre circulaire souvent placée sur la façade d'une église, ornée de délicats motifs en pierre (petites colonnes, volutes, dessins) disposés en éventail.

Tambour : élément cylindrique ou polygonal sur lequel repose la coupole.

Transept : vaisseau transversal coupant la nef donnant à l'église la forme d'une croix.

Tribune : dans les églises paléochrétiennes, galeries en hauteur, ouvertes sur la nef. Plus tard, élément de décoration des parties extérieures.

Triptyque : panneau peint ou sculpté formé de deux volets latéraux se rabattant sur la partie centrale qu'ils recouvrent.

Trompe-l'œil : peinture qui donne l'illusion de relief et de perspective.

Voûte : couverture d'une travée.

CULTURE

Habillée de paysages contrastés, chargée d'histoire, traversée d'influences diverses, au carrefour de l'Europe occidentale et orientale, l'Italie du Sud s'est dessinée au fil des siècles comme un pays de culture, un vivier fécond de tous les arts articulé autour de la Ville éternelle. Un pays illuminé par la palette de Raphaël, joué par Pergolèse, modelé par l'esprit baroque, chanté par Caruso et ensoleillé par le bel canto, raconté par Erri de Luca et filmé par Rossellini, où déambule la silhouette de Marcello Mastroianni… C'est là un arc-en-ciel de textes, de partitions, de films exceptionnels, de chefs-d'œuvre appartenant au patrimoine de l'humanité, peuplé de figures légendaires.

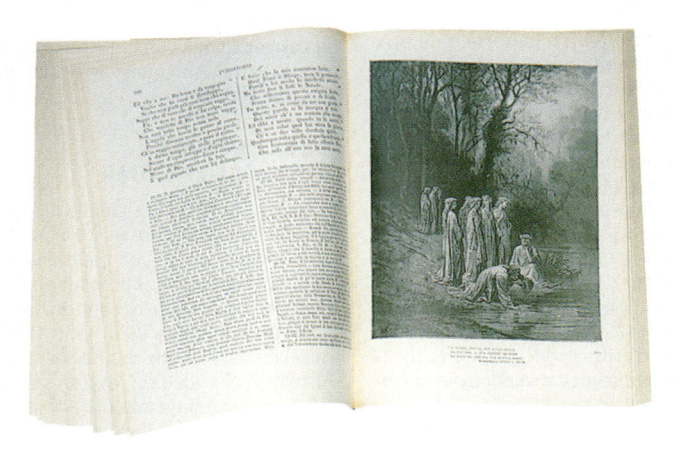

« La Divine Comédie » de Dante, texte fondateur de la littérature italienne.

Littérature

LES ORIGINES

Les origines de la littérature italienne, liées à l'évolution de la langue, remontent au 13ᵉ s. L'émouvant *Cantique des créatures*, composé par **saint François d'Assise** (1182-1226) en dialecte ombrien pour répondre au vœu de l'ordre d'utiliser la langue populaire, se situe parmi les œuvres les plus anciennes. La tendance poétique la plus célèbre fut le **dolce stil nuovo** (doux style nouveau). Ce terme, forgé par Dante, qui y adhéra au début de son activité littéraire, indique un genre lyrique qui célèbre en vers très musicaux l'amour spirituel et édifiant pour une femme élevée au rang d'ange. Guinizzelli et Cavalcanti ont eux aussi été adeptes de ce style.

Auteur de *La Vita nuova*, des *Rime petrose*, du *Banquet* et de *De vulgari eloquentia*, **Dante Alighieri** (1265-1321) pose les bases de la future langue nationale, le toscan, et lui offre le plus grand des chefs-d'œuvre de la littérature italienne, *La Divine Comédie*. Au cours de ce voyage allégorique dans l'outre-tombe, Dante, accompagné de Virgile dans les deux premiers règnes (Enfer, Purgatoire) et de Béatrice au Paradis, rencontre de célèbres damnés, dont les peines sont proportionnelles à la conduite qu'ils eurent de leur vivant. **Pétrarque** (1304-1374), qui passa son adolescence à Naples puis vécut les fastes de la cour de Robert d'Anjou, poète et humaniste, chante son amour pour Laura dans son *Canzoniere*, recueil de sonnets et de chansons qui inspirèrent la poésie lyrique de l'époque, même au-delà des frontières italiennes. **Boccace** (1313-1375), dans son *Décaméron*, œuvre sans scrupules et ironique, rassemble cent nouvelles inspirées de l'idéal de vie de la bourgeoisie naissante, composée de l'humanité la plus complexe et la plus variée.

HUMANISME ET RENAISSANCE

Le nouveau mouvement culturel, s'inspirant des goûts classiques grecs et latins, développe le concept d'*humanisme*, incarné par les grandes figures d'artistes et savants que sont Filippo Brunelleschi, Leon Battista Alberti, Léonard de Vinci.

77

À Florence, centre littéraire dynamique, se développe l'activité culturelle de Laurent de Médicis, dit **le Magnifique** (1449-1492), figure idéale d'humaniste, tandis que la découverte de l'Amérique, point culminant d'une série d'explorations, bouleverse, pour les ouvrir à l'imagination, les horizons délimités par les superstitions traditionnelles, incarnées par les Colonnes d'Hercule, limite infranchissable du monde connu. C'est l'époque de la pensée féconde, celle de **Machiavel** (1469-1527), – qui, dans *Le Prince*, démontre que l'homme auquel il appartient de sauver l'État ne peut y parvenir (et à n'importe quel prix) que par une politique sévère contre qui menace la vie civile –, celle aussi de **Guichardin**, auteur d'une *Histoire d'Italie*, et de **l'Arioste** (1474-1533), qui écrivit *Roland furieux*.

Parmi les auteurs d'inspiration classique, citons **Bembo** (1470-1547), secrétaire de Léon X à Rome, qui codifie la langue toscane, **Castiglione** (1478-1529) dont *Le Parfait Courtisan* définit les vertus du parfait homme courtois et **Michel-Ange** (1475-1564) qui, au-delà de son atelier d'artiste, concentre son activité littéraire sur une conception platonique de l'amour et de l'art.

Les comédies enjouées de **l'Arétin** (1492-1556), également fin bretteur verbial et polémiste qui se situent à l'opposé de l'idéal courtois par le contenu et par le style, sont étrangères au classicisme aristocratique, tout comme l'œuvre littéraire de **Cellini** (1500-1571), sculpteur et orfèvre à l'existence tumultueuse, auteur de *Mémoires* qui sont sources d'information sur l'existence à Rome sous Clément VII.

Vasari (1511-1574), peintre et architecte, excelle dans le genre biographique ; il présente, dans *Vies des plus excellents peintres, sculpteurs et architectes*, plus de cent artistes, de Cimabue à lui-même.

LA CONTRE-RÉFORME ET LE BAROQUE

La découverte de l'Amérique avec ses contrecoups sur l'économie méditerranéenne et la propagation de la protestation luthérienne débouchèrent sur une période plus tourmentée. Ce fut une époque d'inspiration mineure et de grand conformisme, où le problème de la langue fut résolu par l'Académie de la « Crusca », créatrice du *Vocabulaire*, remarquable œuvre lexicographique qui immortalisait la langue littéraire. La mutation du climat spirituel se manifeste par exemple avec la personnalité tourmentée de Torquato Tasso dit **Le Tasse** (1544-1595) à travers *Jérusalem délivrée* et d'autres poèmes aux accents romantiques douloureux.

Scientifique et méthodologiste de la recherche, **Galilée** (1564-1642) se réfère à Archimède et réfute la théorie d'Aristote ; en différenciant la méthode scientifique de celle applicable à la théologie et la philosophie, il se met involontairement dans une situation problématique vis-à-vis de l'Église. Celle-ci, déjà secouée par la tourmente du protestantisme, défend obstinément une position désormais fragile. Face à l'intransigeance doctrinale de l'Inquisition se développe alors le **conceptisme**, caractéristique de la poésie baroque en quête avant tout de « merveilleux ».

DES LUMIÈRES AU DÉCADENTISME

Au début du 18e s., l'Académie des Lettres de l'**Arcadia** opposait au « mauvais goût » baroque un « bon goût » inspiré de la pureté de la poésie bucolique classique. C'est également l'époque du Napolitain **Giambattista Vico** (1668-1744), qui élabora la théorie des flux et reflux historiques, fondée sur les trois stades (sens, imagination et raison) de l'histoire des civilisations, puis du dramaturge romain **Métastase** (1698-1782), auteur de *Didon abandonnée*, mis en musique à deux reprises, comme nombre d'autres de ses pièces telles *La Clémence de Titus* et *Le Roi pasteur*.

En ce siècle des Lumières, le centre de la culture italienne se situe à Milan grâce à des personnalités comme **Beccaria** (1738-1794), qui, dans son célèbre traité *Des délits et des peines*, se bat avec une logique rigoureuse pour l'abolition de la peine de mort. Le cœur du théâtre se trouve à Venise avec **Carlo Goldoni** (1707-1793) : dans son œuvre comique, le parler vénitien confère vivacité et spontanéité à la réalité qui est représentée.

Giuseppe Parini (1729-1799) fut un écrivain didactique, tandis que **Vittorio Alfieri** (1749-1803) reste connu pour ses tragédies, dans lesquelles les thèmes de la liberté et de l'opposition à la tyrannie sont récurrents.

Ugo Foscolo (1778-1827), en se risquant au genre épistolaire (*Les Dernières Lettres de Jacopo Ortis*) et à la poésie lyrique (*Les Tombeaux*), s'inscrit dans la tradition littéraire européenne de Richardson, Rousseau, Goethe et Gray.

Le 19e s. s'ouvre avec deux écrivains tout aussi sublimes que différents, **Giacomo Leopardi** (1798-1837), qui vécut ses dernières années à Naples, et **Alessandro**

Manzoni (1785-1873). Le premier élabora le concept de « pessimisme historique », fondé sur le contraste entre la Nature, état originellement heureux, et la Raison (ou civilisation), coupable d'avoir apporté le malheur ; cette réflexion le conduit ensuite au « pessimisme cosmique », qui, en incluant dans la condamnation la nature elle-même, considère le malheur comme la condition intrinsèque de l'homme. Le second, Manzoni, contribue au développement du roman historique, genre permettant de combiner veine créatrice et vraisemblance historique, avec *Les Fiancés*, grandiose épopée des humbles fondée sur une conception providentielle de l'existence humaine.

Dans les œuvres de **Giovanni Verga** (1840-1922), principal représentant du **vérisme**, variante italienne du naturalisme, n'apparaissent plus la providence manzonienne et l'espérance optimiste du rachat des plus démunis, représentés comme les « vaincus ».

La poésie lyrique de la seconde moitié du 19e s. est représentée par **Giosuè Carducci** (1835-1907), premier Italien à recevoir le prix Nobel de littérature en 1906 ; personnalité mélancolique inspirée par la poésie classique, il critiqua le romantisme dont il ne retenait essentiellement que la composante sentimentale.

Appartenaient au courant décadentiste (bien que de manière très différente) **Giovanni Pascoli** (1855-1912), pour qui l'évocation poétique de la prime enfance est l'expression de l'art en tant que rêve et moment d'émerveillement et **Gabriele D'Annunzio** (1863-1938), natif de Pescara (Abruzzes), au style raffiné et précieux, animé d'un goût sensuel pour le langage, en butte au conformisme bourgeois et d'un nationalisme exacerbé annonçant l'arrivée du fascisme.

DU DÉCADENTISME À NOS JOURS

Le début du 20e s. vit la naissance de **revues** politiques, culturelles, morales et littéraires, auxquelles collaborèrent Giuseppe Prezzolini (1882-1982) et Giovanni Papini (1881-1956).

Les théories du **futurisme**, mouvement qui s'étendait à toute forme d'expression artistique, furent exposées dans le *Manifeste* de 1909 par son animateur, Filippo Tommaso **Marinetti** (1876-1944), qui exalta la vitesse, les mythes de la machine et de la guerre et « l'insomnie fébrile ». Ces théories trouvèrent leur expression formelle dans la désarticulation de la syntaxe et de la ponctuation, et dans la libre mise en place des mots sur le papier.

En harmonie avec la nouvelle sensibilité européenne, exprimée par Musil, Proust et Joyce, la littérature italienne adhéra au goût de la « découverte », communiqué par les études psychanalytiques naissantes sur l'intériorité et l'inconscient. Dans *La Conscience de Zeno*, **Italo Svevo** (1861-1928) sonde l'aliénation du personnage principal, inepte par définition, dont le passé et le présent s'entrecroisent dans un monologue intérieur. **Luigi Pirandello** (1867-1936) analyse lui aussi la tragique solitude de l'homme à travers des personnages dont l'identité se disloque en facettes contradictoires au contact de leur entourage et dont l'unique issue est la folie.

Mêlant influences vériste et dannunzienne, la romancière **Grazia Deledda** (1871-1936), originaire de Nuoro, prix Nobel en 1926, raconte et recrée le monde sarde puisé dans son enfance en le baignant dans une atmosphère de mythe, où dominent de puissantes passions et un profond sens religieux de la vie et de la mort (*Elias Portolu* ; *Cendres* ; *Mariane Sirca*).

Né après la Première Guerre mondiale, l'**hermétisme** lutte pour la poétique même du langage, qui doit se libérer du poids d'une tradition emphatique et mémorielle. Dans les poésies de **Giuseppe Ungaretti** (1888-1970), le langage est évocateur, prégnant, et essentiel. **Salvatore Quasimodo** (1901-1968) autre porte-parole de l'hermétisme, est particulièrement apprécié pour ses traductions des auteurs grecs et latins et de Shakespeare.

Méritent une attention particulière, la poésie d'**Eugenio Montale** (1896-1981),

Giacomo Leopardi (1798-1837).

COMPRENDRE L'ITALIE DU SUD

Erri De Luca, l'âpre poétique du Sud

Né à Naples en 1950, Erri de Luca vit retiré dans les environs de Rome. Il a été maçon, ouvrier chez Fiat. Le parcours d'écrivain atypique d'un homme qui traduit notamment la Bible pour laquelle il a appris l'hébreu (comme il a appris le français, l'anglais, l'espagnol). Sans posture. « Ce n'est pas par engagement, dit-il, mais simplement un acte de gratitude. J'aime les langues, c'est une question musicale, le désir de lire une littérature et des écrivains dans leur langue. » C'est là une manière de montrer son attachement à l'homme. Ses récits participent de ce parti pris. Ainsi *Rez-de-chaussée* (1996), *Tu, mio* (1998), ou *Trois chevaux* (2001) qui se veut, à travers l'existence d'un jardinier, une œuvre poétique, sensuelle, musicale, sculptée dans la mémoire, où le travail sur le temps se fait au scalpel entre présent et passé, chargé des interrogations sur le destin… Cet homme de lettres qui ne croit pas « aux écrivains mais à leurs histoires », qui croit aux créatures et non pas au créateur, construit aussi une réflexion sur le personnage en littérature. En témoignerait encore *Montedidio* (2002), titre qui doit son nom à une colline dominant Naples, où l'auteur déploie un récit initiatique. Attaché à sa terre natale, De Luca brosse là de brefs tableaux sur le quotidien de ce quartier populaire, émaille son texte d'expressions napolitaines qui n'enlèvent rien à un style proprement épuré.

qui chante avec une éloquence acerbe et incisive l'angoisse et le « mal de vivre » intrinsèques à la nature humaine ; celle d'**Umberto Saba** (1883-1957) qui voit la langue soutenue et la langue familière se conjuguer dans une matière intensément lyrique et autobiographique.

Au lendemain de la Seconde Guerre mondiale, **Primo Levi** (1919-1987) livre dans *Si c'est un homme* (1947) l'un des premiers témoignages des camps d'extermination nazis, avec son poids d'horreurs et de difficultés à communiquer, thèmes majeurs qui domineront toute son œuvre. Le néoréalisme, qui trouva un moyen d'expression idéal et plus immédiat dans le cinéma, se proposait de traiter de façon plus réaliste la vie et la misère des ouvriers, des paysans et des gamins des rues. **Cesare Pavese** (1908-1950) y adhéra avec pour thèmes la solitude et la difficulté d'être, reflets d'un malaise intérieur irrésolu qui le conduisit au suicide. Dans *Les Indifférents*, son premier roman, **Alberto Moravia** (1907-1990) parle de chute et de résignation au sein d'une famille de la moyenne bourgeoisie romaine, illustrant ses œuvres à venir articulées autour de la difficulté de l'homme à s'insérer dans la réalité sociale, tandis que *La Storia* d'**Elsa Morante** (1912-1985) fait resurgir l'enfance sous les traits les plus inattendus. **Carlo Levi** (1909-1975), également peintre, brosse un tableau de la Basilicate avec la nudité et la crudité qui s'imposent au décor, et un titre qui souligne les impressions sauvages de fin du monde, *Le Christ s'est arrêté à Eboli* (1948). Pour sa part, la Romaine **Anna Maria Ortese** signe des textes plus ou moins autobiographiques, des romans fantastiques chargés d'onirisme et d'hallucinations dans un cadre néanmoins réaliste (*La Mer ne baigne pas Naples*, prix Viareggio, 1953).

Auteur de fables subtilement ironiques (*Le Baron perché*, *Si par une nuit d'été*), **Italo Calvino** (1923-1985) fut néoréaliste à ses débuts ; il fut aussi un chercheur perspicace et un expérimentateur des mécanismes de l'écriture. La plume de **Carlo Emilio Gadda** (1893-1973), dit « l'ingénieur », à cause de sa profession, se distingue en revanche par une expérimentation linguistique géniale, qui capture les hypocrisies bourgeoises, les folies et les maux obscurs de la société contemporaine. **Pier Paolo Pasolini** (1922-1975), poète, romancier, figure provocatrice et contestée, a vécu avec une intensité tragique le contraste entre l'idéologie marxiste, la spiritualité chrétienne et les valeurs paysannes. Auteur d'une *Anthologie de la poésie populaire*, et d'une *Poésie dialectale au 20e siècle*, symbole d'une voix impliquée politiquement et socialement, il fut assassiné sur les rivages d'Osti.

Dino Buzzati (1906-1972), à la fois poète, écrivain, illustrateur et journaliste, réputé pour son *Désert des Tartares*, s'illustre par un penchant pour le fantastique et le surréel, alimenté de scepticisme, qui peut rappeler Poe ou Kafka à certains égards.

Le panorama littéraire des années 1990 voit l'immense succès du *Nom de la rose* (1980), thriller gothique du sémiologue et essayiste **Umberto Eco** (1932), tandis qu'en 1997, le prix Nobel de littérature est attribué à **Dario Fo** (1926), comédien et dramaturge, sorte de ménestrel médiéval qui, dans ses spectacles, critique le pouvoir et défend les opprimés.

CULTURE

Plus jeune, **Erri de Luca** (1950) construit une œuvre au verbe épuré, articulée autour des valeurs simples, du temps, de la condition humaine et des interrogations sur le destin *(voir encadré)*.
La jeune génération n'est pas en reste de succès. Ainsi, du Romain **Niccolò Ammaniti** (1966), l'un des chefs de file du mouvement « les Cannibales », rassemblant quelques jeunes plumes, un brin provocateur, voulant dévorer les aînés. Après *Branchies*, *Et je t'emmène*, il signe un récit initiatique, avec *Je n'ai pas peur* (prix Viareggio 2004), où la gravité le dispute au ricanement, le rire à l'horreur.
La Sardaigne se montre aussi généreuse en talents connus au-delà de leur île : de **Milena Agus** (*Mal de Pierre*, 2007) à **Salvatore Niffoi** (*Le facteur de Piraferka*, 2004) en passant par **Marcello Fois** (*Sempre Caro*, 2005) et **Giorgio Todde** (*La folle bestialité*, 2007), ces deux derniers auteurs ayant choisi le roman policier comme genre de prédilection.

Musique

Si l'on considère, comme souvent, que les Italiens sont un peuple de saints, de poètes, de héros et de navigateurs, ce sont également des musiciens. La notation musicale est inventée en Italie, où le violon développe toute sa potentialité ; où Vivaldi naît et compose, inspirateur de Bach et inexplicablement négligé jusqu'au début du 20e siècle ; où Verdi, favorable à la cause du Risorgimento, donne vie à des opéras applaudis dans les théâtres du monde entier.

LES ORIGINES

À la suite de la grande vague du **chant grégorien**, doté d'une écriture complexe (les notes n'existaient pas mais il y avait un système de signes particuliers appelés neumi), le bénédictin **Guido d'Arezzo** (997-v. 1050) introduisit la notation musicale et fixa le nom des notes à partir des syllabes initiales des six premiers vers de l'hymne à saint Jean-Baptiste : « *Ut queant laxis/Resonare fibris/Mira gestorum/Famuli tuorum/Solve polluti/Labii reatum Sancte Johannes* », auxquels s'ajouta le « si » composé à partir des initiales de *Sancte Johannes*, tandis que l'« ut » se transforma en « do » au 17e s.
Au 16e s., dans le sillage de l'exemple flamand, la polyphonie vocale, alors très en faveur, connaît son âge d'or grâce à **Giovanni Pierluigi da Palestrina** (v. 1525-1594), compositeur de musique surtout religieuse, extrêmement fécond (105 messes, dont sa fameuse *Missa Papæ Marcelli*). À la même époque, **Andrea Gabrieli** (v. 1510-1586) et son neveu **Giovanni** (v. 1557-1612) excellèrent dans la musique polyphonique tant sacrée que profane. Giovanni composa même des sonates pour violon, parmi les premières du genre.
Le grand réformateur musical fut **Claudio Monteverdi** (1567-1643), dont le chef-d'œuvre demeure la « fable en musique » *Orfeo* (1607). Le musicien, qui préconisait l'usage d'un langage musical fondé sur un lien parfait entre paroles et musique, a laissé, outre ses compositions pour la scène, des pièces de musique sacrée et des madrigaux (compositions vocales polyphoniques).
Après s'être consacré à la composition d'œuvres vocales, **Girolamo Frescobaldi** (1583-1643) se tourna vers la musique instrumentale pour orgue et clavecin.

L'ÉPOQUE BAROQUE ET LE 18e S.

Ce n'est qu'aux 17e et 18e s. que l'Italie voit naître une véritable école musicale – dans les domaines lyrique et instrumental – marquée par le charme et la fraîcheur de l'inspiration ainsi que le génie de la mélodie. **Alessandro Scarlatti** (1660-1725), prolifique et représentatif auteur de l'école napolitaine, apporta tout son talent à la mise en valeur de l'aria, partie essentielle du mélodrame, et son fils **Domenico** (1685-1757) écrivit de célèbres sonates pour clavecin.
Antonio Vivaldi (1678-1741), le célèbre « Prêtre roux », se distingue par son inépuisable gaieté créatrice : il écrivit de nombreux concertos se développant selon un schéma tripartite *allegro/adagio/allegro* et présentant parfois des passages descriptifs (ou « musique à programme »), tels, entre autres, les célèbres *Quatre Saisons*. Dans une veine assez proche, **Baldassarre Galuppi** (1706-1785) mit en musique des livrets de Goldoni et composa des sonates pour clavecin au rythme trépidant. Si les compositions instrumentales de **Tomaso Albinoni** (1671-1750) rappellent celles de Vivaldi, les intermèdes comiques donnés entre les actes d'une œuvre furent à l'origine de l'**opéra bouffe**, où excellait l'école napolitaine, dont les principaux représentants furent **Pergolèse** (1710-1736), **Cimarosa** (1749-1801), auteur du *Mariage secret*, et **Paisiello** (1740-1816), auquel on doit notamment *Nina, ossia la Pazza per amore*.

Le piano

Il naît comme une « évolution » du clavecin, grâce à Bartolomeo Cristofori (1655-1732) : celui-ci substitua aux sauterelles qui pincent les cordes du clavecin, les marteaux qui frappent les cordes du piano. Toutefois, le premier Italien qui en diffusa la renommée dans toute l'Europe fut le pianiste **Muzio Clementi** (1752-1832) rival en sa matière de Mozart. Il composa une centaine d'études pour cet instrument, ainsi que le *Gradus ad Parnassum* et six *Petites Sonates* (Sonatine), agréable trait d'union entre les sonates de Mozart et celles de Beethoven. Par sa grande richesse de sons et de timbres, le piano fut l'instrument idéal des romantiques, pour lesquels il permettait d'exprimer admirablement aussi bien les déchirements mélancoliques et les atmosphères nocturnes que les passions les plus fortes. À une époque plus récente, **Ferruccio Busoni** (1866-1924) transcrivit de nombreuses pièces de Bach pour le piano.

L'Italie du 18e s. connut par ailleurs d'importantes personnalités travaillant à l'extérieur des frontières. Ainsi dans le domaine de la musique de chambre, le violoncelliste **Luigi Boccherini** (1743-1805), établi en Espagne, fut un grand mélodiste particulièrement connu pour ses menuets. Il composa en outre une puissante *Symphonie en ré mineur*, la « Maison du diable ». Ainsi encore d'**Antonio Salieri** (1750-1825), compositeur actif et illustre professeur : Beethoven, Schubert et Liszt furent formés par lui. De son côté, contemporain de Salieri, **Giovanni Battista Viotti** (1755-1824) apporta beaucoup au répertoire du violon avec ses 29 excellents concertos pour violon. Il vécut à Paris et à Londres où il mourut ruiné par la faillite d'un commerce de vins.

S'il ne fut pas musicien, **Lorenzo Da Ponte** (1749-1838) contribua par son talent poétique à de grandes œuvres musicales. Sa vie aventureuse le mena jusqu'à New York, où il mourut, mais auparavant à Vienne, capitale musicale de l'époque. C'est là qu'il collabora avec Mozart, en écrivant les livrets d'opéra qui lui assurèrent la célébrité : *Les Noces de Figaro*, *Don Giovanni* et *Così fan tutte*. Enfin, clôturant cette période faste, l'époque romantique fut illustrée magnifiquement et curieusement (puisque le violon avait cédé la place en terme de mode au piano) par le violoniste **Niccolò Paganini** (1782-1840). Sa vie tumultueuse, sa géniale richesse d'interprétation et sa virtuosité légendaire tout autant que sa maigreur et sa haute taille contribuèrent à lui donner une réputation démoniaque. Parmi ses nombreuses œuvres, les plus connues sont ses 24 *Capricci* et ses 6 concertos, dont le final du second est la célèbre *Campanella*.

L'OPÉRA

Au 19e s., la musique instrumentale, hormis Paganini, ne connut pas de grands compositeurs, la production ayant été accaparée par l'art lyrique propice à l'expression des passions exacerbées du Risorgimento. **Rossini** (1782-1868) opère le passage entre l'âge classique et le romantisme *(Otello, Guillaume Tell)* tout en alimentant brillamment le

Le violon

Né comme « perfectionnement » de la viole, il reste de ce fait associé aux anciennes écoles de lutherie (deuxième moitié du 16e s.-début 18e s.), presque toutes crémonaises, au point de rendre le binôme luthier-instrument pratiquement naturel (dans tous les programmes de concerto le violon est indiqué sous le nom de son fabricant : Gasparo da Salò, Amati, Guarneri, Stradivari). Dans le domaine de la virtuosité, le violon s'est remarquablement exprimé avec **Arcangelo Corelli** (1653-1713), qui s'essaya dans les sonates pour violon et basse continue (« la basse continue » est la base musicale, riche de notes tenant les sons fondamentaux de l'accord, sur lequel l'instrument soliste construit la mélodie), dont la célèbre *Follia* ; **Giuseppe Torelli** (1658-1709), auteur d'importants concerti grossi (le « concerto grosso » est une composition dans laquelle les voix des instruments solistes s'opposent au « grosso » de l'orchestre) ; **Giuseppe Tartini** (1692-1770), à qui l'on doit deux sonates aussi déchirantes que brillantes de virtuosité *Le Trille du diable* (le diable semble avoir inspiré nombre de morceaux de musique, surtout de violon) et *Didon abandonnée* ; **Pietro Locatelli** (1695-1764), qui affina par la suite la technique du violon dans ses *Caprices* et *Sonates* ; Giovan Battista Viotti, et, naturellement, l'inégalable **Niccolò Paganini**.

répertoire de l'opéra bouffe (*L'Italienne à Alger*, *La Pie voleuse*, *Le Barbier de Séville*). Si les orchestrations de **Vincenzo Bellini** (1801-1835) demeurent un peu faibles, il a laissé d'admirables mélodies (*La Somnambule*, *Norma*). Son rival, **Gaetano Donizetti** (1797-1848), outre quelques œuvres mélodramatiques (*Lucia di Lammermoor*), où l'action sacrifie au *bel canto*, composa d'agréables opéras bouffes : *L'Élixir d'amour*, *Don Pasquale*…

Acclamé comme le compositeur majeur de cette période troublée (pendant la domination autrichienne, « Viva VERDI » signifiait aussi « Viva **V**ittorio **E**manuele **R**e **D'I**talia »), **Giuseppe Verdi** (1813-1901) marque l'apogée du genre avec des œuvres dramatiques aux situations et sentiments passionnés totalement romantiques : *Nabucco*, *Rigoletto*, *Le Trouvère*, *La Traviata*, *Don Carlos*, *Aïda*… Il est également l'auteur d'un admirable *Requiem*. Amilcare Ponchielli (1834-1886) connut un succès considérable à l'époque avec sa *Gioconda*, qui inclut le morceau si facile à retenir qu'est *La Danse des heures*. Le mouvement vériste ensuite remporta du succès grâce à Mascagni (*Cavalleria Rusticana*), Leoncavallo (*Paillasse*). Surtout **Puccini** (1858-1924) qui conclut ce siècle lyrique avec *La Tosca*, *Madame Butterfly*, *La Bohème* ou *Turandot* a donné quelques chefs-d'œuvre de mélodramatisme musical populaire.

Par réaction, la génération suivante travailla essentiellement pour la musique orchestrale. **Ottorino Respighi** (1879-1937) est l'auteur de poèmes symphoniques impressionnistes : *Les Fontaines de Rome*, *Les Pins de Rome* et *Les Fêtes romaines*. **Dallapiccola** (1904-1975) demeure connu pour avoir été le chef de file de l'école dodécaphonique italienne (fondée sur l'utilisation de la totalité des douze tons de la gamme et non sur leur dépendance à l'intérieur d'une tonalité). **Luigi Nono** (1924-1990) est un éminent représentant de la technique sérielle.

SCÈNES ET INTERPRÈTES

Si les nombreux conservatoires fournissent des salles de concerts d'une très bonne acoustique, parmi les plus connus des théâtres italiens demeure le prestigieux San Carlo de Naples, si cher à Stendhal. L'été, à Rome, les thermes de Caracalla prêtent leur cadre à de grandioses représentations. Enfin, parmi les grands orchestres et les groupes de musique de chambre s'impose l'Orchestre de l'Académie de Ste-Cécile (Rome). Aujourd'hui, les grandes scènes d'Italie et du monde accueillent les successeurs

Le bel canto

La tradition vocale et instrumentale napolitaine s'est bâtie au 17e s., et développée au 18e s., à partir d'un enseignement solide et raffiné dispensé dans les conservatoires imposant leur rayonnement culturel à l'Europe. Côté professeur, on y relevait Scarlatti, Sacchini, et côté élèves Pergolèse, Cimarosa ou Zingarelli. Au 18e s., avec ses quatre cent mille habitants, Naples est la deuxième ville d'Europe après Londres. La ville compte alors près de cinquante salles d'opéra, dont le Teatro San Bartolomeo puis le San Carlo sont les plus importants. Creuset du bel canto, ces lieux de créations accueillent les grands compositeurs et les chanteurs les plus réputés. Sur scènes, les chansons du 13e s. ou les prodiges comme Caruso et Du Lucia témoignent d'un chant qui colle à la peau des Napolitains. Aujourd'hui, le conservatoire de Naples continue de former les plus brillants solistes.

de Toscanini, tels Claudio Abbado, Carlo Maria Giulini, Riccardo Muti, Riccardo Chailly, Claudio Scimone, aussi bien que des solistes réputés : les violonistes Accardo et Ughi, les pianistes Pollini, Campanella, Ciccolini, Lucchesini et Maria Tipo, les violoncellistes Brunello et Filippini.

Succédant à Caruso et Beniamino Gigli et Renata Tebaldi, de magnifiques voix servent la célébrité du pays du *bel canto* comme Renato Bruson, Cecilia Bartoli, Fiorenza Cossotto, Cecilia Gasdia, Katia Ricciarelli, Renata Scotto, Lucia Valentini Terrani et le regretté Luciano Pavarotti (décédé en 2007).

À ces artistes s'ajoutent les grandes ballerines italiennes actuelles : Carla Fracci, Luciana Savignano et Alessandra Ferri.

MUSIQUES ACTUELLES

Au diapason des rythmes contemporains, l'Italie du Sud a vu l'éclosion de nombre d'artistes et musiciens couvrant tous les champs des musiques actuelles. Le Romain **Francesco De Gregori** a commencé par interpréter des chansons de Dylan et de Léonard Cohen avant de chanter ses propres textes. S'il ne rencontre pas le succès international d'un Paolo Conte, il n'en demeure pas moins l'un des plus illustres chanteurs italiens, entre ballades mélodiques et chansons populaires. **Pino Daniele**, fort de sa voix cristalline, s'est d'abord fait connaître par

COMPRENDRE L'ITALIE DU SUD

> ### Chanson napolitaine
>
> Nées dans la baie de Naples, *O sole mio*, *Core 'ngrato* et *Torna a Surriento* ont fait le tour du monde. Gorgées de lyrisme, fleurant bon l'excès sentimental puisé dans le vérisme, ces chansons populaires participent de la culture napolitaine, dont les origines remontent au 16e s., en 1537, avec la parution de 250 « canzoni villanesche alla napoletana », subtile rencontre entre la « cancion espagnole » (Naples est alors sous la domination ibérique), le madrigal et la « frottola » italienne. La cité vibre au rythme des villanelles, avant qu'elles ne tombent en désuétude pour revenir à la mode au 19e s. D'Annunzio compose, en dialecte napolitain, *A vucchella*, Schoenberg orchestre même *Funiculi-Funicula*, une chanson de Luigi Denza célébrant l'inauguration, en 1880, du premier funiculaire grimpant les pentes du Vésuve.

la chanson contestataire, avant de venir à la chanson populaire, teintée de blues et de rumba, à l'instar d'**Edoardo Bennato**, également napolitain, tourné vers un partage pop-rock. À leur suite s'est imposé sur les scènes le quintet **A'67**, né dans le quartier pauvre de Scampia dans un style mêlant dialecte napolitain, fun rock, reggae et ska. Calé dans la musique traditionnelle, fier de s'articuler autour d'un patrimoine, le groupe **Tarabanda** hisse haut les couleurs du Mezzogiorno, inspiré par son histoire et ses paysages. Ses notes et partitions traditionnelles et populaires déclinent une musique ensoleillée, portée par les voix et les instruments : guitare, accordéon, flûte, percussion et tambourin pour un répertoire partagé entre tarentelles (danses à trois temps, par définition originaires de Tarente), chansons d'amour, danses, tammuriate (au son du tambour à grelots) et pizziche (formes de chants les plus anciennes de l'Italie du Sud au rythme du tambour). Dans un registre très proche, le groupe **Officina Zoé** propose des créations originales inspiré du répertoire traditonnel du Salentino (Pouilles) tandis que le groupe **Neapolis Ensemble**, emmené par Maria Marone, ressuscite les chants populaires napolitains, avec leur force subversive et leur insouciance.

Côté jazz, la péninsule semble un réservoir inépuisable de talents. Du batteur **Roberto Gatto** (né à Rome en 1958) au trompettiste **Paolo Fresu** (né en Sardaigne en 1961) en passant par les saxophonistes **Stefano di Battista** (né à Rome en 1969) et **Rosario Giuliani** (né à Terracina en 1967), toutes les sensibilités sont représentées. Lyriques, généreuses et souvent teintées d'humour, les créations des jazzmen italiens ont largement trouvé leur public au-delà des frontières et plus particulièrement en France, où ils apparaissent très fréquemment dans les clubs et les festivals. En Italie du Sud, de nombreux festivals sont également organisés, surtout pendant la période estivale (Rome, Sorrente…).

Cinéma

LES DÉBUTS ET LE NÉORÉALISME

Né à Turin au début du siècle, le cinéma italien connut très vite un essor considérable (50 sociétés de production en 1914) et un succès international. D'abord spécialisés dans le film historique (telle cette première version des *Derniers jours de Pompéi*, tournée en 1908), et le péplum, les producteurs s'orientèrent vers le film d'aventures dans les années 1910 (et notamment la série des *Maciste*). En 1930, dans les studios romains de la société Cines est réalisé le premier film italien sonore par Gennaro Righelli, *La Canzone dell'amore*. Il ouvre une décennie marquée par un cinéma de propagande (qui fait la part belle à l'ordre moral) et surtout d'évasion, subventionné par l'État, qui permettait au spectateur d'échapper, le temps d'une projection, à la réalité de l'Italie fasciste.

En 1935, est créé à Rome un centre expérimental de cinématographie (il Centro sperimentale) qui compte alors parmi ses élèves Rossellini et De Santis… Deux ans plus tard, en 1937, toujours dans la capitale, sont inaugurés en grande pompe par Mussolini les studios de **Cinecittà**, avec l'idée d'en faire un instrument du régime. Non pour longtemps. Comblant la distance qui s'est instaurée à l'écran entre la vie et son image pendant le fascisme, une poignée de réalisateurs va proposer un retour au concret, une observation attentive des réalités quotidiennes humaines et sociales dans un cadre privilégiant les décors naturels. Si **Luchino Visconti** (1906-1976) se révèle en précurseur dans une adaptation du roman de James Cain, *le Facteur sonne toujours deux fois*, avec *Ossessione* (1943), le film du Romain **Roberto Rossellini** (1906-1977), *Rome, ville ouverte* (1945), sur les tragiques conséquences de la

CULTURE

La fontaine de Trevi est devenue mondialement célèbre grâce au film « La Dolce Vita » de Fellini.

guerre, s'impose comme le film fondateur du néoréalisme. Rossellini enchaîne avec *Paisà* (1946), *Allemagne année zéro* (1948), soulignant l'oppression nazie-fasciste, et Visconti avec *Terra trema* (1947), documentaire social sur les pêcheurs, mineurs et paysans de Sicile. Dans la même veine, l'acteur réalisateur napolitain **Vittorio De Sica** (1901-1974), dans *Sciuscià* (1946), et *Le Voleur de bicyclette* (1948), brosse le portrait de cette Italie d'après-guerre (même si les deux œuvres ont pris Rome comme décor), en proie au chômage et à la misère. Natif de Fondi, petite bourgade du Latium, **Giuseppe De Santis** (1917-1997) avec *Riz amer* (1949), drame sentimental sur fond de rizières (illuminé par la sensualité de Silvana Mangano) et *Pâques sanglantes* (1950) décrit un milieu populaire partagé entre la soumission à l'idéologie dominante et des aspirations révolutionnaires. Non sans influencer les générations suivantes, le néoréalisme s'éteint au début des années 1950, ne répondant plus aux souhaits d'un public désireux d'oublier la misère.

À vrai dire, il s'éteint pour réapparaître sous une autre forme, la comédie italienne. Même cadre, même réalité. À cela près que le motif est traité, détourné par le rire. **Mario Monicelli** (1915) ouvre le genre avec *Gendarmes et Voleurs* (1951) et *Le Pigeon* (1958). Il poursuivra plus tard avec *L'Armée Brancaleone* (1966), et *Mes chers amis* (1975). **Luigi Comencini** (1916-2007), avant de faire un cinéma imprégné du thème de l'enfance, tourne *Pain, amour et fantaisie* (1953), et **Dino Risi** (1916) emboîtera le pas de cette légèreté, signant des œuvres hilarantes et bouffonnes, gorgées de vie, dont les plus fameuses restent *Le Fanfaron* (1962), *Les Monstres* (1963), *La Femme du prêtre* (1970), et *Parfum de femme* (1975).

DES ANNÉES 1960 À NOS JOURS

Les années 1960 représentent l'apogée du cinéma italien : soutenue par une puissante infrastructure industrielle, la production (plus de 200 films par an) se révèle de grande qualité. Des auteurs s'imposent, livrant à l'écran nombre de chefs-d'œuvre – dépassant largement cette décennie. À commencer par **Federico Fellini** (1920-1993). Après avoir tourné *I Vitelloni* (1953), remarquable évocation de sa ville natale (Rimini), puis *La Strada* (1954), il se révèle au grand public en 1960 avec la très romaine *Dolce Vita* (Palme d'or du Festival de Cannes). Ses films aux images fabuleuses, foisonnantes et baroques, gavées de fantasmes, sont le miroir de ses songes, les articulations d'une mémoire vive (*Huit et demi*, 1963 ; *Le Satyricon*, 1969 ; jusqu'à *La Voce della luna*, 1990). **Michelangelo Antonioni** (1912-2007) propose, en 1960, *L'Avventura*, qui donne le ton de toute une œuvre inspirée par la solitude et l'incommunicabilité entre les êtres. Ses films, influençant considérablement le cinéma de ces années-là, comme *La Nuit*, (1961), *L'Éclipse* (1962), ou encore *Identification d'une femme* (1982), portent l'empreinte de ses obsessions.

De son côté, Visconti réalise *Rocco et ses frères*, en 1960 (une année exceptionnelle si l'on en juge la succession de titres) puis en 1963, *Le Guépard* (Palme d'or à Cannes). Loin de ses premiers tournages, ses films, alors empreints de faste et d'esthétisme, se nourrissent d'une observation attentive de tout ce qui fuit, se dégrade ou glisse vers la mort. Ces années 1960 mar-

COMPRENDRE L'ITALIE DU SUD

Affiche de Cinecittà.

quent également les débuts de cinéastes qui mettent en scène leur engagement politique et social, dont le plus important pourrait être **Pier Paolo Pasolini** (1922-1975), écrivain, photographe et cinéaste, virevoltant provocateur, puisant son inspiration dans les faubourgs prolétariens, la fable, la mythologie et le Nouveau Testament (*Accatone*, 1961, *Mamma Roma*, 1962, *L'Évangile selon Saint Matthieu*, 1964, *Œdipe roi*, 1967, *Le Décaméron*, 1971). À Pasolini s'ajoutent le Napolitain **Francesco Rosi** (né en 1922), dans l'analyse politique et sociale (*Main basse sur la ville*, 1963), puis **Marco Ferreri** (1928-1997), iconoclaste et turbulent, bousculant les mœurs avec *Dillinger est mort* (1969) ou *La Grande Bouffe* (1973). D'autres réalisateurs s'installent dans ce riche paysage cinématographique. Bernardo Bertolucci (1921), Ermanno Olmi (1931), Marco Bellochio (1939) ou encore le Campanien **Ettore Scola** (1931).
Le cinéma transalpin rayonne ainsi jusqu'à la fin des années 1970 avec de grandes œuvres, dans un mélange de genres et de préoccupations artistiques :

Mort à Venise (1970) et *Ludwig* (1972) de Visconti ; *Amarcord*, (1973) et *Casanova* (1976), de Fellini ; *Profession : reporter* (1974) d'Antonioni ; *L'Affaire Mattei* (1971) et *Cadavres exquis* (1975) de Rosi ; *Nous nous sommes tant aimés* (1974) et *Une journée particulière* (1977) de Scola… À l'orée des années 1980, victime de la concurrence télévisuelle et de l'effondrement du marché, le cinéma italien traverse une crise à laquelle il résiste à peine grâce à une poignée de films d'auteurs comme *Les Contes de la folie ordinaire* (1981) de Ferreri, *La Nuit de San Lorenzo* (1982) des frères Taviani, ou *Le Bal* (1983) de Scola.
Un cinéaste devient alors chef de file d'une nouvelle génération, et porte seul le poids du grand écran sur les épaules : **Nanni Moretti**, attaché à l'écriture et au récit, aux personnages à la fois engagés dans la bataille sociale, tourmentés et en mal d'existence. Ainsi *Bianca* (1984), *La Messe est finie* (1985), *Palombella Rossa* (1989) et *Journal intime* (1993). Si le réalisateur emporte la Palme d'or à Cannes en 2001 pour son film le moins personnel et original, *La Chambre du fils*, il signe une subtile tragi-comédie, avec Berlusconi pour toile de fond, avec *Le Caïman* (2006). Dans le sillage de Moretti ont suivi le Romain Daniele Luchetti (*Le Porteur de serviette*, 1992 et *L'École*, 1995) ; Carlo Mazzacurati (*Vesna va veloce*, 1996, *L'Amore ritrovato*, 2004) et Marco Risi (*Mery per sempre*, 1989, et *Il muro di gomma*, 1991, *Maradona, la main de Dieu*, 2007).
Parallèlement à ce cinéma d'auteur, les vingt dernières années ont vu se déployer un septième art aux multiples facettes, avec notamment un retour à la comédie à l'italienne dont certains acteurs-auteurs ont permis une diffusion internationale : *Ricomincio da tre* (1981), sur le thème des habitants du Sud contraints de chercher du travail dans le Nord et *Le vie del Signore sono finite* (1987), du Napolitain **Massimo Troisi** (1953-1994) ; *Compagni di scuola* (1988)

La mémoire de Fellini

D'abord caricaturiste, le cinéaste ne s'est pas épargné de grossir toujours le trait sur la pellicule. Chaque film est un travail de dentelle, taillé à la loupe. S'il est né à Rimini, Federico Fellini (1920-1993) reste attaché à l'imagerie romaine. Probablement parce que le film qui l'impose au monde, *La Dolce Vita*, recèle des scènes d'anthologie tournées à Rome (il suffit de songer à Mastroianni et Anita Ekberg dans la fontaine de Trevi). Un autre chef-d'œuvre livre sa passion viscérale à la Ville éternelle, *Fellini Roma*, auquel il ajoute sa poétique de l'onirisme, son sens de la dérision et un brin de nostalgie. C'est là un cinéma du souvenir. Tout le laboratoire intime de Fellini, présent de *Huit et demi* à *La Cité des femmes*, de *Intervista* à *La Voce della luna*.

CULTURE

> **« Journal intime »**
> Trois chapitres rythment ce film majeur de **Nanni Moretti** : une magnifique promenade en Vespa guidée par Moretti lui-même, à travers Rome, des quartiers de la Garbatella à Spinaceto, quelques déambulations drolatiques dans les îles éoliennes avant de revenir à Rome, ballotté d'un cabinet médical à l'autre. Au-delà de cette promenade, c'est là une réflexion personnelle sur la télévision, la presse, la difficulté de communiquer, le langage… *Journal intime* a l'air d'une œuvre narcissique. Mais tout l'art de Moretti, comme dans *I sogni d'oro* ou *Aprile*, est de concilier l'individu et le collectif, d'être tellement personnel et tellement italien, tellement Italien et tellement universel. Avec jubilation.

et *Maledetto il giorno che ti ho incontrato* (1992) du Romain Carlo Verdone (1951). Plus connu encore est *Cinema Paradiso* de Giuseppe Tornatore (1989). Il revient cependant à un artiste trublion de multiplier les succès nationaux et internationaux, **Roberto Benigni**. Le comédien et cinéaste signe *Le Petit Diable* (1988) et *Le Monstre* (1994) puis triomphe aux Oscars avec la fable émouvante et délicate *La Vie est belle* (1998). En 2002, il joue (le rôle-titre) et réalise, toujours avec succès, *Pinocchio*.

Plus récemment, se sont succédé d'autres réussites publiques et critiques : *Respiro* (2002) et *The Golden door* (2006) d'Emanuele Crialese ou les comédies de mœurs, comme *Juste un baiser* (2002) et *Souviens-toi de moi* (2003) de Gabriele Muccino, lui aussi romain.

Mais avec des variations de genres et de mouvements, la grandeur du cinéma italien, et sa légende, s'est aussi bâtie sur les planches et à l'écran, avec sa farandole d'acteurs, dont nombre d'entre eux sont nés en Italie du Sud, comme Monica Vitti, Silvana Mangano, Sophia Loren, Gina Lollobrigida, Lea Massari, Toto, Nino Manfredi, Alberto Sordi et Marcello Mastroianni…

Photographie

Comme si elle avait été écrasée par un héritage artistique prodigieux, timide face aux richesses de l'architecture, de la peinture et de la musique, la photographie italienne a peiné avant d'être considérée, avant de sortir des modestes studios des artilleurs du collodion. Longtemps, en effet, la photographie est restée stéréotypée, partagée entre les processions religieuses, les paysages et surtout tournée vers les ruines antiques. Au reste, au mitan du 19e s., les photographes, italiens et étrangers, se comptent par centaines pour diffuser à travers le monde les plus beaux sites de la ville éternelle. **Gioacchino Altobelli** (1825-1878) et **Pompeo Molin** (1827-1893) fixent ainsi le Forum ou les Thermes de Caracalla, sur un air de grandeur passée, non sans profiter de leur formation de peintres pour jouer du clair-obscur. Quand l'objectif s'écarte des vestiges de l'empire romain, il se tourne vers les édifices religieux, les églises Renaissance. Rome n'est pas encore capitale de l'Italie, mais elle concentre un grand nombre de sociétés commerciales qui répondent à la demande touristique. Naples n'est pas en reste, et Pompéi comme le Vésuve font l'épreuve de l'albumine. Si les frères **Alinari** se concentrent à Florence et **Carlo Ponti** à Venise, le comte **Giuseppe Primoli** cadre ses plans sur les milieux mondains et la population pauvre de Rome tandis qu'**Antonio Trombetta** ouvre à Campobasso dans le Molise un atelier offrant une production variée, entre paysages, portraits, et costumes traditionnels.

Au fil des décennies, les appareils vont se moderniser, les équipements s'alléger, et la photographie le plus souvent se consacrer aux beautés naturelles, au folklore, à l'archéologie gréco-romaine. Sous le fascisme, à côté des expériences d'avant-garde de **Luigi Veronesi**, et de **Franco Grignani**, l'image générale crée une Italie lisse, gouvernée par l'ordre moral.

À partir de la Seconde Guerre mondiale, quand le pays est alors à genoux, les photographes seront inspirés par d'autres lieux, d'autres événements. La conscience sociale et les conditions exsangues imposent le néoréalisme, les images se diffusent dans la multiplication des journaux. **Federico Patellani** rend compte des paysages meurtris du Latium, **Pietro Donzelli** saisit les émigrants du Sud stationnant dans les gares et le Sarde **Franco Pinna** pointe sa boîte noire sur les paysans calabrais… Puis l'Italie se redresse. Les reporters sillonnent la botte, rendant compte du miracle économique. Vastes chantiers, villes dortoirs, show-room à Rome (croqué par le Napolitain **Federico Garobba**, l'un des chefs de file du photojournalisme) et un Sud immuable couvrent la pellicule. À côté du travail personnel de **Mario Giacomelli**, illuminant toute l'histoire de la photographie italienne, à côté des

Mario Giacomelli

À treize ans, orphelin, Giacomelli (1925-2000) choisit le métier d'imprimeur, fasciné qu'il est par les casiers, les lettres à l'endroit, à l'envers, en quinconce, les casses et les capitales. À 27 ans, il s'improvise photographe. Se glissera dans sa boîte noire le petit monde de Senigallia, son village natal (près d'Ancône). Peu enclin à voyager, il va cependant croquer les lieux retirés des Abruzzes, de Calabre et des Pouilles, de Scanno (voir p. 166) au promontoire de Gargano. Dans l'objectif se succèdent des villages qui semblent menacés d'abandon, des ambiances arides, des scènes de rue traversées de passants éphémères, des champs en terrasses, des paysans calabrais au labeur, des aïeules coiffées de noir, les cagoules d'une procession religieuse… Évidence sur épreuves : le photographe s'appuie sur les ombres, les traits dessinés par la nature, pique dans l'extravagance d'un visage. Mais foin du réalisme étroit. Pour le typographe, mu par la plastique, pas d'encrage dans la réalité sans la larder de distorsions, pour le glisser dans l'abstraction, sans interprétation graphique de l'espace. C'est là un vocabulaire photographique qui ne se déploie pas dans le réel mais dans l'hallucination du réel. Avec une certaine inquiétude métaphysique, tragique, il y a chez Giacomelli une métamorphose du visible qui traduit ses angoisses et ses interrogations sur l'esprit, la foi, la peur de vieillir et l'obsession de la mort.

photographes engagés, les paparazzi font recettes autour de la capitale et de ses étoiles. **Tazio Secchiaroli** est considéré comme l'initiateur du genre, avant de se tourner vers les plateaux de Cinecittà puis de devenir le photographe attitré de Sophia Loren. C'est le temps des paillettes, mais aussi le moment où l'image s'impose en instrument de lecture de la réalité et en moyen d'expression artistique – dont l'Apulien **Giuseppe Cavalli** est l'un des meilleurs représentants. Un temps suivi par celui des grèves, des années de plomb, avant que ne reviennent l'insouciance, les obsessions artistiques illustrées notamment par la Calabraise **Rossela Bellusci** (et ses nombreux autoportraits), ou les préoccupations sociales d'une photographe comme **Giorgia Fiorio**, dont le travail sur les pêcheurs de Sicile et de Sardaigne se veut un véritable hommage à une tradition.

Quelques personnalités

Pythagore (6ᵉ s. av. J.-C)
Si le philosophe et mathématicien grec est né à Samos (Grèce), en 532 av. J.-C., et découvrit la table des multiplications, et le fameux théorème, il fonda à Crotone, en Calabre, plusieurs communautés politiques et religieuses, tournées vers l'arithmétique. L'existence y était régie par une morale ascétique et l'enseignement se voulait initiatique. Des communautés devenues si puissantes, et embarrassantes qu'elles furent chassées plus tard vers Métaponte. Il ne reste aucune trace des écrits de Pythagore, ses découvertes auraient été diffusées par l'école pythagoricienne.

Iacopo Sannazaro (1455-1530)
Auteur de poèmes relevant du pétrarquisme, d'un roman pastoral (L'Arcadie) et d'épigrammes, d'ouvrages bucoliques, de textes humanistes et religieux (De parti Virginis), il écrivit en langue vulgaire, quelquefois en latin. Il ne quitta Naples, sa ville natale, que pour suivre trois ans durant Frédéric III d'Aragon dans son exil en France, avant de revenir s'installer définitivement dans sa villa de Mergellina. Le temps qui passe inexorablement, la mélancolie et une narration soignée constituent les principaux traits de caractère de ses œuvres.

Gaspare Vanvitelli (1652-1736)
Néerlandais de naissance (Gaspar Van Wittel étant son vrai nom), ce peintre réaliste fut l'un des représentants les plus fameux du « védutisme », genre pictural basé sur l'art du paysage et de l'urbanisme (veduta signifiant vue en italien). Vanvitelli s'est attaché à la Ville éternelle, où il s'installa à l'âge de vingt-deux ans, moins pour souligner ses caractères antiques que pour révéler sa modernité.

Pier Leone Ghezzi (1674-1755)
Peintre officiel de la Chambre apostolique, il a réalisé nombre de scènes bibliques et mythologiques commandées par Clément XI, des tableaux d'autels, tout en étant également archéologue, poète, musicien, et graveur. Mais Ghezzi a surtout excellé dans le portrait, les scènes

de genre et la caricature, pour livrer un tableau unique de Rome au 18e s.

Niccolò Salvi (1697-1751)

Architecte et sculpteur, il est l'auteur d'une œuvre connue sur tous les continents : la fameuse fontaine de Trevi, dont la réalisation occupa trente années de sa vie. Elle fut terminée après sa mort, en 1762. Adossée au palais Poli dont Salvi signa également la façade, l'œuvre monumentale est l'une des dernières du baroque romain. Élégante et spectaculaire, rassemblant différents éléments dans une mise en scène en arc de triomphe, elle donne la part belle à la figure de l'Océan, juchée sur un char guidé par deux chevaux marins et deux tritons.

Francesco Righetti (1749-1819)

Fondeur, graveur en pierres dures et mosaïste, Righetti fait partie de ces artistes plutôt méconnus du grand public tandis que son œuvre, classée dans le néoclassicisme romain, est très largement visible. Ainsi, il réalisa les fontes de la statue équestre de Charles III trônant sur la place du Plebiscito à Naples, plusieurs réductions d'après des sculptures antiques ou des maîtres du baroque et nombre de chandeliers surtout exposés au museo di Capodimonte à Naples et au Quirinal à Rome. Avec son fils Luigi (1780-1852), il prit la direction des Fonderies pontificales en 1805, avant que père et fils ne créent leur propre fonderie près de Naples.

Filoteo Alberini (1865-1937)

Filoteo Alberini est un pionnier du cinéma, inventeur du *Cinetografo*, en 1894, permettant la diffusion d'images animées, juste avant que l'appareil des frères Lumière ne supplante sa découverte. L'ingénieur est le premier à ouvrir une salle de projection à Rome en 1904 (le Moderno), avant de créer avec Dante Santoni, toujours dans la capitale, une société de production de films, la Cines. Il participe ainsi aux toutes premières fictions, comme *La Prise de Rome* (1905), inaugurant la veine historique de la cinématographie italienne.

Totò (1898-1967)

Son pseudonyme s'est voulu plus court que son vrai nom, Antonio Furst de Curtis Ducas Commeno di Bisanzio. Si l'acteur et scénariste possède des origines byzantines, il reste un pur napolitain, à la verve étincelante. Son allure dégingandée a d'abord égrené les planches des théâtres. Des sketches souvent féroces lui assurent un succès auprès du grand public avant qu'il ne gagne les écrans. La série de films comiques, *Toto*, dont il tient bien évidemment le rôle-titre, dans une veine burlesque empruntée à la Commedia dell'arte, renforcent son image de comédien populaire, même lorsqu'il joue dans des œuvres plus ambitieuses comme *Larmes de joie*, de Monicelli ou *Des oiseaux petits et gros*, de Pasolini.

Mimmo Rotella (1918-2006)

Aux confins du Pop'Art et de l'expressionnisme américain, ce Calabrais natif de Catanzaro s'est fait connaître par ses toiles articulées autour d'affiches publicitaires. Des affiches que l'artiste se plaisait à décoller pour reconstruire un autre univers. C'est là une appropriation de l'image, en rupture avec la peinture classique que pratiquait Mimmo Rotella à ses débuts, un riche univers avec ses posters, ses affiches de films et ses représentations dans la presse.

Tazio Secchiaroli (1925-1998)

Né dans un quartier de la périphérie de Rome, le photographe est intimement lié à l'esprit de la Dolce Vita de la fin des années 1950. Il est alors le premier des fameux paparazzi, traquant les scandales de la jet-society, alignant les images volées. En 1960, sa rencontre avec Fellini est déterminante. Le cinéaste lui permet de pénétrer les arcanes de Cinecittà. Secchiaroli change de style, et se fait photographe de plateau. Surtout, il saisit les images les plus connues des tournages de *La Dolce Vita*, de *Huit et demi*, ou de *La Cité des femmes*, avant de devenir le photographe attitré de Sophia Loren.

Antonio Bassolino (né en 1947)

Figure politique de la capitale campanienne. Élu maire en 1993, il est réélu en 1997, en glanant 73 % des suffrages au premier tour des municipales. C'est dire si ce Napolitain, ancien membre du Parti communiste italien, membre des Démocrates de gauche, est apprécié de ses administrés. Non sans raison : il refuse de négocier avec la *camorra*, s'implique dans les affaires sociales, milite pour le métro régional, s'applique à valoriser la culture locale, favorise la restauration des monuments. En 2000, il se retire de la mairie pour la présidence de la Campanie, où il est réélu en 2005.

COMPRENDRE L'ITALIE DU SUD

L'ITALIE DU SUD AUJOURD'HUI

Si le Sud a longtemps souffert d'une image négative, en particulier en Italie même, les choses sont en train de bouger lentement mais sûrement. Le Sud dispose en effet de nombreux atouts, notamment en matière touristique, et connaît depuis une dizaine d'années un décollage économique. Cette terre authentique reste profondément attachée à son histoire et à ses particularismes, qui s'expriment au travers de fêtes traditionnelles et d'une cuisine incroyablement variées.

Naples est la deuxième métropole du Sud après Rome.

Le réveil du Sud

Membre fondateur de l'Union européenne, l'Italie compte parmi les huit pays les plus riches du monde.

Le pays est divisé en vingt régions. Étendu de Rome à Reggio di Calabria, l'Italie du Sud, vaste territoire méridional, en regroupe neuf : **Latium, Abruzzes, Molise, Basilicate, Pouilles, Campanie, Calabre, Sardaigne et Sicile** *(voir carte p. 44)*. Seule la Sardaigne bénéficie d'un statut spécial lui conférant davantage d'autonomie. Dans ces régions se fondent plus de 21 millions d'habitants, dont la moitié réside en Campanie et dans le Latium. Comme ailleurs en Italie, l'influence politique et administrative reste soumise à l'autorité centrale de Rome. Enfin, si la grande majorité des Italiens du Sud sont catholiques, il existe aussi d'autres confessions religieuses, comme la communauté musulmane, issue de l'immigration, ou les descendants des réfugiés albanais des 15e et 16e s. qui suivent les rites byzantins *(voir p. 299)*.

C'est en Italie du Nord que se concentrent les richesses de la Péninsule, renforçant ainsi l'idée, et la réalité, d'un Nord puissant, riche, prospère, industrialisé et d'un Mezzogiorno rural et plus pauvre. Au lendemain de la Seconde Guerre mondiale, le Sud se caractérise par une population agricole à maigre productivité, la faiblesse de ses industries, une croissance démographique importante et un taux de chômage élevé. Un contraste fort qu'on observe à travers la migration des *meridionali* vers le Nord, en quête de travail (plus de 2 millions de personnes dans les années 1950-1960).

En 1950, l'Etat fonde la **Cassa per il Mezzogiorno** (la Caisse pour le développement du Midi) pour entreprendre les réformes agraires nécessaires et l'amélioration des infrastructures (construction de barrages, de routes, de voies ferroviaires). Au fil des années, malgré la multiplication des financements – notamment des aides européennes – les résultats ne sont pas toujours totalement probants, tandis que les subventions s'accompagnent de polémiques dans un Nord qui rechigne à favoriser l'économie du Mezzogiorno – a fortiori quand les réseaux mafieux sont soupçonnés de détournements d'une partie de ces aides.

Néanmoins aujourd'hui les contrastes entre le Nord et le Sud ont tendance à s'estomper (mais tout de même avec un taux de chômage de 24 % contre 9 % pour la moyenne nationale) même si le Mezzogiorno reste encore très **agricole**. Dans les Pouilles, la plaine de Foggia est, après la plaine du Pô, le second grenier à blé de l'Italie ; en Campanie, les terres fertiles sont propices à la production de chanvre, de tabac et de céréales, tout comme le Campidano, en Sardaigne, vivant de cultures maraîchères, de vergers et de céréales. Dans le Molise, et autour de Termoli, l'économie demeure essentiellement fondée sur le froment, le maïs et les pommes de terre. Vignes, amandiers et oliviers sont présents dans les Abruzzes, en Campanie, en Molise, en Calabre, en Sardaigne et surtout dans les Pouilles, où la production d'huile d'olive est importante. C'est justement dans cette production de qualité que le Mezzogiorno tire son épingle d'un jeu économique délicat.

À côté d'un secteur primaire conséquent, et partout répandu, l'**industrie** se révèle éparpillée. Port actif, centre privilégié des relations commerciales avec le Moyen-Orient, capitale des Pouilles, Bari, constitue, avec Tarente et Brindisi, l'un des complexes du triangle industriel de la région (constructions navales, pétrochimie, mécanique). Dans le reste du Sud, l'industrie s'est diversifiée : chimie en Basilicate ; plomb, charbon, zinc, centrales hydroélectriques en Sardaigne ; pétrochimie dans les Abruzzes mais aussi en Sardaigne ; automobiles (Fiat) à Termoli, dans le Molise ; verre à Vasto, sidérurgie à L'Aquila, textile et agroalimentaire à Avezzano dans les Abruzzes.

Tandis que la ville de Naples compte à elle seule 250 000 petites entreprises privées tournées vers la production manufacturière et le commerce, Rome concentre l'essentiel des services administratifs.

Mais c'est surtout le **tourisme** qui reste le volet majeur du secteur tertiaire. Rome, bien sûr, peut s'enorgueillir d'un flot de visiteurs toute l'année, Naples et Lecce également, dans une moindre mesure. La Côte Amalfitaine, les îles de Capri et d'Ischia, les sites de Pompéi et d'Herculanum attirent aussi nombre de touristes, tout comme les stations balnéaires de la Sardaigne, la Costa Viola en Calabre, le littoral des Abruzzes et de la Basilicate. À ces avantages, remarquables en été, s'ajoutent les stations de sport d'hiver des Abruzzes et un atout non négligeable : le tourisme vert, encouragé par les nombreux parcs nationaux et régionaux, dont celui des Abruzzes dans la vallée du Sangro et celui du Gran Sasso dans les Apennins, sont les plus beaux fleurons.

Un mode de vie, des caractères

En 1960, Fellini tourne *La Dolce Vita (La Douceur de vivre)*, chef-d'œuvre du cinéma d'auteur qui influencera à la fois la société et la langue italienne. C'est en effet depuis ce film que le terme de *paparazzo* (nom que le cinéaste invente pour un photographe « harcelant » qui pourchasse les vedettes afin d'en rapporter un « cliché » monnayable) est entré dans le vocabulaire courant.

Pourtant, cette « dolce vita », ce mode de vie quelque peu oisif qui tourne autour de la prestigieuse via Veneto et évoque inévitablement la baignade désormais mythique d'Anita Ekberg et de Marcello Mastroianni dans la fontaine de Trevi, tient plus du légendaire cinématographique que de la réalité quotidienne. Un caractère franc et jovial, l'amour de la bonne chère et le respect des traditions sont le trait commun de tous les Italiens, même si, bien sûr, la mentalité, la cuisine et les traditions sont différentes d'une région à l'autre.

S'y ajoutent, plus particulièrement dans le Sud, une certaine humilité, un sens de la dignité chez des méridionaux qui ont

Présences de la Mafia

Si la Mafia est associée à la Sicile, elle est aussi présente en Italie méridionale, fonctionnant sur le même modèle de groupe soudé par ses rapports de parenté et de réseaux amicaux, pratiquant la corruption, des opérations financières occultes, s'impliquant dans tous les trafics (drogue et prostitution), en recourant si besoin au meurtre. Des assassinats qui ne s'épargnent pas, parfois, de règlements de compte internes. Dans le Mezzogiorno, à la Camorra napolitaine s'ajoutent la Sacra Corona Unita dans les Pouilles et la N'drangheta calabraise, que l'on peut considérer comme un État dans l'État. Outre les pratiques habituelles, toutes trois ont trouvé dans l'immigration clandestine de nouvelles sources de revenus. Une immigration provenant du Moyen-Orient, des Balkans et de Tunisie via l'Adriatique ou le détroit de Sicile. C'est aussi contre cet État de non droit, contre toute violence, que les Napolitains manifestent en nombre, comme à l'automne 2004 ou en 2006.

rarement été épargnés par la rugosité de la vie. Ce sont ces « vertus » qu'il faut avoir à l'esprit lorsque surgit la séduisante et dangereuse tentation de faire des généralisations. Car la « dolce vita » des Italiens n'a rien à voir avec un « dolce farniente ». Elle est plutôt une envie de vivre en harmonie, grâce à des efforts quotidiens et un peu de fantaisie, avec la beauté que la nature et l'œuvre d'Italiens de génie ont généreusement offerte à cette péninsule.

Arts et traditions populaires

Longtemps divisée en de nombreux petits états, en fiefs et royaumes, l'Italie s'est unifiée tardivement. Son morcellement historique explique en partie sans doute la survivance de particularismes, surtout dans le Sud de la Péninsule. Toute l'année s'y déclinent des fêtes traditionnelles qui témoignent des influences passées, des qualités et des caractères des peuples de cette Italie méridionale, entre croyance et joie de vivre, cultes chrétiens et païens.

Si chaque ville fête son saint protecteur (Nicolas à Bari, André à Amalfi, Joseph à Rome), de nombreuses processions religieuses ponctuent le calendrier, comme celle de la Madonna del Piliero à Cosenza, en février. Mais ce sont surtout les processions de la **Semaine sainte**, dans les grandes villes et les petites bourgades, qui offrent l'occasion de cérémonies grandioses et colorées. Ainsi à Lanciano ou bien sur l'île de Procida, où se rassemblent les habitants, dont 2 000 figurants costumés, pour la procession du Cristo Morto e dei Misteri. Outre la bénédiction papale sur la place St-Pierre, le dimanche de Pâques, à midi, dans certains villages, on peut assister au spectacle des *vattienti*, les flagellants, qui blessent et meurtrissent leurs chairs jusqu'au sang, ou bien observer les pénitents, la tête chargée de buissons de ronces.

La ferveur populaire est toujours de mise, et l'une des plus célèbres fêtes est le Miracle de San Gennaro (saint Janvier) à Naples, le premier samedi de mai et le 19 septembre, au cours duquel le peuple assiste à la liquéfaction du sang du saint patron de la ville *(voir p. 192)*.

A **Noël**, les crèches sont élevées, de Naples à Rivisondoli, et les messes de minuit perdurent, comme l'Épiphanie, à Rome où, sur la piazza Navona, la part belle est faite à la Befana, une gentille sorcière distribuant des jouets et des bonbons aux enfants sages.

Les **fêtes païennes** ne sont pas en reste, comme en Calabre où un cochon est sacrifié au moment du carnaval, victime expiatoire, selon une tradition héritée des Romains qui immolaient les porcs en hommage aux défunts, tandis qu'à Ischia, pendant la Semaine sainte, les *ndrezzate* célèbrent d'anciens rites de fécondité chantés par des hommes munis d'épées et de bâtons. À Rome, le quartier du Trastevere vibre en juillet pour la Festa de Noantri, gigantesque repas traditionnel en plein air, alors qu'à Vibo, en Calabre, pour la Festa della Fileja, toujours en juillet, les habitants confectionnent des pâtes à la main.

L'histoire possède aussi son lot de fêtes. Ainsi, au cours de la première semaine de juin, les quatre anciennes républiques maritimes d'Italie (Pise, Gênes, Venise, Amalfi) s'affrontent lors de joutes nautiques. Les participants costumés

L'étonnante procession des serpents lors de la fête de San Domenico à Cocullo (Abruzzes).

L'ITALIE DU SUD AUJOURD'HUI

« Calcio » et vélo

En Italie, c'est une seconde religion. Le **football**, baptisé *calcio*, soulève les passions et anime les conversations, qu'il s'agisse de l'équipe nationale, dernier vainqueur de la Coupe du monde, ou d'une équipe locale. S'ils ne possèdent pas la solide régularité sportive (et financière) des clubs du Nord, glanant souvent le *scudetto* (le championnat), le Sud italien possède néanmoins de grands clubs. A commencer par la capitale bruissant des rivalités entre la Lazio et la Roma. Cagliari (Sardaigne), figure également parmi les équipes de la Série A (équivalent à la Ligue 1 en France), tandis que Naples, miné par les faillites et les rétrogradations, vit sur les souvenirs glorieux illuminés par la présence sur le terrain (et hors du terrain) de **Diego Maradona**. À la fin des années 1980, il permit au Napoli de remporter championnat et coupe d'Europe. Témoignant aujourd'hui encore de la vénération qu'il suscite auprès des Napolitains, son portrait reste accroché un peu partout dans la cité campanienne. En attendant des jours meilleurs, racheté par un magnat de la production, le club compte toujours un grand nombre de supporters.

Mais il n'est pas que le ballon rond pour déplacer les *tifosi*. Le **cyclisme** possède aussi ses connaisseurs et amateurs, dispersés le long des routes à l'occasion des grandes épreuves tel que le Giro, le tour d'Italie, qui régulièrement emprunte les routes du Mezzogiorno.

défendent l'honneur de leur cité dans des embarcations semblables à celles de l'époque des croisades. Chaque ville organise l'événement à tour de rôle. Pareille représentation, au 15 août, anime la cité de Positano, rejouant le débarquement des Samnites (que la flotte amalfitaine n'avait pas su repousser), et l'intervention de la Vierge, avec près de 400 figurants costumés.

Aux fêtes traditionnelles s'ajoutent des manifestations culturelles d'importance, tels les festivals de musique classique à Martina Franca et Ravello, de jazz à Reggio di Calabria, mais encore des festivités culinaires célébrant le vin ou la bonne chère. La foire à l'espadon en Calabre, les festivals de la cipolla (oignon rouge et sucré) à Tropea, du citron à Procida, de la Sagra della pasta di casa à Gerace et du piment rouge à Diamante. Autant de manifestations révélatrices d'un art de vivre.

Fidèles aux traditions, les cités du Sud conservent également un artisanat témoignant d'une créativité populaire toujours renouvelée. Céramiques à Baia, à Ravello, à Gerace, à Vietri sul Mare, mosaïques à Sorrente, essences parfumées à Capri, papier mâché, sifflets et sculptures en pierre à Lecce, santons et ex-voto à Naples, bijoux fabriqués en corail à Torre del Greco, en pierre de lave dans la capitale campanienne… À ces objets remarquables s'ajoutent ces fameuses grandes marionnettes dans les Pouilles ou encore à Naples, dont le valet Pulcinella (Polichinelle) est une figure incontournable. Habillé d'un ample vêtement blanc, il porte un masque noir rehaussé de deux grosses verrues pour symboliser sa fourberie.

Gastronomie

L'Italie des cent villes et des mille clochers est aussi l'Italie des cent cuisines et des mille recettes, chargée d'histoire, traversée d'influences et marquée par une géographie contrastée. Il est cependant un dénominateur commun au Sud : le soleil. Un soleil qui rend la part belle aux fruits et aux légumes, omniprésents dans les plaines sardes, apuliennes et campaniennes, sur les collines d'un Mezzogiorno tapissé d'oliveraies. Le Sud de la Péninsule est ainsi le royaume d'une **huile d'olive** sollicitée dans tous les plats, structurant le « mangiare all'italiana », la terre privilégiée de la tomate, des courgettes, des aubergines, des poivrons, du navet, des artichauts et des agrumes. Des produits simples, différemment apprêtés, toujours avec une pincée d'imagination pour une authentique célébration du goût qui se joue des textures, des saveurs douces, amères ou acidulées. Braisés, marinés, grillés ou poêlés à l'huile d'olive, galvanisés par l'ail, les câpres ou les pignons de pin, ils se rehaussent régulièrement, tradition agricole oblige, de légumes secs et de céréales (maïs, pois chiche, fève et haricot). En terme de simplicité, la fameuse *bruschetta* partout servie en apéritif serait un raccourci de cette cuisine méridionale : une modeste tranche de pain rassis frottée à l'ail et arrosée d'huile d'olive. En somme, pas grand-chose pour une bouchée étonnamment fière et goûteuse.

Il est un autre dénominateur commun à tout le Sud : la **pasta**. Cette pasta chérie, éminemment maternelle, sans laquelle il ne saurait y avoir de repas,

COMPRENDRE L'ITALIE DU SUD

Les étoiles du Sud

Tel un écho à la diversité de son terroir et à la richesse de ses préparations, l'Italie du Sud possède plusieurs dizaines de restaurants étoilés. À commencer par La Pergola dans le quartier San Pietro de Rome, auréolé des fameux trois macarons du Guide Michelin, où officie Heinz Beck. Vico Equense (Gennaro Esposito), Massa Lubrense (Alfonso Iacarino), ou encore Ravello (Pino Lavarra) en Campanie, Campobasso (Maria Lombardi) dans le Molise, Barletta (Franco Ricatti), dans les Pouilles sont autant de lieux gourmands qui méritent halte ou séjour.

aux formes diverses et différemment préparées. Les Abruzzes, les Pouilles et la Campanie comptent une infinité de petites entreprises familiales spécialisées dans la fabrication de pâtes.

Si la *pasta* est considérée en Italie comme un primo piatto (telle une entrée), la **pizza** peut constituer à elle seule un repas. Symbole de la cuisine napolitaine, son origine remonte jusqu'à Horace, qui s'en régale déjà, en épicurien averti, dans ses poèmes lyriques. Plat de pauvre composé d'une pâte à pain cuite au four, assaisonnée simplement d'huile d'olive et de sel, la pizza s'est au fil des siècles dotée de saveurs, au gré des ingrédients, comme la tomate, importés du Nouveau Monde. En 1889, un modeste pizzaiolo napolitain allait lui offrir une autre envergure : en l'honneur de la reine Marguerite, il enrichit la préparation traditionnelle de tomate, de mozzarella et de basilic pour en faire une pizza tricolore (aux couleurs de l'Italie donc). Depuis lors, cette fameuse préparation a pris le nom de Marguerite (Margherita en italien) et, on le sait, la pizza s'est répandue partout dans le monde, quand bien même les Napolitains considèrent la leur comme la seule authentique.

Au chapitre des viandes, le porc est évidemment un autre roi dans un Sud pauvre et rural, cuisiné en ragoût à la broche, apprêté pour une charcuterie prisée (jambon cru ou fumé, saucisson, lard et mortadelle). Mais surtout, bordé par des mers nourricières, le Mezzogiorno frétille de poissons, de crustacés, de fruits de mer. Thons, espadons, daurades, moules, coques, seiches et calamars emplissent les étals des marchés avant de se présenter en assiette froide ou chaude, toujours épaulés par l'huile d'olive, en salade, grillés, poêlés ou en fritures.

Antipasti, pasta, pizza et huile d'olive garnissent les tables de cette Italie du Sud. Il n'en reste pas moins une myriade de spécialités qui font l'orgueil d'une localité ou d'une province. On déguste à **Naples** les *maccheroni al ragù* (macaroni à la sauce tomate et à la viande) ou *al forno* (au four), les *polpi alla luciana*, petits poulpes à l'ail et à la tomate, la *baccala alla partenopea* (morue séchée et frite, accompagnée de sauce tomate, de câpres et d'olives noires), ou encore l'*impepata di cozze* (moules cuites dans un jus corsé). Agerola, Vico Equense et Castel Volturno en Campanie se montrent fières de leurs produits laitiers, dont la provola fumée, et la fameuse mozzarella di bufflonne. Cette même mozzarella dite *alla carrozza* quand elle est servie en entrée, comme une sorte de pain perdu au fromage.

Les **Pouilles** se distinguent avec les *orecchiete con le cime di rapa*, des pâtes en forme d'oreilles servies avec des pousses de navets, les *seppie ripiene*, des seiches farcies, et le *capretto ripieno al forno*, chevreau rôti farci aux herbes. En **Basilicate**, la *pasta alla potentina* (des pâtes au ragoût de veau à la mode de Potenza) emportent les suffrages des gourmands, tout comme un certain trio de bons fromages : caciocavallo,

Douceurs sucrées

On a trop l'habitude de ne voir les desserts italiens qu'à travers les sempiternels tiramisu. La pâtisserie de la Péninsule a bien plus de diversité à sa carte. Jouant sur les agrumes parfumés et juteux du Mezzogiorno (citrons, oranges, pamplemousses, mandarines…), sur les baies (fraises, framboises ou myrtilles…), le café et le chocolat, les fruits secs et tous les fruits de saison dont ce pays de cocagne peut s'enorgueillir, le dessert ici se révèle une véritable mine d'or pour parachever un repas. Glaces et sorbets dans tous leurs éclats, *panna cotta*, gâteau à la ricotta (la *pastiera* napolitaine), pâtisseries frites et recouvertes de miel (les *sebadas* sardes), confitures de piment et baba à la bergamote en Calabre, *sfogliatella*, aérien feuilleté fourré à la ricotta, parfois aux fruits confits à Naples, dragées de Sulmona dans les Abruzzes… Autant de déclinaisons sucrées possibles à mettre en bouche.

L'ITALIE DU SUD AUJOURD'HUI

Vignes au pied des trulli dans la vallée d'Itria (Pouilles).

scamorza et ricotta. En **Calabre**, aux *macaroni con il sugo rossodella capra* (à la viande de chèvre) suivent une étonnante andouille au piment et le fameux espadon *(pesce spada)*, servi avec une sauce à l'ail, du miel ou *alla ghiotta* (tomate, oignon, céleri, olives et câpres). Toujours en Calabre, le plateau de la Sila est réputé pour sa production de laitages et de fromages (le *pecorino* et le *burrito*, du beurre conservé dans l'écorce).

Dans les **Abruzzes**, outre la précieuse truffe noire et le safran *(voir p. 174)*, le miel parfois aromatisé au thym, on se régale de pâtes accompagnées d'une sauce de truite ou d'écrevisses, d'une simple soupe à base de pain comme le *pancotto*, ou composée de fruits de mer *(le brodotto)*. Enfin, en **Sardaigne**, les *malloredus*, type de gnocchi, se mêlent de saucisses et de sauce tomate, le *porceddu allo spiedo*, un cochon de lait à la broche servi avec un pain à pâte fine.

Gagné par le soleil, le Mezzogiorno s'est fait fort de **vignobles** pour arroser les fragrances de l'assiette. Ici, le verre se partage entre un vermentino et un cannonau (blanc et rouge sardes), un fiano di Avellino, un greco di tufo, un ischia ou un lacryma christi (blancs de Campanie), le locorotondo, le san severo et le castel del monte (blancs et rosé des Pouilles) et le ciro rouge (de Calabre). Sans oublier la grappa, une eau-de-vie de marc de raisin, amplement exportée, ou le limoncello, digestif naturel particulièrement sucré, à base de citron, réputé à Capri, ou encore une certaine liqueur de chocolat au piment, savourée en Calabre… Voilà autant de spécialités ravigotées qui participent d'une identité résolument gourmande.

À vrai dire, le bon goût et le bien manger, à défaut d'être une affaire d'État (quoique) est une affaire toute italienne, qui s'inscrit dans la tradition, quelles que soient les couches sociales. Nul hasard alors si le mouvement **Slow food** est né en Italie, sous la houlette de Carlo Petrini, en 1985. Basé à Bra, dans le Piémont, il se veut international (l'association compte plusieurs milliers de lieux de rencontres et de débats dans les cinq continents, et organise nombre de colloques et événements). Tourné vers la sauvegarde du patrimoine alimentaire traditionnel, il offre un soutien actif aux producteurs, aux paladins de la biodiversité œuvrant à une échelle humaine. Tout le monde est ainsi concerné. Gourmets, cuisiniers, restaurateurs, producteurs, marins et paysans, commerçants. En somme, quiconque s'intéresse de près ou de loin à la gastronomie, bien au-delà d'une simple assiette, pour une consommation juste, propre et bonne, et au plus près de la réalité. Quelque chose qui répond donc à un savoir-vivre, voire à un art de vivre. Le goût précisément du bon goût, au diapason de ce que l'on trouve dans les *trattorie*, ces petits établissements gourmands sans prétention faisant la part belle au terroir.

Positano sur la Côte Amalfitaine.
G. Targat / MICHELIN

DÉCOUVRIR L'ITALIE DU SUD

La coupole de St-Pierre fut conçue par Michel-Ange.

ROME ET LE LATIUM

5 205 139 HABITANTS
CARTE MICHELIN N° 561 G 4-5

Si Rome est latine, le Latium lui était étrusque. À force de rendre à César… on oublie ce que Rome doit aussi à l'Étrurie. Cette première grande civilisation italique que sont les Étrusques désignait le Tibre, qui traverse la cité, sous le terme « ruma », un mot qui signifiait « eau » dans leur langue. De cette Étrurie, qui à son apogée au 6e s. s'étendait des rivages de l'Adriatique au sud de la Campanie, ne subsistent que nécropoles et sanctuaires.

Visiter le Latium (la région compose avec la Toscane et l'Ombrie l'ancienne Étrurie), c'est donc remonter à la source de l'histoire romaine ; c'est aussi comprendre que si Rome n'a jamais fait partie des douze grandes cités étrusques (Tarquinia en était la métropole), ses plus forts symboles, la louve et ses jumeaux, sont pourtant des héritages du monde étrusque. De nombreuses fouilles ont depuis en partie dévoilé les secrets de cette civilisation dont témoignent nombre d'objets exposés dans les multiples musées archéologiques de Rome et du Latium.

Sillonner le Latium c'est également découvrir au sud une géographie jalonnée de nécropoles mais annexée par une nature sauvage, avec une côte frangée de mers et de belles cités balnéaires (Terracina, Gaëte) et de forêts sauvages dont le Parc national du Circeo forme le blason vert et bleu le plus éclatant.

Une couleur rassérénante avant d'affronter l'univers minéral, vertigineux et bouillonnant de la capitale romaine. Car ici traverser une rue ce n'est pas forcément changer de quartier mais plutôt changer de siècle, à pas de géant, quand l'ombre de Trajan croise celle du bicorne de Napoléon.

Au-delà des sept collines de Rome, prendre de la hauteur sur les villages des Castelli Romani permet de belles échappées campagnardes sur les flancs des monts Albains. Lieux de villégiature papaux sis à l'est de Rome, ils peuvent être les premiers pas d'un nouveau rendez-vous avec l'Histoire, celle qui se concentre, plus au nord, à Tivoli, autour de la villa Hadrien et de la villa d'Este : deux sites romain et Renaissance inoubliables séparés par quelques kilomètres et quatorze siècles d'histoire.

- **Se repérer** – Rome, capitale de l'Italie et de la région du Latium. Situé au centre de l'Italie, le Latium (*Lazzio* en italien), d'une superficie de 17 227 km² est enclavé entre la Toscane et l'Ombrie au nord, les Abruzzes et le Molise à l'est, la mer Tyrrhénienne à l'ouest et la Campanie au sud.
- **À ne pas manquer** – Au sud du Latium : Sabaudia, le Parc national du Circeo, Sperlonga, Terracina, Gaëte. Au nord : Tarquinia, Viterbe et le village de Bomarzo. À l'ouest : Ostia Antica. À l'est : Tivoli (la villa d'Este et la villa Hadrien), les Castelli Romani. Pour Rome la liste est inépuisable. Se référencer aux différentes promenades organisées par quartier.
- **Organiser son temps** – Il faut au minimum trois jours pour avoir une toute petite idée de Rome. Privilégier les promenades aux visites si vous disposez de peu de temps car les queues, souvent interminables, raccourcissent trop rapidement les journées. Compter une journée pour visiter les deux villas de Tivoli ; une demi-journée pour le site archéologique d'Ostia Antica ; pour le nord ou le sud du Latium, compter au minimum 3 jours en voiture.
- **Avec les enfants** – **Insolite** : Virterbe et le jardin des monstres de Bomarzo avec un pique-nique près du lac de Bolsano. **Découverte** : Tivoli (la villa Hadrien et la villa d'Este) ; à Rome, les catacombes, les thermes de Caracalla et cette incroyable déambulation qui mène à la chapelle Sixtine. **Mer** : les plages de Gaëte et de Sperlonga. **Nature** : le Parc national du Circeo.

DÉCOUVRIR ROME ET LE LATIUM

Rome ★★★
Roma

**2 542 003 HABITANTS
CARTE GÉNÉRALE A1 - CARTE MICHELIN N° 563 Q19 (AVEC PLAN GÉNÉRAL)
PLAN MICHELIN AU 1/10 000 N° 1038 - VOIR AUSSI LE GUIDE VERT ROME**

« Ville éternelle », capitale d'un empire auquel elle donna son nom, emblème du christianisme quand disparut le monde antique, Rome a conservé de son passé de somptueux témoignages qui lui valent d'être considérée comme l'un des trésors artistiques du monde. Aujourd'hui, elle n'est plus seulement la cité de marbre laissée par Auguste et les empereurs romains, ni le cadre fastueux de la politique appliquée par la cour papale. Devenue capitale de l'Italie unifiée en 1870, elle a connu une expansion urbaine peu commune et, surtout depuis la Seconde Guerre mondiale, souvent incontrôlée. Pourtant, le visiteur ne pourra qu'être séduit : c'est depuis les belvédères du Janicule (Gianicolo), de l'Aventin (Aventino) ou du Pincio, que l'on mesure le mieux l'étendue de la cité. Le voyageur y découvrira, vers la fin du jour, dans une lumière dorée particulière à la ville, les taches vert sombre des jardins, la silhouette des pins parasols coiffant les champs de ruines, ainsi que les innombrables coupoles et clochers qui émergent des toits de tuile rose. Sa campagne, en revanche, est restée quasi intacte et constitue encore, avec ses cyprès et ses pins, son ciel d'une incomparable limpidité et sa lumière dorée, un merveilleux écrin pour cette Rome vers laquelle on revient toujours.

La fontaine des Fleuves sur la piazza Navona.

- **Se repérer** – « Tous les chemins mènent à Rome », a-t-on coutume de dire. En effet, Rome se trouve au centre d'un réseau autoroutier complexe : les autoroutes A1, A12 et A24 convergent toutes vers le Raccordo Anulare, rocade distante des limites de la ville, au trafic très dense.
- **À ne pas manquer** – La liste est longue : le forum romain et la Via Sacra ; la vue du Palatino ; la place et les musées du Capitole ; la piazza Navona, Le Caravage à St-Louis-des-Français, le Panthéon ; la chapelle Sixtine, les chambres de Raphaël ; la piazza di Spagna, la via Margutta, la villa Borghese, le palazzo Barberini, l'*Extase de Sainte Thérèse* du Bernin, la fontaine de Trevi, un dîner dans le Travestere…
- **Organiser son temps** – Compter environ une journée par promenade sans les visites. Il faut au minimum 3 jours pour commencer à se repérer… un peu.
- **Avec les enfants** – Sans crainte on peut annoncer le Colisée, le forum romain, les thermes de Caracalla ; jeter des pièces dans la fontaine de Trevi ; pour les plus courageux : les catacombes et la vue panoramique du haut de la basilique St-Pierre. Pour les plus curieux : les œuvres du Bernin dans la galerie Borghese et celles du Caravage dans l'église St-Louis-des-Français.
- **Pour poursuivre le voyage** – Voir Tarquinia, Gaète et L'Aquila (ABRUZZES).

Comprendre

Aucune ville au monde ne mêle avec autant d'harmonie et de liberté tant de témoignages divers du passé (vestiges antiques, édifices médiévaux, palais Renaissance, églises baroques). Loin de se nuire, les époques composent ici une manière de continuité logique où les reprises, les influences, les contrastes sont autant de nuances du génie des architectes et constructeurs romains. Certes, les ruines d'aujourd'hui n'ont plus la splendeur qu'elles devaient avoir quand elles étaient encore recouvertes de marbres, à l'époque impériale ; sans doute, bon nombre de palais ont-ils perdu leur décoration peinte en façade ; et, c'est vrai que le trafic intense et les bouleversements liés à la modernisation d'une capitale ont profondément modifié l'aspect de la Rome que découvrirent Goethe ou Stendhal. Il n'empêche que le visiteur contemporain ne pourra manquer d'être séduit par le grandiose développement de la capitale. C'est depuis les belvédères que l'on peut apprécier toute l'importance de « la ville aux sept collines ». Coupoles et clochers se détachent sur cette immense toile : Rome est en effet la ville des églises et l'on en dénombre environ 300, certaines se faisant face dans la même rue. Leurs façades, qu'il est souvent difficile d'observer avec beaucoup de recul, compensent ce défaut par la richesse de leur décor et l'artifice du trompe-l'œil. La plupart du temps, l'intérieur procure un étonnement renouvelé grâce à l'invention et à l'audace des solutions adoptées ou par le silence et la lumière qui y règnent. Dans la « Vecchia Roma », autour du Panthéon, de la piazza Navona ou du Campo dei Fiori, les palais succèdent aux palais.

Pour celui qui s'aventure dans ces quartiers, il n'est pas rare d'apercevoir, entre les façades aux teintes ocre, une place où se tient un marché, une enfilade d'escaliers au pied desquels coule une fontaine. Les promenades nocturnes dans ces rues, éclairées par des lampadaires haut placés diffusant une lumière féerique, ont un charme que l'animation des principales artères ne laisse guère présager.

Le commerce de luxe est localisé entre la piazza del Popolo, la via del Corso, la piazza di Spagna et les rues perpendiculaires qui les joignent. La via Veneto est bordée, dans sa partie supérieure, de luxueux hôtels et de terrasses de cafés où se rassemble le tourisme international. La piazza Navona est un lieu de rendez-vous à la mode, le **Trastevere**, ancien quartier populaire, offre de nombreux restaurants ; la via dei Coronari réunit antiquaires et brocanteurs.

Entre histoire et légende – Rome possède une origine mythique qu'ont créée et alimentée les poètes et les historiens latins, notamment Virgile dans son long poème de l'*Énéide* et Tite-Live dans les livres de son *Histoire romaine*. C'est ainsi que l'on apprend que le héros troyen **Énée**, de souche divine, fuyant sa patrie, aurait abordé à l'embouchure du Tibre afin d'y fonder une nouvelle Troie ; ayant vaincu les rois locaux, il jeta les bases de Lavinium. Son fils Ascagne (Iule) fonda Albe-la-Longue, où naquirent les jumeaux **Remus et Romulus**, issus de l'union de Mars avec une vestale. Livrés au Tibre, les deux enfants furent rejetés par le fleuve sur le rivage du Palatin où une louve les nourrit. Plus tard, Romulus traça à cet endroit un sillon où devait s'élever la nouvelle cité ; son frère Remus, ayant franchi l'enceinte sacrée par jeu, fut tué. Pour peupler son village, Romulus attira des hors-la-loi, qui s'installèrent sur le Capitole, et leur donna pour épouses les Sabines.

Plus prosaïquement, les historiens modernes considèrent que seuls les avantages stratégiques des collines romaines, en particulier du Palatin, étape idéale sur la voie du sel (la via Salaria), incitèrent les populations voisines à s'y établir dès le 8e s. avant J.-C.

Deux siècles plus tard, les Étrusques transformèrent ce village de cabanes en une véritable ville organisée et installèrent une citadelle sur la colline du Capitole. À la suite d'une royauté étrusque, dont Tarquin le Superbe fut le dernier représentant (509 avant J.-C.), Rome institua le Consulat, puis une République ambitieuse et expansionniste.

« Autour des sept collines »

Écrit en 1988 par le plus classique de nos écrivains contemporains, ce livre est une grille de lecture originale des humeurs et des observations (toujours à rebours des impressions et des sentiments largement partagés) qui ont animé l'esprit de **Julien Gracq** lors de ses déambulations romaines : « Cette ville est un musée où on mange, boit, fume, rêvasse, fait la sieste, où on accoste les femmes, où on ne dépose pas son parapluie au vestiaire, et où on peut même comme autrefois une loge dans un de ses théâtres, s'acheter un appartement ».

DÉCOUVRIR ROME ET LE LATIUM

Au cours des 2e et 1er s., le régime républicain sombra dans les guerres civiles ; il fallut attendre l'avènement d'un homme habile et volontaire pour que Rome, déchirée par les rivalités politiques, fût à nouveau en mesure de dominer efficacement les nouveaux territoires conquis. **Jules César** (101-44 av. J.-C.) s'imposa à ses adversaires par son audace de stratège (il soumit la Gaule en 51), son intelligence des affaires politiques, ses talents d'orateur et son ambition sans mesure ; nommé consul et dictateur à vie, il mourut assassiné aux Ides de Mars (le 15 mars) de l'année 44 av. J.-C. Lui succéda Octave, son neveu, de santé fragile et sans gloire militaire, mais doué d'une ténacité et d'un génie politique incomparables, qui se débarrassa habilement de ses adversaires à la succession ; en 27 av. J.-C., le Sénat lui décerna le titre d'**Auguste**, lui conférant un caractère de sainteté. Cumulant toutes les fonctions, politiques aussi bien que judiciaires et religieuses, Auguste devint bientôt le premier empereur romain ; son œuvre fut considérable : il étendit la domination de Rome à l'ensemble du bassin méditerranéen, mais il lui donna également la paix.

La mort d'Auguste fut suivie par une longue succession d'empereurs, dont certains, tels Caligula, Néron et Domitien, se signalèrent par des actes de folie et de cruauté. D'autres, comme Vespasien (bon administrateur), Titus (surnommé « le délice du genre humain »), Trajan (« le meilleur des empereurs », inlassable constructeur) et Hadrien (voyageur infatigable, épris d'hellénisme), continuèrent l'œuvre de civilisation romaine.

Le christianisme – Alors que le monde antique vacille, miné par la misère, la concentration du pouvoir dans les mains d'un seul homme et les attaques répétées des Barbares, une nouvelle puissance spirituelle et culturelle, apparue dès l'époque d'Auguste, s'affirme. Venue de Palestine et de Syrie, la religion de Jésus de Nazareth, diffusée dans le monde païen par ses disciples, avait gagné Rome. Dès la fin du 1er s. et le début du 2e s. apr. J.-C., l'Église chrétienne était organisée, mais elle se heurta aussitôt au pouvoir des empereurs. Il fallut attendre l'**édit de Milan** (en 313) tolérant la pratique du culte chrétien, et la conversion de l'empereur **Constantin**, pour que les églises puissent s'édifier en plein jour.

Aux premiers temps du christianisme, le représentant du Christ sur terre était l'évêque. L'évêque de Rome, siégeant dans la capitale traditionnelle de l'Empire, revendiqua le premier rang dans la hiérarchie ecclésiastique. C'est ainsi que sous le nom de **pape** (du bas latin *papa* : père), les chefs de la chrétienté déterminèrent l'histoire de l'Église et façonnèrent le visage particulier de la Ville éternelle. Au 11e s., **Grégoire VII** restaura une situation de désordre au sein de l'Église qui ne lui faisait guère honneur, combattit le trafic des biens ecclésiastiques et le mariage des prêtres ; il déclencha la fameuse querelle des Investitures, qui opposa le souverain pontife à l'empereur. Au cours de la Renaissance, de nombreux papes, érudits, actifs mécènes, et ambitieux, contribuèrent largement, en attirant à la Cour de prestigieux artistes comme Raphaël et Michel-Ange, à l'embellissement de la capitale. Parmi eux, il faut rappeler le nom de Pie II, Sixte IV (bâtisseur de la chapelle Sixtine, de Sainte-Marie-de-la-Paix et Santa Maria del Popolo), Jules II (qui confia à Michel-Ange le décor des plafonds de la Sixtine), Léon X (immensément riche, il nomma Raphaël intendant des arts), Clément VII, Sixte Quint qui fut un infatigable bâtisseur, et Paul III qui fit élever le palais Farnèse.

La capitale de l'Italie – « Rome, tôt ou tard, par la nécessité des choses et la raison du temps, devra être la capitale de l'Italie », avait déclaré Cavour en 1860. Il est vrai qu'en 1850, l'Italie dominée par l'Autriche, divisée en sept États demeurait selon le mot de Metternich une « expression géographique ». Suite à la guerre de 1859, et à l'annexion de l'Italie centrale par le Piémont (petit royaume qui concentrait alors sous la figure charismatique de **Cavour** tous les espoirs des patriotes italiens), le premier parlement italien proclamait le 14 mars 1861 Victor-Emmanuel roi d'Italie sous le nom de Victor-Emmanuel II. « Par la grâce de Dieu et par la volonté de la nation », l'Italie était faite. Manquaient encore à l'Italie Rome et Venise. La Vénétie était toujours aux mains des Autrichiens, et le Latium avec Rome « patrimoine de saint Pierre » et propriété du pape : « Le Christ me l'a donné, déclarait Pie IX, à lui seul je le rendrai ». Les troupes italiennes portées par un immense sentiment national prirent Rome le 20 septembre 1870 (le combat de la Porta Pia) et le roi vint s'installer au palais du Quirinal. Rome devint capitale du royaume d'Italie le 3 février 1871 au grand désespoir de Pie IX, qui, retiré dans le Vatican, se considérait comme prisonnier. Dès lors, les rapports entre l'État et l'Église devinrent problématiques, le pape interdisant aux catholiques d'être électeur ou élu. Il fallut attendre les accords de Latran en 1929 pour que Rome s'enorgueillisse d'un nouvel État souverain, le Vatican. Rome, capitale de l'Italie et ville éternelle, a fêté en 2007 le cinquantième anniversaire du Traité de Rome, qui instituait le 25 mars 1957 la Communauté économique européenne (CEE).

ROME

Les différentes promenades présentées permettent d'aborder un ou plusieurs quartiers selon une cohérence géographique qui privilégie la marche et concentre, sur une échelle de temps qui ne dépasse pas la journée, de multiples centres d'intérêt. Les visites des musées ne sont pas comprises ; le temps de visite étant fonction de tout un chacun.

La Rome antique★★★

Colosseo★★★ (Colisée) Plan I C3
☎ 06 39 96 77 00 - www.pierreci.it - ♿ - Été : 8h15-19h15 (dernière entrée à 18h15). Fermé 1er janv. et 25 déc. - 9 € sans expo. temporaire, 11 € (avec) et combiné pour la visite du Palatin et le musée Palatin ; 22 € le billet couplé pour 10 monuments.

Cet amphithéâtre, inauguré en 80, est aussi appelé amphithéâtre Flavien, du nom du premier des empereurs Flaviens (Vespasien), qui fit entreprendre sa construction. Il fut surnommé Colosseo peut-être en raison de la proximité du Colosso di Nerone, gigantesque statue de bronze de plus de 35 m de haut, à moins que ce ne soit à cause de ses dimensions mêmes (527 m de circonférence et 57 m de haut). Avec ses trois ordres classiques superposés (dorique, ionique, corinthien), il est un chef-d'œuvre d'architecture antique. Des combats d'hommes et d'animaux, des duels de gladiateurs, des courses, des simulations de combats navals s'y déroulaient. Il pouvait contenir près de 50 000 personnes.

Aujourd'hui indissociable du décor du Colisée, l'**arc de Constantin★★★** fut élevé en 315 pour commémorer la victoire de Constantin sur Maxence. Certains bas-reliefs ont été prélevés sur des monuments du 2e s.

Domus Aurea★★ Plan I C2-C3
Dans le parc Oppio. ♿ *(En partie fermé pour restauration lors de la rédaction de ce guide. mar.-vend. : 10h-16h. 4,50 €). Réservation obligatoire et de plus en plus pour des raisons scientifiques (réserver de préférence un jour à l'avance).* ☎ 06 39 96 77 00. www.pierreci.it

La Maison Dorée est la luxueuse résidence construite par Néron après l'incendie de Rome (64 apr. J.-C.). Les salles souterraines, semblables à des grottes et décorées de dessins géométriques, de racèmes, de voûtes et d'animaux, inspirèrent le motif ornemental du grotesque aux artistes de la Renaissance.

Quitter le Palatin par la porte voisine de l'arc de Titus.

Foro Romano★★★ (Forum romain) Plan I C2-C3
☎ 06 39 96 77 00 - www.pierreci.it - ♿ - Été : 8h15-19h15 (dernière entrée à 18h15) - fermé 1er janv., 25 déc. Gratuit.

Les vestiges du Forum romain, centre religieux, politique et commerçant de la Rome antique, sont le reflet des douze siècles d'histoire qui ont forgé la civilisation romaine. Le Forum fut fouillé aux 19e et 20e s.

La **basilique Emilia** fut la seconde basilique construite à Rome (170 av. J.-C.). En empruntant la **Via Sacra★**, qui vit défiler les triomphes des généraux vainqueurs, on rejoint la **Curie★★** reconstruite au 3e s. par Dioclétien ; cet édifice

La maison des Vestales.

103

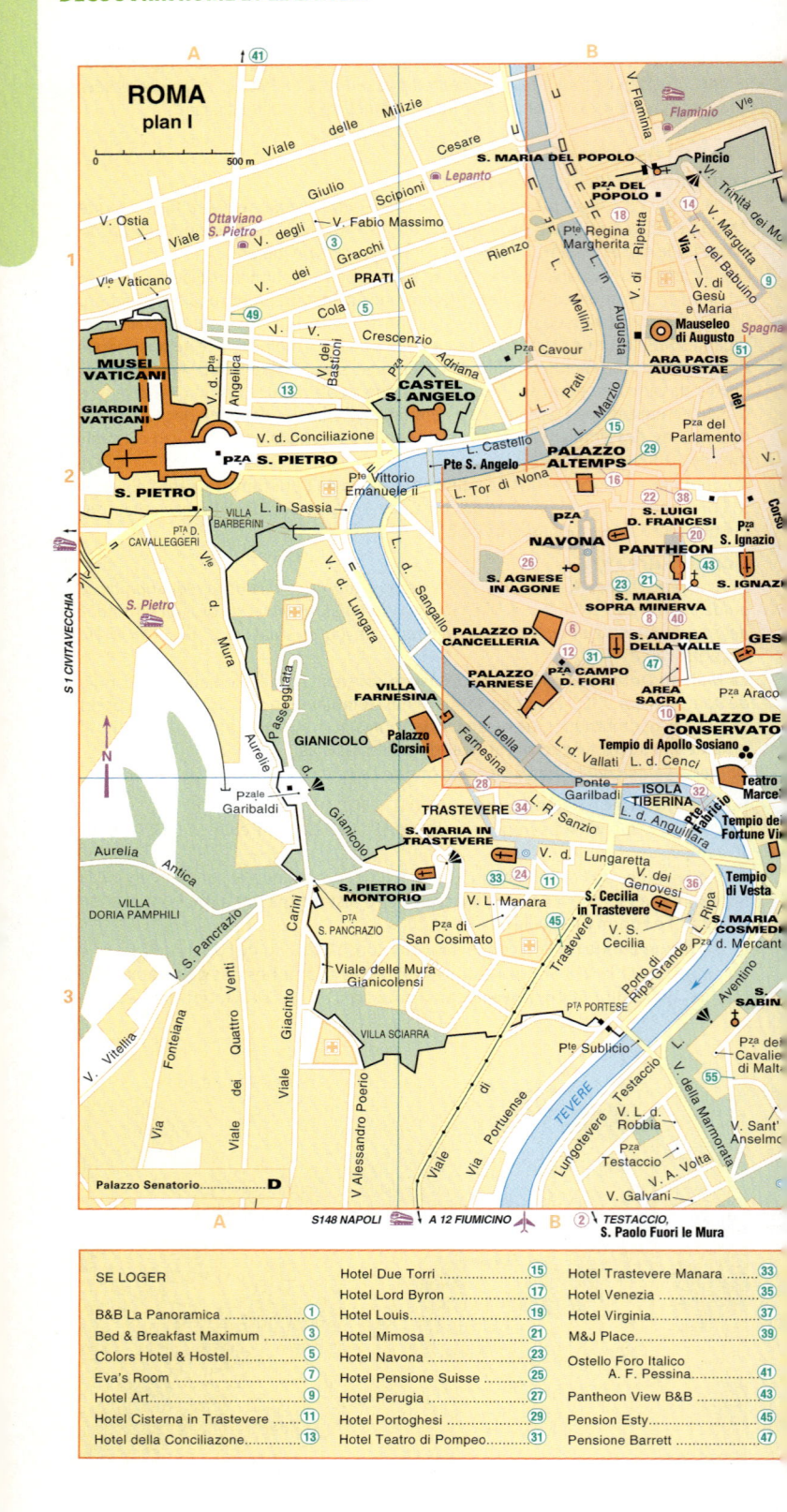

DÉCOUVRIR ROME ET LE LATIUM

ROMA plan I

SE LOGER		
	Hotel Due Torri .... (15)	Hotel Trastevere Manara .... (33)
	Hotel Lord Byron .... (17)	Hotel Venezia .... (35)
B&B La Panoramica .... (1)	Hotel Louis .... (19)	Hotel Virginia .... (37)
Bed & Breakfast Maximum .... (3)	Hotel Mimosa .... (21)	M&J Place .... (39)
Colors Hotel & Hostel .... (5)	Hotel Navona .... (23)	Ostello Foro Italico
Eva's Room .... (7)	Hotel Pensione Suisse .... (25)	A. F. Pessina .... (41)
Hotel Art .... (9)	Hotel Perugia .... (27)	Pantheon View B&B .... (43)
Hotel Cisterna in Trastevere .... (11)	Hotel Portoghesi .... (29)	Pension Esty .... (45)
Hotel della Conciliazone .... (13)	Hotel Teatro di Pompeo .... (31)	Pensione Barrett .... (47)

ROME

Pensione Ottaviano............49	Eau Vive............8	Paris............24
Pensione Panda............51	Enoteca La Bottega del Vino da Anacleto Bleve............10	Pizzeria Da Baffetto............26
Rome à Volonté............53		Pizzeria Dar Poeta............28
Sant'Anselmo............55	Forno di Campo de'Fiori di Bartocci e Roscioli............12	Pommidoro............30
SE RESTAURER	Il Margutta RistorArte............14	Sora Lella............32
	L'Orso 80............16	Trattoria Augusto............34
Checchino dal 1887............2	La Penna d'Oca............18	Trattoria Da Enzo............36
Da Franco Ar Vicoletto............4	La Rosetta............20	Trattoria dal Cavalier Gino...38
Ditirambo............6	Maccheroni............22	Vecchia Locanda............40

105

abrita les séances du Sénat et renferme aujourd'hui les **bas-reliefs de Trajan★★**, panneaux sculptés au 2e s. de scènes de la vie impériale et d'animaux conduits au sacrifice.

À proximité, le bel **arc de Septime-Sévère★★** fut élevé en 203, après les victoires de l'empereur sur les Parthes. Au pied du Capitole se dressait un ensemble de monuments particulièrement remarquables : le **temple de Vespasien★★** (fin du 1er s.), dont subsistent trois élégantes colonnes corinthiennes, le **temple de Saturne★★★**, dont il reste huit colonnes du 4e s., et le **portique des Dieux Conseillers★**, ensemble de colonnes à chapiteaux corinthiens datant d'une restauration de 367 (le portique était dédié aux douze dieux principaux du panthéon romain). La **colonne de Phocas★** fut érigée en 608 en l'honneur de Phocas, empereur d'Orient, qui donna le Panthéon au pape Boniface IV. La **basilique Julienne★★**, divisée en cinq nefs, fut élevée par César, achevée par Auguste et destinée au commerce et à la justice. Le **temple de Castor et Pollux★★★** dresse encore trois belles colonnes à chapiteaux corinthiens. Circulaire, le **temple de Vesta★★★** avoisine la **maison des Vestales★★★** (gardiennes du feu sacré). Le **temple d'Antonin et Faustine★★** était dédié à l'empereur Antonin le Pieux et à son épouse ; les colonnes de son pronaos sont monolithes. La grandiose **basilique de Maxence★★★** fut achevée par Constantin. Enchâssé dans la construction de l'église Ste Françoise-Romaine, le **temple de Vénus et de Rome★** édifié entre 121 et 136 par Hadrien, fut le plus vaste des temples de l'Urbs (110 m par 53 m). Il se distinguait par deux *cellæ* à absides adossées : l'une abritait la déesse Rome et regardait vers le Forum, l'autre, dédiée à Vénus, était orientée vers le Colisée. L'**arc de triomphe de Titus★★** élevé en 81 commémorait la prise de Jérusalem par cet empereur qui ne régna que deux ans.

Palatino★★★ (Mont Palatin) Plan I C3

☏ 06 39 96 77 00 - www.pierreci.it - ⚬ - *Été : 8h15-19h15 (dernière entrée à 18h15). Fermé 1er janv. et 25 déc. 11 € le billet combiné avec la visite du Colisée ; 22 € le billet couplé pour 10 monuments.*

Sur cette colline, où furent recueillis Remus et Romulus, Domitien bâtit le palais impérial : la **Domus Flavia★**, où se déroulait la vie officielle, la **Domus Augustana★★**, résidence privée des empereurs, et le **stade★**. La **maison de Livie★★** *(fermée pour restauration au moment de la rédaction de ce guide)* fut peut-être la demeure d'Auguste (beaux restes de peintures). Des **jardins Farnèse** (Orti Farnesiani), qui ont recouvert au 16e s. le palais de Tibère, **vue★★** sur le Forum et la ville.

Fori Imperiali★★★ (Forums impériaux) Plan I C2

Entrée depuis la via IV Novembre. Ils furent construits par César, Auguste, Trajan, Nerva et Vespasien ; de ces deux derniers ensembles, il ne reste presque rien. La via dei Fori Imperiali, ouverte en 1932 par Mussolini, a divisé les Forums impériaux.

Les **marchés de Trajan★★** (Mercati Traianei), marchés composés d'environ 150 boutiques, ont conservé leur façade en hémicycle : lieu de vente au détail, ils étaient également un centre d'approvisionnement et de redistribution des produits. *Entrée piazza Madona di Loreto (colonne de Trajan) - ⚬ -tlj sf lun. 9h-14h - fermé 1er janv., 1er mai et 25 déc. - 4,50 €. Compter 1h pour la visite - une bonne partie du forum ainsi que les bâtiments supérieurs des marchés étaient fermés pour restauration et pour l'aménagement d'un nouveau musée au moment de la rédaction de ce guide.* La **tour des Milices★** est un reste d'une forteresse érigée au 13e s.

Du **forum de Trajan★★★**, la **colonne Trajane★★★**, où sont racontés en plus de cent scènes les épisodes de la guerre de Trajan contre les Daces, est un chef-d'œuvre jamais égalé.

Du **forum d'Auguste★★** *(l'observer de la via Alessandrina)*, on voit quelques colonnes du temple de Mars vengeur, des vestiges de son escalier d'accès et le mur fermant le forum *(derrière le temple)*. La maison des Chevaliers de Rhodes, construite au Moyen Âge sur des vestiges antiques, reconstruite au 15e s., domine l'ensemble. Du **forum de César★★** *(l'observer de la via del Tulliano)*, il reste trois belles colonnes du temple de Venus Genitrix.

Campidoglio★★★ (Capitole) Plan I C2

Sur l'antique colline qui symbolisa la puissance de Rome et où siège aujourd'hui la municipalité de la ville ont pris place l'église Santa Maria d'Aracoeli, la place du Capitole et ses palais : le **Palazzo Senatorio★★★**, édifice du 12e s. retouché de 1582 à 1602 par Giacomo Della Porta et Girolamo Rainaldi (occupé aujourd'hui par la mairie de Rome), et les **Palazzo dei Conservatori★★★** et **Palazzo Nuovo★★★** les deux palais abritent les collections du musée du Capitole (*voir page suivante*).

Santa Maria d'Aracoeli★★ B2
Précédée de son bel escalier construit en ex-voto après la peste de 1346, l'église présente une façade plate et austère. Elle fut élevée en 1250 à l'endroit où la sibylle de Tibur annonça à Auguste la venue du Christ. À l'intérieur, 1re chapelle à droite décorée de **fresques**★ par **Pinturicchio** (vers 1485).

Piazza del Campidoglio★★★ Plan I C2
Son aménagement fut conçu et en partie réalisé par Michel-Ange à partir de 1536. Elle est cernée par trois palais et une balustrade que dominent les statues des Dioscures ; au centre, Michel-Ange avait installé la statue de Marc-Aurèle (aujourd'hui une copie) ; l'originale se trouve dans le Palazzo Nuovo.
Depuis la via del Campidoglio, **vue**★★★ sur les ruines du Forum romain.

Musei Capitolini★★★ (Musées du Capitole) Plan I B2-C2
Piazza del Campidoglio, 1 - ℘ 06 82 05 91 27 - www.museicapitolini.org ou www.museincomuneroma.it - ⚬- tlj sf lun. 9h-20h (dernière entrée 19h) - fermé 1er janv., 1er Mai et 24, 25 et 31 déc.- 4,50 € ou 8 € avec l'exposition temporaire, 10 € pour le billet combiné avec la Centrale Montemartini (valable une semaine), gratuit pour les Parisiens.
Ils sont installés dans le **Palazzo Nuovo**, construit en 1655 par Girolamo Rainaldi, et dans le **Palazzo dei Conservatori**. Une partie des collections des musées du Capitole, et notamment les œuvres retrouvées dans la région de Rome, se trouve dans la **Centrale Montemartini**★★ *(viale Ostiense, 106)*. Dans le Palazzo Nuovo, allez voir la statue **équestre de Marc Aurèle**★★★ (fin du 2e s.), le **Galate mourant**★★★, dans la salle du Gladiateur, sculpture romaine qui imita une œuvre en bronze de l'école de Pergame (3e-2e s. av. J.-C.) ; la **salle des Empereurs**, qui renferme les portraits de tous les empereurs ; la **Vénus du Capitole**★★★, copie romaine dérivée de la Vénus de Cnide de Praxitèle, dans le cabinet de Vénus. Le Palazzo dei Conservatori, construit au 15e s. et transformé en 1568 par Giacomo Della Porta, abrite la **Louve**★★★ (6e-5e s. av. J.-C.), le **Tireur d'épine**★★, original grec ou très bonne réplique du 1er s. av. J.-C., le **buste de Junius Brutus**★★, remarquable tête du 3e s. av. J.-C. placée sur un buste à la Renaissance. La **pinacothèque**★ *(2e étage)* renferme des peintures du 14e s. au 17e s. (Titien, Caravage, Rubens, Guerchin, Reni).

Piazza Venezia★★
Voir plan I p. 104-105. Cette petite promenade flanquée de bâtiments hétéroclites feuillette l'histoire comme on tourne les pages d'un calepin : Victor Emmanuel II, Napoléon, Mussolini, Ignace de Loyola apparaissent à tour de rôle avec des images, en l'occurrence celles de l'église du Gesù, particulièrement persistantes.

Piazza Venezia★ Plan I C2
Au centre de Rome, la place gigantesque, profondément remaniée en 1911 à l'occasion des travaux du monument dédié à Victor Emmanuel II, est bordée de palais : à l'ouest le Palazzo Venezia, au nord le Palazzo Bonaparte, où la mère de Napoléon s'éteignit en 1836, à l'est le Palazzo delle Assicurazioni Generali di Venezia élevé au début du 20e s, et enfin au sud le très contesté Vittoriano.

Palazzo Venezia★ Plan I C2
Élevé par le pape Paul II (1464-1471), il fut un des premiers édifices de la Renaissance. Napoléon 1er en fit le siège de l'administration française ; Mussolini ses bureaux. Au 1er étage, un **musée** expose des collections d'art médiéval (ivoires, émaux byzantins et limousins, peintures primitives italiennes sur bois, orfèvrerie), ainsi que des céramiques et des petits bronzes (15e au 17e s.).(℘ 39 06 32 810 - www.galleriaborghese.it - ⚬- tlj sf lun. 8h30-19h30 - fermé 1er janv. et 25 déc. - 4 €).
La **basilica di San Marco**, incluse dans le palais au 15e s., présente une jolie **façade**★ Renaissance sur la piazza di San Marco.

Monument à Victor-Emmanuel II (Vittoriano) Plan I C2
Élevé en 1885 par Giuseppe Sacconi à la gloire de Victor Emmanuel II, premier roi de l'Italie unifiée, il écrase les autres monuments de Rome par sa taille et sa couleur blanche. La pièce montée, le dentier ou la machine à écrire, comme le nomment ses détracteurs, accueille le **Museo Centrale del Risorgimento** dont les expositions temporaires sont toujours très courues (Klimt, Chagall…). Son sommet (accessible en ascenseur) offre une **vue**★★ centrale sur la ville. *(9h30-17h30 - www.risorgimento.it).*
De la piazza Venezia, prendre la via del Plebiscito jusqu'à la piazza del Gesù, siège historique de la démocratie chrétienne.

La Réforme…

Le moine allemand, **Martin Luther** (1483-1546), affiche le 31 octobre 1517 ses 95 thèses dénonçant l'indulgence que le pape avait décrétée en faveur de la construction de la basilique Saint-Pierre de Rome (cette pratique ecclésiastique autorise à compenser des exercices pénitentiels par des versements en argent). Or pour Luther la morale est un produit de la foi. Rome est stigmatisée, comparée à la « rouge prostituée de Babylone ». Une scission sans précédent secoue l'Église catholique. Excommunié, Luther doit concevoir une Église en dehors du catholicisme. Les Églises réformées font leur apparition. Le protestantisme est en marche ; les guerres de religion aussi.

…puis la Contre-Réforme

Le point d'orgue de cette expression qui désigne l'ensemble des mesures prises par l'Église catholique pour réformer les abus dénoncés par la Réforme est le *Concile de Trente*, du nom de la ville située dans le nord de l'Italie. Ce concile œcuménique, convoqué par le pape Paul III en 1542 doit entreprendre la réforme de l'Église catholique. Le principal animateur de cette Contre-Réforme est la Compagnie de Jésus fondée en 1540 par l'intransigeant Ignace de Loyola.

Chiesa del Gesù★★★ Plan I B2
Église principale des jésuites à Rome, construite par Vignola en 1568, elle est le modèle des édifices de la Contre-Réforme *(voir encadré ci-dessus)*. En façade, les colonnes engagées ont remplacé les pilastres plats de la Renaissance ; des décrochements et des jeux d'ombre et de lumière apparaissent. L'intérieur, très ample pour favoriser la prédication, fut paré d'une somptueuse décoration baroque : à la voûte, les **fresques** du **Baciccia**★★ illustrent le *Triomphe du nom de Jésus* (1679) ; la **chapelle St-Ignace**★★★ *(croisillon gauche)*, œuvre du frère jésuite **Andrea Pozzo** (1696-1700), est d'une richesse incomparable. La beauté semble ainsi le meilleur hommage qu'on puisse rendre à l'église et à Dieu.

AUTRES MONUMENTS DE LA ROME ANTIQUE ET CHRÉTIENNE

Derrière le Colisée, prendre la via Labicana, puis, en tournant à droite, St Clément.

Basilica di San Clemente★★ Plan I C3
Dédiée à saint Clément, qui figure parmi les premiers successeurs de saint Pierre, c'est l'une des plus anciennes basiliques romaines, fondée au 4ᵉ s. dans la maison particulière d'un chrétien. Dévastée en 1084, elle a été reconstruite sur son plan basilical du 12ᵉ s. divisé en trois nefs.
La basilique supérieure – Des remaniements au 18ᵉ s. et des décorations baroques de stucs ont altéré son unité. Remarquables **mobiliers de marbre** (12ᵉ s.). La **clôture**★★ qui sépare la *schola cantorum* du chœur faisait partie de la basilique primitive (6ᵉ s.). Ne pas manquer la **mosaïque**★★★ de l'abside. Cette œuvre du 12ᵉ s. d'une facture incroyablement maîtrisée, surprend par la polyphonie de ses couleurs, la richesse de son symbolisme, et la grande diversité de ses motifs. Les fresques qui décorent la chapelle Ste-Catherine ont été exécutées par Masolino da Panicale (1383-1447).
La basilique inférieure – *9h-12h, 15h-18h. j. fériés : 12h-18h - fermé 25 déc.- 5 €*. Une fois l'escalier descendu, on avance à tâtons dans une obscurité dans laquelle on a parfois bien du mal à deviner les **fresques** qui décorent la nef centrale. C'est dommage car cette illustration de la légende de Sisinius (11ᵉ s.), préfet de Rome qui, voulant faire arrêter son épouse, perdit la vue et prit pour captive une colonne, compose peut-être l'une des premières bandes dessinées de l'Histoire. Au-dessous de la nef, une maison (datant du 1ᵉʳ s.) a été transformée en **mithroeum**, petit temple où l'on célébrait le culte du dieu Mithra.

Piazza della Bocca della Verità★ Plan I B3-C3
Elle se tient sur l'emplacement de l'ancien marché aux bestiaux (*forum boarium*) qui se tenait au pied du Palatin, dès le 6ᵉ s. av. J.-C. Deux temples antiques, une église romane, une fontaine à vasque soutenue par deux tritons (18ᵉ s.), quelques pins parasols, et lauriers roses et blancs composent un tableau caractéristique du paysage romain. La place doit son nom – « la bouche de la vérité » – à l'église Santa Maria in Cosmedin qui conserve sous son porche un imposant médaillon figurant une divinité marine, laquelle, selon la légende, happerait la main de quiconque aurait un mensonge sur la conscience, quand bien même il serait infime.

ROME

N'oublions pas que la Bocca della Verità servit aussi de plaque d'égout dans le temple d'Hercule qui s'élevait tout près. Le clocher★ (12ᵉ s.) de **Santa Maria in Cosmedin★★** est l'un des plus élégants de Rome. À l'intérieur, œuvre des Cosmates, beau pavement et mobilier de marbre.

Circo Massimo Plan I C3
Le Circus Maximus fut le plus vaste et probablement le plus ancien cirque de Rome (6ᵉ s. av. J.-C.). Réservé aux courses de chars à deux, trois ou quatre chevaux, la piste, étirée sur plus de 500 m, était bordée de rangées de gradins et se terminait au sud-est, par un côté arrondi précédé d'un arc de triomphe ; le côté nord-ouest était occupé par les écuries, surmontées de la tribune réservée au magistrat responsable du spectacle. Le cirque qui ne cessa de s'embellir au fil des siècles devint un monument grandiose à l'époque d'Auguste. La piste, divisée dans le sens de la longueur par un terre-plein, *la spina*, était bornée par des *metae*, bornes en forme de pyramides autour desquelles viraient les attelages sous la pression de 300 000 spectateurs.

Terme di Caracalla★★★ Plan I C3
Viale delle terme di Caracalla, 52. ☎ 06 39 96 77 00 - www.pierreci.it - ♿ - été : 9h-18h30, sf lun. et j. fériés : 9h-14h - fermé 1ᵉʳ janv. et 25 déc. - possibilité de visite guidée avec un archéologue, réservation obligatoire : w.-end. 10h30 et 12h - 6 €, 22 € avec le billet couplé pour 10 monuments. Bâtis par Caracalla en 212, ces établissements de bains couvraient plus de 11 ha et pouvaient accueillir 1 600 baigneurs à la fois. Dans les ruines du caldarium, salle circulaire de 34 m de diamètre réservée au bain très chaud, sont données, l'été, des représentations d'opéra.
Juste à côté des thermes (*Viale delle terme di Caracalla, 28*), l'**église Santi Nereo e Achilleo** possède une magnifique mosaïque du 9ᵉ s. et de belles fresques sanguinolentes (16ᵉ s.) illustrant les massacres que furent certains épisodes de la Contre-Réforme.
Du Colisée, prendre la via delle Terme di Tito. Prendre à gauche la via Eudossiana et gagner la piazza San Pietro in Vincoli.

San Pietro in Vincoli★ Plan I C2
Consacrée au 5ᵉ s. par le pape Sixte III (433-440), l'église St-Pierre-aux-Liens abrite les fameuses chaînes de Pierre : la tradition veut que les deux chaînes ayant emprisonné l'apôtre, l'une à Jérusalem, l'autre à Rome se soient miraculeusement soudées après avoir été remises à Sixte III. On peut surtout admirer dans cet espace d'une pompe assez austère le **Moïse★★★** de Michel-Ange. Une œuvre issue de la rencontre entre Jules II et l'artiste. Le premier commandant au second un mausolée d'une ampleur qui devait être digne de son pontificat. Mais de ce projet grandiose ne surgirent du marbre de Carrare que *Les esclaves* (conservés à Paris et Florence) et le colossal *Moïse*.

Il Vaticano-Castel Sant'Angelo★★★

Voir plan I p. 104-105. On pourrait y passer des mois tant son royaume est vaste. À défaut mais à coups sûrs, une journée imprime des souvenirs indélébiles, en particulier ceux qui jalonnent cette longue déambulation tapissée d'images exquises et dont la chapelle Sixtine est le point d'orgue.

Il Vaticano★★★ Plan I A1-A2
La Cité du Vatican est limitée par l'enceinte qui surplombe le viale Vaticano et, à l'est, par la colonnade de la place St-Pierre. Elle constitue la plus grande partie de l'État du Vatican, défini en 1929 par les accords du Latran. Réduit à 44 ha et à moins d'un millier d'habitants, l'État du Vatican, le plus petit du monde, est issu des États de l'Église nés au 8ᵉ s. à la suite de la donation de Quiersy-sur-Oise et disparus en 1870 lorsque l'Italie devint un royaume unifié avec Rome pour capitale. L'État du Vatican, dont le pape est le chef, a son propre drapeau, son hymne, émet ses propres timbres, frappe sa monnaie (en euro) qui a libre cours en Italie et en Europe, et édite sa propre presse ; les corps armés ont été dissous par Paul VI en 1970 ; seul subsiste le corps des Gardes suisses, habillés d'un pittoresque uniforme dessiné, dit-on, par Michel-Ange.
Chef d'État, le pape est aussi le chef suprême de l'Église universelle, et à travers sa personne s'exerce partout dans le monde le rayonnement spirituel de l'Église. Lorsqu'il séjourne à Rome, le Saint-Père accorde des **audiences publiques**.
Les cérémonies religieuses – **Vendredi saint** : chemin de croix nocturne entre le Colisée et le Palatin. **Pâques** : à midi sur la place St-Pierre, le pape donne la bénédiction « urbi et orbi ». **28 et 29 juin** : offices à St-Pierre à l'occasion de la fête des saints Pierre et Paul, la plus prestigieuse des fêtes religieuses romaines.

DÉCOUVRIR ROME ET LE LATIUM

Jardins du Vatican★★★ Plan I A2
Visite guidée uniquement. Réservation nécessaire auprès des musées du Vatican.
Vastes et splendides, ils sont ornés de fontaines et de statues, dons de différents États. Ils renferment aussi la maisonnette *(casina)* de Pie IV, gracieux édifice du 16e s. décoré de stucs et de peintures. Les jardins du Vatican permettent d'admirer le dôme de Michel-Ange dans toute sa majesté.

Piazza San Pietro★★★ (Place St-Pierre) Plan I A2
Cernée par les deux bras en arc de cercle de la colonnade, sobre et solennelle, elle fut commencée en 1656 par **le Bernin**, le maître du baroque. Au centre se dresse l'obélisque, du 1er s. av. J.-C., transporté d'Héliopolis à Rome en 37, sur l'ordre de Caligula. Il fut érigé ici en 1585, à l'initiative de Sixte Quint, par Domenico Fontana.

Basilica di San Pietro★★★ Plan I A2
Renseignements au ☎ 06 69 88 37 12 - tlj 7h-19h (avr.-sept.) ; 7h-18h (oct.-mars) - entrée gratuite - attention, l'attente est souvent longue et en plein soleil, préférer y aller tôt dans la matinée - entrée interdite lors des célébrations liturgiques.

C'est Constantin, le premier empereur chrétien, qui décida en 324 la construction d'une basilique là où saint Pierre avait été déposé après avoir été martyrisé dans le cirque de Néron. Au 15e s., la réfection de l'édifice s'imposa. Pendant deux siècles, le plan de la nouvelle basilique ne cessa d'être remis en question. Le plan en croix grecque surmonté d'un dôme, conçu par **Bramante** et repris par **Michel-Ange**, se transforma en croix latine, en 1606, à l'initiative de Paul V, qui chargea **Carlo Maderno** d'ajouter deux travées et une façade au plan carré de Michel-Ange. **Le Bernin**, à partir de 1629, para la basilique d'une somptueuse décoration baroque.

La **façade**, achevée par Maderna en 1614, avec ses 115 m de largeur et ses 45 m de hauteur, masque le dôme. De la loggia centrale, le pape donne sa bénédiction « urbi et orbi ».

Sous le **porche**, remarquer la première porte à gauche, aux battants de bronze sculptés par Giacomo Manzù (1964) ; la porte centrale en bronze, Renaissance (1455) ; à droite la Porte sainte, que seul le pape a le droit d'ouvrir et de fermer pour marquer le début et la fin d'une Année sainte.

À l'intérieur, s'avancer près des bénitiers de la nef centrale : leur taille, normale en apparence, s'avère immense et permet d'apprécier les dimensions gigantesques de la basilique et la justesse de ses proportions. On peut comparer la longueur de St-Pierre à celle des autres grandes églises du monde grâce à des repères placés au sol de la nef.

La première chapelle à droite abrite la **Pietà★★★**, chef-d'œuvre de **Michel-Ange**, sculpté en 1499-1500 ; cette œuvre de jeunesse qui allie maîtrise technique, puissance créatrice et émotion spirituelle fut saluée comme la révélation d'un génie.

Dans le collatéral droit, après la chapelle du St-Sacrement, le **monument funéraire de Grégoire XIII★** porte un bas-relief illustrant l'institution du calendrier grégorien, œuvre de ce pape. Aussitôt après le croisillon droit, **monument funéraire de Clément XIII★★★**, œuvre néoclassique de **Canova** (1792). L'abside est dominée par la « **chaire de Saint-Pierre★★★** » du **Bernin** (1666), grand trône de bronze sculpté abritant un siège épiscopal du 4e s., attribué symboliquement à saint Pierre et surmonté d'une « gloire » en stuc doré. Cette œuvre, achevée en 1666 alors que le Bernin était presque septuagénaire, constitue le couronnement de son art étourdissant de mouvement et de lumière. Dans le chœur à droite, **monument d'Urbain VIII★★★**, du Bernin (1647), chef-d'œuvre de l'art funéraire ; à gauche, **monument de Paul III★★★** par Guglielmo Della Porta (16e s.), disciple de Michel-Ange.

À l'**autel de St-Léon-le-Grand** *(chapelle à gauche du chœur)*, beau **retable★** baroque sculpté en haut-relief par l'Algarde. À côté, **monument d'Alexandre VII★**, œuvre tardive du Bernin (1678) aidé de ses élèves, excessivement mouvementée.

Le **baldaquin★★★** qui surmonte l'autel pontifical, d'une hauteur de 29 m (égale à celle du palais Farnèse), valut au **Bernin** de vives critiques ; exécuté avec le bronze prélevé au Panthéon et taxé de procédé théâtral, il s'intègre pourtant parfaitement à l'élan général de l'architecture.

La **coupole★★★**, conçue par **Michel-Ange**, fut élevée par lui-même jusqu'au lanternon, puis achevée en 1593 par Giacomo Della Porta et Domenico Fontana. Du **sommet de la coupole** *(accès en sortant à droite de la basilique)* : **vue★★★** sur la place St-Pierre, la Cité du Vatican et Rome, du Janicule au Monte Mario. *Avr.-sept. : 8h-17h30 parfois 18h selon l'affluence ; oct.-mars : 8h-16h. 7 € en ascenseur jusqu'à la coupole (restent encore 320 marches pour accéder à la vue panoramique). 4 € à pied : un très bon exercice de 871 marches. Renseignements au ☎ 06 69 88 16 62.*

L'art baroque : esthétisme de la Contre-Réforme ?

Ce lien peut surprendre si l'on voit dans l'un, le mouvement artistique d'une pompe fastueuse annexant artifices et images décoratives (l'étymologie de baroque serait à chercher dans ce mot portugais, *barroco*, désignant la perle irrégulière), et dans l'autre, le mouvement religieux d'une grande sévérité et sobriété. Pourtant les caractères principaux de l'art caractérisant la Contre-Réforme, qui fleurit en Italie entre 1630 et 1750, sont bien la recherche de plans grandioses, le triomphe de la ligne courbe, l'exubérance du décor, l'attrait pour la sculpture mouvementée. Paradoxe ? En apparence seulement dans cette ère du trompe-l'œil. Car si la Contre-Réforme favorise les arts – le Concile de Trente a maintenu la vénération des images – c'est moins pour promouvoir un autre mode de représentation du divin qu'un nouveau mode de relation au divin… étant entendu que l'humilité des jésuites pouvait rarement s'affranchir des goûts plus démonstratifs et fastueux de leurs généreux donateurs protecteurs.

La **statue de saint Pierre**★★, en haut du vaisseau central, est une œuvre en bronze du 13ᵉ s. attribuée à Arnolfo di Cambio et très vénérée des pèlerins, qui viennent baiser son pied. Le **monument d'Innocent VIII**★★★ *(collatéral gauche, entre la 2ᵉ et la 3ᵉ travée)* date de la Renaissance et est dû à Antonio del Pollaiolo (1498). Au **monument des Stuarts** *(nef gauche, entre la 1ʳᵉ et la 2ᵉ travée)*, sculpté par Canova, beaux **anges**★ en bas-relief.

Le **Museo Storico**★ *(entrée dans le collatéral gauche, face au monument des Stuarts)* abrite le trésor de St-Pierre. Avr.-sept. : 7h-19h ; oct.-mars : 7h-18h. Renseignements au : ☎ 06 69 88 16 62.

Musei Vaticani★★★ (Musées du Vatican) Plan I A1-A2

Accès : viale Vaticano. ☎ 06 69 88 45 87 - www.vatican.va - ♿ Pour les personnes handicapées, deux itinéraires ont été aménagés (un plan des parcours est disponible au guichet des informations). Ils comprennent la visite de toutes les sections de grand intérêt : itinéraire A : antiquités classiques-Musée étrusque ; itinéraire B : palais-pinacothèque. Mars-octobre : lun.-vend. 10h-15h30 (sortie à 16h45), sam. 10h-13h30 (sortie à 14h45) ; hiver : 10h-12h30 (sortie à 13h45) - fermé les 1ᵉʳ et 6 janv., 11 fév., 19 mars, dim. et lun. de Pâques, 1ᵉʳ Mai, dim. de l'Ascension, 7 et 29 juin, 15 et 16 août, 1ᵉʳ nov., 8, 25 et 26 déc. - 13 €. Le dernier dim. de chaque mois, les musées et la chapelle Sixtine sont ouverts de 9h à 12h30 (sortie à 13h45) - gratuit.
Pour la Loge de Raphaël, visite réservée aux spécialistes, après demande écrite auprès de la direction. On y accède par la salle de Constantin.

Ils occupent une partie des palais construits par les papes à partir du 13ᵉ s., agrandis et embellis jusqu'à nos jours.

Parmi leurs nombreux départements, sont très vivement recommandés : au 1ᵉʳ étage, le **musée Pio-Clementino**★★★ (antiquités grecques et romaines) avec le **Torse du Belvédère**★★★ (1ᵉʳ s. av. J.-C.), très admiré de Michel-Ange, la **Vénus de Cnide**★★, copie romaine de la Vénus de Praxitèle, le **groupe de Laocoon**★★★, œuvre hellénistique du 1ᵉʳ s. av. J.-C., l'**Apollon du Belvédère**★★★, copie romaine du 2ᵉ s., le **Persée**★★, œuvre néoclassique de Canova, qui fut acheté à l'artiste après que le traité de Tolentino (1797) eut dépouillé le musée, l'**Hermès**★★★, œuvre romaine du 2ᵉ s. dérivée de Praxitèle, l'**Apoxyomène**★★★, athlète nettoyant sa peau, copie romaine du 1ᵉʳ s. d'après Lysippe.

Au 2ᵉ étage, le **Musée étrusque**★ renferme une remarquable **fibule**★★ en or (7ᵉ s. av. J.-C.) ornée de lions et de canetons en haut relief (salle II) et le fameux **Mars**★★ de Todi, rare exemplaire de statue de bronze du 5ᵉ s. av. J.-C. (salle III).

La **salle du Bige** doit son nom à un **char à deux chevaux**★★ *(bige)*, œuvre romaine du 1ᵉʳ s., reconstituée au 18ᵉ s.

Les **Chambres (ou Stanze) de Raphaël**★★★ sont quatre pièces de l'appartement de Jules II, décorées par Raphaël et ses élèves de 1508 à 1517 ; on y admire les fresques de *L'Incendie du Borgo, L'École d'Athènes, Le Parnasse, Héliodore chassé du Temple, Le Miracle de Bolsena, La Délivrance de saint Pierre* ; elles constituent un chef-d'œuvre de la Renaissance.

La **collection d'art religieux moderne**★★, réunie par Paul VI, est en partie installée dans l'appartement d'Alexandre VI.

De nouveau au 1ᵉʳ étage, la **Chapelle Sixtine**★★★ attire les visiteurs du monde entier, venus admirer la voûte peinte par **Michel-Ange** de 1508 à 1512, illustrant la Bible, de la

Création du monde au Déluge, et le *Jugement dernier* peint au-dessus de l'autel par le même artiste à partir de 1534. Au registre inférieur des parois latérales, compositions du Pérugin, de Pinturicchio et Botticelli. La **pinacothèque★★★** renferme quelques tableaux de premier ordre : trois **œuvres de Raphaël★★★** (*Couronnement de la Vierge, Madone de Foligno, Transfiguration* – salle VIII), un **Saint Jérôme★★** de Léonard de Vinci (salle IX), et la **Descente de Croix★★** du **Caravage** (salle XII).

On peut prendre la via della Conciliazione qui part de la place St-Pierre jusqu'aux berges du Tibre. Cette voie scellait ainsi la Réconciliation entre le Saint Siège et l'État italien. Plus au nord et parallèle à la via Corridori on peut aussi emprunter la via Borgo Pio, appelée également « la rue des bondieuseries » en raison du grand nombre d'échoppes vendant des articles religieux aux accents parfois insolites.

Castel Sant'Angelo★★★ (Château St-Ange) Plan I B2

☏ 06 39 96 76 00 - www.pierreci.it - tlj sf lun. 9h-20h (dernière entrée 19h) - fermé 1er janv., 25 déc. - 8 €, 22 € avec le billet couplé pour 10 monuments.

Cet imposant édifice fut construit en 135 apr. J.-C. comme mausolée de l'empereur Hadrien et de sa famille. Grégoire le Grand, au 6e s., bâtit une chapelle sur le mausolée pour commémorer l'apparition d'un ange qui, remettant son épée au fourreau, signifia la fin d'une épidémie de peste. Au 15e s., Nicolas V dota le bâtiment d'un étage en briques et pourvut de donjons les angles de l'enceinte. Alexandre VI (1492-1503) fit ajouter les bastions octogonaux.

En 1527, lors du sac de Rome, Clément VII s'y réfugia, dans un appartement plus tard embelli par Paul III. Isolé au sommet de la forteresse, l'**appartement pontifical★** témoigne de la vie raffinée des papes d'alors. Un long passage relie la forteresse aux palais du Vatican. On pénètre dans le château par une belle rampe hélicoïdale, datant de l'Antiquité.

De la terrasse du sommet, vous profiterez d'un magnifique **panorama★★★** sur toute la ville. Le château St-Ange est relié à la rive gauche du Tibre par le joli **Ponte Sant'Angelo★** orné d'anges baroques sculptés par **le Bernin** et des statues des saints Pierre et Paul (16e s.).

Du Panthéon au Campo dei Fiori★★★

Voir plan ci-contre. Ces quartiers parmi les plus touristiques de Rome sont aussi inévitables que la foule qui les enveloppe. Car, pour qui veut prendre rendez-vous avec l'art et l'histoire au cours de son séjour romain ne peut manquer ni le Panthéon ni les œuvres du Caravage dans l'église Saint-Louis-des-Français.

Pantheon★★★ Plan I B2

☏ 06 68 30 02 30 - ♿ - 9h-19h30, dim. et j. fériés : 9h-13h, 14h-18h - fermé 1er janv., 1er Mai et 25 déc. - gratuit.

Édifice antique parfaitement conservé, le Panthéon élevé par Agrippa en 27 av. J.-C., reconstruit par Hadrien (117-125), fut un temple transformé en église au 7e s. On y entre par un porche à seize colonnes de granit, monolithes, antiques à l'exception des trois du côté gauche. La porte serait encore pourvue de ses battants antiques. L'**intérieur★★★**, chef-d'œuvre d'harmonie et de grandeur, est dominé par la **coupole antique★★★** de diamètre égal à la hauteur à laquelle elle s'élève. Les chapelles latérales sont garnies de frontons alternativement courbes et triangulaires ; elles abritent les tombeaux des rois d'Italie et de Raphaël *(à gauche)*.

Prendre la via della Palombella jusqu'à la piazza della Minerva.

La **piazza della Minerva** n'est pas sans étonner. On y découvre un petit obélisque posé sur le dos d'un éléphanteau. Si le premier est égyptien et daté du 6e s. (il faisait partie du temple voisin d'Isis), le second est de marbre et fut exécuté par un élève du Bernin au 17e s.

Santa Maria sopra Minerva★★ Plan I B2

Érigée non loin des vestiges du temple de Minerve, l'église Santa Maria sopra Minerva fondée au 8e s., reconstruite dans le style gothique au 13e s., fut encore profondément remaniée au 15e et au 17e s. date à laquelle fut élevée sa façade rectangulaire d'une extrême simplicité. Les œuvres d'art conservées ici font figurer cette église au premier rang des « églises-musées » de Rome, notamment pour la **chapelle Carafa★** sise dans le croisillon droit du transept. Construite au 15e s. la chapelle s'enorgueillit de fresques peintes par **Filippino Lippi**. De nombreux tombeaux occupent la chapelle du croisillon gauche. La tombe la plus dépouillée (elle se trouve au sol) n'est pas la moins célèbre puisque sous cette dalle repose le grand peintre dominicain **Fra Angelico** mort en 1455.

Prendre la via Pie di Marmo. On pénètre dans le palais Doria Pamphili par la piazza del Collegio, n° 1/A 1er étage.

Palazzo et Galleria Doria Pamphili★★ **Plan I B2**

✆ 06 67 97 323 - www.doriapamphilj.it - tlj. sf jeu. : 9h-17h (la billetterie ferme à 16h15). - 8 € (avec audioguide).

Le palais **Doria Pamphili**★ accueille l'une des plus riches collections de peintures et sculptures de Rome : la **Galleria Doria Pamphili**★★. Toujours propriété des Doria Pamphili, la galerie naît grâce aux successions et fusions de grandes familles aristocratiques romaines, parmi lesquelles on trouve Camillo Pamphili, neveu unique d'Innocent X (cardinal en 1644, il fut vice-légat à Avignon de 1642 à 1650) et la veuve de Paolo Borghese, unique héritière du richissime cardinal Pietro Aldobrandini, neveu de Clément VIII. Le couple s'établit dans le siège actuel du musée (les appartements privés ne se visitent malheureusement pas). La galerie proprement dite adopte la forme d'un quadrilatère. Jadis loggia ouvrant sur la cour intérieure du 16e s., elle fut fermée deux siècles plus tard par Camillo Pamphili afin d'accueillir sa collection. Parmi les œuvres les plus importantes, figurent *La fuite en Égypte*★★ d'Annibal Carrache, *Le Portrait d'Innocent X Pamphili*★★★ par Vélasquez, *Le repos après la fuite en Égypte*★★★ du Caravage, *La douleur sur le Christ mort*★★ de Hans Memling ou le *buste d'Olimpia Maidalchini Pamphili*★★ sculpté par l'Algarde.

Prendre la via Lata entre l'église Santa Maria in Via Lata et le palais de la Banco di Roma puis tourner à gauche dans la via del Corso.

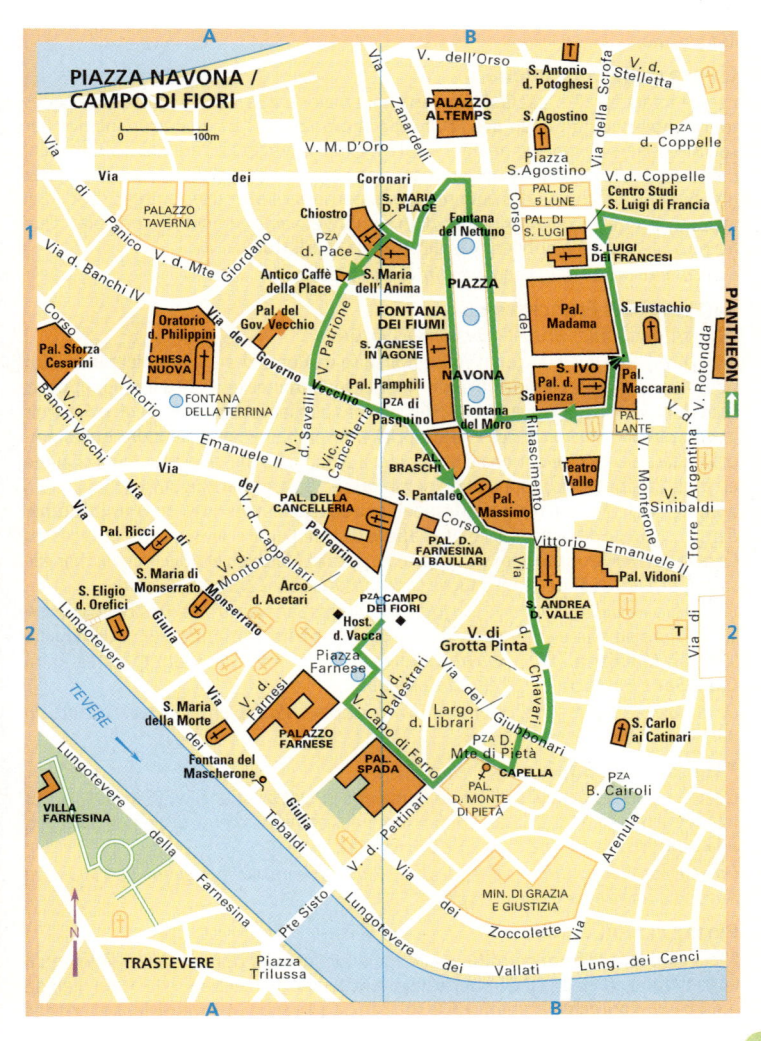

DÉCOUVRIR ROME ET LE LATIUM

Face à l'église **San Marcello** (la façade baroque a été reconstruite au 17ᵉ s. par Carlo Fontana), se trouve l'ancien palais de Carolis, le **palazzo del Banco di Roma**, où vécut, outre l'ambassadeur de France, l'écrivain diplomate Chateaubriand.
Prendre la via del Collegio Romano et à gauche la via del Caravita pour rejoindre la piazza Sant'Ignazio.

Piazza e chiesa Sant'Ignazio★★ Plan I B2
Cette place conçue comme un décor de théâtre au pied de l'église Sant'Ignazio annonce de façon allusive ce que l'on va trouver derrière sa façade haute et austère. Au centre de la nef, les yeux levés sur la voûte centrale on est saisi par les effets de perspective des **fresques**★★ : la fausse coupole en trompe-l'œil est remarquable et tient à ces personnages en mouvement qui, croqués sur des plans et des échelles différents, donnent cette impression de volume tourbillonnant. Œuvre d'**Andrea Pozzo** (1684), ce théoricien de la perspective tridimensionnelle put exercer pleinement son talent grâce aux problèmes financiers de ses commanditaires qui l'empêchèrent de concevoir une vraie coupole.
Prendre la via del Burro.
Cette rue autrefois flanquée de bureaux (*burro*), quartier administratif de Napoléon Iᵉʳ, donne sur la piazza di Petra. La **Borsa**, la bourse actuelle, était au 18ᵉ s. le siège de la douane.
Par la via dei Pastini on regagne la piazza della Rotonda, dominée au centre par la fontaine de **Giacomo della Porta** (1578). Observer l'albergo del Sole au 63 de la place. C'est l'un des plus vieux hôtels de Rome (15ᵉ s.). Le poète Arioste (1474-1533) fut probalement l'un des premiers clients.
De l'autre côté de la piazza della Rotonda, la via del Pantheon mène à la piazza della Maddalena.

Chiesa della Maddalena
L'église refaite au 17ᵉ s. par Carlo Fontana, vaut moins par sa façade incurvée aux lignes tourmentées, imitation un peu artificielle et pressée de l'art de Borromini, que par son intérieur ; si le canevas architectural est extravagant et l'ascendant de Borromini bien présent, la contiguïté des lieux saturée par une décoration foisonnante (jeter un œil à l'orgue) donne des volumes à géométrie variable où les ombres sont aussi attractives que les reliefs inopinés d'un sombre et vaste cabinet de curiosités. Que les plus sceptiques n'oublient pas de visiter la **sacristie**★.
De la piazza della Maddalena, prendre la via Pozzo.

San Luigi dei Francesi★★ B1
Tlj sf jeu. après-midi. 8h30-12h30, 15h30-19h. Gratuit.
Saint-Louis-des-Français, l'église française de Rome dont la première pierre fut posée en 1518 par le cardinal Jules de Médicis, fut terminée en 1589 grâce aux apports financiers des rois de France, Henri II, Henri III sans oublier Catherine de Médicis. François Iᵉʳ n'est pas non plus exclu, comme le rappelle son emblème, la salamandre, qui estampille la façade. L'église nationale des Français à Rome (la messe est toujours chantée en français) abrite les dépouilles de nombreux et illustres français ainsi qu'un certain nombre de chef-d'œuvres, parmi lesquels se trouvent les **fresques du Dominiquin**★ dans la chapelle de sainte Cécile (2ᵉ chapelle de la nef droite) ainsi que les **œuvres du Caravage**★★★, trois tableaux illustrant la vie de saint Matthieu et situés dans la chapelle saint Matthieu, la 5ᵉ de la nef gauche (*voir encadré sur Le Caravage ci-contre*).
Prendre la via della Dogana Veccia jusqu'à la piazza Sant'Eustachio. Très belle vue★★ sur l'arrière du dôme à spirale de l'église **Sant'Ivo alla Sapienza**. Sur votre gauche le **palais Maccarini** (1521), œuvre de **Jules Romain** (1499-1546), abrite le très couru **Caffè Sant'Eustachio** (*voir encadré pratique*).
De la via della Teatro Valle, on entre dans le palazzo della Sapienza qui tourne le dos au palais Maccarini.

Palazzo della Sapienza B1
C'est le siège des archives d'État de Rome et de l'État pontifical du 9ᵉ au 19ᵉ s. Cour intérieure très élégante. L'intérieur très lumineux et mouvementé de l'église **Sant'Ivo alla Sapienza**★ est une œuvre de **Borromini**.
On peut sortir de l'autre côté parw le Corso Rinascimento, 40. Il est parallèle à la piazza Navona qui se trouve à quelques pas.

Piazza Navona★★★ B1
Elle a conservé la forme étroite et allongée que lui avait donné Domitien lorsqu'il fit construire en 86 un stade pour ses jeux. Réservée aux piétons, elle est un lieu de rendez-vous agréable et animé où le soir caricaturistes, mimes, musiciens et artistes

ROME

Le Caravage, une vie en clair-obscur

Michelangelo Merisi, natif de Caravaggio (Lombardie), dit « Le Caravage », se rend à Rome vers 1589, où il travaille dans l'atelier du Cavalier d'Arpin, peintre dont il exècre le maniérisme pédant mais qui va nourrir son irrévérencieux et provoquant réalisme. Sa première commande publique (*La vie de saint Matthieu* destinée à la chapelle Contarelli de l'église Saint-Louis-des-Français) marque un tournant décisif : avec le plan formel Le Caravage joue de contrastes brutaux entre l'ombre et la lumière. Le fond enténébré permet de mettre en lumière des chairs qui s'ébrouent dans une corporalité douloureuse et expressive, empreinte d'une troublante sensualité. Mais ce que met surtout le peintre en relief sont moins des saints ou des canons d'une beauté idéale que les images de sa vie dissolue menée par son amour de la transgression et son aversion pour toutes les conventions sociales. Dans *Le Martyre de saint Matthieu*, le bourreau a pour modèle le corps de son jeune amant. *Saint Matthieu et l'ange*, dont les attitudes corporelles traduisent une réciproque attirance, sont incarnés par un mendiant aveugle (dont il a gardé les pieds sales) et un jeune voyou, homosexuel. Quant aux saintes, qui ont pour modèles des prostituées, les autorités religieuses n'osent pas toujours les confondre… Le Caravage, peintre puis meurtrier au détour de ces rixes auxquels il s'adonnait avec ivresse est condamné à mort. Exilé de Rome, il part sur les chemins, se meurt au bord d'une plage, probablement puni pour avoir trop lesté du poids de la condition humaine son équilibre avec Dieu.

de rue en tous genres se donnent rendez-vous. Au centre se dresse la **fontaine des Fleuves**★★★, chef-d'œuvre baroque signé du **Bernin**, achevé en 1651. Les statues représentent les quatre fleuves (le Danube, le Gange, le Rio de la Plata et le Nil), symboles des quatre parties du monde.

Rejoindre au nord de la place la fontaine de Neptune (Fontana del Nettuno).

Parmi les églises et les palais qui vous entourent, remarquer sur votre gauche **Sant'Agnese in Agone**★★, dont la façade baroque (mouvement concave et lignes courbes en opposition) est l'œuvre de **Borromini** (séduisant **intérieur**★ sur plan en croix grecque) et le **palais Pamphili**, contigu (17e s.).

Au nord de la piazza Navona, on peut, si on le souhaite, s'échapper par la via Zanadelli et visiter les deux musées qui suivent :

Museo Napoleonico★ B1

Piazza Ponte Umberto Ier - ℘ 06 68 80 62 86 - ♿- tlj sf lun. 9h-19h - 3 €. L'existence du musée napoléonien tient à deux volontés : celles du fondateur Giuseppe Primoli, (fils de la princesse Charlotte Bonaparte) et du comte Pietro Primoli, qui, à sa mort en 1927, donna à la Ville de Rome sa collection d'œuvres d'art. Intéressant témoignage de la présence à Rome de la famille impériale.

Museo Nazionale Romano - Palazzo Altemps★★★ B1

Piazza di Sant'Apollinare, 44 - ℘ 06 399 677 00 - ♿- tlj sf lun. et 1er janv. et 25 déc. 9h-19h45 (dernière entrée 19h) - 7 €, ticket unique valable 3 jours pour les 4 sections composant les collections du musée national Romain : c'est-à-dire le palazzo Altemps, le palazzo Massimo alle Terme, la cripta Balbi et les thermes de Dioclétien.

Ce magnifique palais commencé au 15e s., et récemment restauré, abrite aujourd'hui la collection Ludovisi-Boncompagni. Celle-ci a pour origine la passion du cardinal Ludovico qui, dans la première moitié du 17e s., décida de faire embellir, pour la décoration de sa villa, une foultitude de statues antiques par les artistes les plus réputés de son époque (parmi lesquels l'inévitable Bernin mais aussi l'Algarde). Ce syncrétisme audacieux entre antique et baroque achoppe parfois sur des restaurations très réussies. Émergent aussi de purs chefs-d'œuvre de l'Antiquité comme le **trône Ludovisi**★★★, sculpture grecque du début de l'âge classique (5e s. av. J.-C.).

On peut aussi de la piazza Navona s'engager dans la via Agonale.

Sur le côté qui suit le contour de la place via di Tor Sanguigna, les **vestiges du stade de Domitien** sont encore visibles.

La via della Pace donne sur l'église **Santa Maria dell'Anima**, lieu de culte des catholiques de langue allemande. La façade a été exécutée en 1511 sur un dessin de **Giuliano da Sangallo**. À l'intérieur, juste au-dessus du maître-autel, observer *La Sainte Famille* de Jules Romain.

DÉCOUVRIR ROME ET LE LATIUM

Sur votre droite, l'église de **Santa Maria della Pace**★ (façade érigée par Pierre de Cortone au 17e s.) a été construite sur un plan très original, formé d'une courte nef rectangulaire et d'une partie octogonale à coupole. Sous la nef, à l'arcade de la première chapelle droite, surgissent les quatre **sibylles**★ peintes en 1514 par Raphaël. Le cloître *(entrée située à gauche de l'église)*, est l'une des premières œuvres du **Bramante** (1444-1514) à Rome. On y trouve déjà la curiosité qu'avait l'artiste pour les techniques et vocabulaires architecturaux de l'Antiquité.

*Si vous avez n'êtes pas entrés dans ces deux musées vous pouvez continuer sur la via della Pace (vous passez devant l'**Antico Caffè della Pace**, célèbre café depuis le 18e s.) avant de poursuivre par la via di Parione jusqu'à la via del Governo Vecchio ; tourner à gauche pour gagner la piazza di Pasquino et sa célèbre statue.*

La statue de **Pasquin** était le porte-parole ou dépositaire de toutes « les pasquinades » : revendications, critiques, contestations qu'on accrochait à ses basques à la nuit tombée.

De la piazza di Pasquino, on longe ensuite la via di San Pantaleo.

Palazzo Braschi-Museo di Roma★ B2

📞 06 67 10 83 43 - www.museodiroma.commune.roma.it - ♿- tlj sf lun. et 1er janv., 1er Mai, 24 (ap.-midi) et 25 déc.- 9h-19h (dernière entrée 18h) - 9 € avec expo. temporaire. Dernier palais construit à Rome (18e s.) pour les familles pontificales, il loge aujourd'hui le musée de Rome. Vibrant hommage pictural à la beauté de Rome et à l'histoire des hommes qui firent sa destinée. Les salles sont organisées en thématiques (l'histoire, les lieux, la culture). Galerie de portraits des mécènes.

Du Palazzo Brashi, prendre le Corso Vittorio Emanuele II (jusqu'au numéro 166/A).

Palazzo della Farnesina ai Baullari-Museo Barracco B2

Petit palais Renaissance commencé en 1523 d'après un projet d'Antonio da Sangallo pour Thomas Le Roy, diplomate français auprès du Saint-Siège. Il abrite aujourd'hui les collections de sculptures antiques (art assyrien, égyptien, chypriote, phénicien, étrusque, grec, romain) collectées par Giovanni Barracco, riche baron calabrais. Il en fit don à la Ville de Rome en 1904. *(Tlj sf lun. et 1er Mai et 25 déc. 9h-19h (dernière entrée 18h30 -3 €.)*

Continuer le Corso Vittorio Emanuele II jusqu'à la piazza Sant'Andrea della Valle.

La **piazza** est ornée d'une fontaine attribuée à **Carlo Maderno**. Le même qui acheva l'église **Sant'Andrea della Valle**★★ entre 1608 et 1623. Elle avait été commencée en 1591 par Giacomo della Porta. La façade ajoutée entre 1656 et 1665 par Carlo Rainaldi est l'une des plus élégantes du baroque. A l'intérieur, la **coupole**★★ élevée sur un plan en croix latine à nef unique flanquée de chapelles communicantes est d'un volume très impressionnant (la deuxième de Rome pour ses dimensions après celle de St-Pierre). Les fresques ont été réalisées par Giovanni **Lanfranco**. L'effet de profondeur est saisissant.

Sur le côté de l'église prendre la via dei Chiavari.

Cette rue qui était traditionnellement la rue des fabricants de corsage passe tout près de l'emplacement du majestueux **théâtre de Pompée** dont il ne reste que la forme en demi-cercle adoptée par les maisons de la via di **Grotta Pinta**.

*Traverser la via dei Giubbonari et gagner la piazza del Monte di Pietà où se trouve un joyau de l'art baroque : la **chapelle du Mont de Piété**★ ne se visite que sur demande écrite. Prendre la via dell'arco del Monte, puis tourner à droite pour rejoindre la piazza Capo di Ferro.*

Palazzo Spada★ A2-B2

Construit au milieu du 16e s. pour le cardinal Gerolamo Capodiferro, acquis un siècle plus tard par le cardinal Bernardino Spada, ce palais accueille depuis 1927 le Conseil d'État. Sa façade, d'une fantaisie maniériste, multiplie les hommages aux grands personnages de l'Antiquité. L'épée, *spada* en italien, est tout naturellement le blason (avec le cheval) des Spada. La finesse des frises est admirable dans la **cour intérieure**★★. Ne pas manquer la **perspective de Borromini** (au rez-de-chaussée derrière la bibliothèque et visible de la cour intérieure). Ce trompe-l'œil architectural ne dépasse pas en fait une longueur de 9 mètres !

La **Galleria Spada**★ – *Située dans le palazzo Spada*. Elle abrite les œuvres réunies par le cardinal Spada qui fut entre autres le protecteur du Guerchin et de Guido Reni *(tlj sf lun. 8h30-19h30 ; dernière entrée 19h - fermé 1er janv., 1er Mai et 25 déc. - 11 €).*

Gagner la piazza Farnese.

Palazzo Farnese★★ A2

Le plus beau des palais romains, qui est depuis 1635 le siège de l'ambassade de France en Italie (officiellement depuis 1875), fut achevé par Michel-Ange en 1546. Il porte le nom de la famille Farnèse qui le construisit et dont la notoriété prit définitivement son envol après que l'un de ses membres, le cardinal Alexandre Farnèse, fut élu pape

ROME

en 1534. Premier pape de la Contre-Réforme, Paul III gouverna comme un prince de la Renaissance, animé par l'amour des arts, passion qu'il transmit à ses descendants et dont a profité au fil des siècles le palais Farnèse. Ainsi trouve-t-on dans la galerie Farnèse les remarquables fresques (1593-1603) d'**Annibal Carrache** exécutées avec la complicité de son frère Augustin et de ses élèves Le Dominiquin et Lanfranco. Acquis par le gouverneur français en 1911, puis racheté par l'Italie en 1936, le palais est aujourd'hui loué à la France pour 99 ans. La cour intérieure est un modèle d'élégance de la Renaissance, œuvre de Sangallo, de Vignole et de Michel-Ange. *(Pour visiter le palais, il y a trois visites en français et en italien les lun. et jeu. à 15h, 16h et 17h, sf j. fériés et entre les 24 juil.-7 sept. et 21 déc.-8 janv. - - réserver au moins un mois à l'avance - 06 68 89 28 18 - visitefarnese@france-italia.it - www.france-italia.it - gratuit).* À défaut de visite on peut avoir une idée de la beauté de cette architecture en contemplant la façade postérieure visible de la via Giulia en passant par la via dei Farnesi.

Le **Passeto Farnese**, le pont qui enjambe la rue relie le palais au couvent de l'église Santa Maria della Morte. Regagner la piazza Farnese par la via del Mascherone. À l'angle se trouve la **Fontana del Mascherone** qui date de 1626, à l'exception du macaron de marbre et de la grande vasque de granit originaires d'un édifice antique.

De la piazza Farnese, la piazza Campo dei Fiori se trouve à quelques pas.

Piazza Campo dei Fiori★ B2

Cette place, l'une des plus animées de Rome, s'égaie chaque matin sous les éventaires de son marché pittoresque. Les couleurs prennent alors possession de cet univers minéral, qui devient presque carcéral du côté du palais Farnèse. Cette bouffée de chlorophylle au milieu des fruits et légumes est un juste retour en arrière si l'on se fie aux sources médiévales qui témoignent qu'une vaste prairie dominée par les forteresses de la puissante famille des Orsini s'étirait en cet endroit. Mais tout ne fut pas aussi bucolique, comme le rappelle l'austère statue dominant la place d'un noir charbonneux. **Giordano Bruno**, philosophe panthéiste et moine hérétique, fut ici brûlé vif après avoir eu la langue arrachée le 17 février 1600, à l'époque de la Contre-Réforme. Il venait de passer huit ans dans les geôles de l'Inquisition.

Piazza di Spagna-Piazza del Popolo-Pincio★★★

Piazza di Spagna★★★ B3

Cette place prit son nom au 17e s., quand l'ambassade d'Espagne s'installa au palais d'Espagne. Elle est dominée par le majestueux **escalier de la Trinità dei Monti★★★**, construit au 18e s. par De Sanctis et Specchi, héritiers du goût baroque pour les perspectives et le trompe-l'œil ; au pied de l'escalier, **fontaine de la Barcaccia★**, œuvre de Pietro Bernini (17e s.).

Au sommet, l'**église de la Trinità dei Monti★** est une propriété française édifiée au 16e s., restaurée au 19e s. ; à l'intérieur de l'église de la Trinité-des-Monts, une œuvre majeure vient d'être restaurée. Il s'agit de la **Déposition de Croix★**, fresque de grande dimension, exécutée en 1545 par Daniele Ricciarelli, dit **Daniele da Volterra** (1509-1566), élève préféré de Michel-Ange *(2e chapelle à gauche)*.

La fontaine de la Barcaccia et la Trinité-des-Monts.

DÉCOUVRIR ROME ET LE LATIUM

Sur la **Piazza di Spagna,** quelques maisons discrètes méritent un détour.
Au 26 se trouve la maison du poète romantique Keats. (06 678 42 35 - www.keats-shelley-house.org - lun.-vend. : 9h-13h, 15h-18h ; sam. : 11h-14h, 15h-18h - 3,50 €). Transformé en lieu de mémoire portant sur la littérature romantique, le **Museo Keats-Shelley** héberge aujourd'hui la bibliothèque la plus exhaustive (7 000 livres) dédiée à ce mouvement artistique dont chacun connaît au moins une œuvre : *Frankenstein ou le Prométhée moderne* (1818).

Au 31 de la piazza di Spagna, c'est à la peu connue maison du grand peintre italien, d'origine grecque, Giorgio De Chirico (1888-1978), de nous immerger cette fois encore hors du temps et de la foule. On a l'impression de fureter en cachette alors que le peintre vient juste de quitter cet appartement aménagé sur deux étages. **Casa-Museo De Chirico**★ - 06 679 65 46 - mar.-sam. et 1ᵉʳ dim. du mois : 10h-13h. sur réservation seulement - 5 €.

Après une petite échappée lyrique par la **via dei Condotti,** cette rue qui part de la piazza del Spagna aujourd'hui bordée de boutiques luxueuses fut autrefois célèbre dans le monde entier pour le « **caffè Greco** » *(voir encadré p. 120)*, on peut pour-

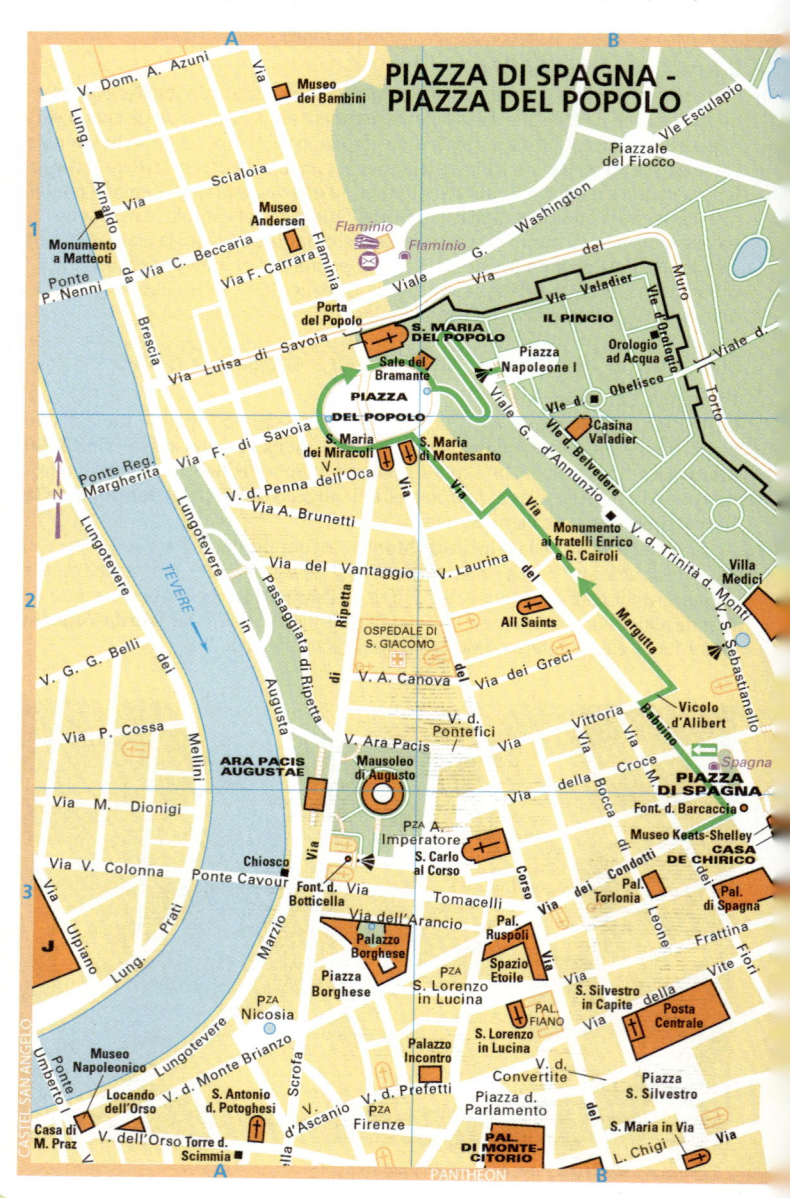

suivre par la **via Del Babuino** (au 150/AB, n'oubliez pas de jeter un œil sur l'atelier **Canova-Tadolini**, bar-musée-restaurant assez étonnant) avant de prendre sur votre droite la très paisible et bucolique **via Margutta**★. Lieu de galeries et de restaurants, cette rue pavée parallèle à la via Del Babuino et où poussent encore quelques herbes folles était dans les années 1950 le domaine de prédilection des artistes de tous poils. Fellini y vécut jusqu'au début des années 1990. Nul doute que le cinéaste aurait annexé l'extravagante décoration post-moderne de l'**Hotel Art** *(au 56 - voir encadré pratique p. 138).*
De la via Margutta, on rejoint la via del Babuino qui nous emmène jusqu'à la piazza del Popolo.

Piazza del Popolo★★ A1-B1

La piazza del Popolo a été aménagée par **Giuseppe Valadier** (1762-1839). L'**église Santa Maria del Popolo**★★, de style Renaissance, modifiée à l'époque baroque, renferme des **fresques**★ exécutées au 15ᵉ s. par Pinturicchio *(1ʳᵉ chapelle à droite)*, deux **tombeaux**★ par Andrea Sansovino *(dans le chœur)*, et deux **tableaux de Caravage**★★★ – *Le Martyre de saint Pierre* et *La Conversion de saint Paul* – *(1ʳᵉ chapelle à gauche du chœur)* ; la **chapelle Chigi**★ *(2ᵉ à gauche)* a été élevée par Raphaël. L'obélisque central fut transporté d'Égypte à l'époque d'Auguste et érigé ici au 16ᵉ s. à l'initiative de Sixte Quint.

De la piazza del Popolo se détache, entre les églises « jumelles », la **via del Corso**, bordée de palais et de boutiques, principale rue du centre de Rome. Elle forme avec la via del Babuino à l'est et la via di Ripetta à l'ouest, une fourche à trois dents, qui a donné son nom au quartier : il **Tridente** *(trident en français)*.

La **Porta del Popolo**★, porte ouverte dans l'enceinte d'Aurélien au 3ᵉ s., a été érigée au 16ᵉ s. pour la façade extérieure pour annoncer, selon les vœux de Pie IV (1499-1565), la splendeur de Rome aux visiteurs du nord. Sa façade intérieure a été exécutée au 17ᵉ s. par le Bernin. Au nord de la porte s'échappe la via Flaminia ; cette artère moderne se coule dans l'ancienne voie antique construite en 200 av. J.-C. par Flaminius.

Avant de monter au Pincio, vous pouvez faire un détour avec vos enfants jusqu'à **Explora-Museo dei Bambini** *(via Flaminia, 82 - ☎ 06 36 08 68 03 - www.mdbr.it - &- 10h-12h, 15h-17h - fermé 1ᵉʳ janv., 15 août et 25 déc. - 7 €).* Dans cet espace pédagogique consacré aux enfants, une petite cité a été conçue à leur échelle dotée de nombreux services (poste, hospital, banques, supermarché, etc.). Autant de lieux que les enfants investissent pour mieux comprendre les rouages de notre société. *Revenir sur la piazza del Popolo puis, pour monter au Pincio, prendre les escaliers qui mènent au piazzale Napoleone I.*

Pincio B1

Ce beau parc public aménagé au 19ᵉ s. par Giuseppe Valadier offre une **vue**★★★ particulièrement somptueuse au crépuscule lorsque celui-ci met en valeur la lumière dorée caractéristique de Rome.

Du Pincio part le *viale della Trinità dei Monti*, où se dresse la **Villa Médicis**, siège de l'**Académie de France** *(voir encadré ci-dessous)*. Avant de prendre le pont qui relie la Villa Borghèse au jardin du Pincio, on remarquera dans le *viale dell'Orologia* une étonnante **horloge à eau** réalisée en 1867 par le père dominicain Giovanni Battista Embriaco.

Antico Caffè Greco

En 1760, un Grec fonda dans cette rue un café, rendez-vous des artistes et des gens de lettres. Goethe, Berlioz, Wagner, Stendhal, Leopardi, D'Annunzio… ont fait partie des hôtes. Andersen le fréquentait assidûment puisqu'il habitait la maison même, Stendhal y venait depuis le n° 48, son dernier domicile romain. On peut imaginer l'élégance de ce lieu et l'impopularité du pape Léon XII qui, le 24 mars 1824, interdit à ses sujets, sous peine de trois mois de galères, de se rendre au café. La porte devait rester fermée et le tavernier ne pouvait servir ses clients qu'à travers une fente pratiquée dans la devanture.

Villa Borghese-Parco dei Musei★★★ B1-B2-C1-C2

La villa (le terme désigne en fait tout le domaine) est l'un des plus vastes parcs publics de Rome (une superficie d'environ 80 hectares). Accessoirement lieu des grands événements hippiques internationaux, ce poumon vert conjugue petits temples, bosquets, sous-bois, pelouses, lacs, pins parasols, jardins parsemés de statues antiques, ainsi que nombre de musées dont la galerie Borghese de la villa éponyme est bien sûr la pièce maîtresse. La villa a été réaménagée en 1814 par Valadier.

Galleria Borghese★★★ – *Piazzale Scipione Borghese, 5 - ✆ 06 32 810 - www.galleriaborghese.it - mar.-dim. 9h-19h - visite à 9h, 11h, 13h, 15h, 17h (2h environ). Réservation obligatoire (entrée limitée) - 8,50 €.*

Elle fut construite au début du 17ᵉ s. pour abriter les collections du cardinal Scipione Borghese (1579-1633), fils de Francesco Caffarelli et d'Ortensia Borghese, sœur du Pape Paul V. C'est d'ailleurs sous son pontificat (1605-1621) que cette famille issue de la noblesse siennoise s'établit à Rome. La collection qui s'est enrichie au fil des siècles, exception faite du début du 19ᵉ s. (Camillo Borghese, alors époux de la splendide Pauline, sœur de Bonaparte, doit vendre un grand nombre de statues antiques à Napoléon), abrite les chefs-d'œuvre des artistes les plus importants du 16ᵉ et 17ᵉ s. Au rez-de-chaussée, on peut justement admirer la **statue de Pauline Bonaparte**★★★ signée par Canova ; les **œuvres du Bernin**★★★ dont **Le David** (salle II), **Apollon et Daphné** (salle III), **L'Enlèvement de Proserpine** (salle VI), **L'Hermaphrodite endormi** (salle V) ainsi que six chefs-d'œuvre du **Caravage**★★★ réunis (salle VIII). Au premier étage, **Raphaël**, **Le Corrège**, **Le Dominiquin**, **Carrache**, **Bellini**, **Titien**, **Lucas Cranach**, **Véronèse**, complètent un ensemble unique au monde et seulement visible dans cet écrin puisque les œuvres en raison de leur fragilité sont frappées d'inamovibilité.

Museo Nazionale Etrusco di Villa Giulia★★★ – *Piazzale di Villa Giulia, 9 - ✆ 06 322 65 71 - mar.-dim. 8h30-19h30 - 4 €.* Entièrement consacré à la civilisation étrusque, ce musée situé dans l'ancienne villa d'été du pape Jules III (édifié au 16ᵉ s. par

L'Académie de France

En 1666, Louis XIV chargea Colbert de fonder cet établissement afin que les jeunes talents français pussent s'enrichir des traditions de l'Antiquité et de la Renaissance tout en vivant au contact des audaces de l'art baroque. Un concours, le **grand prix de Rome**, désigna les artistes qui devraient partir à Rome. Six peintres, quatre sculpteurs et deux architectes furent les premiers élèves. Avec leur recteur, Charles Errard, ils s'installèrent d'abord près du monastère de Sant'Onofrio sur le Janicule. L'Académie dut ensuite déménager à plusieurs reprises. Du palais Caffarelli (via del Sudario), elle passa au palais Capranica (près de l'église Sant'Andrea della Valle), puis au palais Mancini sur le Corso (devenu palais de Nevers, puis palais Salviati). Sous la Révolution, elle ferma ses portes, et le palais fut pillé et incendié. Ce n'est qu'en 1803 que l'Académie fut de nouveau ouverte et que le palais Salviati fut échangé contre la **Villa Médicis**. Elle accueille à présent environ 25 pensionnaires pour un ou deux ans, recrutés annuellement par le secrétariat d'État à la Culture après avis d'une commission de spécialistes. Outre les disciplines traditionnelles, la littérature, le cinéma, la restauration et l'histoire de l'art ont été introduits.

Vignole) expose d'innombrables témoignages (objets, bas-reliefs, sarcophages) sur la première grande civilisation indigène de l'Italie. La majorité des pièces a été exhumée des nécropoles parsemant le Latium, tel l'énigmatique **sarcophage dit « des époux »**★★★ originaire de Cerveteri. Parmi les pièces les plus célèbres de la collection, signalons les **sculptures de Véies**★★★ (salle 7), la **ciste Ficoroni**★★★ (salle 12) ou l'**olpe Chigi**★★ (salle 15), cruche servant à verser le vin.

Galleria Nazionale d'Arte Moderna (GNAM)★★ – *Viale delle Belle Arti, 131 -* ✆ *06 32 29 81 - mar.-dim. 8h30-19h30 - 6,50 € ou 9 € avec exposition temporaire.* L'édifice construit en 1911 par Cesare Bazzani à l'occasion de l'Exposition universelle, présente des peintures et sculptures italiennes des 19e et 20e s. d'un intérêt plastique tout relatif (si l'on excepte le grand œuvre du **futurisme** et les innovantes perspectives de la **peinture métaphysique**★★ avec Giorgio De Chirico, Modigliani et Morandi) mais fort instructives en revanche sur l'histoire culturelle de l'État unitaire italien. Sont également exposées de belles œuvres d'artistes internationaux : Klimt, Cézanne, Van Gogh, Degas, etc.

Fontana di Trevi-Via Veneto-Quirinale★★★

Univers fellinien et cercle des pouvoirs politiques composent les deux imaginaires de cette promenade où fait irruption avec une grâce ineffable l'une des œuvres les plus fascinantes du Bernin, « L'Extase de sainte Thérèse ». Voir plan p. 123 et plan I p. 104-105.

Fontana di Trevi★★★ A1

Grandiose monument du baroque finissant, la **fontaine de Trevi** est l'un des sites les plus assidûment fréquentés de Rome, où l'on vient sans doute autant pour rechercher l'indéfinissable atmosphère qu'en rendait Fellini dans *La Dolce Vita*, quand l'actrice Anita Ekberg s'y baignait en robe du soir, que pour obéir à la tradition qui veut que tout visiteur jette dans la vasque, en lui tournant le dos, deux pièces de monnaie : l'une doit assurer son retour à Rome, l'autre lui permettre de réaliser un vœu.

Nicola Salvi, qui la conçut en 1762 à la demande du pape Clément XIII, lui donna les dimensions du palais auquel elle est adossée et l'allure d'un arc de triomphe. De sa niche centrale jaillit la figure de l'Océan, juchée sur un char guidé par deux chevaux marins et deux tritons.

Prendre la via del Tritone jusqu'à la piazza Barberini.

Fontana del Tritone★ B1

L'œuvre du Bernin domine avec puissance la piazza Barberini. Le blason aux abeilles est l'emblème des Barberini, famille portée au pinacle avec l'accession au trône pontifical sous le nom d'Urbain VIII du cardinal Maffeo Barberini. Quatre ans plus tard (1627), Urbain décidait la construction du Palazzo Barberini★★. **Borromini** et **le Bernin** achevèrent l'édifice commencé par **Carlo Maderno**.

Rejoindre la piazza Barberini pour prendre la via Barberini jusqu'à la piazza di San Bernardo que dominent ces deux églises.

Santa Susanna★★ Plan I C2

Rebâtie par Léon III au 9e s., restaurée à la fin du 15e s. par Sixte IV, l'église sous son aspect actuel date du 16e s. La **façade**★★, chef-d'œuvre d'équilibre a été réalisée entre 1595 et 1603 par **Carlo Maderno** (1556-1629). Cet ancien coupeur de marbre, appelé à Rome par Fontana, s'est inspiré de la façade du Gesù, archétype de l'art de la Contre-Réforme défendu. L'austérité de la façade est estompée par des colonnes à demi engagées et des effets de lumières diffusés par les niches et les frontons.

Santa Maria della Vittoria★★ Plan I C1

Vingt ans plus tard Maderno élevait l'église Sainte-Marie-de-la-Victoire. Le manque d'audace, a priori paradoxal au regard de l'expérience acquise par l'architecte, rappelle en fait les concepts idéologiques de la Contre-Réforme : simplicité et austérité. Un vocabulaire qui s'exprime pleinement à l'intérieur de l'église (nef unique à transept large et peu saillant avec coupole à la croisée) même si l'ensemble fut réhaussé au 17e s. d'une décoration baroque des plus fastueuses. La voûte, toute blanche à l'origine, ainsi que la coupole furent en effet peintes de fresques en trompe-l'œil illustrant *Le Triomphe de la Vierge*.

Ce vers quoi convergent tous les regards est bien sûr le groupe sculpté de **l'Extase de sainte Thérèse d'Avila**★★★ (1652) situé dans la **chapelle Cornaro** (*croisillon gauche*). Ici plus que jamais, **le Bernin** se révèle être le grand metteur en scène du baroque. *« Le Bernin ! [...] Ah ! cette sainte Thérèse ! Le ciel ouvert, le frisson que la jouissance divine peut mettre dans le corps de la femme, la volupté de la foi poussée jusqu'au spasme,*

DÉCOUVRIR ROME ET LE LATIUM

la créature perdant le souffle, mourant de plaisir aux bras de son Dieu !… J'ai passé devant elle des heures et des heures, sans jamais épuiser l'infini précieux et dévorant du symbole », s'exclame l'un des personnages d'Émile Zola (*Les trois Villes, Rome*). Une œuvre picturale sur laquelle nombre de personnalités se sont penchées, comme le psychanalyste Jacques Lacan ou l'écrivain Georges Bataille qui rappelle dans un livre essentiel, *L'Érotisme*, que « *l'effusion mystique est comparable aux mouvements de la volupté physique* ».

Prendre la via XX settembre puis sur votre gauche la via Orlando. Les thermes de Dioclétien sont en partie occupés par l'église Ste-Marie-des-Anges (Santa Maria degli Angeli). Entrée par la piazza della Repubblica.

Santa Maria degli Angeli★★ Plan I C2

C'est parce que les thermes de Dioclétien ont été construits par 40 000 chrétiens condamnés aux travaux forcés en raison de leurs convictions religieuses que le pape Pie IV ordonna en 1561 l'édification de l'église à l'emplacement d'une partie des thermes. Confiée à Michel-Ange alors âgé de 86 ans, ce projet perdit rapidement son unité architecturale après la mort de l'artiste pour se muer à mesure des collaborations successives en une structure informe. Sérieusement remaniée au 18e s. par l'architecte napolitain Luigi Vanvitelli, l'église perdit sa façade au 20e s. pour faire resurgir de manière insolite la nudité brute de l'ancien *caldarium*, partie des thermes où l'on pouvait prendre les bains chauds. À l'intérieur, le **transept★** permet d'imaginer l'ampleur solennelle des salles antiques.

On entre dans l'ancien planétarium des thermes de Dioclétien par la via Romita.

Aula Ottagona★★★ Plan I C2

✆ 06 48 80 530. Mar.-dim. 9h -19h45. Gratuit. Récemment restaurée, cette splendide salle octogonale, dont la coupole rappelle que l'édifice servait de planétarium dans les années 1920, était probablement une sorte de corridor ou un petit *frigidarium* (partie des thermes où l'on pouvait prendre des bains froids). Désormais elle héberge quelques chefs-d'œuvre de la statuaire antique en bronze et en marbre découverts dans les établissements thermaux de la période impériale (2e-4e s. ap. J.-c.). **Le Pugiliste au repos★★★** ou **Le Prince hellénistique★★★** composent deux rares exemples de statues en bronze aussi remarquablement conservées (autour du 3e s. av. J.-C.).

Palazzo Massimo Alle Terme★★★ Plan I C2

Entrée par le Largo di Villa Peretti, 67 - ✆ 06 39 96 77 00 - mar.-dim. 9h -19h45 - 6 €.
Cet ancien collège construit en 1883 selon la volonté d'un jésuite, le prince Massimiliano Massimo accueille aujourd'hui – le collège a fermé dans les années 1960 – la partie la plus importante du musée national Romain. Les collections se répartissent sur quatre étages : au sous-sol se trouvent quelques salles présentant des objets en or et dédiés à la **numismatique★★**. Le rez-de-chaussée et le 1er étage sont consacrés à la statuaire antique, le 2e étage aux fresques et aux mosaïques.
À défaut d'être exhaustif (*nous vous conseillons de vous reporter au Guide Vert Rome*), voici un échantillon des pièces les plus intéressantes de cette collection très dense. Au rez-de-chaussée, dans le **salon des trois arcades**, ne surtout pas manquer la **statue d'Auguste★★★** en toge de grand pontife avec un drapé digne de la substance aérienne des oiseaux. La **Niorbide blessée★★★** (salle VII) est l'un des premiers nus grecs féminins (440 av. J.-C.). Au 1er étage, on remarquera la **Jeune fille d'Antium★★**, l'**Aphrodite accroupie★★★**, l'une des répliques les plus belles d'un original grec du 3e s. av. J.-C., ainsi que le **Discobole Lancelloti★★★**, autre excellente copie romaine faite au 2e s. d'après l'original grec en bronze du discobole de Myron exécuté, lui, au 5e s. av. J.-C. Au 2e étage, l'art des mosaïques de pavement s'exprime pleinement avec deux chefs-d'œuvre : la salle à manger d'été ou **Triclinium della villa di Livia★★★** et les stucs et peintures reconstitués de la **villa della Farnesina★★★**.

Reprendre la via XX settembre.

Après avoir passé la **Fontana dell'Acqua Felice**, fontaine monumentale érigée au 16e s. par Fontana, puis la piazza di San Bernardo où s'élève l'église **San Bernardo alle Terme** (l'intérieur ne manque pas de noblesse avec sa belle coupole à caissons) on arrive au croisement de la **via delle Quatro Fontane**. Le carrefour des quatre fontaines illustre l'urbanisme du pape Sixte Quint (1585-1590) qui souhaitait relier les principales basiliques entre elles par des rues larges et droites.

Pour ceux qui veulent faire un crochet et illustrer le pragmatisme urbanistique papal, l'église Ste-Marie-Majeure, se trouve au bout de la via Depetris, cette rue prolonge la via quattro Fontane.

Santa Maria Maggiore★★★ (Ste-Marie-Majeure) Plan I C2
7h-12h, 15h-18h30.
Une des quatre basiliques majeures de Rome, dont l'origine remonte au pape Sixte III (432-440), elle a subi de notables remaniements au cours des siècles. Son campanile, érigé en 1377, est le plus haut de Rome. La façade est l'œuvre (1743-1750) de Ferdinando Fuga. On peut voir le **décor de mosaïques**★ de la façade d'origine, réalisé à la fin du 13e s. par Filippo Rusuti et restauré au 19e, en visitant la **loggia** qui lui fut adossée.
L'**intérieur**★★★, majestueux, renferme un splendide ensemble de **mosaïques**★★★ : dans la nef centrale, au-dessus de l'entablement, elles comptent parmi les plus anciennes mosaïques chrétiennes de Rome (5e s.) et illustrent des scènes de l'Ancien Testament ; à l'arc triomphal, du 5e s. également, scènes du Nouveau Testament ; à l'abside, elles sont composées d'éléments du 5e s. mais furent refaites au 13e s.
Le **plafond**★ est à caissons, dorés, dit-on, avec le premier or venu du Pérou.
Sortir de la basilique par la porte au fond de la nef droite.
De la **piazza dell'Esquilino** (obélisque égyptien), **vue**★★ sur l'imposant chevet du 17e s.
Revenir au croisement de la via delle Quatro Fontane. Prendre ensuite la via del Quirinale jusqu'au numéro 23.

San Carlo alle Quatro Fontane★★ B1
C'est la première œuvre connue de Borromini ; c'est aussi la dernière puisqu'il ne reprit la façade que trente ans après l'avoir commencée sans jamais pouvoir l'achever (*voir encadré ci-dessus*). L'**intérieur**★★ suit un plan complexe qui combine l'ellipse et la croix grecque. La coupole ovale à caissons est coiffée d'un lanternon qui dispense sur les fidèles lumière et saint Esprit. Le **cloître**★ est de proportions exquises.

Sant'Andrea al Quirinale★★ B1
Œuvre du Bernin, Saint-André-du-Quirinal est l'une des plus importantes églises qu'il réalisa. Sa proximité avec celle érigée par son rival Borromini, fut sans doute pour le Bernin un puissant adjuvant d'innovation et de hardiesse technique. Comme à l'accoutumée l'architecte devait donner à un espace réduit un effet de grandeur. Et tout concourt à renforcer l'impression que l'axe le plus court est l'axe principal. Commandée

Borromini (1599-1667), précurseur malheureux

Né à Bissone (province de Lugano), Francesco Castelli dit Borromini apprit son métier en famille : la sculpture avec son oncle Garovo, la géométrie et l'architecture avec Maderno, un autre parent. Chantre d'une architecture vivante, presque organique, quitte à déroger aux fameuses règles de Vitruve (les membres du corps humain offrent des proportions harmonieuses), Borromini irrite par son non-conformisme et ses extravagances. Pourtant cet instigateur de formes novatrices qui influencèrent plus tard l'architecture rococo, met en œuvre des volumes audacieux qui s'appuient sur une géométrie complexe et savante destinée souvent à compenser de sévères contraintes d'espace et d'environnement architectural. L'éternel rival et second du Bernin, qu'on n'hésitait pas à qualifier de philistin, finit par se donner la mort. Aujourd'hui nombre de critiques n'hésitent pas à voir en lui le précurseur d'un F.L. Wright (Musée Guggenheim de New York) ou d'un Oscar Niemeyer (cathédrale de Brasilia).

en 1658 par Camillo Pamphili, neveu d'Innocent X, l'église fut achevée vingt ans plus tard. L'**intérieur**★★ est conçu sur un plan elliptique, orienté suivant le petit axe défini par une entrée et un chœur imposants. L'artiste produisit des effets très riches en associant des marbres de couleur, des dorures et des stucs, distribués avec maestria.
Poursuivre via del Quirinale.

Palazzo della Consulta B2
Le siège du Conseil constitutionnel possède une belle façade★ (18ᵉ s.). Ferdinando Fuga en a puisé les nombreux motifs dans le vaste répertoire de l'art baroque.

Piazza del Quirinale★★ B2
Sixte Quint (16ᵉ s.), Pie VI (18ᵉ s.) et Pie VII (19ᵉ s.) se succédèrent pour aménager respectivement cette place. Le premier y déplaça les statues des Dioscures qui ornaient alors les thermes de Constantin ; le deuxième, l'un des obélisques qui marquaient l'entrée du mausolée d'Auguste ; Pie VII quant à lui prit une vasque qui servait d'abreuvoir au temps où le forum romain était le Campo vaccino. La place tient son nom du Dieu *Quirinus* qui à l'époque archaïque, constituait avec Mars et Jupiter la triade représentative des trois fonctions essentielles d'une société.

Palazzo del Quirinale★★ B2
Palais présidentiel depuis la chute de la monarchie après la Seconde Guerre mondiale, le palais avait d'abord été conçu comme résidence d'été papale. Commencés par Martino Longhi l'Ancien en 1573, sous l'égide de Grégoire XIII, les travaux se poursuivirent sous Sixte Quint (avec entre autres Mascherino et Fontana), Paul V (avec Carlo Maderno pour la monumentale porte d'entrée), Alexandre VII (avec le Bernin) et enfin Clément XII (avec Ferdinando Fuga).

Trastevere★★

Voir plan général p. 104-105. Cette promenade qui s'étire « au-delà du Tibre », étymologie de Trastevere, permet de déambuler dans l'un des quartiers autrefois populaires de Rome, et désormais investi par la bourgeoisie bohème.

San Crisogono B3
Les premières fondations de cette église, auxquelles on accède depuis la sacristie par un escalier métallique, datent du 5ᵉ s. Le clocher ajouté au 12ᵉ s. toise une belle façade élevée au 17ᵉ s. par Giovanni Battista Soria. L'**intérieur**★, divisé en trois nefs, présente un ensemble mi-maniériste mi-baroque. Ainsi découvre-t-on des colonnes antiques, coiffées de chapiteaux en stuc, en direction d'une nef couverte d'un beau plafond à caissons frappé aux armes du cardinal Borghèse.
De la piazza Sonnino (où se trouve l'office de tourisme) prendre la via della Lungaretta jusqu'à la piazza in Piscinula.

San Benedetto in Piscinula B3
La curiosité de cette église tient moins à son clocher qu'à sa cloche qui est la plus ancienne et la plus petite de Rome. Daté du 11ᵉ s., le bronze ne dépasse pas en effet 45 cm de diamètre.
Prendre la via dei Salumi puis la via dei Vascellari pour gagner la piazza Santa Cecilia.

Santa Cecilia★ B3
C'est sur le lieu primitif de la vénération du martyre de sainte Cécile (3ᵉ s. ap. J.-C.), que le pape Pascal Iᵉʳ (817-824) aurait élevé cette église. Les travaux révélèrent

l'existence de plusieurs tuyaux contre la paroi, identifiés comme ceux qui servirent à surchauffer l'étuve où Cécile fut condamnée à suffoquer. Elle survécut grâce à une rosée miraculeuse ; le préfet ordonna alors la décapitation.

L'église a été très remaniée au fil des siècles. Beau campanile du 12ᵉ s. L'intérieur a cependant conservé la mosaïque que Pascal Iᵉʳ fit placer dans l'abside au 9ᵉ s. La **statue de sainte Cécile★** (au dessous de l'autel) exécutée par **Stefano Maderno** (1576-1636) est considérée comme la première sculpture baroque.

Dans le couvent, **Le Jugement dernier★★★** que **Pietro Cavallini** (v. 1250- v. 1340), contemporain de Giotto, a peint vers 1293, est un chef-d'œuvre de la peinture romaine du Moyen Âge, malheureusement en partie mutilé.

Prendre la via di San Michele. Après avoir tourné dans la via Madonna dell'Orto (on aperçoit derrière l'église du même nom l'imposante régie des tabacs datant du 19ᵉ s.) prendre à gauche la via Anica.

San Francesco a Ripa B3

L'église rebâtie au 17ᵉ s. vaut surtout pour la célèbre sculpture qu'elle abrite dans la chapelle Altieri *(quatrième de la nef gauche)*. « La Mort de la bienheureuse **Ludovica Albertoni★★** » est une œuvre tardive du Bernin (1674) destinée à l'autel surplombant le caveau de cette sainte qui, sa vie durant, secourut les pauvres de Trastevere. Emportée par la fièvre en 1533, elle trouva le réconfort dans l'Eucharistie avant de s'unir au Christ.

Par la via di San Francesco a Ripa, gagner la piazza Santa Maria in Trastevere.

Piazza Santa Maria in Trastevere★★ B3

Charmante petite place dominée par une fontaine remaniée par le Bernin et sur laquelle s'ouvre la basilique.

Basilica di Santa Maria in Trastevere★★ B3

Elle a été embellie au fil des siècles à partir du plan basilical que lui avait donné le pape Innocent II au 12ᵉ s. À l'intérieur les colonnes divisant les nefs ont été récupérées sur des monuments antiques. Le somptueux plafond a été réalisé par le Dominiquin (17ᵉ s.)

Les mosaïques du chœur★★★ – Les prophètes Isaïe et Jérémie qui décorent l'arc triomphal datent du 12ᵉ s. ainsi que les mosaïques qui tapissent la calotte de l'abside. La vierge est parée d'or avec des expressions hiératiques fidèles aux représentations orientales. Au-dessous, entre les fenêtres et la base de l'arc, les mosaïques sont de **Pietro Cavallini** qui réalisa là encore, pour ces scènes de vie orchestrées autour de la vierge, un chef-d'œuvre de finesse.

Prendre la via della Paglia, puis tourner à droite sur la piazza Sant'Egidio.

Museo di Roma in Trastevere B3

Tlj sf lun. 10h-20h (dernière entrée 19h) - fermé 1ᵉʳ janv., 1ᵉʳ mai et 25 déc. - 3 € ou 5,50 € avec exposition temporaire.

Logé dans l'ancien couvent Sant'Egidio, il expose de nombreuses œuvres (aquarelles, gravures, peintures, céramiques) présentant des scènes de la vie populaire de Rome aux 18ᵉ et 19ᵉ s. Des expositions temporaires de qualité plutôt contemporaines sont également proposées.

Continuer par la via della Scala.

Farmacia di Santa Maria della Scala B2

Piazza Santa Maria della Scala. Ouvert pour les visites de groupe. En individuel, contacter le père Gaetano ℘ 06 84 14 209.

Le Bernin (1598-1680), insouciant touche à tout

De son vrai nom Gian Lorenzo Bernini, ce natif de Naples apprend l'art sculptural dans l'atelier de son père, artiste fort réputé. Dès l'âge de 19 ans, il entre dans l'entourage du pape et du cardinal Scipion Borghèse. Jeune sculpteur, il est doué d'une virtuosité prodigieuse. Parmi ses premières réalisations, *L'Enlèvement de Proserpine* (1621-1622), *Apollon et Daphné* (1622-1624), *David* (1623-1624), toutes trois à la galerie Borghèse. Ces groupes mythologiques réalisés pour le cardinal Borghèse forcent l'admiration. Le Bernin n'a que 25 ans. *L'Extase de sainte Thérèse* (1646-1653), plus tardive, est au diapason cette fois moins de sa dextérité que de ses interprétations bouleversantes. Chez le Bernin, l'architecte et le décorateur font aussi des prouesses : l'énorme baldaquin de l'église Saint-Pierre coupe le souffle. L'artiste triomphe aussi dans l'ordonnance des places (Barberini, Navona, St-Pierre). Plus qu'un architecte, c'est un metteur en scène rompu aux trucages optiques.

Cette pharmacie née à la fin du 16ᵉ s. n'a fermé qu'en 1978. Elle se trouve désormais au premier étage d'une nouvelle pharmacie. Si la seconde est flambant neuve, la première n'a pratiquement pas bougé depuis le 18ᵉ s.

On peut prolonger la promenade en visitant la villa Farnesina.

Villa Farnesina★★★ B2
Via della Lungara, 230. Tlj sf dim. 9h-13h. 5 €. ☎ 06 68 02 72 68. www.lincei.it.
Construite le long du Tibre, suivant les plans de Baldassare Peruzzi pour le banquier Agostino Chigi (1465-1520), cette résidence conçue comme une villa suburbaine, avec deux ailes disposées perpendiculairement à la façade, a bénéficié du talent des meilleurs architectes et peintres de la Renaissance : Raphaël, Jules Romain, le Sodoma. À voir en particulier, la **salle de Galatée**, fresque peinte par Baldassare Peruzzi, del Piombo et Raphaël (*Le Triomphe de Galatée*) ; la **salle des Noces d'Alexandre et de Roxanne**, œuvre de Giovanni Antonio Bazzi dit le Sodoma.

La festa de Noantri
Depuis 1927, « *La fête de nous autres* » est donnée chaque année (à partir de la mi-juillet) en l'honneur de la Madonna del Carmine. Sainte protectrice du Trastevere, la madone est portée par une foule en liesse, de l'église Sant'Agata à San Crisogono, où, après huit jours de vénération populaire, elle est rapportée à son lieu d'origine. Spectacles de rue, étals croulant sous les produits artisanaux et gastronomiques accompagnent ces jours de fête.

Pour prolonger la visite

L'Appia Antica★★ et les catacombes★★★ (Hors-plan)
Métro Piramide (ligne B) puis bus 118 ou métro S. Giovanni (ligne A) puis bus 218. Compter une demi-journée. Visite conseillée le jeudi, le vendredi et le samedi, quand tous les monuments et catacombes sont accessibles. En semaine la via Appia Antica est ouverte aux voitures jusqu'au mausolée de Cecilia Metella ; au-delà, il faut se déplacer à pied ou en vélo. Le dimanche, le parc est interdit aux voitures.

Ces cimetières souterrains utilisés à l'époque chrétienne sont nombreux aux abords de la **Via Appia Antica★★**. En usage à partir du 2ᵉ s., les catacombes furent découvertes au 16ᵉ et au 19ᵉ s. Elles consistent en longues galeries développées à partir d'un hypogée, ou tombeau souterrain, appartenant à une famille noble qui, convertie au christianisme, mettait son domaine à la disposition des chrétiens. Les décorations des catacombes constituent les premiers exemples d'art chrétien et consistent en gravures ou peintures de motifs symboliques.

Le touriste pressé devra se limiter à la visite de l'une des catacombes suivantes : **Catacombes de San Callisto★★★** sur la Via Appia *(au 110 - ☎ 06 44 65 610 ou 06 51 30 15 80 - visite guidée uniquement (30/40mn) - tlj. sf. merc. 8h30-12h30, 14h30-17h30 (17h en hiver) - fermé 1ᵉʳ janv., fév., Pâques, 25 déc. -5 €)*, **Catacombes de San Sebastiano★★★** sur la Via Appia *(au 136 - ☎ 06 78 50 350 - visite guidée uniquement (35mn) - tlj sf dim. 8h30-12h, 14h30-17h30 - fermé 15 nov.-13 déc. - 5 €)*, **Catacombes de Domitilla★★★** au n° 282 de la via delle Sette Chiese *(bus 218 - ☎ 06 51 10 342 - tlj sf mar. 8h30-12h30, 14h30-17h30 (17h en hiver) - fermé janv., Pâques et 25 déc. - visite guidée uniquement (35mn) - 5 €).*

Centrale Montemartini★★ (Hors-plan)
Via Ostiense, 106 (non loin de la pyramide), métro Garbatella - ☎ 06 39 96 78 00 - www.centralemontemartini.org - tlj sf lun. 9h30-19h - 4,50 €, 8,50 € avec la visite des deux musées du Capitole, valable une semaine. Lieu pour le moins insolite. Ne découvre-t-on pas, dans les salles de la première centrale thermoélectrique publique alimentée par des turbines à vapeur, des sculptures provenant des musées du Capitole ? Environ 400 pièces (du 6ᵉ s. av. J.-C. au 1ᵉʳ s. ap. J.-C.) voisinent avec d'imposants moteurs Diesel. Les acrotères ont l'assise de belles machines, et on se met à regarder une chaudière comme on admirerait le fronton d'un temple. À chaque siècle son encre, mais le mélange des deux est ici un enchantement. Il suffit d'observer la magnifique **Vénus de l'Esquilin★★**, copie romaine d'époque impériale, toisant la salle des machines.

EUR★ (Hors-plan)
Accès métro : ligne B, station EUR Fermi. Bus n° 170 de Termini via Piazza Venezia, ou n° 714 de Termini via Santa Maria Maggiore.

L'EUR (on prononce « éour »), acronyme de Exposizione Universale di Roma *(Exposition universelle romaine)*, devait révéler selon les vœux de Mussolini la modernité du fascisme. Pensé dans les années 1930 comme point de départ de l'expansion de Rome vers la mer, ce nouveau quartier situé au sud de la capitale italienne devait augurer au début des années 1940 la nouvelle geste architecturale et urbanistique d'un régime féru de monumentalité et de puissance rationaliste. La guerre fit avorter ce projet. En témoignent aujourd'hui le **Palais de la Civilisation du Travail★★**, cube blanc colossal baptisé le « Colisée carré », le **palais des Congrès**, signé par Libera (les amateurs de Jean-Luc Godard ont déjà vu une autre de ses œuvres : la villa Malaparte à Capri dans le film *Le Mépris*) et nombre de bâtiments reconvertis en musées flanquant la centrale piazza Marconi. Entre autres musées : le **Musée du Haut Moyen Âge** (pièces allant du 5ᵉ au 11ᵉ s., *Viale Lincoln 3 - ✆ 06 54 22 81 99 - ♿ - tlj sf lun. 9h-20h - fermé 1ᵉʳ janv., 1ᵉʳ Mai et 25 déc. - 2 €*), le **Musée préhistorique et ethnographique★** (sections africaine et océanienne particulièrement riches, *Piazza Marconi 14 - ✆ 06 54 95 21. www.pigorini.arti.beniculturali.it ♿ - 9h-14h, 20h merc. et dim. - fermé 1ᵉʳ janv., lun. de Pâques, 25 déc. - 4 €*), le **musée des Arts et Traditions populaires★** (très beaux objets du folklore italien, *Piazza Marconi 8 - ✆ 06 59 26 148/10 709 - www.popolari.arti. beniculturali.it. ♿ - tlj sf lun. 9h-18h, 20h les w-end et j. fériés - fermé 1ᵉʳ janv., 1ᵉʳ Mai et 25 déc. - 4 €*) et l'immense **musée de la Civilisation Romaine★★** (magnifiques maquettes de reconstitution permettant de visualiser la Rome antique, *Piazza Agnelli 10 - ✆ 06 82 05 91 27 – www2.comune.roma.it - ♿ - tlj sf lun. 9h-14h, 13h30 le dim. - fermé 1ᵉʳ janv., 1ᵉʳ Mai et 25 déc. - 6,50 €*).

San Giovanni in Laterano★★★ (St-Jean-de-Latran) D3
✆ 06 69 87 31 12 - 7h-18h30. visite guidée : ✆ 06 69 88 64 52 - Info audioguide à gauche de l'entrée - cloître 9h-18h - 2 €.

Saint-Jean-de-Latran, l'une des quatre basiliques majeures, assume le rôle de cathédrale de Rome, et le président de la République française appartient de droit à son chapitre *(le 13 décembre, une messe y est célébrée pour la France)*. Constantin édifia la première basilique du Latran avant St-Pierre au Vatican. Mais elle fut reconstruite à l'époque baroque par Borromini et, plus tard, au 18ᵉ s. La façade principale d'Alessandro Galilei date du 18ᵉ s. et la porte centrale est pourvue des battants de bronze de la curie du Forum romain (modifiés au 17ᵉ s.). À l'intérieur, d'une ampleur solennelle, le **plafond★★** est une œuvre du 16ᵉ s., restaurée au 18ᵉ s. Dans la nef centrale, les **statues des apôtres★**, dues à des élèves du Bernin, sont placées dans des niches aménagées par Borromini. La **chapelle Corsini★** *(1ʳᵉ à gauche)* est l'œuvre raffinée d'Alessandro Galilei. Le **plafond★★** du transept date de la fin du 16ᵉ s. Dans la **chapelle du St-Sacrement** *(croisillon gauche)*, belles **colonnes★** antiques en bronze doré. Le **cloître★** est une jolie réalisation des Vassalletto (13ᵉ s.), marbriers associés aux Cosmates. Dans le **baptistère★**, fondé au 4ᵉ s., belles mosaïques des 5ᵉ et 7ᵉ s.

Sur la **piazza di San Giovanni in Laterano** s'élève un obélisque égyptien, le plus haut de Rome, du 15ᵉ s. av. J.-C. Le **palais du Latran**, reconstruit en 1586, fut le palais des papes jusqu'à leur départ pour Avignon. Du palais médiéval subsiste la **Scala sancta**, escalier traditionnellement identifié avec celui que le Christ emprunta dans le palais de Ponce Pilate ; les fidèles en gravissent les marches à genoux ; au sommet, la chapelle privée des papes est appelée « Sancta Sanctorum » en raison des précieuses reliques qu'elle renferma.

Détail de la façade de la basilique Saint-Jean-de-Latran.

San Paolo fuori le Mura★★ (St-Paul-hors-les-Murs) (Hors-plan)
7h-18h50. ☏ 06 54 08 383. Sortir par la via Ostiense, puis voir le plan Michelin n° 1038 (carré W 11).

Une des quatre basiliques majeures. Constantin la fit édifier au 4e s. sur la tombe de saint Paul. Elle fut reconstruite au 19e s. après l'incendie de 1823. Son plan basilical est celui des premiers édifices chrétiens.

L'**intérieur**★★★, saisissant de grandeur, renferme la porte de bronze du 11e s. exécutée à Constantinople *(au bas de la 1re nef droite)*, et le **ciborium**★★★ gothique d'**Arnolfo di Cambio** (1285) placé sur l'autel, lui-même disposé au-dessus de la plaque de marbre gravée au nom de Paul et datée du 4e s. Dans la **chapelle du St-Sacrement**★ *(à gauche du chœur)*, Christ en bois du 14e s. attribué à Pietro Cavallini, statue de sainte Brigitte agenouillée par Stefano Maderno (17e s.), et statue de saint Paul (14e ou 15e s.) ; le **chandelier pascal**★★ est une œuvre de l'art romain du 12e s., due aux Vassalletto. Le **cloître**★ est probablement en partie l'œuvre de cette même famille d'artistes.

Aux alentours

Tivoli★★★
À 36 km de Rome par l'A 24 (sortie Tivoli) ou par la nationale S 5, Via Tiburtina.

Tivoli fut un lieu de villégiature autant à l'époque romaine qu'à la Renaissance, comme en témoignent ses villas. Dans l'ancienne Tibur, soumise par les Romains au 4e s. av. J.-C., professait une sibylle qui prédit à l'empereur Auguste la venue de Jésus-Christ.

Villa Adriana★★★ – À 6 km au sud-ouest par la route de Rome (S 5), puis une petite route prenant à gauche, à 4,5 km de Tivoli. Visite : 2h30. Mai-sept. : 9h-20h ; oct.-avr. : 1h avant le coucher du soleil (la billetterie ferme 1h30 avant). Fermé 1er janv., 25 déc. 6,50 €. Audioguide 4 €. ☏ 06 39 96 79 00.

Passionné d'art et d'architecture, l'empereur **Hadrien** (76-138), qui avait parcouru l'Empire jusqu'à ses marges, voulut que soient évoqués les ouvrages et les sites qu'il avait visités au cours de ses voyages. La villa était pratiquement achevée en 134 ; mais Hadrien, malade et affecté par la disparition de son favori Antinoüs, mourut quatre ans plus tard. Si les empereurs qui lui succédèrent continuèrent à se rendre à Tivoli, la villa fut bientôt oubliée et tomba en ruine. Explorée du 15e au 19e s., elle fut dépouillée de ses œuvres d'art, qui rejoignirent les collections publiques et privées. Ce n'est qu'à partir de 1870 que l'État italien entreprit des fouilles qui révélèrent l'admirable ensemble, sans doute l'un des plus riche de toute l'Antiquité.

Avant de commencer la visite, se rendre dans une salle voisine du bar où est exposée une maquette de la villa. Puis suivre l'itinéraire indiqué sur le plan.

Il Pecile★★ – Il est inspiré du célèbre portique d'Athènes *(Poecile)* ; ce grand rectangle rempli d'eau, aux petits côtés arrondis, était bordé de portiques dont la disposition avait été calculée afin qu'il y ait toujours un côté protégé par l'ombre. La salle à abside, appelée « **salle des Philosophes** », fut peut-être une salle de lecture.

Il Teatro Marittimo★★★ – Construction circulaire formée d'un portique et d'un édifice central séparés par un canal, où l'empereur, devenu misanthrope, aimait s'isoler. Au sud, on aperçoit les restes d'un **nymphée**, et des colonnes qui appartenaient à un ensemble formé de trois salles semi-circulaires s'ouvrant sur une cour.

Le Terme★★ – La disposition des thermes illustre le raffinement architectural que dut atteindre la villa. On distingue les Petits Thermes, et les Grands Thermes dont la salle est pourvue d'une abside et d'une voûte superbe. La construction en hauteur appelée **prétoire** abrita sans doute des entrepôts.

« Les Mémoires d'Hadrien »
Paru en 1951, sous la plume de **Marguerite Yourcenar** (1903-1987) après une vingtaine d'années d'acharnement, ce roman qui mêle érudition et mémoires imaginaires, se présente sous la forme d'une lettre écrite à la première personne par l'empereur Hadrien vieillissant à son successeur et petit-fils adoptif, Marc-Aurèle. Si l'on « reconstruit toujours le monument à sa manière, avouait-elle, c'est déjà beaucoup de n'employer que des pierres authentiques ». Cette reconstitution faite à partir de matériaux historiques compose une précieuse fiction documentaire sur « cet homme presque sage » lié à ce 2e s. qui fut, selon l'écrivain, « pour un temps fort long, celui des derniers hommes libres ». Le livre a depuis été traduit dans une vingtaine de langues.

ROME

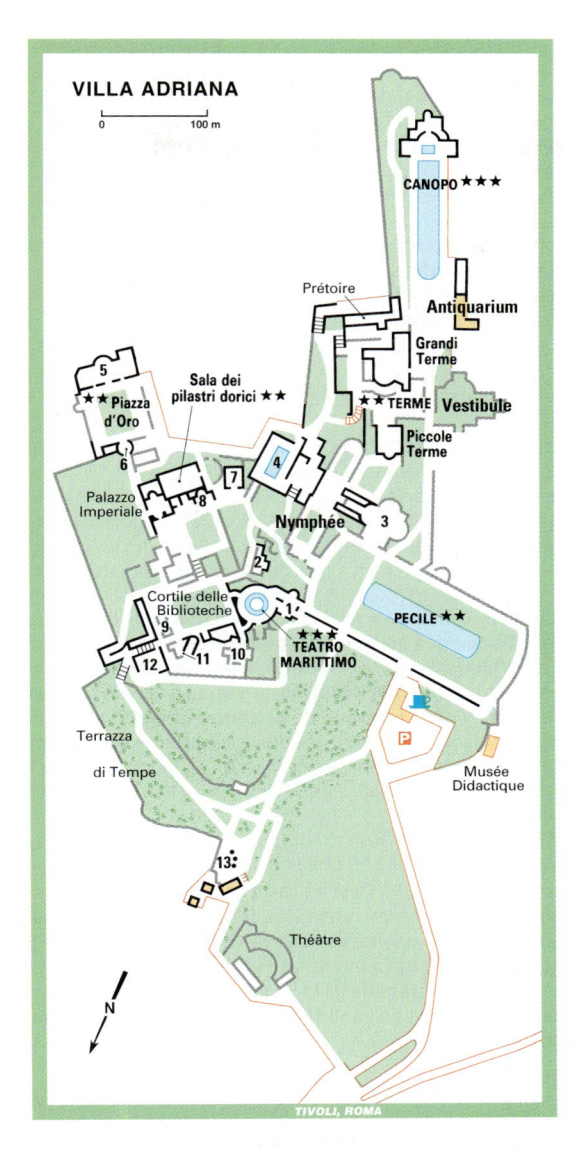

VILLA ADRIANA

(Map labels: CANOPO★★★, Antiquarium, Prétoire, Grandi Terme, TERME, Vestibule, Piccole Terme, Sala dei pilastri dorici★★, Piazza d'Oro★★, Palazzo Imperiale, Nymphée, PECILE★★, Cortile delle Biblioteche, TEATRO MARITTIMO★★★, Terrazza di Tempe, Musée Didactique, Théâtre, TIVOLI, ROMA)

Il Canopo★★★ – Après avoir dépassé le **musée** qui renferme quelques œuvres récemment découvertes, on aboutit à l'admirable restitution du site égyptien de Canope, accessible par un canal bordé de temples et de jardins. À l'extrémité sud, un édifice évoque le temple de Sérapis.

Après avoir gagné les vestiges qui dominent le nymphée et obliqué vers la droite, on longe un grand **vivier** entouré d'un portique.

Il Palazzo imperiale – Il s'étendait de la piazza d'Oro aux bibliothèques. La **piazza d'Oro★★**, rectangulaire, entourée d'un double portique, fut un caprice d'esthète, dénué de toute utilité. Au fond, on voit les vestiges d'une salle octogonale et, de l'autre côté, ceux d'une salle couverte d'un dôme.

La Sala dei pilastri dorici★★ – Elle est ainsi nommée parce qu'elle était bordée d'un portique à pilastres dont les chapiteaux et les bases étaient doriques.

On peut encore voir la **caserne des pompiers**, les vestiges d'une salle à manger d'été, d'un nymphée. Ces constructions donnaient sur une cour séparée de la **cour des Bibliothèques** par un des nombreux cryptoportiques de la villa. Les dix petites salles situées à côté de la cour des Bibliothèques constituaient une infirmerie ; beau **parterre★** de mosaïques. Les **bibliothèques** sont réparties, selon l'usage de l'époque, en une bibliothèque grecque et l'autre latine. En direction de la **terrasse de Tempé**, on traverse un groupe de salles pavées de mosaïques qui appartenaient sans doute à une salle à manger. Du frais bosquet de Tempé qui domine la vallée, on rejoint l'entrée de la villa en passant devant un petit **temple circulaire** attribué à Vénus; puis, sur la gauche, on devine l'emplacement d'un **théâtre**.

Villa d'Este★★★ – ✆ 0774 31 20 70 - tlj sf lun. 8h30-18h45 (été); 16h (hiver) - fermé 1er janv., 1er Mai, 25 déc. - 9 €, audioguide 4 €. Voir plan détaillé de la Villa dans Le Guide Vert Rome. En 1550, le cardinal **Hippolyte d'Este**, élevé à de grands honneurs par François Ier, mais tombé en disgrâce auprès du fils de celui-ci, Henri II, décida de se retirer à Tivoli et d'y faire construire une villa, là où s'élevait un couvent de bénédictins. Il en confia les plans à l'architecte napolitain Pirro Ligorio qui agrémenta la demeure de somptueux jardins où les jeux d'eaux, les fontaines et les statues composent un décor caractéristique de la grâce du maniérisme.

À gauche de l'entrée de la Villa, s'élève l'**église Santa Maria Maggiore** pourvue d'une jolie façade gothique. À l'intérieur, dans le chœur, deux triptyques du 15e s. et, au-dessus de celui de gauche, une *Vierge* de Jacopo Torriti, peintre et mosaïste de la fin du 13e s.

Palais et jardins de la villa d'Este★★★ – On entre dans le cloître de l'ancien couvent, puis on descend à travers les anciens appartements, finement décorés. Parvenu au rez-de-chaussée, après avoir joui d'une **vue★** agréable sur les jardins et sur Tivoli, on gagne, par l'escalier à double rampe, l'allée supérieure des jardins. On rencontre tout d'abord la **fontaine du Gros Verre** (*Bicchierone*), en forme de coquille, dont le dessin est attribué au Bernin. En prenant à gauche on aboutit à la « **Rometta** », fontaine où sont reproduits plusieurs monuments de la Rome antique. De là, la merveilleuse **allée aux Cent Fontaines★★★** (*viale delle Cento Fontane*) aboutit à la **Fontaine ovée★★★** (*dell'Ovato*) que domine une statue de Sibylle; plus bas, surplombant l'esplanade des **Viviers** (*Pescherie*), la **fontaine de l'Orgue★★★** (*Organo*) émettait autrefois des sons musicaux produits par un orgue mû grâce à la force de l'eau. Tout en bas du jardin, on voit la **fontaine de la Nature** ornée d'une statue de Diane d'Éphèse. En remontant par le centre on admire la **fontaine des Dragons** (*Draghi*), élevée en 1572 en l'honneur du pape Grégoire XIII et, en revenant par la droite, la **fontaine de la Chouette** (*Civetta*), qui émettait des chants d'oiseaux, et la **fontaine de Proserpine**, modernisée.

Villa Gregoriana★ – ✆ 0774 31 12 49 - www.villagregoriana.it - tlj sf lun. - du 1er déc. au 28 fév.: seult sur réservation; 1er-31 mars: 10h-14h30; 1er avr.-15 oct.: 10h-18h30; 16 oct.-30 nov.: 10h-14h30 - 4 €. C'est un vaste parc boisé, sillonné de sentiers qui permettent de franchir l'Aniene à l'endroit où la rivière coule dans un ravin étroit et tombe en cascade. L'eau s'y déverse à la **Grande Cascade**, à la **grotte de la Sirène** et à celle de **Neptune**. Après être remonté le long du versant opposé du ravin, on sort de la Villa Gregoriana par le **temple de la Sibylle** ou de Vesta, élégante construction circulaire de style corinthien datant de la fin de la République. À côté s'élève un temple ionique.

Palestrina★

23 km au sud-est de Tivoli et 42 km au sud-est de Rome. Quitter Rome par la via Prenestina. Sa situation panoramique sur les monts de Préneste, son noyau antique et les vestiges du célèbre temple de la Fortune Primigénie, font de Palestrina une destination très agréable. Splendide cité qui connut son apogée aux 8e et 7e s. av. J.-C., elle fut, après diverses vicissitudes, soumise aux Romains, et devint le lieu de villégiature privilégié des empereurs et des patriciens. Le culte de la déesse Fortune se poursuivit jusqu'à la fin du 4e s. apr. J.-C., époque où le sanctuaire fut abandonné; la ville médiévale s'éleva alors sur ses restes.

Tempio della Fortuna Primigenia★ – Ce magnifique sanctuaire (2e-1er s. av. J.-C.), l'un des meilleurs exemples d'architecture hellénistique en Italie, occupait à l'origine une succession de terrasses. Il subsiste du sanctuaire inférieur la salle basilicale, deux édifices latéraux, une grotte naturelle et la salle de l'Abside, d'où provient la célèbre mosaïque du Nil *(voir ci-après)*. Le sanctuaire supérieur s'élevait sur le quatrième et dernier niveau (actuelle piazza della Cortina). C'est là que fut érigé au 11e s. le palais Colonna, par la suite palais Barberini, qui accueille le Musée archéologique. La terrasse sur le devant offre une belle **vue★** sur la ville et la vallée.

Museo Archeologico Prenestino – ♿ 9h-19h. Fermé j. fériés. 3 €. ✆ 06 95 38 100. Le Musée archéologique de Préneste présente des pièces provenant de plusieurs nécropoles et des objets qui faisaient partie des collections des Barberini. L'impressionnante **mosaïque du Nil★★** représentant l'Égypte durant la crue du fleuve en constitue le chef-d'œuvre.

ROME

Ostia Antica.

Ostia Antica★★ (Ostie)
À 25 km au sud-ouest de Rome par la S 8 ou par l'A 12 (même direction que pour l'aéroport de Fiumicino). Puis à Necropoli prendre la S 296.

Ostie, à l'embouchure du Tibre, doit son nom au mot latin *ostium* (embouchure). La légende, reprise par Virgile, en fait le lieu où aurait débarqué la flotte d'Énée, mais sa fondation remonte en fait au 4e s. av. J.-C., lorsque Rome se lança à la conquête de la Méditerranée. Dès lors, le port suivit la destinée de Rome : port militaire tout au long de son expansion, port de commerce dès que la ville organisa rationnellement son économie. Autour d'une forteresse simplement destinée à protéger des pirates les activités du port, Ostie devint au 1er s. av. J.-C. une véritable ville, que Sylla fit entourer d'un rempart (79 av. J.-C.). Son déclin s'amorça au 4e s. de notre ère avec celui de la capitale. L'agglomération, progressivement enfouie sous les alluvions du fleuve et minée par la malaria, ne fut redécouverte qu'au début de ce siècle, en 1909. Aujourd'hui dégagée, elle offre d'intéressants vestiges d'entrepôts *(horrea)*, de thermes, de sanctuaires, de luxueuses habitations *(domus)* et de constructions populaires à plusieurs étages *(insula)*, toutes bâties en briques *(pour la maison romaine, voir p. 57)*. On peut y voir de nombreux lieux de réunion, les places où traitaient marchands, armateurs et mandataires, le forum où se déroulait la vie politique et sociale. Ostie atteignit sous l'Empire 100 000 habitants, parmi lesquels se trouvaient de nombreux étrangers.

Les fouilles – *Le site archéologique est très vaste, prévoir au moins une demi-journée pour visiter -* 06 56 35 02 15 - www.ostia-ostie.net - tlj sf lun. - fermé 25 déc., 1er janv. et 1er Mai - 6,50 € (- 18 ans gratuit). Parking payant : 2,50 €.
Pour une description plus détaillée du site consulter Le Guide Vert Rome.

Après avoir traversé la **via delle Tombe** et pénétré dans la ville par la Porta Romana (entrée principale en venant de Rome), le visiteur emprunte le **Decumanus Maximus**, axe est-ouest que l'on retrouve dans toutes les cités romaines. Pavé de larges dalles, il était bordé de maisons à portiques et de magasins. Sur la droite, on rencontre les **Terme di Nettuno** (2e s.) ; de la terrasse de ces thermes, on a vue sur un bel ensemble de **mosaïques★★** figurant les noces de Neptune et d'Amphitrite. On découvre à quelques pas de là à gauche, l'**Horrea di Hortensius★**, grandiose entrepôt du 1er s. avec une cour à colonnes bordée de boutiques. En face, se trouve le théâtre qui, bien que très restauré, constitue un des lieux les plus évocateurs de la vie de la cité.

La **Piazzale delle Corporazioni★★★** était entourée d'un portique sous lequel se tenaient les 70 bureaux des représentations du monde commercial romain ; les mosaïques du pavement témoignent par leurs emblèmes de l'origine et du type de métier exercé. Au centre de la place, restes d'un temple attribué parfois à Cérès, déesse des moissons.

On passe devant la maison d'Apulée *(à droite)* avant de rejoindre le **Mitreo**, un des temples les mieux conservés d'Ostie.

Le **Thermopolium★★** est un bar avec comptoir de marbre, pour les boissons chaudes.

La **Casa di Diana**★ révèle un remarquable exemple d'*insula*, avec pièces et couloirs disposés autour d'une cour intérieure.

Le **musée**★ recueille les objets trouvés à Ostie : salle des métiers, des cultes orientaux (nombreux à Ostie), salle de sculptures et de **portraits**★, salles consacrées à la décoration intérieure des maisons.

Consacré à la triade capitoline (Jupiter, Junon, Minerve), le Capitole (2e s.) était le plus grand temple d'Ostie. Le forum, agrandi au 2e s., conserve quelques colonnes du portique qui l'entourait. Au fond de la place, temple de Rome et d'Auguste (1er s.), autrefois recouvert de marbre.

Après la **Casa del Larario**★, ainsi nommée en raison de sa gracieuse niche en briques ocre et roses, on rencontre l'**Horrea Epagathiana**★, qui présente un beau portail à colonnes et fronton.

La **Casa di Amore e Psiche**★★ *(la maison d'Amour et Psyché)*, construite au 4e s. en direction de la mer, conserve d'intéressants vestiges de mosaïques et de marbres, et un très joli nymphée.

On rencontre successivement les **Terme di Mitra**, desquels sont visibles un escalier et des restes du frigidarium, puis l'**Insula del Serapide**★, les **Terme dei Sette Sapienti**★ avec un beau pavement de mosaïques dans la salle ronde. En dehors des murs, les **Terme della Marciana** conservent encore une très belle **mosaïque** dans le frigidarium.

La **Schola del Traiano**★★, imposant bâtiment des 2e-3e s., fut le siège d'une corporation de commerçants. À l'intérieur, plusieurs cours bordées de colonnes et bassin rectangulaire central.

Rejoindre la **Basilica cristiana**, édifice chrétien du 4e s., dont on distingue les colonnes séparant les nefs, l'abside et une inscription sur l'architrave d'une colonnade fermant une pièce identifiée comme le baptistère.

Peu après, les **Terme del Foro**★ étaient les plus grands établissements de bains d'Ostie. À côté, ensemble de latrines publiques, particulièrement bien conservées.

Dans l'enclos triangulaire qui constitue le **Campo della Magna Mater** s'élèvent les restes du temple de Cybèle (ou Magna Mater).

Cerveteri

À 45 km au nord-ouest de Rome par la via Aurelia.

L'antique Cerveteri, *Cære*, était un centre étrusque puissant, bâti sur une hauteur à l'est de l'agglomération actuelle. Son apogée se situe aux 7e et 6e s. av. J.-C., époque à laquelle la cité connaît une vie culturelle et religieuse intense. Mais au 4e s. commence son déclin. Ce n'est qu'au début de notre siècle que des fouilles sont entreprises, les objets trouvés allant principalement enrichir le musée Étrusque de la Villa Giulia à Rome *(voir p. 120)*.

Necropoli della Banditaccia★★ – *2 km au nord de la ville -* ☏ *06 99 40 001 - tlj sf lun. 8h30-1h avant le coucher du soleil. Fermé 1er janv., 25 déc. - 4 €.* Témoignage important des cultes funéraires étrusques, cette admirable nécropole s'étend à 2 km au nord de la ville. Elle se présente comme une cité, avec une voie principale ouvrant sur de nombreuses tombes en forme de tumulus, dressées au cœur d'une végétation dont l'ordonnance et les couleurs dégagent une grande sérénité ; les tombes à tumulus, qui créent l'étrangeté de ce lieu, datent généralement du 7e s. av. J.-C. : un tertre conique et herbu repose sur un socle de pierre parfois cerné de moulures, au-dessous duquel se trouvent les chambres funéraires. D'autres tombes consistent en chambres souterraines, accessibles par une porte ornée simplement. Les chambres sont desservies par un vestibule et renferment souvent deux lits funéraires disposés côte à côte et marqués d'une petite colonne s'il s'agit d'un homme (soutien de la famille), d'un petit toit si le défunt était une femme (protection du foyer). Parmi les tombes sans tumulus, visiter la **tombe des Reliefs**★★ *(tomba dei Rilievi)*, décorée de peintures et de stucs évoquant de multiples aspects de la vie quotidienne.

Autour du lac de Bracciano★★

De Cerveteri, parcourir 18 km vers le nord jusqu'à Bracciano (voir aussi Le Guide Vert Rome).

Le lac de Bracciano – D'origine volcanique et situé à 164 m, il a une superficie de 57,5 km^2 (huitième lac d'Italie en étendue) et une profondeur maximale de 160 m. Le *Lacus Sabatini* a joué un rôle très important dans l'approvisionnement en eau de la ville de Rome : Trajan, par exemple, fit construire un aqueduc de 30 km qui alimentait le quartier du Trastevere et qui fonctionna par intermittence jusqu'au 17e s.

ROME

Bracciano – la ville est dominée par le splendide **château Orsini-Odescalchi★★** (14e-15e s.), que délimitent six imposantes tours rondes et deux enceintes. L'**intérieur** présente une belle salle ornée de fresques, des plafonds du 15e s. et du mobilier de différentes époques. Depuis le chemin de ronde, on jouit d'une superbe vue sur le bourg et sur le lac. Mais, c'est la ravissante **cour centrale★** qui constitue le joyau du château : véritable machine à remonter le temps, elle transporte comme par enchantement le visiteur aux temps des exploits légendaires des héros et chevaliers. *Tlj sf lun. Visite guidée uniquement. Fermé 1er janv. et 25 déc. 6 €. Il est conseillé de se renseigner sur les horaires* ℘ *06 99 80 43 48. www.odescalchi.it*

Anguillara Sabazia★ – Ce gracieux petit bourg médiéval, accroché à un promontoire, offre de magnifiques vues sur le lac que l'on rejoint par de charmantes ruelles.

Trevignano Romano – Avec ses maisons de pêcheurs disposées en épi près du lac, le village est caractéristique des anciens bourgs.

Circuit de découverte

Castelli Romani★★

S'étendant au sud-est de Rome sur les flancs des monts Albains *(Colli Albani)*, d'origine volcanique, cette région doit son nom (litt. : les bourgs romains) à une série de places fortes édifiées au cours du Moyen Âge par les familles nobles qui fuyaient l'insécurité et le désordre de l'ancienne capitale. Chacun de ces bourgs occupe une position protégée sur le pourtour d'un immense cratère, lui-même criblé de cratères secondaires, qu'occupent, entre autres, les lacs d'Albano et de Nemi. Des pâturages et des châtaigneraies couvrent les sommets, tandis qu'en bas poussent les oliviers et la vigne qui produit un excellent vin.

Les Romains aiment beaucoup s'y rendre dès que la saison est chaude : ils trouvent là tranquillité et fraîcheur, une lumière exceptionnelle, des lieux de promenades et des auberges de campagne aux tonnelles ombragées.

Un petit tour au départ de Rome – *122 km, 1/2 journée*. Sortir de Rome par la Via Appia, en direction de **Castel Gandolfo★**. Cette petite cité est la résidence d'été du souverain pontife ; on pense que Castel Gandolfo occupe l'emplacement de l'antique Albe-la-Longue, puissante rivale de Rome qui opposa les trois Curiaces aux trois fils de Rome, les Horaces, dans le fameux combat évoqué par Tite-Live. Élevée sur le terrain de l'antique villa de Domitien, **Albano Laziale** possède une jolie église,

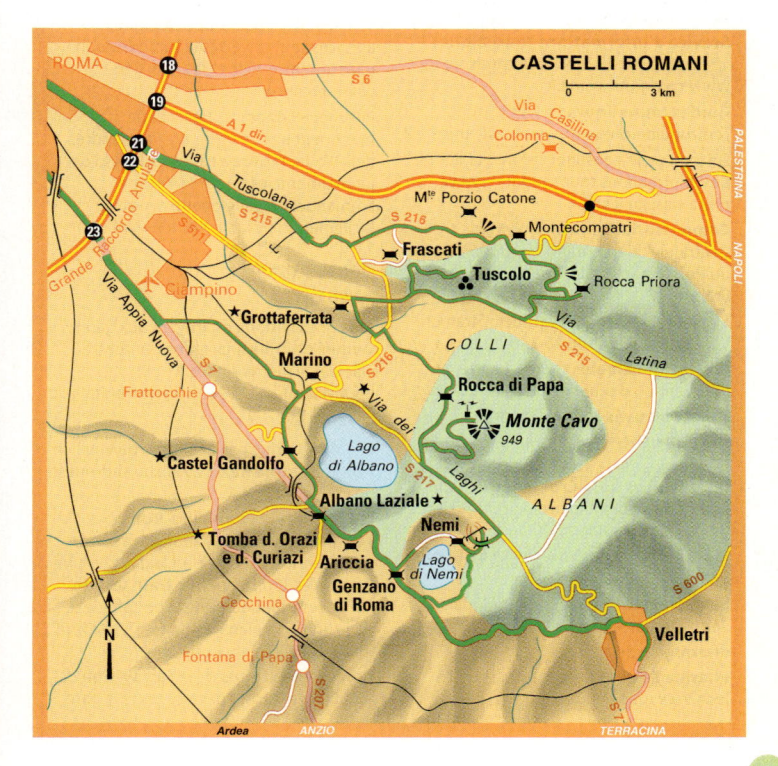

Santa Maria della Rotonda★, édifiée dans un nymphée de la villa et conservant un imposant campanile roman. Les jardins appelés **Villa Comunale★** accueillent une villa ayant appartenu à Pompée (106-48 av. J.-C.). Près du Borgo Garibaldi se trouve la prétendue **tombe des Horaces et des Curiaces★**.

Plus loin, **Ariccia** présente une belle place dessinée par le Bernin, un palais ayant appartenu aux Chigi et une église placée sous le vocable de l'Assomption. **Velletri** est une agglomération prospère, au sud des monts Albains, située au cœur des vignobles.

À partir de Velletri, revenir en arrière par la via dei Laghi.

Cette belle route, qui serpente à travers les bois de châtaigniers et de chênes, permet de rejoindre **Nemi**, petit village dans un **site★★** charmant sur les pentes du lac de même nom. Elle monte ensuite en direction du **Monte Cavo** (949 m), où s'élevait autrefois un temple de Jupiter, transformé depuis en couvent et aujourd'hui en hôtel : de l'esplanade, belle **vue★** sur la région des Castelli et jusqu'à Rome. Après **Rocca di Papa**, pittoresquement située face aux lacs, la route traverse **Grottaferrata**, qui a conservé une **abbaye★** fondée au 11e s. par des moines grecs. Une fois passé **Tusculo**, fief des comtes de Tusculum qui dominèrent la région des Castelli, on parvient à **Frascati**, agréablement disposée sur les flancs d'une colline en direction de Rome : célèbre pour ses vins, la petite cité s'orne de quelques belles villas des 16e et 17e s., notamment la **Villa Aldobrandini★**, dont le parc est aménagé en terrasses aux arbres bien taillés *(visite du parc uniquement avec le passe gratuit à retirer auprès du IAT, piazza Marconi 1 - ☎ 06 94 20 331 - fermé w.-end et j. fériés)*.

Au retour, on passe, avant d'entrer dans Rome, devant les studios de **Cinecittà**, le Hollywood italien *(via Tuscolana - on peut les visiter à certaines périodes de l'année - ☎ 06 72 29 31 - www.cinecittastudios.it)*.

Rome pratique

Informations utiles

Office de tourisme – Via Parigi, 11 - ☎ 06 48 89 91 ; **Visitor center** – Via Parigi, 5 - lun.-sam., 9h-19h ; **Aéroport de Fiumicino** – Terminal B, lun.-dim., 8h15-19h - ☎ 06 65 95 60 74.

Service d'informations touristiques – ☎ 06 82 05 91 27, www.romaturismo.it, www.commune.roma.it

Guides touristiques : www.centroguideroma.net, www.cast-turismo.it On peut aussi consulter ce site qui donne des informations tous azimuts : www.rome-passion.com

Commissariat central (Questura Centrale) – Via S. Vitale, 15 - ☎ 06 46 86 ou **Police nationale** (Polizia di Stato) – ☎ 113.

Service des étrangers (Ufficio Stranieri) – Via Genova, 2 - ☎ 06 46 29 87.

Police municipale (Vigili Urbani) – intervention d'urgence ☎ 06 67 691.

Objets trouvés (Ufficio Oggetti smarriti) – via N. Bettoni, 1 - ☎ 06 58 16 040.

Ambulances de la Croix-Rouge (Pronto Soccorso Autoambulanze - Croce Rossa) – ☎ 06 55 10 ou 118.

Ambulance de la Croix Verte de Rome – ☎ 06 24 30 22 22.

Médecins de garde (Guardia Medica Permanente) – ☎ 06 58 20 10 30.

Pharmacie de garde – ☎ 06 22 89 41.

Pharmacies – Elles se reconnaissent à leur croix rouge et blanc. Restent ouvertes 24h/24 les pharmacies situées : piazza dei Cinquecento 49/50/51 (gare Termini) ; via Cola di Rienzo 213/215 ; corso Rinascimento 50 ; piazza Barberini 49 ; via Arenula 73 ; piazza della Repubblica 67 ; via Nazionale 228.

Banques – Elles sont généralement ouvertes du lundi au vendredi de 8h30 à 13h30 et de 14h30 à 16h. Quelques agences sont ouvertes le samedi matin dans le centre-ville et les quartiers commerçants.

Internet – Les points Internet ne manquent pas : Yex (piazza Sant'Andrea della Valle, 1) situé à l'angle du corso del Rinascimento et du corso Vittorio Emmanuelle II est élégant, central et facilement repérable *(tlj : 10h-22h)*.

Transports

EN TRAIN

Les lignes nationales arrivent aux gares Termini ou Tiburtina, reliées au centre-ville par le métro (lignes A et B). Informations ☎ 892021. www.trenitalia.it

EN AVION

L'aéroport principal, Leonardo da Vinci, se trouve à **Fiumicino**, à 26 km au sud-ouest de Rome.

Le **train direct Fiumicino-Roma Termini**, le **Leonardo express** assure la navette entre l'aéroport et la gare Termini (toutes les 30mn, 11 €). Le **train urbain FM1** dessert les gares de la périphérie : Tiburtina, Tuscolana, Ostiense, Trastevere toutes les 15mn environ.

Le **service autobus** de la **Terravision** de la Ryanair assure la navette entre la gare

Termini et l'aéroport toutes les deux heures environ de 6h30 à 20h30 (7 € l'aller, 12 €, A/R, 45mn).
De l'aéroport **Ciampino** (surtout réservé aux vols charters), le plus pratique pour Termini est de prendre une navette bus shuttle (6 €) ou la navette Terravision de la Ryanair (8 € l'aller ou 15 € A/R).
Attention : Il n'y a pas de liaisons directes entre les deux aéroports.
En taxi – Compter autour de 40 € le voyage selon l'aéroport desservi. Prix fixé à l'avance.
Numéros utiles – **Aéroport Leonardo da Vinci, Fiumicino** 06 65 951 ; **Ciampino** 06 79 49 41 ; **réservations vols nationaux** 06 65 641 (Alitalia), 06 65 642 (autres vols) ; **renseignements sur les vols** 06 65 95 36 40 et 06 65 95 44 55.

EN VOITURE

L'accès à la ville s'effectue principalement grâce à deux anneaux routiers. Le plus extérieur, le Grande Raccordo Anulare (ou GRA), se situe en dehors de l'agglomération ; les autoroutes A 1, A 2, A 18 et A 24, ainsi que les routes nationales y convergent. Le second, la Tangenziale Est, est un boulevard périphérique qui relie directement le stade olympique à la piazza San Giovanni in Laterano en traversant les quartiers est (Nomentano, Tiburtino, Prenestino…).

POUR SE DÉPLACER EN VILLE

En taxi – Pour appeler un taxi, composer l'un des numéros suivants : 06 35 70, 06 49 94, 06 88 177, 06 41 57, 06 55 51, 06 66 45.

En autobus, tramway et métro – Se procurer un plan des transports publics, en vente dans les librairies ou les kiosques, ou le plan édité par l'ATAC (Azienda Tramvie e Autobus del Comune di Roma, 06 46 951), en vente dans le kiosque information de la piazza dei Cinquecento. Acheter le billet avant de monter dans l'autobus. De nombreuses formules existent : ticket journalier, 3 jours ou à la semaine : 4 €, 11 €, 16 €

En voiture – À déconseiller. L'accès au centre de la ville est difficile : de nombreuses rues sont réservées aux piétons, taxis, autobus et riverains. Le centre historique s'inscrit dans la *fascia blu* (zone bleue), interdite aux voitures particulières de 6h à 19h30 (et en outre de 22h à 2h du matin, les vendredis et samedis). Il existe deux vastes parkings souterrains au centre de Rome : l'un sous la Villa Borghese, près de la porta Pinciana ; l'autre, le parking Ludovisi, via Ludovisi au n° 60. Les zones piétonnes sont celles du Colisée, des forums impériaux et de l'Appia Antica. Pour toute information : www.comune.roma.it

En vespa – On peut louer des vespas un peu partout, particulièrement à la gare Termini de Rome. À titre indicatif, compter autour de 42 € pour une vespa pour deux ; 60 € pour le week-end. Attention il faut un permis de conduire pour une vespa 125 cm^3, condition *sine qua non* pour monter à deux. Pour réserver à l'avance : **treno e Scooter Rent** : Gare Termini - Piazza dei Cinquecento - /fax 06 48 90 58 23 - www.trenoescooter.191.it
Il y a aussi à deux pas **Scooter Hire** qui propose des tarifs attractifs.

Visites

La municipalité de Rome a installé dans le centre de la capitale (largo Goldoni, piazza Sonnino, piazza Cinque Lune, angle de la via Minghetti – quartier Fontaine de Trevi) des kiosques d'information renseignant sur toutes les activités touristiques, artistiques et culturelles de la ville. Ils sont ouverts du mardi au samedi de 10h à 18h et le dimanche de 10h à 13h. Les informations fournies sont actualisées quotidiennement et sont proposées au touriste en italien et en anglais.

Les adeptes d'**Internet** trouveront un service d'informations à l'adresse suivante : http://www.comune.roma.it/

Visites en bus – Pour visiter Rome, de nombreuses formules sont disponibles selon les itinéraires thématiques choisis : la Rome chrétienne, la Rome antique (l'**Archeobus** part de Termini toutes les 40 minutes environ, arrêt piazza Venezia, Bocca della Verità, Circo Massimo, Terme di Caracalla et sur la plupart des sites de la via Appia. tlj - 8 €). **TrambusOpen** (gare de Termini, piazza dei Cinquecento, 800 281 281, www.trambusopen.com) conjugue selon des tarifs forfaitaires, bus à impériale et entrées de musée. Un bon moyen pour se repérer dans un premier temps dans cette ville foisonnante. (Partance toutes les dix minutes entre 8h40 et 20h30 ; tour de 2 heures, 13 €).

Visites pour handicapés – **CO.IN** (Consorzio Cooperative Integrate, via Enrico Giglioli, 54/a, /fax 06 23 26 75 04/5) indique quels sont les monuments accessibles aux handicapés et les visites guidées mises au point pour eux (bureaux ouverts du lundi au vendredi de 9h à 17h ; sam. et veilles de j. fériés de 9h à 13h). Consulter également le site : www.coinsociale.it

Se loger

Entre les pensions, plus économiques, et les hôtels de luxe, Rome offre des possibilités de logement pour tous les goûts, même si parfois les prix sont relativement élevés par rapport à la qualité proposée. Dans la mesure où de nombreux touristes et pèlerins visitent la Ville éternelle, et ceci quelle que soit la saison, il vaut mieux réserver longtemps à l'avance. En principe, la basse saison se compose ainsi : janvier à mi-février, les deux dernières semaines de juillet, août et novembre, les quinze premiers jours de décembre. De plus, à cette période, certains hôtels pratiquent des tarifs intéressants ou proposent des forfaits pour le week-end ou pour des séjours plus longs.

Pendant l'été, saison particulièrement chaude à Rome, préférez plutôt un hôtel avec l'air conditionné dans les chambres.

À l'occasion de certaines manifestations commerciales ou touristiques, les prix des hôtels peuvent sensiblement augmenter ; renseignez-vous au moment de la réservation.

LES QUARTIERS

Le **centre historique**, très recherché pour son charme et pour la grande concentration d'attractions touristiques et de magasins, propose des pensions en tout genre et des hôtels, qui sont malheureusement souvent complets à cause de leur capacité limitée. Dans le **Trastevere**, malgré l'atmosphère très agréable qui y règne et l'animation nocturne de ce quartier, l'offre de logement est limitée.

Les quartiers du **Vaticano** et du **Prati**, à proximité du centre, sont plus calmes et moins chers que le centre historique et le *Trastevere* (surtout le quartier du Prati, qui offre un grand choix d'hôtels). Dans les environs de la **via Cavour** (près du Rione Monti), entre la gare Termini et les Forums impériaux, vous trouverez de nombreux hôtels, surtout de catégorie moyenne.

De nombreuses pensions et petits hôtels aux prix abordables sont concentrés autour de la **gare Termini**, dans un quartier légèrement excentré et par moments un peu impersonnel, mais bien desservi par le bus et le métro.

En ce qui concerne les hôtels de luxe, ils sont nombreux dans la **via Veneto** et dans les environs de la **Villa Borghese**.

En voiture – Se garer à Rome n'est pas chose aisée, et la majorité des hôtels du centre n'ont pas de parking privé. Compte tenu du nombre insuffisant de garages privés et de leur prix particulièrement élevé, sans oublier la circulation limitée dans le centre (permis spécial nécessaire), la meilleure chose à faire est encore de ne pas prendre de voiture !

LES COUVENTS ET MAISONS RELIGIEUSES

Les couvents constituent la forme de logement privilégiée des pèlerins et cette formule à un prix abordable séduira aussi les visiteurs au budget limité. Inconvénients : la majorité des maisons ferment leurs portes le soir (vers 22h30), et parfois, les chambres ne sont pas mixtes.

Renseignements auprès du centre **Peregrinatio ad Petri Sedem**, *piazza Pio XII, 4 (Vatican – St-Pierre), 06 69 88 48 96, fax 06 69 88 56 17.*

POUR RÉSERVER

Vous pouvez réserver votre chambre d'hôtel par l'intermédiaire du service **Hotel Reservation** 06 69 91 000, de 7h à 22h. Entièrement gratuit, il permet de choisir parmi environ 350 établissements de la capitale. Une autre solution : www.hotelreservation.it

AVENTIN

Sant'Anselmo – *Piazza Sant'Anselmo, 2 - 06 57 48 119 - fax 06 57 83 604 - info@aventinohotels.com - 45 ch.* Situés loin du trafic de la ville, dans la verdure de l'Aventin, trois villas résidentielles entourées de luxuriants jardins proposent des chambres à l'ameublement ancien. Petit-déjeuner servi sous une belle véranda.

CENTRE HISTORIQUE

Area sacra

Pensione Barrett – *Largo Torre Argentina, 47 - 06 686 84 81 - fax 06 689 29 71 - - 20 ch.* Un hôtel agréable et très accueillant donnant directement sur les temples du largo di Torre Argentina. Les chambres sont dotées de petits « conforts » : vous pourrez par exemple vous accorder un hydromassage plantaire tout en vous préparant une boisson chaude.

CAMPO DEI FIORI

Hotel Teatro di Pompeo – *Largo del Pallaro, 8 - 06 687 28 12 - www.hotelteatrodipompeo.it - 13 ch.* Cet hôtel enchantera les amoureux de la Rome antique, qui pourront manger dans la surprenante salle dont les voûtes sont celles-là mêmes qui soutenaient le théâtre de Pompée. Chambres spacieuses, sobres, avec plafonds à caissons et sol en terre cuite. Un établissement de charme.

COLISÉE

Hotel Perugia – *Via del Colosseo, 7 - 06 679 72 00 - fax 06 678 46 35 - www.hperugia.it - 13 ch.* Compte tenu de la proximité du Colisée, les prix pratiqués par ce petit hôtel, aux chambres claires, sont raisonnables. Au 4e étage, une chambre, sans salle de bains, mais avec un balcon, permet d'apercevoir le célèbre amphithéâtre.

PANTHÉON

Hotel Mimosa – *Via Santa Chiara, 61 - 06 68 80 17 53 - fax 06 68 33 557 - www.hotelmimosa.it - - 11 ch.* Derrière le Panthéon et à deux pas de l'église Santa Maria sopra Minerva, cette modeste pension logée dans un vieil immeuble se distingue surtout par son emplacement privilégié. Les chambres sont simples, tranquilles et propres.

Pantheon View B&B – *Via del Seminario, 87 - 06 699 02 94. www.pantheonview.it - 4 ch.* Confortable et bien placé, ce petit immeuble ancien toise le Panthéon. Réserver impérativement à l'avance.

ROME

Hotel Portoghesi – *Via dei Portoghesi, 1 - ☎ 06 68 64 231 - fax 06 68 76 976 - info@hotelportoghesiroma.com - 27 ch.* Face à la légendaire « tour du Singe », cet établissement propose des chambres agréables meublées à l'ancienne. Salle vitrée réservée aux repas et terrasse d'où l'on peut apercevoir les toits de la vieille Rome.

PIAZZA NAVONA

Hotel Due Torri – *Vicolo del Leonetto, 23 - ☎ 06 68 76 983 - fax 06 68 65 442 - hotelduetorri@interfree.it - 26 ch.* Très central, mais dans une rue tranquille et charmante, cet hôtel raffiné à l'ambiance feutrée fut jadis la résidence de hauts prélats. Chambres avec parquet, personnalisées, avec meubles de style.

Hotel Navona – *Via dei Sediari, 8 (1er étage sans ascenseur) - ☎ 06 686 42 03 - fax 06 68 03 80 38 02 - www.hotelnavona.com - 30 ch.* Chambres agréables et fraîches de style anglais (du goût de la sympathique propriétaire des lieux ayant vécu longtemps en Australie) dans un palais du 16e s. construit sur des thermes d'Agrippa. L'hôtel aurait hébergé Keats et Shelley. Le repas est servi sur une longue table dans un petit salon accueillant. Un établissement de charme.

PIAZZA DI SPAGNA

Pensione Panda – *Via della Croce, 35 - ☎ 06 67 80 179 - fax 06 69 94 21 51 - www.hotelpanda.it - 28 ch.* Non loin de la piazza di Spagna, dans un palais du 17e s., cet établissement propose des chambres sobres, soignées et tranquilles, dont certaines avec salle de bains commune. Très bon emplacement et prix raisonnables.

Eva's Room – *Via dei Due Macelli, 31 - ☎ 06 69 19 00 78 - fax 06 45 42 18 10 - www.evasrooms.com.it - 12 ch.* Bon rapport qualité prix pour cet hôtel bien placé.

Hotel Pensione Suisse – *Via Gregoriana, 54 (3e étage avec ascenseur) - ☎ 06 67 83 649 - fax 06 67 81 258 - www.hotelsuisserome.com - 12 ch.* Dans un palais résidentiel, près de la Casa dei Mostri, une famille polyglotte vous accueillera chaleureusement. Chambres décorées avec raffinement et situées autour de la cour intérieure. Les clients sont priés de ne pas rentrer après 2h du matin. Petit-déjeuner servi dans les chambres.

PORTA PIA

Hotel Virginia – *Via Montebello, 94 - ☎/fax 06 44 57 689 - www.hotelvirginiaroma.com - 30 ch.* Cet établissement se situe dans un quartier résidentiel à quelques pas de la gare. Bien que petites, les chambres, pour la plupart entièrement rénovées, sont bien entretenues et confortables. La direction familiale réserve un accueil professionnel.

TERMINI (GARE)

M&J Place – *Via Solferino 13 - ☎ 06 446 28 02 - www.mejplacehostel.com - 7 ch.* Confort sommaire pour ces chambres situées de part et d'autre d'une rue passante ou d'une cour intérieure peu amène. Ambiance jeune et décontractée. Tarifs au plus bas.

Rome à Volonté – *Via Balilla, 13 - ☎ 06 70 45 15 56 (heures de bureau) - fax 06 77 59 10 03 - www.romeavolonte.com - 3 ch.* Sophie, guide interprète et conceptrice de cette formule, se mettra en quatre pour vous trouver un logement chez elle ou chez l'une de ses amies comme Rénata La Rosa, autre personnage délicieux. Tout ce petit monde habite via Balilla, une charmante petite rue flanquée de maisons de trois au quatre étages donnant sur de petits jardins ouvriers. Comptez 20mn à pied au sud de la gare de Termini. Une de nos adresses préférées. Réservez au moins un mois à l'avance !

Hotel Venezia – *Via Varese, 18 - ☎ 06 44 57 101 - fax 06 49 57 687 - info@hotelvenezia.com - 60 ch.* Un hôtel confortable et soigné avec de bons services. Candélabres en fer forgé, ameublement rustique de facture remarquable et raffinement des étoffes… le contraste est impressionnant et particulièrement agréable dans les parties communes. Mérite le détour.

TRASTEVERE

Pension Esty – *Viale di Travestere, 108 - ☎ 06 588 12 01 - 10 ch.* Pas de petit déj. Petite pension idéale pour les budgets modestes. Salle de bains commune.

Hotel Trastevere Manara – *Via Luciano Manara, 24/a-25 - ☎ 06 581 47 13 - fax 06 58 81 016 - info@hoteltrastevere.com - 9 ch.* Tout près de la charmante piazza Santa Maria in Trastevere, cet hôtel propose des chambres meublées de style moderne et dotées d'équipements divers.

Hotel Cisterna in Trastevere – *Via della Cisterna, 7/8/9 - ☎ 06 58 17 212 - fax 06 58 10 091 - 19 ch.* Dans un petit palais du 18e s., situé dans une ruelle où se trouve une fontaine originale, la « citerne », cet hôtel au plafond mansardé et poutres en bois dispose de quelques chambres. Une chambre au dernier étage possède une petite terrasse.

VILLA GIULIA

Hotel Lord Byron – *Via de Notaris, 5- ☎ 06 32 20 404 - fax 06 32 20 405 - info@lordbyronhotel.com - 27 ch.* À la périphérie ouest de la villa Borghèse, une petite « bonbonnière » élégante et raffinée, où règne l'atmosphère des années 1920. Naguère remarquable pour sa cuisine, le restaurant Relais Le Jardin reste une référence en matière de service et de confort.

Hotel Art – *Via Margutta 56 - ☎ 06 328 711 - fax 06 36 00 39 95 - www.*

hotelart.it - 46 ch. Cet hôtel est une pure folie. Le nec plus ultra dans le high-tech avec des couleurs warholiennes éclatantes sous la nef d'un couvent séculaire. Une découverte unique.

VATICAN

Bed & Breakfast Maximum – *Via Fabio Massimo, 72 (1er étage) -* 06 324 20 37 - fax 06 324 21 56 - *www.bbmaximum.com -* 4 ch. Ventilateurs au plafond et chambres colorées dans ce Bed & Breakfast situé près de la piazza San Pietro. Les chambres et les salles de bains, dont une avec bain à remous, sont disposées le long d'un élégant couloir à petites arcades. Petit-déjeuner servi directement dans les chambres. Prix spéciaux de minuit à 7h.

Colors Hotel & Hostel – *Via Boezio, 31 Grappa, 25 -* 06 687 40 30 - fax 06 686 79 47 - www.colorshotel.com - 21 ch. Dans cet immeuble magnifiquement entrenu, les étages desservent 21 chambres, 5 dortoirs à des prix différents selon les services proposés (avec ou sans sdb). Cuisine, salle de séjour sont à votre disposition. Une formule originale entre hôtel et hostel (auberge de jeunesse).

MONTE MARIO

Ostello Foro Italico A. F. Pessina – *Viale delle Olimpiadi, 61 - depuis la gare Termini, prendre le métro (ligne A) jusqu'à la station Ottaviano, et le bus 32 (7 arrêts) -* 06 32 36 267 - fax 06 32 42 613 - *400 lits.* La seule auberge officielle de Rome. Grand bâtiment moderne entouré de verdure, avec un self et un bar. Dortoirs uniquement (à 6 lits pour les hommes et à 10 pour les femmes), qui doivent être libérés entre 10h et 14h pour le ménage. Pendant ce temps, vous pourrez aller au bar, ou vous promener à travers Rome. Fermé de minuit à 7h.

Pensione Ottaviano – *Via Ottaviano, 6 (2e étage avec ascenseur)-* 06 39 73 81 38 - *info@pensioneottaviano.com -* 25 lits - Fréquenté surtout par de jeunes étrangers, cet hôtel propose des chambres décorées de souvenirs laissés par d'anciens clients (posters). Pas de petit-déjeuner. Après 20h30, service de courrier électronique gratuit.

Hotel della Conciliazone – *Borgo Pio, 163 -* 06 687 75 40 - fax 06 68 80 11 64 - *120 ch.* Bien situé, à 200 m de la Piazza San Pietro dans la bigote via Borgo Pio, cet hôtel au mobilier élégant est une adresse réputée depuis les années 1970.

ENVIRONS DE ROME

Ciampino

Hotel Louis – *Via Monte Grappa, 25 -* 06 79 32 19 37 - fax 06 79 32 97 28 - *9 ch.* Cet hôtel aussi grand qu'une maison de poupée se trouve à côté de l'aéroport de Ciampino. Idéal pour fuir les hôtels anonymes et froids qui généralement vous assurent de prendre l'avion à la première heure.

Ambiance romaine.

Tivoli

B&B La Panoramica – *Viale Arnaldi, 45 -* /fax 0774 33 57 00 - *4 ch.* Cette belle villa du 19e s. installée sur les hauteurs de Tivoli à 200 m de la Villa d'Este constitue une halte des plus plaisantes dans un cadre légèrement suranné.

Se restaurer

Si les restaurants, trattorias et pizzerias sont légion dans les espaces les plus touristiques de Rome, il vaut mieux sélectionner une adresse conseillée quitte à s'imposer la lecture d'une carte de la ville pendant un petit quart d'heure. Car la culture du hasard réserve peu de bonnes surprises en matière de restaurants : à une qualité souvent médiocre s'additionne non seulement un service très rapide (optimisant les rotations des tables) mais aussi une note qui nous interroge sur ce que l'on a pris, tant les chiffres sont inversement proportionnels à la qualité et à la quantité que nous avions dans l'assiette. Aussi vaut-il mieux réserver une table pour un restaurant conseillé.

Notons qu'il est interdit de fumer dans tous les établissements. Pour les fumeurs invétérés, les terrasses de restaurants seront les derniers lieux où l'on fume mais encore n'est-il pas rare de s'éloigner de la table pour les plus courtois.

POUR MANGER SUR LE POUCE...

Si vous n'avez pas beaucoup de temps (ou d'argent) pour manger, essayez donc l'un des nombreux snack-bars, rôtisseries, ou *pizzerie al taglio* répartis à travers Rome. En général, ces établissements ne sont ouverts que pendant la journée.

Les *pizzerie al taglio* sont des établissements où l'on sert la pizza en quarts, à emporter, ou à manger sur place, assis sur un tabouret devant une tablette.

Il faut aussi signaler certaines boulangeries qui se distinguent pour leurs excellentes pizzas « blanches » (huile et romarin) ou « rouges » (sauce tomate). Il faut savoir que ces établissements pratiquent les mêmes horaires que les boutiques et sont donc fermés pendant l'heure du déjeuner.

PIZZERIAS

En général ouvertes uniquement le soir, les pizzerias offrent la possibilité de dîner entre amis sans avoir de surprise concernant le prix, et sont donc par conséquent très fréquentées. Si possible, il est conseillé de réserver afin d'éviter l'inévitable file d'attente devant la pizzeria. Parmi les adresses indiquées ci-dessous, vous trouverez aussi des pizzerias pour les amateurs (toujours plus nombreux) de pizza napolitaine qui la préfèrent à la pizza traditionnelle « fine, imbibée d'huile et croustillante » typique de Rome. Après les hors-d'œuvre ou **antipasti**, auxquels les Romains ne renoncent jamais, comme la **bruschetta** (pain grillé aillé souvent tomaté) et le **fritto misto** à la romaine (constitué de croquettes de riz à la sauce, avec mozzarella, olives farcies de viande, croquettes de pomme de terre, fleurs de courgettes aux anchois, mozzarella et filets de morue), si vous ne voulez pas manger de pizza, vous pourrez commander le non moins typique **crostino al prosciutto** (pain recouvert de fromage fondu avec une tranche de jambon cru), ou une variante, comme par exemple le **crostino ai funghi** (aux champignons).

RESTAURANTS, TRATTORIAS ET « OSTERIE »

Il n'est plus si facile aujourd'hui de distinguer nettement ces trois types d'établissements : en règle générale, dans un **restaurant**, vous trouverez un service et une ambiance soignés, voire élégants ; dans une **trattoria** ou une **osteria**, de gestion familiale, on vous servira une cuisine bourgeoise à des prix plus abordables, dans une atmosphère animée et conviviale, arrosée par un pichet de vin maison (de qualité variable). Dans les trattorias typiques, ne vous étonnez pas si le serveur ou le propriétaire vous énonce à haute voix la liste des plats du jour ; pour éviter toute mauvaise surprise au moment de l'addition, n'hésitez pas à demander un menu ! Attention au menu touristique : le choix est parfois très limité.

Le déjeuner est généralement servi de 12h30 à 15h, et le dîner de 20h à 23h, même si les clients restent souvent jusqu'à la fermeture (en général vers minuit). Le jour de fermeture hebdomadaire est variable, mais d'habitude les établissements ne ferment pas le week-end. Au mois d'août, beaucoup de restaurants et de trattorias ferment pendant 2 ou 3 semaines.

BARS À VINS ET ŒNOTHÈQUES

Les bars à vins ou œnothèques ont connu ces dernières années un large succès. Vous pourrez y passer la soirée entre amis, autour d'un verre de bon vin, en grignotant quelques amuse-gueules ou autres plats à picorer, sans nécessairement prendre un vrai repas.

POUR TOUS LES GOÛTS

Les quartiers sont présentés par ordre alphabétique ; au sein de chaque quartier les restaurants sont classés par de ordre de prix croissants.

CAMPO DEI FIORI

Forno di Campo de'Fiori di Bartocci e Roscioli – *Piazza Campo dei Fiori, 22 - ℘ 06 68 80 66 62.* Une adresse presque légendaire pour ses en-cas qui ont séduit les palais les plus exigeants. Un lieu idéal pour discuter avec les habitués du coin.

Ditirambo – *Piazza della Cancelleria, 74 - ℘ 06 68 71 626 - www.ristoranteditirambo.it - fermé lun. midi et août (13h-15h, 19h20-23h30) - réserver.* Derrière le Campo dei Fiori, ce petit restaurant vous accueillera dans deux petites salles meublées avec goût où vous pourrez y goûter des plats délicieux. Les différents types de pain, les pâtes et les desserts sont faits maison. Une bonne adresse.

ÎLE TIBÉRINE

Sora Lella – *Via di Ponte Quattro Capi, 16 - ℘ 06 68 61 601 - fermé dim., août, 24-26 déc., 1er janv., Pâques.* Ce restaurant historique, tenu autrefois par Lella Fabrizi, sœur de l'acteur Aldo Fabrizi, est actuellement géré par son fils, qui s'est lancé dans de nouvelles spécialités tout en gardant les traditionnelles recettes de famille. Ne pas manquer les fromages, les confitures et les gâteaux faits maison.

LARGO ARGENTINA

Enoteca La Bottega del Vino da Anacleto Bleve – *Via Santa Maria del Pianto, 9/a - ℘ 06 68 65 970 - fermé le soir et j. fériés - réserver.* Au cœur du ghetto, ce bar à vin propose de délicates timbales, petits roulés, salades et fromages à choisir dans la vitrine avant de vous mettre à table. Les petites coupes de crème aux citrons et aux marrons sont délicieuses. Atmosphère familiale et service très soigné.

MONTECITORIO

Pizzeria Da Baffetto – *Via del Governo Vecchio, 114 - ℘ 06 68 61 617 -.* Historique pour sa pizza à pâte fine et croustillante, fréquenté depuis les années 1960 par des étudiants. Il faut faire la queue, mais le service est rapide.

Maccheroni – *Piazza delle Coppelle, 44 - ℘ 06 68 30 78 95 - www.ristorantemaccheroni.com.* Bonne cuisine italienne typique courtisée par une grande partie du personnel officiant au Parlement voisin. Service décontracté et efficace. Terrasse et salles en sous-sol.

Trattoria dal Cavalier Gino – *Vicolo Rosini, 4 - ℘ 06 68 73 434 - fermé dim. et août -.* Une trattoria qui a su conserver une certaine authenticité et qui propose des produits à des prix encore abordables. À l'heure du déjeuner, les places sont rares compte tenu de la capacité limitée de la salle et de la proximité de nombreux bureaux.

🍴🍴 **Vecchia Locanda** – *Vicolo Simibaldi, 2 - ☎ 06 68 80 28 31 - fermé sam. midi, dim., 22 déc.-22 janv.* - Établissement intime et soigné, dans une ruelle caractéristique entre le largo Argentina et le Panthéon. Menu varié proposant notamment des pâtes fraîches maison et des *straccetti* de bœuf. Atmosphère typique de la vieille Rome. Tables à l'extérieur en été.

PANTHÉON

🍴 **Eau Vive** – *Via Monterone, 85 - ☎ 06 68 80 10 95 - fermé dim. et août - réserver.* Un restaurant insolite à l'intérieur du palais Lante qui date du 16e s. et à deux pas du Panthéon. Dans le salon décoré de fresques, on pourra goûter des spécialités françaises et exotiques, cuisinées par des sœurs missionnaires de nationalités diverses.

🍴🍴🍴🍴 **La Rosetta** – *Via della Rosetta, 9 - ☎ 06 68 61 002 - www.larosetta.com - fermé dim., 8-22 août - réserver* - On passe devant sans le voir. Et l'on a tort ! Car ici se sert l'une des meilleures cuisines dévolue au poisson : marinés, fumés, crus, cuits… ils sont la perfection même. Demandez un *antipasto* géant (poissons marinés et fumés) pour savourer pleinement la qualité et la subtilité des lieux… et, s'il vous reste une petite place, demandez quelques pâtes accompagnées, selon le jour, de poissons ou crustacés…

PIAZZA DEL POPOLO

🍴 **Il Margutta RistorArte** – *Via Margutta, 118 - ☎ 06 32 65 05 77 - www.ilmargutta.it - réserver en soirée.* Ce restaurant végétarien, ouvert en 1979, possède une belle salle où l'amour de la chlorophylle est des plus conceptualisé. Les « green brunch » à midi sont de bonnes formules pour 15 € en semaine, 25 € le dimanche. Si le soir la cuisine est plus inventive l'addition est aussi plus lourde. Entre 32 € et 46 € pour le menu.

🍴🍴 **La Penna d'Oca** – *Via della Penna, 53 - ☎ 06 32 02 898 - fermé dim. midi, 20 j. en août et 10 j. en janv. - réserver* - À deux pas de la piazza del Popolo, un restaurant à l'ambiance intime, qui propose des plats à base de fruits de mer, classiques et moins classiques, des tourtes, des potages, et un pain maison. Véranda agréable en été.

PIAZZA NAVONA

🍴 **L'Orso 80** – *Via dell' Orso, 33 - Au nord ouest de la piazza Navona en direction du Ponte Umberto - ☎ 06 686 49 04 - www.orso80.it - fermé lun.* Ce restaurant sis dans cette très belle rue qui fourmille d'artisans traditionnels, prépare depuis bientôt 30 ans une cuisine généreuse à base de produits régionaux exigeants. Une très bonne adresse, tenue par un patron d'une grande courtoisie, pour savourer des spécialités italiennes à des prix abordables.

TERMINI-SAN LORENZO

🍴 **Da Franco Ar Vicoletto** – *Via dei Falisci, 2 - ☎ 06 495 76 75 - fermé lun.* Ce restaurant spécialisé dans les fruits de mer et poissons présente des menus dégustation à des prix défiant toute concurrence. La qualité est un peu rustique mais la quantité est telle qu'il vaut mieux sauter un repas avant de vous précipiter dans cette grande salle sympathique.

🍴🍴 **Pommidoro** – *Piazza dei Sanniti, 44 - ☎ 06 44 52 692 - fermé dim. et août - réserver.* Cette authentique trattoria romaine est spécialisée dans les entrées, les plats de résistance à base de gibier et la préparation de viandes et de poissons sur le gril. C'est un lieu fréquenté par des politiciens, des artistes et des journalistes.

TESTACCIO

🍴🍴 **Checchino dal 1887** – *Via Monte Testaccio, 30- ☎ 06 57 46 318 -roma@tin.it - fermé 24 déc.-2 janv., en août, les dim. et lun. - réserver.* On vient ici pour goûter une cuisine romaine de haut niveau, arrosée des meilleurs vins nationaux. Parmi les spécialités, on signale les macaronis *alla pajata*, les ris de veau au vin blanc ou la queue de bœuf *alla vaccinara*. Pour le déjeuner, possibilité d'un repas plus économique à base de légumes et de fromages.

TRASTEVERE

🍴 **Pizzeria Dar Poeta** – *Vicolo del Bologna, 45 - ☎ 06 58 80 516 - www.darpoeta.it -.* Une adresse animée, à l'atmosphère rustique, où sont servies des pizzas faites à partir d'une pâte spéciale. Et puis une infinité de *bruschette* et, pour les plus gourmands ou les plus affamés, des pizzas en chausson fourrées de *ricotta* et de Nutella.

🍴 **Trattoria Da Enzo** – *Via dei Vascellari, 29 - ☎ 06 581 83 55 - fermé dim. et 15 j. en août -.* Deux conditions préalables pour découvrir cette excellente adresse : être patient (car il y a toujours beaucoup de monde), avoir un appétit d'ogre pour savourer en premier plat des cannellonis maison puis un agneau de lait en plat principal.

🍴 **Trattoria Augusto** – *Piazza de' Renzi, 15 - ☎ 06 580 37 98 - fermé sam. soir et dim., une semaine en fév., de mi-août à mi-sept. -.* Les grandes tables en bois, avec leurs nappes en papier, signalent la présence de cette trattoria familiale, située sur l'une des petites places les plus caractéristiques du quartier. Une cuisine simple servie dans une atmosphère informelle et joyeuse. L'attente est presque toujours obligatoire.

🍴🍴 **Paris** – *Piazza San Callisto, 7/a - ☎ 06 58 15 378 - fermé dim. soir, lun.* Au cœur du Trastevere, ce restaurant propose une cuisine essentiellement judéo-romaine, dans une salle baroque. Vous adorerez sûrement les *tagliolini* à la sauce de poisson, les artichauts à la juive *(alla giudìa)*, les légumes frits et, pour finir, les délicieuses boulettes de ricotta.

Faire une pause

CAMPIGLIANO/CAPITOLINO

Caffè Capitolino – *Piazzale Caffarelli, 4 - 06 67 10 20 71 - tlj sf dim. 9h30-21h.* Sur la terrasse du palais Caffarelli, le bar des musées du Capitole vous propose des déjeuners, sandwichs, glaces ou simples rafraîchissements (de qualité)... et surtout une vue exceptionnelle sur les alentours.

La Dolce Roma – *Via Portico d'Ottavia, 20/b - 06 68 92 196 - dolceste@inwind.it - tlj sf lun. 8h30-13h30, 15h30-19h, dim. 10h-13h.* Cette pâtisserie de quartier est renommée pour ses gâteaux autrichiens, comme le délicieux *strudel* aux pommes ou la *sachertorte*, et américains, comme les *apple pies* (tarte aux pommes), les *carrot cakes* (gâteau aux carottes) et les *peanut butter cookies* (galettes préparées avec du beurre de cacahuètes).

PANTHÉON

Caffè Sant'Eustachio – *Piazza Sant'Eustachio, 82 - 06 68 80 20 48 - info@santeustachioilcaffe.it - 8h30-1h (2h sam.).* On vient ici pour déguster le *gran caffè speciale*, crémeux et parfumé dont le créateur garde précieusement le secret. Comme le breuvage est servi sucré par avance, il est préférable que les amateurs de café amer préviennent les serveurs en déclamant : « amaro! ».

La Casa del Caffè Tazza d'Oro – *Via degli Orfani, 84 - 06 678 97 92 - tlj sf dim. 7h-20h.* Ce bar est aussi une maison du café où l'on peut goûter un nectar fort et plein d'arôme. Il propose également un grand choix de mélanges à emporter. À ne pas manquer en été la *granita* au café : glace pilée au café enveloppée d'une double chantilly.

PIAZZA DI SPAGNA

Antico Caffè Greco – *Via dei Condotti, 86 - 06 679 17 00 - dim.-lun. : 10h30-19h ; mar.-sam. : 8h-20h30.* Si le café est surtout fréquenté par les touristes et le bar par les Romains, on pourra toujours imaginer chez l'un d'entre eux une ressemblance avec Moravia ou Morante. Ne pas manquer « l'omnibus » tapissé encore des portraits de célébrités. La salle au fond du café est ainsi baptisée en raison de son étroitesse. *Voir encadré p. 120.*

La Buvette – *Via Vittoria, 44-47- 06 679 03 83. 8h-0h.* Il est agréable de s'enfoncer dans les banquettes en cuir de ce café raffiné pour déguster ses cappuccino qui ont sous les boiseries dorées la légèreté aérienne des oiseaux.

PIAZZA DEL POPOLO

Hôtel de Russie – *Via del Babuino, 9 - 06 32 88 59 -* On peut s'échapper dans le très reposant jardin-terrasse de ce superbe hôtel en prenant un café ou un cocktail.

Caffè Rosati – *Piazza del Popolo, 4 - 06 32 25 859 - 7h30-0h.* Avec ses tables en terrasse donnant directement sur la place, ce café-restaurant est une adresse agréable pour un rendez-vous élégant ou pour une petite pause dans une belle décoration Art nouveau.

PIAZZA NAVONA

Antico Caffè della Pace – *Piazza della Pace, 4 - 06 68 61 216 - www.caffedellapace.it - 9h-2h.* Sur une magnifique petite place proche de la piazza Navona, ce café attire de nombreux représentants du monde du spectacle, qui prennent place le soir à la terrasse. Dans les deux salles intérieures, les divans rembourrés, les lumières diffuses et les miroirs fumés créent une atmosphère typique de l'Europe centrale.

GLACIERS

Si vous demandez à un Romain quel est le meilleur glacier de la ville, il vous indiquera certainement celui du quartier où il habite. En général, manger une bonne glace n'est pas difficile à Rome, et chaque glacier a ses spécialités. Et pour se griser d'un moment de fraîcheur, on entrera chez l'un des excellents glaciers romains ou on rôdera auprès d'un « historique » **grattacheccaro** : un cornet appétissant, une **granita** (glace pilée) ou une **grattachecca** aux parfums choisis pourront sûrement combler l'irrépressible besoin d'oublier la chaleur de la capitale. La **grattachecca** est la version romaine de la glace pilée vendue en été dans les kiosques que l'on voit le plus souvent à l'angle de certaines rues. Les raclures de glace obtenues par les grattaccheccari à l'aide d'une spatule spéciale sont mises dans des gobelets en carton et arrosées de sirops sucrés colorés. Parsemées de petits morceaux de fruits frais, il n'y a plus qu'à déguster.

CENTRE HISTORIQUE/MONTECITORIO

Giolitti – *Via Uffici del Vicario, 40 - 06 699 12 43 - www.giolitti.it - 7h-1h.* Avec son agréable salle à l'intérieur, cette gelateria fondée en 1900 est une adresse gourmande incontournable du centre historique. G*elatti* et *frullati* de grande renommée.

QUIRINAL/FONTAINE DE TREVI

Il Gelato di San Crispino – *Via della Panetteria 42 - 06 679 39 24 - tlj sf mar. 11h-0h.* Cet artisan glacier, considéré comme l'un des meilleurs de la ville, ne vous proposera que les parfums qu'il aime. Essayez les spécialités au miel, à la framboise ou à la prune, au gingembre avec de la cannelle, à la crème d'armagnac, à la réglisse, à la meringue avec des noisettes ou du chocolat, et à la crème de vin de paille de Pantelleria.

TRASTEVERE

Sora Mirella – *A l'angle du Lungotevere degli Anguillara et Ponte Cestio.* Grattacheccaro réputé bien au-delà du Travestere.

DÉCOUVRIR ROME ET LE LATIUM

VATICAN/PRATI

Antonini – *Via Sabotino, 21/29* - ☏ *06 37 51 78 45.* Certains n'hésitent pas à traverser Rome pour savourer les glaces de ce pasticceria-gelateria réputé depuis deux générations. L'élégant et très aimable M. Antonini savoure souvent en toute discrétion une glace à sa terrasse.

Sora Maria – *Angle de la rue Trionfale et de la via Telesio* - ☏ *06 37 51 78 45 - 17h-2h.* Une grattachecce très courue. Les fruits frais sont délicieux et salvateurs pour ceux qui n'aiment pas les glaces.

En soirée

Si vous aimez danser et écouter de la musique, vous n'aurez aucun mal à animer vos soirées romaines : entre les célèbres boîtes de nuit et les « disco bars », le plus dur sera de choisir. On distingue à Rome trois quartiers selon le type d'établissements et le type de clientèle. Le premier, situé entre **piazza Campo dei Fiori** et **piazza Navona**, compte de nombreux pubs, brasseries et bars, où vous croiserez, dans une ambiance musicale, une clientèle hétérogène constituée d'étudiants, de touristes étrangers et de personnalités du spectacle (surtout dans les bars élégants autour de la piazza Navona). Ensuite, les ruelles caractéristiques du **Trastevere** abritent un grand nombre de petits établissements, souvent originaux ou à thème, et où sont organisés des concerts. Enfin, les jeunes qui voudront aller en boîte de nuit préféreront le quartier du **Testaccio**, surtout dans la via di Monte Testaccio, où les établissements sont nombreux et variés, ou encore, non loin de là, la via di Libetta.

Achats

À la différence d'autres capitales européennes, Rome ne possède pas énormément de grands magasins, mais dispose de nombreuses boutiques et de petits commerces vendant toutes sortes d'articles. Dans les innombrables petits magasins disséminés un peu partout dans la ville, en particulier dans le centre historique, il est facile d'acheter des objets anciens, des produits artisanaux, notamment alimentaires, d'excellente qualité, et les nombreuses boutiques de vêtements vous permettront forcément de trouver votre style et votre bonheur. Attention cependant aux jours et heures de fermeture ! Les boutiques de vêtements sont fermées le lundi matin, tandis que les magasins d'alimentation baissent en général le rideau le jeudi après-midi. À l'exception du centre historique, où de nombreux magasins restent ouverts en continu, les horaires d'ouverture sont généralement de 10h à 13h et de 16h (en hiver) ou 17h (en été) jusqu'à 19h30 (hiver) ou 20h (été). Les cartes de crédit sont acceptées dans la plupart des établissements, exception faite des petits commerces d'alimentation.

LES VITRINES DE LA MODE

L'historique **via Veneto** se distingue entre toutes par ses luxueuses vitrines, tandis que dans le quartier compris entre la **via del Corso** et **la piazza di Spagna** – notamment la via Frattina, la via Borgognona (où se trouvent les boutiques de Laura Biagiotti, Versace ou Fendi) et la via Bocca di Leone (Versace) – sont rassemblés les grands noms de la haute couture italienne. Toujours dans ce quartier, et plus précisément au début de la **via dei Condotti**, les vitrines de **Bulgari**, fondateur de l'orfèvrerie romaine, méritent une attention toute particulière. Dans la même rue, la bijouterie **Raggi** est toujours en vogue auprès des jeunes romaines pour ses splendides bijoux, colliers et bracelets, tous à des prix abordables. Restent bien sûr les incontournables Armani, Gucci, Prada, Valentino…

Tout le long de la **via del Corso**, envahie tous les samedis après-midi par une foule de jeunes, dans la **via Nazionale**, la **via del Tritone** et la **via Cola di Rienzo**, se trouvent de nombreux magasins aux prix beaucoup plus raisonnables que les précédents et à même de satisfaire les clientèles les plus diverses.

Dans le quartier de la fontaine de Trevi, vous trouverez cette belle boutique :

Fratelli Vigano – *Via Minghetti 7/8* - ☏ *06 679 51 47 - fermé dim.* - *10h-13h, 17h-19h30.* Le plus vieux chapelier de la ville pour coiffer l'incontournable panama.

MARCHÉS

Piazza Campo dei Fiori – Marché de fruits et légumes tous les matins.

Mercato di Testaccio – *Piazza Testaccio - tous les matins sf dim.* Grand choix de produits de qualité et chaussures de marques dégriffées.

Mercato di Piazza di San Cosimato – *tous les matins sf dim.* Marché très vivant dans le quartier du Trastevere.

Borgo Parioli – *Via Tirso, 14 (Via Nomentana) - w.-end 9h-20h.* Un grand garage accueille un marché d'objets anciens où l'on peut trouver des tableaux, estampes, cadres, horloges, broderies, dentelles, livres et revues. En outre, ici on peut goûter de délicieuses spécialités culinaires.

Mercato di Via Sannio – *Via Sannio (San Giovanni in Laterano) - tlj sf dim. 10h-13h.* Il offre un grand choix de vêtements neufs et d'occasion et de chaussures de marques « dégriffées », le tout à des prix très intéressants.

Marché aux puces de Porta Portese – *(Trastevere) - dim. du petit matin jusqu'à 14h.* Il rassemble un peu de tout, ce qui lui a valu le surnom de marché aux puces. Il existe depuis la fin de la Seconde Guerre mondiale après avoir regroupé plusieurs marchés de quartier. Il se développe le long de la via Portuense. On y trouve notamment des vêtements neufs et d'occasion, ainsi que de la brocante, du matériel photographique, des livres et des disques.

PLAISIRS GOURMANDS

La Bottega del Cioccolato – *Via Leonida 82 -* 📞 *06 482 14 73 - 9h30-19h30.* Exclusivement pour les amateurs de chocolats. Plus de 50 variétés.

Castroni – *Via Cola di Rienzo, 196 -* 📞 *06 687 43 83 - www.mercatoromano.it - fermé dim.* Cette célèbre épicerie ouverte depuis 1932 est à Rome ce que Fauchon est à Paris, le cappuccino et les réglisses de Calabre en sus.

Franchi – *Via Cola di Rienzo, 204 -* 📞 *06 687 46 51 - www.franchi.it - fermé dim.* L'autre adresse voisine et légendaire de Rome. Les produits de ce traiteur-charcutier-fromager forment un paysage qui vous laisse songeur derrière la vitrine.

Volpetti – *Via Marmotta, 47 -* 📞 *06 574 23 52 - fermé dim.* La liste ne serait pas tout à fait complète sans cette adresse centenaire du Testaccio qui joue aussi bien le rôle d'épicerie fine que de charcutier traiteur.

Dolciumi e Frutta Secca – *Corso Rinascimento, 8 -* 📞*/fax 06 686 52 68 - 9h-13h, 15h30-20h - fermé du 8 au 21 août.* Cette belle boutique des années 1930 qui fut la première importatrice de bananes en Italie propose une impressionnante variété de fruits secs.

LIBRAIRIES

Fahrenheit 451 – *Piazza Campo dei Fiori, 44 -* 📞 *06 687 75 30 - mar.-sam.* Petite librairie bien achalandée.

La librairie française de Rome – *Piazza San Luigi dei Francesci, 23 -* 📞 *06 68 30 75 98 - fermé dim. et lun. mat. - 9h30-19h30.* Elle offre une grande variété d'ouvrages et de guides. Grand rayon consacré à la théologie, au droit et au tourisme.

Marché sur le Campo dei Fiori.

Libreria Antiquaria Rappaport – *Via Sistina, 23 -* 📞 *06 48 38 26 - lun.-vend. - 9h30-12h30, 15h15-19h.* C'est le paradis des bibliophiles, estampes et cartes géographiques.

Herder Editrice e Libreria – *Piazza Montecitorio, 117-120 -* 📞 *06 679 53 04 - www.herder.it - lun.-vend. - 9h30-19h30.* Dans cette librairie, on trouve un vaste choix de livres culturels et de guides en français.

PHOTOGRAPHIES

Fratelli Alinari – *Via Alibert 16/a -* 📞 *06 679 29 23.* Qui ne connaît pas ces grands photographes (atelier fondé à Florence en 1852) découvrira ici leurs vues et paysages consacrés à la Rome antique.

JOUETS

Bartolucci – *Via dei Pastini, 98 -* 📞 *06 69 19 08 94 - www.bartolucci.com.* Le must du jouet en bois de fabrication artisanale (Pinocchio articulé, voitures, etc.). N'y allez surtout pas avec vos enfants !

La boutique du petit soldat – *Via Lago di Lesina, 13 (derrière la parco Virgiliano) -* 📞 *06 86 21 34 52 - 10h-13h, 15h30-19h30.* La boutique de Luciano Antonini est le plus ancien atelier de production de figurines et de petits sujets militaires de l'Italie. De véritables chefs-d'œuvre peints à la main.

Anagni ★

19 182 HABITANTS
CARTE GÉNÉRALE A1 - CARTE MICHELIN N° 563 Q21

Anagni est une petite ville d'aspect médiéval. Plusieurs papes y naquirent, dont Boniface VIII (1235-1303) qui y reçut la célèbre « gifle ». En 1303, après des années de conflit, le roi de France Philippe le Bel, alors excommunié, envoya à Anagni une délégation chargée de juger l'action du pape et de l'accuser d'hérésie et de corruption : c'est cette cuisante humiliation infligée au pape qui engendra la légende de la gifle reçue par le pontife, connue dans l'histoire comme « gifle (ou attentat) d'Anagni ».

- **Se repérer** – Située sur un éperon dominant la vallée du Sacco, Anagni est toute proche de l'A 1, à 30 km de Frosinone.
- **À ne pas manquer** – La cathédrale d'Anagni ainsi qu'une excursion dans les villages perchés de la Ciociaria.
- **Organiser son temps** – Prévoir une journée.
- **Avec les enfants** – Se promener dans le quartier médiéval d'Anagni.
- **Pour poursuivre le voyage** – Voir Rome.

Le cloître de l'abbaye cistercienne de Casamari, près d'Anagni.

Visiter

Cattedrale ★★

☎ 0775 72 83 74 - & - mat. et apr.-midi, dim. mat. - 3 € (cripta et museo lapidario), 3 € (museo del tesoro).

Le principal édifice de la ville occupe l'emplacement de l'ancienne acropole. Construite au cours des 11e et 12e s. en style roman, la cathédrale fut remaniée au 13e s. avec des ajouts gothiques. En faisant le tour, on remarquera les trois absides romanes à bandes et arcatures lombardes, la statue de Boniface VIII (14e s.) au-dessus de la loggia du flanc gauche et le puissant campanile roman détaché de la construction. L'intérieur se compose de trois nefs dont le **pavement**★ (13e s.) est l'œuvre des Cosmates. Le maître-autel est surmonté d'un ciborium roman ; le **trône épiscopal**, ainsi que le **chandelier pascal** à colonne torse, décoré d'incrustations polychromes, reposant sur deux sphinx et surmonté d'un enfant supportant une coupe, ont été exécutés par Pietro Vassalletto dans le style des Cosmates. La **crypte**★★★, au pavement cosmate également, est ornée de magnifiques fresques (13e s.) évoquant des scènes de l'Ancien Testament, la vie des saints et montrant quelques personnages scientifiques, comme Galien et Hippocrate. Le trésor conserve de beaux objets de culte dont la chape de Boniface VIII.

ANAGNI

Il quartiere medievale★

Presque entièrement composé d'édifices du 13e s., le quartier médiéval est particulièrement évocateur. On y trouve notamment le **palais de Boniface VIII** dont la façade est caractérisée par deux galeries superposées et ajourées, l'une d'immenses baies en plein cintre, l'autre de jolies fenêtres géminées à colonnettes ; à l'un des angles de la piazza Cavour, l'**hôtel de ville** *(Palazzo Comunale)*, des 12e s.-13e s., repose sur une énorme **voûte★** et présente une façade postérieure de style cistercien.

Aux alentours

Subiaco

37 km au nord-ouest d'Alatri sur les S 155 et S 411 (route panoramique). Saint **Benoît de Nursie** fondateur de la règle bénédictine, s'y retira au 5e s. avec sa sœur jumelle Scholastique et y construisit douze petits monastères avant de gagner le mont Cassin.

Accès aux monastères de Ste-Scholastique et de St-Benoît : 3 km avant Subiaco, juste après le pont sur l'Aniene.

Monastero di Santa Scolastica – ℘ 0774 85 525 - www.benedettini-subiaco.org - *visite guidée uniquement - 9h30-12h30, 15h30-18h30, dim. et j. fériés 9h-10h, 11h15-12h30, 15h30-18h30 - laisser une offrande.*

Dominant les gorges de l'Aniene, il a conservé un majestueux campanile du 11e s., une église remaniée au 18e s. et trois cloîtres dont le troisième est une œuvre des Cosmates *(voir l'Introduction)*, admirable de simplicité.

Monastero di San Benedetto★ – ℘ 0774 85 039 - *mat. et apr.-midi - possibilité de visite guidée sur demande préalable.*

Au-dessus du monastère de Ste-Scholastique, dans un site sauvage, à flanc de rocher, se trouvent les constructions du couvent et de l'église, remontant aux 13e et 14e s. L'église comporte deux étages : l'**église supérieure** est ornée de fresques de l'école siennoise du 14e s. et de l'école ombrienne du 15e s. ; l'**église inférieure**, elle-même à deux niveaux, a ses murs couverts de fresques dues au Magister Consolus, peintre de l'école romaine du 13e s.

On pénètre dans le **Sacro Speco**, grotte où saint Benoît se retira pendant trois ans. Par un escalier en colimaçon, on peut monter à une chapelle où est conservé le premier portrait de saint François (représenté sans stigmates et sans auréole), témoignant de sa visite au sanctuaire.

La **Scala Santa** permet de descendre dans la chapelle de la Vierge (fresques de l'école siennoise) et dans la grotte des Bergers. On voit enfin la roseraie où saint Benoît se jeta sur les ronces afin de résister à la tentation.

Circuit de découverte

ART ET FOI DANS LA CIOCIARIA

Cet itinéraire d'environ 90 km (compter une journée) serpente à travers les collines et les villages perchés de la Ciociaria qui s'étend le long de la vallée du Sacco, entre les monts Ernici au nord et Ausoni au sud. Cette région a pris le nom des *ciocie*, chaussures traditionnelles composées de semelles épaisses et de lanières de cuir qui se nouent autour du mollet.

Ferentino

12 km au sud-est par la SS 6 (via Casilina). À l'instar des autres sites anciens de la région, le village est perché sur une colline. Au sommet de l'ancienne acropole se dressent le **Duomo** roman (12e s.) avec des intérieurs cosmates (pavements, cierge pascal et chaire épiscopale) et le palais épiscopal. Devant le duomo, sur la terrasse, belle vue sur la vallée du Secco. Descendre la via don Morosini pour découvrir, sur la gauche, les arcades du **marché romain** datant de l'époque républicaine. Dans la partie basse de la ville, à proximité de l'enceinte méridionale, se trouve la belle église gothique Santa Maria Maggiore (12e-13e s.).

Suivre la SS 6 puis, peu avant Frosinone, prendre la SS 214 en direction de Sora et sortir à l'abbaye de Casamari.

Abbazia di Casamari★★

Matin et après-midi.

Bâtie dans un lieu solitaire, selon la règle bénédictine, l'abbaye fut consacrée en 1217 par le pape Honorius III. Les moines cisterciens qui poursuivirent la construction reprirent le modèle établi à Fossanova *(voir p. 150)* et les principes d'austérité préconisés par saint Bernard, enjoignant à la communauté de se suffire à elle-même.

D'inspiration bourguignonne, l'église est un bel exemple des premières manifestations du gothique en Italie. La façade, d'une grande simplicité, est précédée d'un porche d'entrée. Le portail central, en plein cintre, possède un **tympan** richement ouvragé. Au-dessus de la croisée du transept s'élève un clocher représentatif de l'architecture cistercienne. La présence de petites roses, à la façade et au chevet, apporte une note de fantaisie à l'architecture extérieure de l'édifice.

La nef comprend trois vaisseaux, séparés par d'imposants piliers cruciformes avec colonnes engagées qui supportent des voûtes d'ogives très hautes. Le plan est en croix latine présentant un chœur peu profond et un chevet plat, quelque peu troublés par un baldaquin plus tardif. À droite de l'église se trouve le **cloître** aux colonnes jumelées, avec son puits et son jardin fleuri. Sur le côté est, s'ouvre, à son emplacement traditionnel, une remarquable salle capitulaire dont les voûtes ogivales ornées de fines nervures reposent sur quatre piliers fasciculés.

Reprendre la SS 214 et à Il Giglio prendre la direction de Véroli.

Véroli

Ce joli village est perché à 600 m d'altitude. Les églises et les palais de son centre ancien témoignent de son importance au Moyen Âge et à la Renaissance (il était le siège d'un évêché). Aux alentours de la cathédrale, la cour médiévale de la Casa Reali expose les **fasti verolani**, calendrier romain de l'époque augustéenne (seuls les trois premiers mois sont conservés).

Suivre les indications pour Alatri, à 9 km.

Alatri★

Bâtie au 6ᵉ s. av. J.-C., cette importante cité a conservé une partie de son enceinte de murs cyclopéens (4ᵉ s. av. J.-C.). L'**acropole★**, de plan trapézoïdal, à laquelle on accède à pied par la grandiose porte de Civita, est l'une des mieux conservées d'Italie. On y jouit d'une très belle **vue★★** sur Alatri et le val de Frosinone.

Dans cette ville aux escaliers en raidillons et aux ruelles ornées de maisons gothiques s'élève, outre le **palais Gottifredo** du 13ᵉ s. *(largo Luigi di Persiis)*, l'**église Santa Maria Maggiore★**, de transition roman-gothique, dont la façade s'ouvre par trois porches ; à l'intérieur, on découvre d'intéressants **bois sculptés★** du 12ᵉ au 15ᵉ s. Sur la route de contournement, l'**église San Silvestro**, du 13ᵉ s., construite en pierres sèches, abrite des fresques du 13ᵉ au 16ᵉ s.

Prendre la SS 155 et suivre la direction de Fiuggi, à 20 km.

Fiuggi

Cette station thermale renommée, appelée Anticoli jusqu'en 1911, fut fréquentée par Boniface VIII et Michel-Ange. Elle se compose de l'ancienne Fiuggi Città, sur les hauteurs, et de Fiuggi Fonte, la ville moderne, dans la vallée. Ses eaux thermales, de type oligominéral, sont particulièrement indiquées dans le traitement des calculs rénaux.

Anagni pratique

Informations utiles

Office de tourisme – *Piazza Innocenzo III Papa* - **Anagni** - ℘/fax 0775 72 78 52 - www.cittadianagni.it

Ufficio del turismo della Ciociaria – *Piazza Fiume 2 - 03100* **Frosinone** - ℘ 0775 21 14 17 - www.ciociariaturismo.it

Se loger

😊 **Albergo Santoro** – *Via S. Magno, 98* - ℘ 0775 72 53 55 - fax 0775 72 67 33 - 22 ch. - 🅿 Cette auberge située près du Campo Sportivo (à une dizaine de minutes à pied de la porte Cerere) est le seul hôtel niché sur l'éperon rocheux. Simple et accueillant, il est d'un bon rapport qualité prix. Il possède également un restaurant.

😊 **B&B Santa Croce** – *Via Santa Croce, 2* - ℘ 0775 76 97 56 ou 338 43 46 204 - www.bbsantacroce.it - 🅿 - 2 ch. À 6 km environ d'Anagni en direction de l'A 1, ce Bed & Breakfast conjugue charme et tranquillité avec un beau panorama sur la nature environnante.

Se restaurer

😊😊 **Lo Schiaffo** – *Via Vittorio Emanuele 270* - ℘ 0775 73 91 48 - fax 0775 73 35 27 - fermé 25 juil. - 7 août, dim. soir (de nov. à fév.) et lun. Si le nom de ce restaurant évoque le Moyen Âge et la fameuse gifle (schiaffo en italien), le décor a été complètement rénové dans un style moderne et chaleureux.

😊 **La Rosetta** – *Via Duomo 39* - **Alatri**, *à 23 km à l'est d'Anagni* - ℘/fax 0775 43 45 68 - fermé mar. et dim. soir, 8 - 19 janv. et du 2 - 14 juil. À l'ombre de l'acropole, une adresse familiale proposant une authentique cuisine du terroir.

… GAÈTE

Gaète ★
Gaeta

**20 683 HABITANTS
CARTE GÉNÉRALE B2 - CARTE MICHELIN N° 563 S22**

Gaète tirerait son nom de la nourrice d'Énée, Caieta, selon Virgile. Pour Strabon, il viendrait du grec Kajadas, cavité inspirée par le golfe qui fut à l'époque romaine le port naturel de Formia. Dans les deux hypothèses c'est le rôle nourricier du golfe qui est mis en avant. Pas étonnant donc que ce site fut maintes fois convoité et que cette ancienne place de guerre soit encore en partie fortifiée. Bordée, au sud, par l'agréable plage de Serapo, la ville de Gaète nourrit désormais les rêves des estivants en quête d'embruns et de sable chaud.

- **Se repérer** – Gaète, petite ville très étendue du sud du Latium, située sur la route côtière, surgit à l'extrémité du promontoire fermant l'harmonieux golfe★ du même nom, que longe une route procurant des vues magnifiques.
- **À ne pas manquer** – Le santuario della Montagna Spaccata ; Sperlonga et la somptueuse villa de Tibère.
- **Organiser son temps** – Compter une journée pour visiter Gaète et ses environs ; ajouter une demi-journée pour Montecassino.
- **Avec les enfants** – Randonnées pédestres et pique-nique sur le mont Circeo avant de retrouver les plages de Sperlonga ou de Sabaudia.
- **Pour poursuivre le voyage** – Voir Rome, le Parc national des Abruzzes (ABRUZZES) et Naples (CAMPANIE).

Gaète vue d'en haut.

Visiter

Duomo
Intéressant surtout par son campanile roman-mauresque (10ᵉ et 15ᵉ s.) orné de faïences et analogue aux clochers siciliens ou amalfitains. À l'intérieur, **chandelier pascal★** (fin 13ᵉ s.) remarquable par ses dimensions et ses 48 bas-reliefs contant la vie du Christ et celle de saint Érasme, patron des navigateurs.
Près de la cathédrale s'étend un pittoresque quartier médiéval.

Castello
Remontant au 8ᵉ s., il subit de nombreuses transformations. Le château inférieur est dû aux Angevins, le château supérieur aux Aragonais.

Parco regionale Riviera di Ulisse
Été : 9h-21h ; le reste de l'année : 9h-18h. On ne peut entrer dans le parc qu'à pied. Une navette permettant l'accès au sommet fonctionne de juin à mi-sept. 2 € AR. Possibilité de visite guidée en prenant contact avec la Cooperativa Elios - ☎ 0771 45 00 93 ou pour ttes info. générales - ☎ 0771 74 30 70 - www.parks.it/parco.riviera.ulisse.

Au sommet, on découvrira le gigantesque **mausolée★** du consul romain Lucius Munatius Plancus, compagnon de César qui fonda les colonies de Lugdunum (Lyon) et d'Augusta Raurica (Augst, près de Bâle).

Santuario della Montagna Spaccata

℘ 0771 46 20 68 - tlj 8h-12h, 15h-19h (hiver 17h) - 1 € (pour la visite de la grotte).
À l'entrée du sanctuaire, un ermitage bénédictin construit au 11e s., s'élève une église datant de 1434. Sur sa gauche un escalier vertigineux mène, 277 marches plus bas, à la **grotte des Turcs★**, ainsi dénommée car elle servait de refuge aux pirates sarrasins qui sévissaient sur les côtes entre le 9e et 10e s. Le sanctuaire de la Montagne Fendue *(Montagna Spaccata)*, occupe un site pour le moins insolite dont nous prenons pleinement conscience en suivant cette fois, à droite de l'église, le chemin de croix qui conduit à la chapelle Filippo Neri ; de là un escalier descend à la **chapelle du Crucifix★** érigée sur un bloc de pierre coincé dans cette fissure qui se serait ouverte à la mort du Christ.

Aux alentours

ABBAZIA DI MONTECASSINO★★

50 km au nord. L'abbaye du Mont-Cassin dresse sa masse de quadrilatère tronqué aux puissants soubassements sur le sommet du Mont-Cassin. Sa reconstruction, bien que basée sur les plans de l'ancien modèle architectural, est un peu froide et manque de cette patine d'usage qui rend les lieux intimes, le monastère ayant été entièrement détruit le 15 février 1944. Dix ans de travaux financés par l'État italien ont été nécessaires. Le site demeure néanmoins toujours remarquable comme le laisse augurer la superbe route en lacet que l'on suit pour s'élever jusqu'à lui.

> ### Un tragique événement
>
> L'abbaye du Mont-Cassin fut le théâtre de la **bataille de Cassino**, qui s'est déroulée en plusieurs offensives entre janvier et mai 1944. C'est l'une des plus terribles batailles de la Seconde Guerre mondiale, qui coûta la vie à des milliers de soldats et donna lieu au pilonnage de l'un des monastères les plus importants de la chrétienté, fondé par saint Benoît au 6e s. Après la prise de Naples par les Alliés, les Allemands avaient fait de cette ville leur principal point d'appui sur la route de Rome. Le 17 mai, les Alliés lancèrent l'assaut décisif, confié au corps d'armée polonais. Le lendemain, après une bataille acharnée, les Allemands abandonnèrent Cassino et les Alliés firent leur jonction en ouvrant la route de Rome.

L'abbaziale

Abbaye et musée : ℘ 0776 31 15 29 - www.montecassino.it - mat. et apr.-midi ; hiver fermé - 2 €.
L'abbaye fut fondée en 529 par **saint Benoît** (mort en 547), qui y rédigea la règle bénédictine où l'étude intellectuelle et le travail manuel s'ajoutent aux vertus de chasteté, pauvreté et obéissance. Elle connut l'apogée de sa splendeur sous l'abbé Didier au 11e s. : les moines y pratiquaient alors habilement l'art de la miniature, de la fresque et de la mosaïque, et leurs œuvres influencèrent énormément l'art clunisien.
Quatre cloîtres communicants, à la solennité étudiée, la précèdent. La façade de la basilique, dépouillée, ne laisse en rien deviner la somptuosité de **l'intérieur★** : marbres, stucs, mosaïques et dorures y composent un ensemble étincelant, bien qu'assez froid, de style 17e-18e s. Dans le chœur, belles stalles de noyer du 17e s., et sépulcre de marbre renfermant les restes de saint Benoît.

Museo Abbaziale

Il retrace l'histoire de l'abbaye et rassemble les œuvres d'art qui ont échappé aux bombardements de 1944.
En redescendant à **Cassino**, on peut visiter le **Museo Archeologico Nazionale** et la zone archéologique voisine (amphithéâtre, théâtre, tombeau d'Umidia Quadratilla). *℘ 0776 30 11 68 - 2 €.*

GAÈTE

Excursion

Île de Ponza★
Accès depuis Anzio, Formia, Fiumicino et Terracina (voir détails dans l'encadré pratique). Au large du golfe de Gaète, cette île d'origine volcanique présente une échine verdoyante et des falaises blanches ou gris-bleuté, bordées d'étroites plages, ou plongeant à-pic dans la mer. Au sud-est de l'île, le village de **Ponza★** aligne en amphithéâtre ses maisons cubiques gaiement colorées autour d'un petit port fréquenté par les bateaux de pêche, de cabotage ou de plaisance, et par ceux qui assurent la liaison avec le continent. L'île est particulièrement appréciée des amateurs de pêche sous-marine.

Circuit de découverte

DU GOLFE DE GAÈTE À LA PLAINE PONTINE
Circuit de 120 km environ de Gaète à Anzio, avec un détour par l'intérieur pour la visite de l'abbaye de Fossanova. Prévoir une journée.
De Gaète, prendre la SS 213 en direction de Terracina.

Sperlonga
Ce petit village est perché sur un éperon des monts Aurunci percé de nombreuses grottes. La grotte de Tibère, la *spelunca* des Romains, est bien sûr la plus visitée.
Grotta di Tiberio et **Museo Archeologico** – ☎ 0771 54 80 28 - ♿ - 8h30-19h30 - fermé 25 déc. et 1er janv. - 4 € (grotte et musée) (- 18 ans gratuit).
Le **musée** est situé au bord de la route, côté mer, juste à la sortie du dernier tunnel sur la route en venant de Gaète. On peut y voir plusieurs statues des 4e et 2e s. av. J.-C., des bustes et têtes remarquables et des masques de scène fort réalistes, ainsi que la reconstruction à l'échelle originale d'un groupe colossal figurant le châtiment infligé par Ulysse au cyclope Polyphème.
En descendant vers la **grotte** qui s'ouvre sur la mer, on découvre quelques-unes des ruines de la gigantesque villa de Tibère qui s'étirait de la via Flacca, tracée à flanc de colline, jusqu'à la mer. Selon l'historien Suétone, c'est dans cette grotte où l'empereur romain donnait régulièrement des banquets en période de forte chaleur, qu'il échappa de justesse à la mort, des blocs rocheux s'étant détachés de la voûte de la grotte.

Terracina★
À 18 km à l'ouest de Sperlonga par la SS 213, puis prendre à gauche la via Flacca après Rio Claro, puis la SS 7 (Via Appia). Agréablement lovée au bord d'un joli golfe et au pied d'une falaise calcaire, Terracina, qui fut déjà à l'époque romaine une élégante station de villégiature alors nommée Anxur, a gardé une partie de son enceinte médiévale et quelques vestiges romains.
Duomo – Il se dresse sur la jolie **piazza del Municipio** qui a conservé les dalles de l'ancien forum romain, le forum d'Emilius, centre de la vie politique, administrative, religieuse et commerciale de la vieille ville romaine (entre 27 av.J.-C. et 37 ap. J.-C.). Consacrée en 1075, la cathédrale est précédée d'un portique à colonnes antiques sup-

---

Misanthrope à l'extrême ?
Fils de Tiberius Claudius Nero et de Livie qui devait épouser en seconde noce l'empereur Auguste, **Tibère** divorça de son épouse Agrippina pour épouser sur ordre de son beau-père, la fille de ce dernier, la licencieuse Julie. Suite aux frasques retentissantes de sa nouvelle épouse, Tibère s'éloigna sans grand sacrifice de Rome, se passionnant plus volontiers pour la culture des concombres dont il raffolait que pour les arcanes du pouvoir dont il se défiait. L'empereur Auguste n'ayant aucun successeur, Tibère fut alors adopté par son beau-père. Il avait 56 ans quand il prit le pouvoir en 14 ap. J.-C. Promouvant une politique de paix à l'extérieur des frontières tandis que complots et intrigues sapaient son pouvoir, Tibère quitta une nouvelle fois Rome en déléguant son autorité à son favori et préfet de la garde prétorienne Lucius Aelius Sejanus. Vil comploteur, ce dernier allait être éliminé par un Tibère peut-être plus misanthrope que jamais puisqu'il choisit pour successeur un porteur de sandales militaires (*caliga* en latin) dont l'Histoire se souviendrait de chacun des pas. Caligula succédait ainsi à Tibère en 37 ap. J.-C. Mais nul ne sait si Tibère avait déjà pressenti la folie monstrueuse de son petit-neveu…

Le temple de Jupiter Anxurus domine Terracina.

portant une frise de mosaïques du 12ᵉ s. Le campanile à colonnettes est de transition roman-gothique. À l'intérieur, on peut voir une **chaire** et un **chandelier pascal**★, beau travail cosmatesque du 13ᵉ s.

Museo Civico Pio Capponi – ☏ 0773 70 73 13 - ♿ - mai-sept. : 9h30-13h30, 15h-19h ; dim. : 10-13h, 17h-19h ; lun. : 9h30-13h30 ; oct.-avril : 9h-13h, 15h-19h ; dim. : 9h-13h, 15h-18h ; lun. : 9h-13h. Fermé 1ᵉʳ janv., 1ᵉʳ Mai, 25 déc. - 1,50 € (- 18 ans gratuit). Situé au premier étage de la Torre Frumentaria, un bel édifice du 13ᵉ s. dominant la plazza, cet élégant musée présente différents matériaux archéologiques découverts lors des fouilles organisées sur le site de Monte Sant'Angelo, plus connu sous le nom des ruines qui le dominent : le temple de Jupiter Anxurus. Des nombreuses pièces d'une collection très hétérogène, certaines remontent au Paléolithique supérieur, celles appartenant à la période romaine sont de loin les plus remarquables, en particulier les têtes sculptées de divinités ou cette statue de Zeus saisie dans une nudité héroïque.

Empruntant le corso Garibaldi, qui s'échappe sous le porche à quelques pas à droite du Duomo, on tombe sur les ruines du **Capitolium**, temple redécouvert lors des bombardements de la Seconde Guerre mondiale. Ce temple, dont une seule des quatre colonnes flanquant la façade a été redressée, était dédié à la trinité divine : Jupiter, Junon et Minerve. Il était généralement érigé par les Romains dans chacune de leurs colonies afin de renforcer les liens avec la mère patrie. Derrière le Capitolium, les quelques pierres qui s'égrainent appartiendraient à la célèbre **Via Appia**, la première voie pavée construite en 312 av. J.-C. par les Romains. La Regina Viarum (la reine des voies) allait s'étirer jusqu'à Brindisi, dans les Pouilles.

Tempio di Giove Anxur★ – *4 km, plus un quart d'heure à pied AR, par la via San Francesco Nuovo.* Bien qu'il ne reste du **temple de Jupiter Anxurus** que le soubassement, une galerie voûtée et un cryptoportique, sa visite vaut le détour pour la beauté du lieu où il s'élève et d'où l'on jouit d'un large **panorama**★★ sur la ville, ses canaux et son port, le mont Circeo et les marais Pontins, la plaine de Fondi et ses lacs, la côte jusqu'à Gaète.

Abbazia di Fossanova★★

À 26 km au nord de Terracina par la SS 7 (via Appia), puis prendre à droite la SP 62. ☏ 0773 93 90 61 - www.fossanova.ofmconv.pl - *mat. et apr.-midi.*

Conformément à la règle cistercienne, l'**abbaye de Fossanova**, la plus ancienne de cet ordre en Italie, s'élève dans un site solitaire. Les moines de Cîteaux s'installèrent en cet endroit en 1133. En 1163, ils commencèrent à bâtir leur abbatiale, qui servit de modèle à de nombreuses églises italiennes. Bien qu'assez fortement restaurée, elle a conservé intacts son architecture et son plan d'origine, conçus d'après les impératifs d'austérité voulus par saint Bernard. L'ordonnancement des bâtiments est fonction de l'activité autonome de la communauté, divisée en moines profès, vivant cloîtrés, et en moines convers, attachés aux travaux manuels.

Église – (en restauration jusqu'en 2009). Consacrée en 1208, elle est de style bourguignon, mais sa décoration rappelle parfois la facture lombarde avec quelques effets d'inspiration mauresque. À l'extérieur, le plan en croix latine à chevet plat,

GAÈTE

la tour octogonale de la croisée du transept, les rosaces et le triplet du chevet sont typiquement cisterciens. L'intérieur, haut, lumineux et sobre, a une nef équilibrée par des bas-côtés à voûtes d'arêtes.

Cloître – Avec ses trois côtés romans et le quatrième, au sud, prégothique (fin 13ᵉ s.), il est très pittoresque. La forme et la décoration de ses colonnettes sont lombardes. La belle salle capitulaire, gothique, ouvre sur le cloître ses baies jumelées. Isolé, le bâtiment des hôtes vit saint Thomas d'Aquin rendre l'âme le 7 mars 1274.

Le musée médiéval – Ouvert depuis 2001 dans une ancienne construction cistercienne, il raconte l'histoire de l'abbaye, depuis ses premières fondations romanes jusqu'à la construction du monastère bénédictin. ✆ 0773 93 80 06 - www.musarchpriverno.it - &- juin-sept. : mar.-vend. : 16h-20h ; sam.-dim. : 10h-13h, 16h-20h - 3,80 €.

Parco Nazionale del Circeo★

À 22 km au sud-ouest de l'abbaye de Fossanova, reprendre la SP 62 qui devient la SP 77. Pour visiter le mont Circeo, on peut partir à pied de la place centrale du centre historique du village de San Felice Circeo ou grimper en voiture jusqu'au parking de La Crocette ; de là emprunter l'un des nombreux chemins du promontoire (sentieri promontorio). Pensez à vous procurer la carta turistica del Parco Nazionale del Circeo à l'office de tourisme de San Felice Circeo - Piazza Lanzuisi, 10 - ✆ 0773 54 77 70. Fondé en 1934, ce parc de 8 500 hectares s'étire sur une étroite bande côtière entre Anzio et Terracina et englobe une partie des anciens marais Pontins. Les sentes balisées et hiérarchisées selon les niveaux de difficultés donnent accès à une très grande variété de paysages : dunes, marais, couvert forestier où domine le **mont Circeo**, point culminant du Parc national (541 m) et refuge mythologique de la magicienne Circé dont Ulysse et ses compagnons furent captifs ; le lac de Sabaudia ; la **route panoramique** *(5 km de San Felice Circeo à Torre Cervia)*, bordée de villas cossues, de fleurs et de plantes typiquement méditerranéennes.

Le Parc fait partie des réserves de la biosphère protégées par l'Unesco.

Sabaudia★

Cette petite ville surprend : en lieu et place d'un centre historique hissé sur un éperon rocheux emmailloté dans un lacis de ruelles tortueuses, on découvre une surface plane quadrillée de grandes artères flanquées d'édifices aux lignes rationnelles, organisées autour de places carrées. Le site était en fait une vaste plaine marécageuse et impaludée qui déjoua, dit-on, jusqu'aux plans d'assainissement de Léonard de Vinci. Ce fut Mussolini avec sa politique de grands travaux qui assécha dans les années 1930 les marais pontins et ordonna, sous l'égide des architectes du « Mouvement Italien pour l'Architecture Rationnelle », la construction de ces nouvelles villes. Après seulement 253 jours de travaux, la ville de Sabaudia était inaugurée en grande pompe le 15 avril 1934 par le roi Victor-Emmanuel III et la reine Hélène de Monténégro. Figure tutélaire de Sabaudia, l'**église de la Très-Sainte-Annonciation** *(Chiesa della Annunziata)*. On découvre sur sa façade une grande mosaïque de Ferrazi qui présente dans son registre supérieur l'Annonce faite à Marie ainsi qu'une scène de vie rurale plutôt insolite : l'un des personnages récoltant le blé n'est autre que Mussolini. Jeter également un coup d'œil à la Poste. Le bâtiment est recouvert de tesselles bleues, couleur de la dynastie régnante des Savoie. Les grandes baies vitrées sont encadrées de marbre rouge de Sienne.

Anzio★

À 45 km au nord-ouest de Sabaudia par la route côtière. Adossée à un promontoire et face à la mer, Anzio forme avec **Nettuno** une agréable station balnéaire dotée d'un port de plaisance. C'est l'antique *Antium*, cité volsque où se réfugia Coriolan après

---

La fierté du Duce

Réduire les importations et relancer l'économie nationale sont les grands projets de **Mussolini**. La bataille du blé engagée dès 1925 a pratiquement soulagé en moins de cinq ans la balance commerciale du pays de toutes importations céréalières. Par ailleurs, la loi de bonification intégrale de 1920 a permis d'assainir près de cinq millions d'hectares incultes et impaludés. Fierté du régime, l'aménagement des **marais pontins** qui a permis le développement de plusieurs milliers d'exploitations agricoles ainsi que la création de plusieurs villes nouvelles : Littoria (actuellement Latina) en 1932, Sabaudia (1934), San Donato (1934), Pontinia (1935), Aprilia (1937) et Pomezia (1939).

avoir renoncé à entreprendre une lutte fratricide contre Rome. C'est également la patrie de Néron qui y possédait une villa où furent trouvés l'*Apollon du Belvédère*, la *Fanciulla* (jeune fille) *d'Anzio* et le *Gladiateur Borghese*, aujourd'hui respectivement au Vatican, au Palazzo Massimo alle Terme à Rome et au Louvre. Anzio a enfin donné son nom au débarquement effectué par les Anglais et les Américains le 22 janvier 1944, qui permit, au prix de longs combats, la reconquête de Rome le 4 juin suivant. Plusieurs cimetières, monuments et musées commémorent le sacrifice des soldats tombés au cours de cette opération militaire.

Gaète pratique

Informations utiles

OFFICES DE TOURISME

Formia – Viale Unità d'Italia 30/34 - 0771 77 14 90.

Gaète – Via Emanuele Filiberto, 5 - 0771 46 11 65.

Sabaudia – Piazza del Comune 18/19 - 0773 51 50 46.

Terracina – Via Leopardi - 0773 72 77 59.

Parco nazionale del Circeo – *Via Carlo Alberto, 107 - Sabaudia -* 0773 51 13 85, *pour visites guidées* 0773 54 90 38 *- www.parcocirceo.it*

TRANSPORTS

Pour les liaisons vers et à partir de l'**Île de Ponza** : Agenzia Regine, môle Musco, Ponza. 0771 80 565 ; Libera Navigazione Mazzella, via Santa Maria, Ponza, 0771 80 99 65.

L'île est reliée aux ports de :

Formia : Linea Caremar 0773 79 00 55 ;

Terracina : Linea SNAP 0773 79 00 55 - www.snapnavigazione.it ; mais aussi aux ports de Fiumicino, d'Anzio, de San Felice, de Naples.Pour toutes informations : www.ponza.com (compter entre 15 et 20 €).

Se loger

GAÈTE

Hotel Flamingo – *Corso Italia, 109 -* 0771 74 04 38 - fax 0771 74 12 84 - *www.hotelflamingogaeta.it - 50 ch.* Hôtel bien tenu, situé dans la partie moderne de Gaète à 300 mètres de la mer.

Hotel Serapo – *Via Firenze, 11 -* 0771 45 00 37 - fax 0771 31 10 03 - *www.hotelserapo.com* - *176 ch.* Hôtel sans charme particulier mais très bien placé, à deux pas de la plage de Gaète. Dispose d'une plage privée. Accès Internet gratuit.

PONZA

Albergo Feola – *Via Roma, 2 -* 0771 80 205 - fax 0771 80 617 - fermé janv.-fév. - 12 ch. Un petit hôtel familial, sis non loin du port et où règne la bonne humeur. Petit-déjeuner (avec confitures maison) et dîner sont servis sous l'agréable tonnelle de la cour intérieure, d'où l'on accède également à quelques-unes des chambres.

SABAUDIA

Hôtel Le Palme – *Corso Vittorio Emanuele III, 2 -* 0773 51 83 25 - fax 0773 51 83 25 - www.lepalmehotel.net - 28 ch. Petit hôtel moderne très bien placé par rapport au centre. Chambres confortables.

FORMIA

Hotel Castello Miramare – *Via Balze di Pagnano -* 0771 70 01 38 - fax 0771 70 01 39 - *www. hotelcastellomiramare.it - fermé janv.-fév.* - 10 ch. Perché sur les hauteurs de Formia, dans un magnifique écrin de verdure, ce castello délicieusement suranné dans ses broderies espagnoles domine avec une pointe de romantisme le superbe golfe de Gaète.

Se restaurer

GAÈTE

Ex Macelleria Ciccone – *Via Duomo, 18 -* 0338 56 69 07 - fermé mar. À deux pas de la cathédrale, l'ancienne boucherie lambrissée de carreaux faïencés s'est transformée en un beau restaurant convivial. La cuisine simple et généreuse, à base de fruits de mer pêchés le matin même, est servie par un personnel très amical.

La Cantinella – *Via Duomo, 14 -* 0771 45 00 05. Ce restaurant assez soigné sert des plats goûteux à base de viandes ou de poissons du jour. Dommage que le cadre soit aussi impersonnel.

PONZA

La Scogliera – *Via Banchina Nuova -* 0771 80 97 62. Sur le bord de mer, face au quai des bacs, une adresse où il est possible de déguster des plats de poisson sans se ruiner, ou d'opter pour une bonne pizza cuite au feu de bois. Le tout en admirant les reflets du soleil jouant sur la mer.

FORMIA

Ciro – *Via Della Torre, 65 -* 0771 70 00 99 - Depuis 1923 cette pizzeria défend, dans de très belles caves voûtées, la traditionnelle pizza napolitaine. L'un des restaurants toujours bondés de Formia.

SABAUDIA

Happy Days – *Corso Vittorio-Emanuele III, 79 -* 0773 51 39 38 - fermé mer. Petite trattoria toujours bondée aux allures de restaurant familial, avec ses nappes blanches en papier. La cuisine, copieuse et peu chère, est consciencieusement servie.

Rieti

46 515 HABITANTS
CARTE GÉNÉRALE A1 - CARTE MICHELIN N° 563 O20

Située à un carrefour de vallées, au cœur d'un bassin cultivé, Rieti est le centre géographique de l'Italie. C'est également un bon point de départ pour les excursions permettant de suivre les pas de saint François d'Assise, qui vécut et exerça son ministère dans les proches environs.

- **Se repérer** – Rieti surgit au pied du Terminillo. Pour s'y rendre, emprunter la S 4, Via Salaria, qui la relie à L'Aquila et à l'A 1, et la S 79, qui mène à Terni.
- **À ne pas manquer** – Le couvent de saint François d'Assise à Greccio. Prendre un verre le soir sur la belle piazza Cesare Battisti de Rieti.
- **Organiser son temps** – Consacrer l'essentiel du temps aux visites des couvents. Une journée suffit.
- **Avec les enfants** – Le couvent de saint François d'Assise avec ses multiples crèches et son dortoir aussi grand qu'une maison de poupées présente un bel imaginaire.
- **Pour poursuivre le voyage** – Voir L'Aquila et le Parc national du Gran Sasso-Monti della Laga (ABRUZZES).

Le Duomo et son campanile roman.

Se promener

Piazza Cesare Battisti
Elle constitue le centre monumental de la ville. Par la grille située à droite du Palazzo del Governo (16ᵉ-17ᵉ s.) et de son élégante loggia, on pénètre dans l'agréable **jardin public**★ (belle vue sur la ville et les environs).

Duomo
Porche du 15ᵉ s. et un beau campanile roman de 1252. À l'intérieur, fresque de 1494 représentant la Madone. **Crypte** du 12ᵉ s.

Palazzo Vescovile
Derrière la cathédrale. Construit au 13ᵉ s., ses imposantes **voûtes**★ à bandeaux épais délimitent deux vastes nefs.

Aux alentours

Convento di Fonte Colombo
5 km au sud-ouest. Suivre la route de Contigliano pendant 3 km, puis prendre à gauche.
☎ 0746 21 01 25 - www.fratilazio.it - été : 8h-12h, 15h30-20h ; hiver : 8h-12h, 15h-19h - possibilité de visite guidée sur demande - laisser une offrande.

Dans l'ancien ermitage, **saint François d'Assise** subit une opération des yeux ; dans la grotte, il dicta la règle franciscaine après avoir jeûné quarante jours. La chapelle della Maddalena, du 12ᵉ s., est ornée de fresques où apparaît le « T », emblème de la croix dessiné par le « Poverello ». On peut voir également la chapelle San Michele, la grotte où François jeûna, le tronc d'arbre où Jésus lui apparut, l'ancien ermitage et l'église du 15ᵉ s.

Convento di San Francesco★, à Greccio

15 km au nord-ouest. Se rendre à Greccio par la voie rapide et Spinacceto. 2 km après le village, laisser la voiture sur une esplanade au pied du couvent. ☎ 0746 75 01 27 - 9h-18h45 (hiver 18h). L'église ferme seulement pendant les prières.

Accroché à un surplomb du rocher, à 638 m d'altitude, ce monastère est formé de bâtiments datant du 13ᵉ s. C'est ici que saint François d'Assise institua la tradition de la crèche de Noël *(presepio)*. On visite la chapelle de la Crèche (fresques de l'école de Giotto), les lieux où vécut le saint et, à l'étage supérieur, l'église primitive érigée en 1228 et qui a gardé son mobilier d'origine. Surtout ne pas manquer le **dortoir** de saint Bonaventure★, entièrement construit en bois, il est aussi grand qu'une coursive de bateau. À l'entrée, la petite chapelle dédiée au saint est d'une émouvante beauté.

Convento di San Giacomo, à Poggio Bustone

10 km au nord par l'ancienne route de Terni. ☎ 0746 68 89 16 - mat. et apr.-midi - sonner - gratuit.

Perché à 818 m d'altitude, dans un site verdoyant, ce couvent comprend une église du 14ᵉ s., très remaniée, qui a conservé des fresques datant des 15ᵉ, 16ᵉ et 17ᵉ s., un charmant petit cloître des 15ᵉ-16ᵉ s., un réfectoire du 14ᵉ s. et deux grottes qu'habita saint François d'Assise.

Convento La Foresta

5 km au nord. ☎ 0746 20 00 85 - Été : 8h30-12h, 15h-19h ; hiver : 8h30-12h, 14h30-18h. Visite guidée uniquement. C'est là que saint François d'Assise composa le *Cantique des créatures* et accomplit le miracle de la vigne. On visite le cellier avec la cuve qu'emplit le raisin miraculeux, et la grotte où vécut le saint.

Labro

24 km au nord-ouest. Ce petit bourg médiéval copieusement restauré est peut-être un poil trop léché quand on en parcourt à pied les ruelles. La S 79 qui y conduit, très fréquentée des cyclistes, possède en tout cas de beaux panoramas, parmi lesquels le village de Labro juché sur sa colline à 600 mètres d'altitude s'en détache avec une minéralité altière.

Rieti pratique

Informations utiles

Office de tourisme – *Piazza Vittorio Emanuele II, 17 - ☎ 0746 20 32 20 - www. apt.rieti.it*

Se loger

⊜⊜ **Miramonti** – *Piazzo Oberdan 5- ☎ 0746 20 13 33 – fax 0746 20 57 90 – www.hotelmiramonti.rieti.it - fermé de mi-juillet au mi-août – 27 ch.* C'est le plus ancien édifice de la ville, classé monument historique. Chambres d'une sobre élégance. Restaurant où l'on déguste une cuisine de tradition.

Se restaurer

⊜⊜ **Bistrot** – *Piazza San Rufo, 25 – ☎ 0746 49 87 98 – fermé le dim., le lun. midi et de mi-oct. à mi-nov.* Sur une jolie placette du centre-ville, un accueillant petit restaurant proposant des spécialités de la région.

Tarquinia ★

15 818 HABITANTS
CARTE GÉNÉRALE A1 - CARTE MICHELIN N° 564 P17

La ville couronne un plateau rocheux, face à la mer, parmi les champs d'orge, de blé et les oliveraies. Son renom lui vient de sa nécropole étrusque située à quelques kilomètres. Marguerite Duras lui donna dans les années 1950 une nouvelle notoriété avec son roman « Les Petits Chevaux de Tarquinia ».

- **Se repérer** – Tarquinia se trouve au nord du Latium, par la S 1 (Via Aurelia). À 100 km de Rome et à 45 km de Viterbo.
- **À ne pas manquer** – La nécropole et le musée de Tarquinia pour leurs rares témoignages sur la civilisation étrusque.
- **Organiser son temps** – Compter une demi-journée pour visiter musée et nécropole. L'après-midi peut être balnéaire.
- **Avec les enfants** – Faire un tour sur les plages de Tarquinia Lido ou de Civitavecchia.
- **Pour poursuivre le voyage** – Voir Viterbe, Rome.

Les fresques de la nécropole de Monterozzi sont un extraordinaire témoignage de l'art étrusque.

Comprendre

La fondation légendaire de la ville remonte au 12e ou 13e s. av. J.-C. Les archéologues ont retrouvé des vestiges du 9e s. avant notre ère, appartenant à la civilisation villanovienne qui se développa vers l'an 1000 av. J.-C. dans la plaine du Pô, en Toscane et dans le nord du Latium, là où s'établirent plus tard les Étrusques. Port très actif grâce au fleuve Marta, Tarquinia dominait au 6e s. toute l'Étrurie maritime. Placée dans l'orbite de Rome au 4e s. av. J.-C., décimée par la malaria, elle reçut un coup fatal au 7e s., lors des invasions lombardes, et ses habitants durent l'abandonner pour se réfugier à l'emplacement de la ville actuelle.

Visiter

Necropoli di Monterozzi★★

4 km au sud-est. ☎ 0766 85 63 08 - été : tlj sf lun. 8h30-19h30 (dernière entrée à 18h) ; hiver : tlj sf lun. 8h30-14h (dernière entrée à 12h30) - fermé 25 déc., 1er janv. et 1er Mai - 4 € (- 18 ans gratuit) ; billet combiné avec musée national 6,50 €.

La nécropole se trouve sur un plateau désert parallèle à celui qu'occupait la cité antique de Tarquinia. S'étendant sur 5 km de long et presque 1 km de large, elle comprend environ six cents tombes datant du 6e s. au 1er s. av. J.-C.

Aucune architecture extérieure n'est visible (comme à Cerveteri, par exemple), mais en descendant sous terre on découvre aux parois des chambres funéraires un remarquable ensemble de **peintures★★★**, colorées et vives, d'un intérêt capital pour la

Duras et les petits chevaux de Tarquinia

Deux couples passent des vacances dans un petit village d'Italie sous une chaleur accablante. L'oisiveté, l'ennui, les mésententes conduisent rapidement les personnages à une introspection douloureuse dont le lecteur prend conscience à coups de procédés narratifs, elliptiques, ambigus, intuitifs, silencieux et savamment ponctués. Ce style qui éclôt en 1953 dans *Les Petits Chevaux de Tarquinia* se révèle pleinement cinq ans plus tard dans *Moderato cantabile*, posant ainsi la griffe de l'écrivain. Quant aux personnages du roman, certains entendent soigner leurs blessures en découvrant la civilisation étrusque, ses tombes et ses petits chevaux ailés. Un petit tour et puis s'en vont ?

---

connaissance de la civilisation étrusque. La nécropole a été classée au patrimoine mondial de l'Unesco en 2004.

Parmi les plus importantes de ces tombes, on admire tout particulièrement : la **tombe du Baron**, du 6e s. av. J.-C. ; la **tombe des Léopards** (5e s. av. J.-C.), l'une des plus belles de la nécropole, où sont représentées, outre ces animaux, des scènes de danse et de banquet ; la **tombe des Taureaux** (6e s. av. J.-C.), illustrée de scènes érotiques ; la **tombe des Lionnes** datée de 530-520 av. J.-C. ; la **tombe Giglioli** (4e s. av. J.-C.) ornée de costumes et d'armes figurés en trompe l'œil ; la **tombe de la Chasse et de la Pêche** (fin 6e s. av. J.-C.) constituée de deux salles où apparaissent un retour de chasse et des scènes de banquet et de pêche *(Voir Cerveteri, dans le chapitre Rome p. 132)*.

Museo Nazionale Tarquiniese★

☏ 0766 85 60 36 - 8h30-19h30 (dernière entrée à 18h) - fermé 25 déc., 1er janv. et 1er mai - 4 € (- 18 ans gratuit) ; billet combiné avec nécropole dei Monterozzi 6,50 €.

Installé dans le **palais Vitelleschi★** édifié en 1439, il abrite une remarquable collection étrusque d'œuvres provenant des fouilles de la nécropole : on y voit des sarcophages, des céramiques, des ivoires, des ex-voto, des cratères et des amphores attiques du 6e s. av. J.-C. On notera particulièrement deux admirables **Chevaux ailés★★★** en terre cuite et, au second étage, un certain nombre de tombes reconstituées, notamment la **tombe du Lit funèbre** (460 av. J.-C.) et celle du **Triclinium** (480-470 av. J.-C.) qui fut l'une des plus belles découvertes de cette « cité des morts » souterraine.

Se promener

En empruntant l'artère principale, le corso Vittorio Emanuele, on peut après avoir visité le Palais Vitelleschi (piazza Cavour), poursuivre jusqu'au **Palazzo comunale** et découvrir la belle **piazza Trento e Trieste** avec sa fontaine monumentale *(Fontana Monumentale)*. Le cours se termine par un bélvédère dominant la campagne environnante. Au retour, la via Mazzini conduit jusqu'à la porte Castello et son église, **Santa Maria in Castello★**. Proche d'une haute tour noble du Moyen Âge, cette église romane (1121-1208) est incluse dans la citadelle fortifiée qui protégeait la ville. Elle présente un élégant portail et un intérieur majestueux.

Aux alentours

Civitavecchia

20 km au sud. Civitavecchia, l'antique Centumcellæ, devenue dès le règne de Trajan le principal port de Rome, assure aujourd'hui la liaison avec la Sardaigne. Le port est défendu par le fort Michel-Ange, solide construction Renaissance commencée par Bramante, continuée par Sangallo le Jeune et le Bernin, achevée enfin par Michel-Ange en 1557. **Stendhal** y fut nommé consul en 1831. Agréable ballade sur le front de mer.

Museo Nazionale Archeologico – *Largo Plebiscito n° 2A. t 0766 23 604 - tlj sf lun. tte la journée - fermé 25 déc., 1er janv. et 1er Mai - gratuit.* Il réunit des collections étrusques et romaines provenant des fouilles de la région.

Terme di Traiano (o Terme Taurine) – *3 km au nord-est. t 338 27 07 567 - www.prolococivitavecchia.it - tlj sf lun. 9h-13h, 15h -coucher du soleil - 8 € (- 6 ans gratuit).* Ces thermes sont composés de deux ensembles dont le premier *(à l'ouest)* remonte à la période républicaine, et le second, mieux conservé, est dû au successeur de Trajan, Hadrien.

TARQUINIA

Tuscania★
25 km au nord. Puissante ville étrusque, municipe romain, important centre médiéval, Tuscania a conservé des vestiges de son enceinte et deux superbes églises, situées un peu en dehors de la ville. Le tremblement de terre de février 1971 a considérablement endommagé son patrimoine artistique.

San Pietro★ – Au fond d'une place déserte, à l'emplacement de l'acropole étrusque, s'élève la façade dorée de l'église dédiée à saint Pierre. À gauche, deux tours médiévales, à droite, l'ancien palais épiscopal, encadrent la perspective.

Cette façade, très équilibrée, date du début du 13e s. ; les symboles évangéliques entourent une rosace probablement d'école ombrienne ; plus bas, un atlante (ou un danseur ?) et un homme (Laocoon ?) étouffé par un serpent proviennent sans doute des monuments étrusques. L'intérieur remonte au 11e s. et a été bâti par des maîtres lombards. Des colonnes massives aux admirables chapiteaux soutiennent de curieuses arcades à denticules. La nef centrale a conservé son pavement original très décoratif. À l'abside en cul-de-four, fresques du 12e s. La **crypte★★** comprend une forêt de petites colonnes, toutes différentes et d'époques variées (romaines, préromanes, romanes), portant des voûtes d'arêtes. *Crypte : pour toute information -* ℘ *347 88 38 096 - tlj sf lun. mat. et apr.-midi.*

Détail de la façade ouest de l'église S. Pietro.

Santa Maria Maggiore★ – Bâtie à la fin du 12e s., l'église reprend les principaux éléments de St-Pierre. Il faut remarquer principalement les **portails★★** romans du 13e s., sculptés avec maîtrise.
À l'intérieur, l'ambon est formé de fragments des 8e, 9e et 12e s. Au-dessus de l'arc triomphal, une fresque du 14e s., de facture réaliste, montre le Jugement dernier.

Tarquinia pratique

Informations utiles

Office de tourisme de Tarquinia – *Piazza Cavour, 23 - ℘ 0766 84 92 82 - www.tarquinia.net*
Office de tourisme de Civitavecchia – *Piazza Guglielmotti, 7 - ℘ 0766 59 01 - www.comunecivitavecchia.it.*
Office de tourisme de Tuscania – *Piazzale Trieste - ℘ 0761 43 63 71.*

Se loger

⌂ **Locanda di Mirandolina** – *Via del Pozzo Bianco 40/42 -* **Tuscania**, *à 25 km au nord de Tarquinia - ℘/fax 0761 43 65 95 - www.mirandolina.it - 5 ch.* Cette petite auberge, avec vue sur la campagne, se dresse au cœur de l'ancien bourg médiéval de Tuscania. La façade de l'édifice a été généreusement recouverte par le lierre et le jasmin. Accueil familial et chaleureux. Excellentes spécialités régionales au restaurant.

Se restaurer

⌂⌂ **Arcadia** – *Via Mazzini, 6 - ℘ 0766 85 55 01 - www.on-web.it/arcadia - fermé lun.* Ce restaurant d'une centaine de couverts situé près du centre historique propose d'excellentes spécialités à base de poissons frais.

DÉCOUVRIR ROME ET LE LATIUM

Viterbe ★
Viterbo

**59 860 HABITANTS
CARTE GÉNÉRALE A1 - CARTE MICHELIN N° 563 O18**

Encore entourée de son enceinte (qui s'est en partie écroulée en janvier 1997), Viterbe a gardé un aspect médiéval, notamment dans les rues qui forment le quartier San Pellegrino, populaire et artisanal, très caractéristique avec ses voûtes, ses tours, ses escaliers extérieurs.

- **Se repérer** – Viterbe se trouve à environ 80 km de Rome. Elle est reliée à l'A 1 (direction Florence, sortie Orte).
- **À ne pas manquer** – Les palais de la piazza del Plebiscito et le Palais des Papes ; se perdre dans le quartier médiéval San Pellegrino ; la fascinante Civita di Bagnoregio.
- **Organiser son temps** – Compter une journée pour découvrir Viterbe ; une deuxième pour les alentours proches ; une troisième pour le circuit de Bolsena.
- **Avec les enfants** – Le parc des monstres de Bomarzo.
- **Pour poursuivre le voyage** – Voir Tarquinia, Rieti et Rome.

Visiter

LE CENTRE HISTORIQUE

Piazza del Plebiscito★ – Palazzo dei Priori

La piazza del Plebiscito, cœur administratif de la ville depuis la seconde moitié du 13e s. est bordée de beaux palais qui accueillent aujourd'hui les services municipaux de Viterbe. Le plus intéressant d'entre eux, **le palazzo dei Priori**, commencé dans la seconde moitié du 15e s. ainsi que le prouve sa façade armoriée aux couleurs du pape Sixtus IV, s'ouvre sur quelques belles salles où se tiennent aujourd'hui les assemblées municipales ; parmi elles, la **Sala Regia★** (9h-13h, 15h-18h ; dim. : 10h-13h, entrée gratuite) décorée de fresques peintes par Baldassare Croce à la fin du 16e s. Les thèmes illustrent des évènements mythologiques et historiques liés à la ville tandis que les châteaux et les cités dépendant de Viterbe arpentent le plafond sous les pinceaux de Tarquinio Ligustri et de Ludovico Nucci. À l'arrière du palais, le **jardin★** (17e s.) s'enorgueillit d'une très belle fontaine du 18e s. conçue par Filippo Caparozzi. Perpendiculaire au Palazzo dei Priori s'étire le **palazzo del Capitano del Popolo**. Radicalement remodelé au 18e s. il héberge désormais la Préfecture. Le palais qui lui fait face et se distingue par un élégant balcon est le **palazzo del Podestà**. La tour de l'horloge a été reconstruite après sa chute en 1437. Quant au lion qui domine majestueusement la place du haut de sa colonne, il a été sculpté dans une pierre volcanique locale, le nenfro, très utilisée autrefois par les Étrusques.

En remontant la via Lorenzo en direction du palais des Papes, on croise l'église **Santa Maria Nuova** de facture romane avec des accents lombards. Remarquer à l'angle gauche de la façade, la magnifique **chaire extérieure★** de laquelle saint Thomas d'Aquin exhortait les habitants de Viterbe à faire la paix avec ceux d'Orvieto.

Piazza San Lorenzo★★

Située à l'emplacement de l'acropole étrusque, cette place transporte en plein Moyen Âge : on y voit une maison du 13e s. sur soubassement étrusque *(aujourd'hui dispensaire)*, la cathédrale (1192), nantie d'un beau campanile gothique et, surtout, le **palais des Papes★★** du 13e s., l'un des plus intéressants édifices de l'architecture civile du Moyen Âge dans le Latium. Il serait aussi le lieu de naissance du terme « conclave », dérivé du latin *clausi cum clave* qui signifie « sous clé ». De la piazza Martiri d'Ungheria, on a une belle vue de l'ensemble.

Il quartiere di San Pellegrino★★

Il se trouve à quelques centaines de mètres, à l'est *(direction via san Pellegrino)* de la cathédrale. Ce quartier du 13e s. très bien préservé, fait de ruelles flanquées d'arches, de tours et d'escaliers externes, les fameux *profferli*, donne à tout visiteur l'irrésistible envie de s'y perdre. Au passage, on peut visiter le **musée della Macchina di Santa Rosa** (Via S. Pellegrino 60 - t 0761 34 51 57 - avr.-sept. : merc.-dim. mat. et apr.-midi ; reste de l'année : vend.-dim. apr.-midi - 1 €) qui permet de mieux comprendre la commémoration de Santa Rosa le soir du 3 septembre pendant laquelle une tour lumineuse de cinq tonnes et de trente mètres de hauteur, portée par une centaine de personnes, sillonne la ville comme soufflée par l'obscurité.

LES MUSÉES

Museo Civico
Piazza Crispi, 2 - ℰ 0761 34 82 75 - ᵹ - tlj sf lun. tte la journée - fermé 25 déc., 1ᵉʳ janv., 1ᵉʳ Mai et 4 sept. - 3,10 € (- 18 ans gratuit).

Installé dans l'ancien couvent Santa Maria della Verità, il rassemble des témoignages des civilisations étrusque et romaine de la région : sarcophages et matériel funéraire trouvé dans les tombes. Au 1ᵉʳ étage, une pinacothèque abrite une terre cuite des Della Robbia et quelques tableaux (Salvator Rosa, Sebastiano del Piombo, Pastura, peintre local des 15ᵉ-16ᵉ s.).

Museo archeologico
Rocca Albornoz - Piazza della Rocca, 21 - ℰ 0761 32 59 29 - ᵹ - tlj sf lun. tte la journée - fermé 25 déc. et 1ᵉʳ janv. - 4 € (- 18 ans gratuit).

Le premier étage s'ouvre sur la galerie des « huit muses » (il manque Polimnia, la muse de la Pantomine). Elles occupaient les niches flanquant la scène du théâtre romain de Ferento *(voir ci-dessous)*. Les muses exécutées au 2ᵉ s. ont été identifiées grâce aux objets qu'elles tenaient ou tiennent encore. Le deuxième étage expose les matériaux étrusques exhumés des nombreuses nécropoles rupestres de la région (4ᵉ et 3ᵉ s. av. J.-C.). La visite se poursuit par la tombe du Biga (chariot étrusque à deux chevaux) datant du 6ᵉ s. av. J.-C. et qui constitue un précieux témoignage sur les pratiques rituelles post mortem des personnages de haut rang de la civilisation étrusque ; il s'agit ici d'une jeune femme inhumée avec son chariot processionnel.

Museo del Colle del Duomo
Piazza San Lorenzo - ℰ 0761 34 82 76 - mai.-nov. : tlj sf lun. 9h-13h, 15h-20h (hiver 10h-13h, 15h-18h) - fermé j. fériés - 3 €.

Attenant à la cathédrale, le musée très soigneusement rénové présente sur deux niveaux quelques belles peintures de Vierges à l'Enfant *(Madonna col Bambino)* du 15ᵉ et 17ᵉ s., notamment de Benvenuto di Giovanni et de Bartolomeo Cavarozzi, ainsi qu'une riche collection de **reliquaires★** (18ᵉ s.), de ciboires, de calices et d'habits sacerdotaux.

Aux alentours

Teatro romano di Ferento★
9 km au nord. ᵹ Fermé pour restauration lors de la rédaction de ce guide. ℰ 0761 32 59 29.

Cet édifice du 1ᵉʳ s., assez bien conservé, est le plus important vestige de la Ferentium romaine, dont les ruines parsèment un mélancolique plateau. Serré entre la route et l'ancien *decumanus*, il dresse encore son mur de scène en brique, ainsi qu'un portique en bel appareil de pierres de taille juxtaposées sans mortier, dominant treize rangées de gradins.

Santuario della Madonna della Quercia
3 km au nord-est. De style Renaissance, ce sanctuaire présente une façade à bossages ornée de tympans par Andrea Della Robbia. Cloître mi-gothique, mi-Renaissance.

Villa Lante★, à Bagnaia
5 km au nord-est. ℰ 0761 28 80 08 - Tlj sf lun. nov.-fév. : 8h30-16h30 ; mars : 8h30-17h30. 16 avr.-15 sept. : 8h30-19h30. 1ᵉʳ avr.-15 avr. et 16 sept.-31 oct. : 8h30-18h30 (dernière entrée : 1h av. fermeture) - visite des jardins à l'italienne et des loges situées sous les deux pavillons (30mn) - fermé 25 déc., 1ᵉʳ janv. et 1ᵉʳ Mai - 2 € (- 18 ans gratuit).

Cette élégante villa du 16ᵉ s., édifiée sur un projet de Vignola, fut le séjour de nombreux papes. Elle est ornée de jardins à l'italienne aux dessins géométriques savants et aux nombreuses fontaines.

Parco dei Mostri di Bomarzo
21 km au nord-est, par la route S 204.

En contrebas du village médiéval, le **parc des Monstres** est le jardin le plus extravagant de la Renaissance italienne. Il fait apparaître, au fil de la promenade, une série de **sculptures★** taillées dans le roc. Ce répertoire de formes fantastiques, dont certaines sentences lapidaires rappellent qu'« ici tous les problèmes s'envolent » *(Qui ogni pensiero vola)*, serait dû à l'imagination maniériste de Vicino Orsini (16ᵉ s.). Depuis, nombre d'artistes sont venus hanter ces lieux : de Cocteau à Niki de Saint Phalle sans oublier André Pieyre de Mandiargues qui a rédigé à la fin des années 1950 le très beau livre *Les Monstres de Bomarzo*. *ℰ 0761 92 40 29 - www.bomarzo.net - 8h-19h30 dernière entrée : 19h - 9 € (- 8 ans gratuit). (voir photo p. 160).*

Lago di Vico★

18 km au sud-est, par la via Santa Maria di Gradi. Ce charmant lac solitaire occupe le fond d'un cratère dont les pentes sont couvertes de forêts (hêtres, châtaigniers, chênes et, sur les rives, noisetiers).

Civita Castellana

36 km au sud-est. La ville, qui occupe l'emplacement du centre étrusque de *Falerii Veteres* détruit par les Romains en 241, fut reconstruite au 8e ou 9e s. Sa **cathédrale** est précédée d'un élégant **portique**★ de 1210 dû aux **Cosmates**. La **citadelle**, construite à la fin du 15e s. par Sangallo l'Ancien, fut la demeure de César Borgia. L'intérieur conserve des pièces décorées de fresques par Taddeo et Federico Zuccari et accueille le **museo archeologico dell'Agro Falisco** exposant les résultats de fouilles effectuées dans la région (✆ 0761 51 37 35 – tlj sf lun. 8h-19h)

Une créature à Bomarzo.

Palazzo Farnese di Caprarola★

18 km au sud-ouest. ✆ 0761 64 60 52 - tlj sf lun. tte la journée - Fermé 1er janv., 1er Mai, 25 déc. - 2 € (- 18 ans gratuit).

À cinq étages et sur plan pentagonal, il s'ordonne autour d'une cour ronde. À l'intérieur, à gauche du salon d'entrée, un **escalier hélicoïdal**★★, dessiné par Vignola, est soutenu par trente colonnes doubles et décoré de grotesques et de paysages peints par Antonio Tempesta. Les peintures qui ornent plusieurs salles de ce palais, dues à Taddeo (1529-1566) et Federico Zuccari (1540-1609) ainsi qu'à Bertoja (1544-1574), constituent l'une des ultimes manifestations de ce maniérisme raffiné et sophistiqué, caractéristique de la fin de la Renaissance italienne.

Circuit de découverte

LE LAC DE BOLSENA★

Compter une journée pour environ 80 km. Prendre au nord-ouest de Viterbe la S 2 jusqu'à Bolsena (28 km). Retour par Civita di Bagnoregio.

Montefiascone

13 km au nord-ouest de Viterbe. Située au cœur de vignobles qui produisent le fameux vin blanc « Est, Est, Est », Montefiascone possède une imposante **cathédrale**, surmontée d'un dôme dû à Sanmicheli, et une curieuse église de style roman lombard formée de deux églises superposées, **San Flaviano**★ : dans l'église inférieure, des fresques illustrent la brièveté et la vanité de l'existence *(Dict des trois morts et trois vifs)* ; en face, pierre tombale de Hans Fugger : lors d'un voyage à Rome, ce prélat allemand, très gourmand, se fit précéder d'un valet qu'il chargea de marquer les auberges où le vin était le meilleur par un « Est » *(Vinum est bonum)* ; arrivé à Montefiascone, le serviteur écrivit « Est, Est, Est » et son maître en but tant, tant, tant… qu'il en mourut.

Bolsena

15 km au nord-ouest de Montefiascone. Face au plus grand lac d'origine volcanique d'Italie, dont le niveau se trouve sans cesse modifié par des secousses telluriques, la Volsinies étrusque accueille sur sa plage et le long de ses rives ombragées, baignées d'une lumière transparente, de nombreux visiteurs. La ville ancienne serre sur une petite hauteur ses maisons de couleur sombre ; on en a une jolie vue, de la route S 2 reliant Viterbe à Sienne.

> **Le miracle de Bolsena**
>
> Il est à l'origine de la fête du Corpus Domini (Fête-Dieu) que Bolsena fête chaque année les 23 et 24 juillet dans l'église Santa Cristina. Un prêtre venant de Bohême avait des doutes sur la transsubstantiation (c'est-à-dire le changement du pain et du vin, au moment de l'eucharistie, en corps et sang du Christ). Alors qu'il célébrait la messe à Sainte-Christine, l'hostie se mit à saigner, signe miraculeux du mystère de l'incarnation du Christ.

VITERBE

Santa Cristina★ – ☎ 0761 79 90 67 - www.basilicasantacristina.it - visite guidée mat. et apr.-midi - 4 € (- 18 ans 2 €).
Originaire des environs de Bolsena, sainte Christine vécut au 3e s. et fut victime des persécutions ordonnées par Dioclétien. L'édifice qui lui est dédié date du 11e s., mais sa façade, que rythment des pilastres sculptés avec grâce, est Renaissance. L'intérieur repose sur des colonnes romaines. De la nef gauche, on pénètre dans la **chapelle du Miracle**, où l'on révère le pavement teinté du sang de l'hostie, puis dans la grotte, où se trouvent l'autel du miracle et un gisant de sainte Christine, attribué aux Della Robbia.

Civita di Bagnoregio★
De Bolsena, prendre la direction d'Orvieto puis, à mi-chemin avant de croiser la S 71, prendre la première route sur votre gauche menant à Bagnoregio (environ 12 km). Civita en est le prolongement.
La « ville qui meurt », surgit en haut d'une colline étonnamment escarpée et inhospitalière depuis qu'un tremblement de terre en a raboté l'un des versants, privant le village au 18e s. de tout accès à Bagnoregio. Ce n'est que dans les années 1960 qu'un pont pédestre a rétabli une voie de communication avec ce village aux allures d'écueil dans cette mer blanche de *calanchi*.

Viterbe pratique

Informations utiles
Office de tourisme – *Via Ascenzi, 4 - ☎ 0761 32 59 92 - www.comune.vt.it*

Se loger

VITERBE

Hotel Nibbio – *Piazzale Gramsci, 31 - ☎ 0761 32 65 14 - fax 0761 32 18 08 - www.hotelnibbio.it. -* 🅿 *- 27 ch.* Cette ancienne villa 19e s. reconvertie en hôtel a l'avantage de se trouver à deux pas de la Porte Fiorentina qui perce, au nord-est, les remparts médiévaux enclosant le centre historique. Chambres confortables ; accueil sympathique.

BOMARZO

Le Quercé – *Via Roma, 2 - 04020 Ponza (à 500 m en amont du village)- ☎ 0761 92 42 99 - fax 0761 34 30 49 -www.lequercebomarzo.it -* 🅿 *- 30 ch. -* 🚳 Cette ferme-auberge (très bien fléchée) campée sur le beau plateau qui domine la vallée del Tevere donne un point de vue imprenable sur le village médiéval de Bomarzo. Cuisine régionale. Chambres simples.

Se restaurer

VITERBE

Tavernia dei Priori – *Via Romanelli, 26 - ☎ 0761 30 72 86.* Dans cette très belle cave voûtée, les habitués viennent manger de copieuses pizzas cuites au four à bois.

BOLSENA

Trattoria da Picchietto – *Via Porta Fiorentina, 15 - ☎ 0761 79 91 58 - fermé lun.* Cette institution ouverte depuis 1927 propose les fameuses anguilles du lac cuites au vin blanc de Montefiascone. Belle terrasse d'une centaine de couverts.

Faire une pause

Antico Caffè Schenardi – *Corso Italia, 11-13 - Viterbo - ☎ 0761 34 58 60.* Situé à deux pas de la piazza delle Erbe, ce café historique est l'un des plus beaux cafés d'Italie. Tour à tour restaurant au 16e s., hôtel royal, ce café restructuré au 19e s. affiche une belle élégance d'un grand classicisme avec ses miroirs aux cadres dorés.

Achats

Rossi Angelo – *Via La Fontaine, 21 - Viterbo - ☎ 0761 23 60 83.* Derrière la façade de ce palazzo tapissé de lichens se niche le plus insolite et verdoyant marchand de « frutta, verdura, vini et liquori ». À 50 mètres de l'église Santa Maria Nuova.

Événements

Le transport de la *macchina di Santa Rosa* (3 septembre). Le festival du Mime (septembre) et de la Musique baroque (septembre, octobre).

La vallée de l'Orta dans le Parc national de la Maiella.

LES ABRUZZES
LE MOLISE

1 285 896 HABITANTS
CARTE MICHELIN N° 561 G 4-5
CARTE DE LA RÉGION P. 165

Cette terre rude et sauvage, la plus protégée d'Italie, surprend par l'immensité (près de 18 000 km²) et la diversité de ses paysages. Phénomènes karstiques, hêtraies, hauts plateaux désertiques, cascades, fertiles pâturages, faune et flore d'une grande variété, marquent les quatre grands parcs (trois nationaux et un régional) qui fondent l'identité des Abruzzes : du nord au sud, se suivent le Parc national du Gran Sasso, le Parc régional de Sirente et de Velino, plus à l'est celui de la Maiella, et enfin le Parc national des Abruzzes. Mais le visage des Abruzzes serait incomplet sans sa partie littorale : la grande « Région verte d'Europe » est en effet bordée sur son versant oriental, au-delà des vertes collines qui toisent la mer des Abruzzes, par près de 140 km de plages. Une diversité géographique riche en histoire, en témoignages artistiques et en spécialités gastronomiques, où se déclinent selon un vieux dicton des Abruzzes : « Teramo la docte, Chieti la riche et L'Aquila la belle ». Moins touristique, de taille plus modeste et au relief plus modéré le Molise (4 438 km²) partage malgré tout avec les Abruzzes un certain nombre de traits communs.

▶ **Se repérer** – La terre des Abruzzes se situe dans le centre-est de l'Italie entre les Marche au nord, le Latium à l'ouest et le Molise au sud. Elle s'étend de la chaîne des Apennins jusqu'à la mer Adriatique. Les Abruzzes s'appuient à l'ouest sur les massifs montagneux les plus hauts de la chaîne de montagnes la plus élevée d'Italie : les Apennins. Le versant oriental, avant de se transformer en une étroite plaine côtière bordée par l'Adriatique, est constitué de collines argileuses flanquées de *calanchi*. Le Molise s'étend quant à lui au sud des Abruzzes, bordé par le Latium à l'ouest, les Pouilles et la Campanie pour sa partie la plus méridionale. Cinq provinces composent ces deux régions : Pescara, L'Aquila, Teramo, Chieti, Campobasso et Isernia.

👁 **À ne pas manquer** – Le Parc national des Abruzzes, le Campo Imperatore dans le Parc du Gran Sasso, le Parc national de la Maiella ; la basilique Santa Maria di Collemaggio de L'Aquila ; Sulmona et le village de Scanno avec la magnifique route qui traverse les gorges du Sagittaire *(Gole del Sagittario)*. Termoli dans le Molise.

🕐 **Organiser son temps** – Compter au minimum une semaine pour les Abruzzes ; deux journées pour le Molise.

👥 **Avec les enfants** – La visite des parcs avec une petite préférence pour le Campo Imperatore dans le Parc du Gran Sasso qui mêle découverte et histoire.

Un peu d'histoire

Avec plus ou moins de succès, différentes populations italiques dominent le territoire des Abruzzes jusqu'au 3ᵉ s. av. J.-C., période qui voit Rome s'imposer définitivement. À la chute de l'Empire romain, la région passe sous domination lombarde, et franque par conséquent. Au 12ᵉ s., elle entre dans le royaume de Naples, dont elle suivra la destinée jusqu'à l'unité italienne.

Au Moyen Âge, la diffusion de la règle de saint Benoît, que l'abbaye du Mont-Cassin respecte en partie, entraîne la construction de cathédrales, abbayes et églises magnifiquement ornées, qui sont le véritable joyau de l'art des Abruzzes. À la Renaissance, les meilleurs témoignages des idées nouvelles se comptent parmi les œuvres de l'architecte et peintre **Cola dell'Amatrice**, du peintre **Andrea de Litio**, du sculpteur **Silvestro dell'Aquila** ou les précieux ouvrages d'orfèvrerie de **Nicola da Guardiagrele**.

Parmi les célèbres Abruzzains, citons Ovide (43 av. J.-C.-17 apr. J.-C. ; *voir encadré p. 179*), Gabriele D'Annunzio (1863-1938 ; *voir encadré p. 175*), Benedetto Croce (1866-1952) et Ignazio Silone (1900-1978).

DÉCOUVRIR LES ABRUZZES

LES ABRUZZES

Parc national des Abruzzes ★★★
Parco nazionale d'Abruzzo

CARTE GÉNÉRALE B1 - CARTE MICHELIN N° 564 E31

Le Parc national des Abruzzes, l'un des poumons verts de l'Europe, attire chaque année près d'un million de visiteurs sur ses 160 sentiers de randonnées. Son attrait tient autant à sa biodiversité (300 espèces d'oiseaux par exemple) et à sa flore diversifiée (150 plantes endémiques) qu'aux reliefs âpres et sauvages de ses montagnes.

▶ **Se repérer** – Le Parc national des Abruzzes est à 65 km au sud-ouest de Sulmona (via la S 479).

◉ **À ne pas manquer** – Flâner dans les ruelles de Scanno, visiter l'antique Alfedena, randonner dans les forêts entourant Pescasseroli.

🕒 **Organiser son temps** – Compter une journée pour se rendre de Sulmona jusqu'au village d'Alfedena ou de Pescasseroli (15 km plus loin) avec une excursion pique-nique dans le Parc des Abruzzes à partir de l'un des nombreux chemins de randonnées partant de chacun des villages.

👥 **Avec les enfants** – Faire une excursion d'éveil à la nature avec un guide.

🧭 **Pour poursuivre le voyage** – Voir L'Aquila, Gran Sasso, Sulmona, Bari (POUILLES).

Le village d'Anversa degli Abruzzi.

Comprendre

Le Parc national des Abruzzes, ou plus exactement le Parc national des Apennins centraux puisqu'il s'étend certes sur les Abruzzes mais aussi sur une partie du Latium et du Molise, est une réserve naturelle créée en 1923 dans le but de sauvegarder la faune, la flore et les sites situés au cœur du massif. Couvrant 40 000 ha environ, auxquels s'ajoutent les 4 500 ha du territoire des Mainarde (en Molise), entouré d'une zone de protection de 60 000 ha, le parc est couvert aux deux tiers de forêts de hêtres, d'érables blancs, de bouleaux, d'ifs, de chênes et de pins noirs. C'est le dernier refuge des animaux (on compte une soixantaine d'espèces de mammifères) qui vivaient autrefois sur tout le massif des Apennins. Milieu typiquement montagneux (trois massifs ont plus de 2 000 m d'altitude, le point culminant étant le **Monte Petroso** avec 2 247 m), il possède une structure géologique calcaire dolomitique (roche constituée par un mélange de calcite et de dolomite) modelé par les phénomènes de glaciation et de karstification (lente dissolution des roches calcaires, associée à l'érosion par la pluie, le gel, les vents, les effondrements…).

Parc national des ABRUZZES

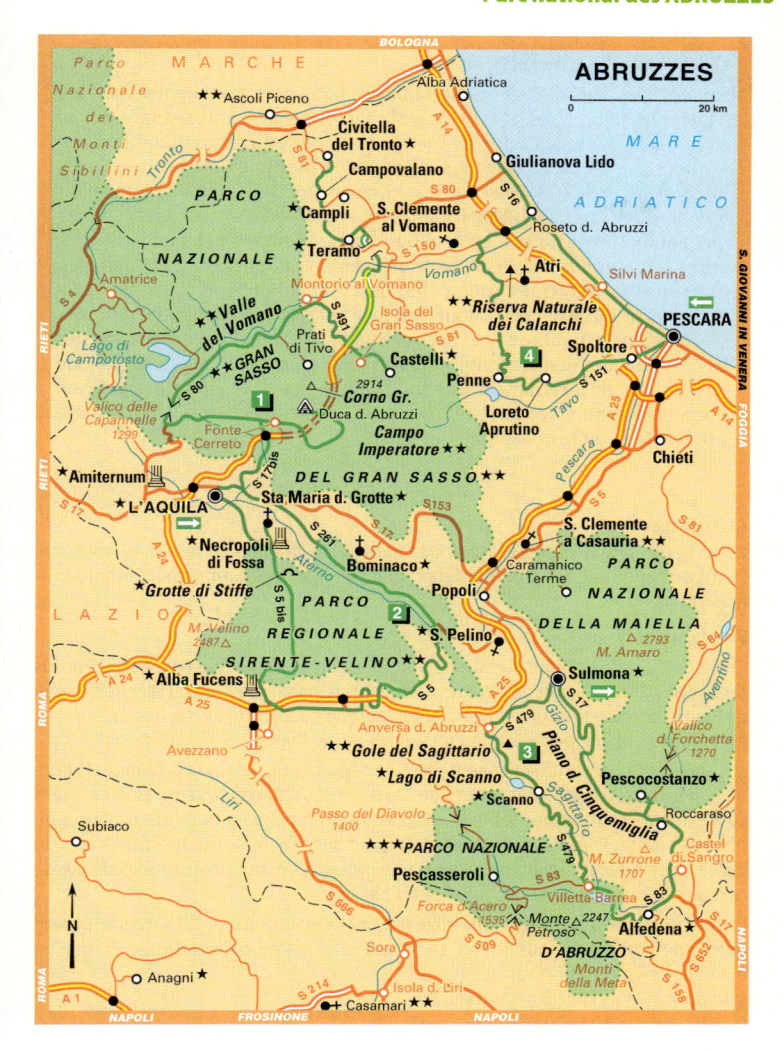

Circuit de découverte
LES GRANDS PLATEAUX 3

Voir carte ci-dessus. Circuit au départ de Sulmona. 140 km – prévoir une journée au moins, sans la visite de Sulmona.

Sulmona★ *(voir ce nom)*

Piano delle Cinquemiglia

Après des passages en balcon offrant une belle vue sur la vallée de Sulmona, la route débouche sur le plus important des grands plateaux qui s'étendent entre Sulmona et Castel di Sangro. À 1 200 m d'altitude en moyenne, le Piano, long de 5 milles romains (8 km), d'où son nom, était autrefois un passage obligé pour les diligences en route vers Naples ; il était assez redouté pour la rigueur de ses hivers et les incursions des brigands.

En vue du vieux village de Rivisondoli, prendre à gauche la route S 84.

Pescocostanzo★

Jolie bourgade aux rues dallées ou pavées et aux maisons anciennes, où l'artisanat est resté florissant (fer forgé, cuivre, bois, dentelle, orfèvrerie). La collégiale **Santa Maria del Colle**, sur un plan Renaissance, présente quelques survivances romanes et des ajouts baroques (buffet d'orgue, plafond et grille du collatéral gauche).

165

Un symbole en danger

Symbole des Abruzzes, l'ours brun marsicain (du nom d'un mont sacré situé à quelques kilomètres de Pescasseroli) serait menacé. Cette espèce qui ne compte qu'une soixantaine de membres doit doubler sa population pour assurer sa survie. Un objectif jugé impensable à l'aune de la superficie actuelle du parc (autour de 40 000 hectares pour la zone centrale). Selon les informations obtenues par un suivi GPS de l'animal, les scientifiques ont en effet constaté que l'espace nécessaire à un seul ours pour satisfaire ses besoins alimentaires (végétariens à 80 %, ils se nourrissent de fruits, de baies de nerprun et de sureau, de racines, tubercules, bulbes mais aussi de cerfs) peut être supérieur à 15 000 hectares. Pour l'heure la taille du parc ne permet donc pas d'augmenter le nombre de ces ours qui ont déjà un taux de reproduction très bas, les femelles étant fécondes tous les deux ou trois ans avec une période de gestation de 6 à 8 mois. Il serait pourtant regrettable que l'ours marsicain disparaisse comme son ancêtre l'ours des cavernes avec lequel il partage une troublante parenté génétique.

Alfedena★

Cette petite ville groupe ses maisons autour d'un château en ruine. Au nord, des sentiers mènent à l'antique Alfedena, dont subsistent des murs mégalithiques et une nécropole.

Pescasseroli

Cette petite ville de 2 000 habitants s'élève à 1 167 m dans une cuvette aux bords recouverts de hêtraies et de pinèdes. Centre principal de la vallée du Sangro et siège du Parc national des Abruzzes, Pescasseroli, autrefois lieu d'arrivée des transhumances, est aujourd'hui une petite station de ski très prisée l'hiver.

En été, elle constitue le meilleur point de départ pour découvrir la faune et la flore du milieu rupestre, forestier et humide. De nombreuses activités éducatives portant sur l'écologie sont proposées. Lors d'excursions qui peuvent durer deux heures ou plusieurs jours *(Voir encadré pratique)*, on peut avec l'aide de guides-interprètes du Parc s'interroger sur le microcosme d'une mousse, découvrir les modes de vie de certains animaux ou partir écouter de nuit la nature.

Le **centre historique,** malgré le terrible tremblement de terre de 1915, mérite un petit détour notamment autour de l'église **Santi Pietro e Paolo** qui s'ébroue chaque fin d'année de sa torpeur hivernale par un traditionnel grand feu de joie *(Tomba)*.

N'oublions pas que c'est à Pescasseroli que naquit le grand philosophe, historien, critique littéraire et homme politique **Benedetto Croce** (1866-1952) qui réactualisa la pensée de Hegel dans les années 1920.

Scanno★

Au cœur d'un site de montagne, dominant le joli **lac de Scanno★** formé par l'éboulement qui barra le cours du Sagittario, cette station de villégiature a su préserver les témoignages de son passé, notamment ses ruelles étroites et escarpées, bordées de vieilles maisons et d'églises où circulent encore de vieilles femmes en costume sombre traditionnel.

En poursuivant vers Anversa degli Abruzzi *(voir photo p. 164)*, la route s'enfonce dans les profondes et sinueuses **gorges du Sagittario★★**, qui, sur 10 km, offrent un spectacle sauvage et majestueux.

Suivre la S 479 pour rentrer à Sulmona.

Scanno, muse photographique

La guerre d'Espagne, Paris Libéré, les camps de concentration, Gandhi, la victoire des communistes chinois, l'Histoire défile derrière l'objectif de Cartier-Bresson ; et puis un jour par une nuit de 1955, le photographe réalise le fameux cliché tant jalousé des amateurs : *Messe de minuit à Scanno*. Deux ans plus tard, c'est au tour de **Mario Giacomelli** (1925-2000), reconnu aujourd'hui comme l'un des plus importants photographes italiens *(voir Comprendre p. 88)*, d'être séduit par ce village. Une partie de ces images sont d'ailleurs rapidement achetées par John Szarkowski, alors directeur du département de photographie du Moma (New York). « À Scanno, disait Giacomelli, la beauté naissait du temps, un temps comme suspendu, qui n'avait jamais passé, qui n'aurait jamais rien changé. »

Parc national des ABRUZZES

Le lac Barrea entre Alfedena et Scanno.

Parc national des Abruzzes pratique

Informations utiles

Office de tourisme de Pescasseroli – Via Principe di Napoli - ✆ 863 91 04 67 ou 0863 91 00 97 - www.regioneabruzzo.it

Accès au Parco Nazionale d'Abruzzo – Les principaux accès en voiture sont Bisegna au nord, Barrea à l'est et Force d'Acero à l'ouest.

Bureau d'information du Parc – Via Consultore, 1 - **Pescasseroli** - ✆ 863 911 33 ou 0863 911 32 42 - www.parcoabruzzo.it

Pour toute information, on peut s'adresser au **siège social du Centre des Parcs** : **Rome** : Viale Tito Livio, 12 - ✆ 06 35 40 33 31 - fax 06 35 40 32 53 - www.pna.it ; ou à l'un des 11 bureaux de zone mis à la disposition du public et placés aux différentes entrées du Parc. Chaque bureau ayant un domaine d'observation particulier : **Pescasseroli** (nature) 9h-19h30 ; **Villetta Barrea** (fleuve), fermé lun. 10h-13h, 15h-18h ; **Alfedena** (loup), fermé lun. 10h-13h, 15h-18h ; **Villavallelonga** (ours) fermé mar. 10h-13h, 15h-18h ; **Alvito** (animaux mystérieux) fermé dim. 10h-13h, 15h-18h.

Se loger

PESCASSEROLI

◌◌ **Hotel Villino Mon Repos** – Viale Colli dell'Oro - ✆ 863 91 28 58 - fax 863 91 28 30 - 17 ch. Construite au début du 20ᵉ s., autrefois résidence d'été de Benedetto Croce, cette villa se dresse dans un magnifique parc planté d'arbres centenaires. Ses chambres sont confortables, meublées et décorées avec raffinement et vous accueilleront pour un séjour de classe.

PESCOCOSTANZO

◌ **Albergo Archi del Sole** – Via della Pretara 12 - ✆ 0864 64 00 07 - fax 0864 64 00 07 - archidelsole@virgilio.it - fermé lun. (hiver) - 10 ch. Parfaitement intégré dans le contexte du village-musée, c'est une adresse de charme où chaque chambre est meublée et décorée en fonction de la couleur de la fleur dont elle porte le nom. Le parquet au sol et les poutres apparentes au plafond viennent compléter un cadre déjà très agréable.

VILLETTA BARREA

◌ **Hotel Il Vecchio Pescatore** – Via Benedetto Virgilio - 15,5 km à l'est de Pescasseroli sur la S 83 - ✆ 0864 89 274 - fax 0864 89 255 - 12 ch. - restaurant. Un petit hôtel simple et accueillant, situé en plein cœur du Parc national des Abruzzes. Les pièces ne sont pas très grandes mais lumineuses, et le mobilier est moderne, en bois clair. À deux pas se trouve le restaurant du même nom, de même gestion.

Se restaurer

PESCASSEROLI

◌◌ **Peppe di Sora** – Via Benedetto Croce, 1 - ✆ 863 91 908 - fermé lun. (en hiver). Tout près du fleuve, cette trattoria classique sert une cuisine typiquement régionale, égayée par le feu de cheminée allumé pendant la saison hivernale. Possibilité d'hébergement dans des chambres assez simples, mais bien tenues.

SCANNO

◌ **Il Vecchio Mulino** – Via Silla, 50 - ✆ 0864 74 72 19. Restaurant doté d'une belle salle et d'une petite terrasse surplombant une ruelle tortueuse. Spécialités à base d'agneau. Très bons vins au verre.

DÉCOUVRIR LES ABRUZZES

Parc national du **Gran Sasso- Monti della Laga**★★

CARTE GÉNÉRALE A/B1 - CARTE MICHELIN N° 563 N/R 21-26

Massif rocheux spectaculaire, le Gran Sasso est très prisé des alpinistes, mais aussi des excursionnistes et des skieurs pour le haut plateau du Campo Imperatore qui frange sa partie méridionale. Site sauvage d'une grande beauté, le Campo Imperatore porte aussi la mémoire d'un événement historique d'une folle intrépidité : l'évasion de Mussolini réalisée par l'as de la Luftwaffe.

▶ **Se repérer** – On peut facilement rejoindre le Parc depuis Rome en empruntant l'A 24, et, depuis la Côte Adriatique, grâce à l'A 25 (sortie par la S 153 juste avant Popoli pour gagner quelques kilomètres). Le Parc est à 20 km au nord-est de L'Aquila sur la route de Campo Imperatore.

👁 **À ne pas manquer** – Le Campo Imperatore et la vallée du Vomano dans le Parc du Gran Sasso. Plus au nord : le village perché de Civitella del Tronto.

🕐 **Organiser son temps** – On peut facilement passer une journée pour se balader sur le Campo Imperatore ; une deuxième pour suivre le circuit qui nous mène jusqu'a Civitella del Tronto.

👥 **Avec les enfants** – Excursion en téléphérique sur le Campo Imperatore.

⊙ **Pour poursuivre le voyage** – Voir L'Aquila, Sulmona et Pescara.

Ambiance hivernale sur les sommets du Parc.

Circuit de découverte

GRAN SASSO★★ [1]

Voir carte p. 165. Circuit de L'Aquila à Civitella del Tronto. Environ 100 km – prévoir une journée sans la visite de L'Aquila et ses environs.

Le Parc national du Gran Sasso-Monti della Laga, établi en 1992, couvre quelques 160 000 hectares. Il englobe le plus haut massif des Abruzzes qui s'étire sur deux chaînes de montagnes : les Monti della Laga au nord, formés de marnes et de grès ; le Gran Sasso au sud qui dresse avec majesté ses cimes dont la plus élevée, le **Corno Grande**, culmine à 2 914 m. S'abaissant doucement au nord en longues échines ravinées, abruptement au sud sur d'immenses plateaux glaciaires dont le haut plateau de Campo Imperatore, ce massif offre un contraste frappant entre ses deux versants : l'un foisonne de splendides hêtraies et de prairies, l'autre bée d'une désolation grandiose.

L'Aquila★ *(voir ce nom)*

Campo Imperatore★★

👥 *À 17 km de L'Aquila par la A 24. Sortir à Assergi puis prendre la SR 17 bis jusqu'a Fonte Cerreto. De Fonte Cerreto : accès en téléphérique (compter une douzaine de minutes) - ☎ 0862 60 61 43 - mi-nov.-mai et fin juin- mi-sept., toutes les 30mn -10 € AR (- 18 ans,*

Parc national du GRAN SASSO-MONTI DELLA LAGA

Le Duce et la Cigogne

Le 24 juillet 1943, **Mussolini** mis en minorité au Grand Conseil fasciste démissionne. Il est assigné à résidence dans sa prison dorée de Campo Imperatore accessible seulement par téléphérique. Hitler, qui croit encore à un sursaut fasciste des Italiens, entend organiser son évasion. C'est l'opération « Eiche » (Chêne). Le 12 septembre 1943, sept des douze planeurs mobilisés pour aéroporter le commando se posent sur le très inhospitalier plateau du Gran Sasso. Libéré, le Duce s'envole à bord d'un Fieseler Fi-156 dénommé « Storch » (cigogne en allemand). Ce petit avion d'observation à décollage et atterrissage courts (20 à 50 mètres de terrain lui suffisent), est dirigé par l'as de la Luftwaffe, Gerhard Fieseler. Ce dernier, mort en 1987 à l'âge de 91 ans, couronnait de succès une mission qu'Hitler lui-même avait jugée suicidaire.

5 €). Accès également possible en voiture (27 km) en empruntant la S 17 bis (fermée déc.-avr.). Attention, bien se renseigner car la route indiquée comme étant ouverte peut être fermée à mi-chemin. On passe en effet d'une altitude de 1 118 m à 2 117 m pour atteindre Campo Imperatore.

On traverse un grandiose paysage de montagne où errent de grands troupeaux de chevaux ou de moutons.

Revenir à Fonte Cerreto. Prendre la route du Valico delle Capannelle (fermée à la circulation de décembre à avril), puis la S 80 vers Montorio al Vomano.

La route épouse ensuite les contreforts du Gran Sasso, le long de la verdoyante **vallée du Vomano★★**, puis s'encaisse dans de magnifiques gorges où se découvrent d'extraordinaires bancs rocheux stratifiés.

Castelli★

À 27 km de Montorio. Prendre à droite la S 491 jusqu'à Isola del Gran Sasso, où l'on trouve une signalisation pour Castelli.

Bâti sur un promontoire boisé au pied du Mont Camicia, Castelli est connu depuis le 13e s. pour ses céramiques dont le **plafond★** du 17e s. de l'**église San Donato** offre un exemple admirable.

Un peu en dehors de l'agglomération, l'ancien couvent franciscain (17e s.) abrite le **musée de la Céramique** (*Museo delle Ceramiche*), qui illustre l'histoire de l'art de Castelli du 15e au 19e s. à travers les œuvres de ses plus grands maîtres. ✆ 0861 97 93 98 - ♿ - 3,60 € (- 14 ans 2,50 €).

Teramo★

À 40 km de Castelli. Reprendre l'A 24 et sortir à Teramo.

Située à une vingtaine de kilomètres de la mer Adriatique et à une quarantaine des pentes rocheuses du Gran Sasso, la ville s'étire sur un vaste plateau à 265 m d'altitude entre les fleuves Tordino et Vezzola. Teramo vient de son ancienne appellation romaine *Interamnia, interamnes* qui signifie « entre deux fleuves ». Témoignent de cet ancien âge d'or, que la ville connut sous les règnes d'Auguste puis d'Hadrien, de nombreuses ruines sur lesquelles se sont indexés les plans d'une cité médiévale, conjugués quelques siècles plus tard avec les besoins d'une cité moderne. Parmi eux se trouvent l'amphithéâtre construit dans la seconde moitié du 1er s. av. J.-C. ainsi que le **théâtre** Auguste. Seule la partie sud-est de l'**amphithéâtre★** peut être vue de la via Irelli, la partie nord-ouest ayant été entièrement détruite pour faire place à la cathédrale.

La cathédrale de **San Berardo★**, commencée entre 1158 et 1174, agrandie deux siècles plus tard, présente ainsi deux principales structures. La plus ancienne, la partie orientale comprend une nef avec deux ailes scandées alternativement de piliers et de colonnes. La partie occidentale, la plus récente, s'étire au-delà du transept et se subdivise en six baies portées par des arches ogivales. À la croisée du transept, la chapelle de San Berardo a été ajoutée au 18e s. La **façade★** couronnée de créneaux gibelins et enrichie d'éléments héraldiques possède un très élégant **portail** à pointe (1322) rehaussé de mosaïques ; ce travail, caractéristique de l'école des Cosmati (véritable dynastie de mosaïstes, sculpteurs et architectes apparue à Rome sous la Renaissance) est dû au maître Diodato Romano. Les deux sculptures placées de part et d'autre de l'archivolte ont été exécutées par Nicolas da Guardiagrele qui a également réalisé (entre 1433 et 1448) le **devant d'autel★** (parement en argent, souvent amovible, qui recouvre la face de l'autel supérieur) à l'intérieur de la cathédrale. Le **polyptyque de Sant'Agostino**★ (14e s.) qui décore cette fois l'autel de la chapelle baroque est l'œuvre du maître vénitien Jacobello del Fiore.

Au sommet des collines entourant la ville, est situé l'**Observatoire Astronomique de Collurania** qui s'intéresse surtout à l'astrophysique des étoiles.

Campli★
À 15 km au nord de Teramo sur la S 81 puis la S 262 (la première sur votre droite).

Ce village égraine sur sa place principale quelques édifices religieux et civils d'une grande beauté. L'église collégiale de **Santa Maria in Platea** (1395) possède un **plafond peint**★★ d'une richesse époustouflante. Il a été exécuté au début du 18e s. par le peintre Teodoro Donato de Chieti. Face à l'église et à son massif beffroi (14e s.), la **maison du Parlement** (13e s) profondément remanié au 16e s. et connu également sous le nom de Palais Farnèse, sert actuellement de mairie.

À deux pas, sous l'une des arcades de l'ancien couvent franciscain, se trouve l'entrée du **musée national Archéologique** où sont essentiellement exposés des objets funéraires exhumés de la nécropole protohistorique (du 10e s. jusqu'au 2e s. av. J.-C.) de Campovalano *(voir plus bas)*.

L'église de San Giovanni Battista mérite un détour, en particulier pour son **escalier Saint**★, inspiré de l'escalier romain de Laterano. Il a été accordé au 18e s par Clément XIV à la confrérie des Stigmates de saint François. Les 28 marches, que chaque dévot doit gravir sur les genoux en rémission de ses péchés, s'élèvent dans une galerie aux murs et plafond peints d'une grande richesse baroque. Tableaux et peintures permettent de revivre la Passion du Christ. L'escalier Saint est lié à l'indulgence plénière du troisième dimanche après Pâques jusqu'au lundi de Pentecôte.

Campovalano
À 7 km au nord de Campli par la S 81.

On peut encore voir sur la plaine de Campovalano, au pied de la Montagna dei Fiori, quelques unes des 600 sépultures de cette vaste nécropole de l'âge du fer.

Civitella del Tronto★
À 15 km au nord ouest de Campli. Quitter la S 81 en prenant la première route sur votre droite.

Ce minuscule village, perché sur une colline de travertin à 645 m au-dessus du niveau de la mer, dans un **site**★★ magnifique, présente, le long de ses ruelles tortueuses et pittoresques, de beaux édifices civils et religieux des 16e et 17e s. Civitella est dominé par la plus imposante forteresse européenne (16e s.), dernière citadelle des Bourbons à capituler face aux armées sardo-piémontaises en 1861. Cette construction militaire (d'une longueur de 500 m pour une superficie de 25 000 m^2) a réouvert ses portes après une quinzaine d'années de restauration. Sa visite vaut moins pour ses musées que pour ses multiples **panoramas**★. ✆ 0861 91 588 - www.fortezzacivitella.it - été : tte la journée ; hiver mat. et apr.-midi - fermé 25 déc. - 4 € (- 10 ans 1 €).

En sortant de cette imposante structure, n'oubliez pas de visiter la **ruetta** : la rue la plus étroite de toute l'Italie (40 cm de large) se trouve au pied de la forteresse.

Gran Sasso pratique

Informations utiles

Parco del Gran Sasso, via del Convento, 67010 Assergi (2 km au nord-est de L'Aquila sur la route de Campo Imperatore) - ✆ 0862 60 521- www.gransassolagapark.it

Centro Turistico Gran Sasso – ✆ 863 91 07 15 - www.ilgransasso.it

Office de tourisme de Campli – *Piazza Vittorio Emmanuele* - ✆ 0861 56 93 23 - www.campli.it

Se loger

⌂ **Zaraca B&B** – *Piazza Garibaldi, 36 - Teramo* - ✆ 0861 41 21 13 - info.zaraca@libero.it - Ce Bed and Breakfast bien situé et très accueillant possède 4 appartements et une chambre simple. Les petits-déjeuners se prennent au café d'en face.

Se restaurer

⌂⊜ **Hotel Campo Imperatore** – *67100 Assergi (2 km au nord-est de L'Aquila sur la route de Campo Imperatore)* - ✆ 0862 40 00 00 -www.hotelcampoimperatore.com. L'ancienne résidence privilégiée de Mussolini, transformée aujourd'hui en hôtel-restaurant, fait l'objet d'une profonde rénovation. Dans une salle circulaire magnifique où de superbes fresque Art déco des années 1930 sont en train d'être exhumées, on peut déguster un menu gourmet, raffiné. Possibilité de prendre un verre dans le coin bar attenant (photographies d'époque).

L'AQUILA

L'Aquila★

**70 664 HABITANTS
CARTE GÉNÉRALE A1 CARTE MICHELIN N° 563 O22**

Le massif du Gran Sasso veille avec sévérité sur cette cité austère, d'une grande richesse artistique et historique. Elle invite à la découverte de ses trésors, de son architecture urbaine et des mystérieuses légendes qui entourent sa fondation. Par quelle intrigante tradition le chiffre quatre-vingt-dix-neuf se retrouve-t-il dans chacune des composantes de la ville ? Les 99 coups que frappe la cloche du Municipio à la nuit tombée ne font-ils pas écho aux 99 bouches de la fontaine « delle 99 cannelle » ?

- **Se repérer** – Au cœur du massif des Abruzzes, à 80 km au nord-ouest de Sulmona. La ville est très bien desservie par l'A 24.
- **À ne pas manquer** – La splendeur de la basilique Santa Maria di Collemaggio et de l'église San Bernardino ; l'histoire et la légende de la Fontana delle 99 cannelle ; la section d'art sacré du Castello.
- **Organiser son temps** – Compter une bonne demi-journée pour visiter la ville.
- **Avec les enfants** – La visite de la grotte di Stiffe et du Parc Régional Sirente-Velino.
- **Pour poursuivre le voyage** – Voir le Parc national des Abruzzes, le Parc national du Gran Sasso-Monti della Laga, Pescara, Sulmona.

La basilique Santa Maria di Collemaggio est l'un des joyaux de l'art abruzzain.

Comprendre

Selon la légende, L'Aquila naquit au 13ᵉ s., lorsque les habitants des 99 châteaux de la vallée située au pied du Gran Sasso s'unirent pour ne former qu'une seule grande agglomération, où, à chaque château, correspondaient une église, une place et une fontaine. Impliquée dans les événements tourmentés du royaume de Naples, L'Aquila fut assiégée, détruite et reconstruite à plusieurs reprises jusqu'à devenir, au 15ᵉ s., la deuxième ville du royaume. C'est alors que furent érigés de magnifiques monuments, en particulier grâce au commerce du safran, cet « or vermeil » provenant du haut plateau de Navelli tout proche, et vendu par les marchands de L'Aquila dans toute l'Europe *(voir encadré p. 174)*. De cette époque date le séjour de saint **Bernardin de Sienne** (mort à L'Aquila en 1444), attesté par la présence du monogramme IHS (Iesus Hominum Salvator) sur de nombreuses portes.

Visiter

Santa Maria di Collemaggio★★
Été : 9h-12h, 15h-20h ; le reste de l'année : 9h-12h, 15h-19h - ☎ *0862 23 165.*
Sa valeur historique et architecturale en a fait la basilique la plus célèbre des Abruzzes. Sa construction, commencée en 1287 dans le style roman, est due à l'initiative de Pietro da Morrone, futur **Célestin V**, qui y fut couronné pape en 1294. La vaste **façade**★★

à couronnement rectiligne du 14ᵉ s., qui se distingue par une magnifique ornementation à motifs géométriques de pierres blanches et roses, est rythmée par des portails et des rosaces datant du 15ᵉ s. Sur le flanc gauche s'ouvre la **porte Sainte**, joli portail roman finement décoré. L'intérieur abrite le sépulcre de saint Pierre Célestin, réalisé au 16ᵉ s. dans le style Renaissance lombard.

San Bernardino★★

Cette magnifique église est dotée d'une remarquable **façade★★** très animée due à **Cola dell'Amatrice** (1527), divisée en corniches, qui délimitent les trois ordres de colonnes jumelées (ionique, dorique et corinthien). À l'intérieur, en forme de croix latine, ample et lumineux, on peut admirer un beau plafond de bois baroque, le **mausolée de saint Bernardin★**, orné de figures dues au sculpteur local Silvestro dell'Aquila, et l'élégant **sépulcre★** de Maria Pereira par le même Silvestro.

> **« Celui qui par lâcheté fit le grand refus… »**
>
> Ce vers de Dante (*L'Enfer*, chant 3, 59-60) pourrait symboliser le destin de Pietro da Morrone (1215-1296). Ermite et fondateur des Célestins de l'abbaye de Morrone, près de Sulmona, il fut inopinément élu au siège pontifical en septembre 1294, sous le nom de **Célestin V**. Accablé par la pression des intrigues et manœuvres de la Cour, il abdiqua après quelques mois de pontificat et fut enfermé par son successeur Boniface VIII dans le château de Fumone, où il mourut peu après. Il fut sanctifié en 1313 par Clément V.

Castello★

Musée : Via Ottavio Colecchi, 1 - ☎ 0862 63 31 - www.muvi.org/museonazionaledabruzzo - tlj sf lun. 8h30-19h30 (la billetterie ferme à 19h). - fermé 25 déc., 1ᵉʳ janv. et 1ᵉʳ Mai - 4 €.

Réalisé au 16ᵉ s. par l'architecte du château Sant'Elmo de Naples, Pirro Luigi Escribà, c'est un bel exemple d'architecture militaire à plan carré renforcé de puissants bastions aux angles. Dans les vastes salles est installé le **Museo Nazionale d'Abruzzo★★**. Dispersé dans différents pavillons du rez-de-chaussée, on trouve, outre l'**Archidiskodon meridionalis vestinus**, fossile d'un ancêtre de l'éléphant qui vécut il y a un million d'années environ, d'intéressants vestiges des Abruzzes de l'époque romaine, parmi lesquels le **calendrier d'Amiterno**. Au premier étage, la **section d'art sacré** (12ᵉ-17ᵉ s.), noyau du musée, renferme des pièces représentatives de la peinture, de la sculpture et des arts décoratifs des Abruzzes, dont un très bel ensemble de **Vierges à l'Enfant★**, statues en bois polychrome, ainsi que la **croix processionnelle★** de Nicola di Guardiagrele, chef-d'œuvre d'orfèvrerie abruzzaine, et le **Saint Sébastien★** en bois de Silvestro dell'Aquila. Belle section de numismatique et d'orfèvrerie sacrée. Au deuxième étage, la galerie présente des tableaux de l'école des Abruzzes du 15ᵉ au 18ᵉ s. avec de très belles pièces, notamment une **Sant'Agata** du peintre Andrea Vaccaro (1604-1670). Le département d'art moderne et contemporain du dernier étage complète les collections du musée de manière moins heureuse.

Fontana delle 99 cannelle★

Réalisée à partir de 1272 en pierres blanches et roses, sur plan trapézoïdal, ses 99 mascarons, tous différents, rappellent la légende de la fondation de L'Aquila avec ses 99 châteaux.

Aux alentours

Amiternum★

À 10 km au nord-ouest de L'Aquila par la S 80. Pour les heures d'ouverture mieux vaut se renseigner à l'office de tourisme de L'Aquila.

De cette ville construite par un ancien peuple d'Italie, les Sabins, et que Rome conquit en 293 av. J.-C., ne surgissent que les ruines de l'amphithéâtre et du théâtre. Des nombreuses guerres que les Sabins eurent avec les Romains avant de se soumettre, on peut rappeler l'un des épisodes les plus célèbres de la fondation de Rome : l'enlèvement des Sabines, immortalisé au 17ᵉ s. par le peintre Nicolas Poussin. « C'est toi qui, le premier, Romulus, a jeté le trouble dans les jeux, lorsque l'enlèvement des Sabines fit le bonheur de tes hommes, privés de femmes » écrit Ovide dans *L'Art d'aimer*.

Circuit de découverte

PARCO REGIONALE SIRENTE-VELINO★★ [2]

Voir détail de l'itinéraire sur la carte p. 165. Circuit au départ de L'Aquila. Compter une journée (environ 140 km) pour découvrir la vallée de Subequano qui traverse le Parc.

L'AQUILA

Ce Parc créé en 1989 sur 50 000 hectares, réunit les massifs calcaires du Velino (2 487 m) et du Sirente (2 348 m). Ces deux massifs, séparés par le haut plateau des Rocche et traversés par la rivière Aterno, hébergent dans leurs atours karstiques de très beaux sites naturels comme la grotte de Stiffe ou les gorges de Aielli-Celano qui forment l'un des plus grands canyons des Apennins. Le cratère du Sirente, lac circulaire de 140 m de diamètre, formé au 4e s. par l'impact d'une météore, est également spectaculaire.

La **vallée du Subequano**, cœur du circuit que nous proposons, immerge le promeneur dans une nature particulièrement vivante aux centres d'intérêts très contrastés : l'observation de la vie sauvage environne l'une des nécropoles les mieux conservées de la région. *Pour les excursions et activités sportives proposées se renseigner auprès de l'office de tourisme de L'Aquila (voir l'encadré pratique p. 174).*

Valle d'Ocre

Une route panoramique *(la S 5 bis)* traverse la belle **région d'Ocre★**. Les ruines de l'ancien village et du château fortifié d'Ocre, construits sur la colline dominant la vallée d'Aterno, composent un paysage magnifique.

Fossa

À 20 km au sud-est de L'Aquila par la S 5 bis. Ce charmant village est surtout réputé pour sa petite église **Santa Maria delle Grotte★** (ou a*d cryptas*) dont les murs sont ornés de belles fresques du 13e et 14e s. d'écoles bénédictine et toscane. Certaines de ces scènes ont été attribuées à Gentile da Roca. Au cœur du village, la belle église paroissiale de l'Assunta, entièrement reconstruite au 18e s., mérite une visite. Plafond en bois peint exécuté par Bernardino Ciferri, natif de L'Aquila.

Necropoli di Fossa★ – Environ 500 tombes ont été découvertes dans cette nécropole de 2 000 m². Ce qui la rend exceptionnelle, outre sa datation (9e et 8e s. av. J.-C.), l'une des plus anciennes de l'âge du fer retrouvée dans les Abruzzes, est l'interrogation que pose pour les tombes masculines la présence de pierres funéraires dressées verticalement dans le sol sur un axe en lien avec l'orientation du crâne du défunt.

Grotte di Stiffe★

À quelques kilomètres à l'ouest de Fossa, à San Demetrio ne' Vestini. ☏ 0862 86 142 ou 0862 86 100 - www.grottestiffe.it - mai-oct. : mat. et apr.-midi ; reste de l'année : se renseigner - 8 € (- 10 ans 6,50 €). *(Prévoir un pull pour affronter une température constante de 10 degrés pendant une cinquantaine de minutes.)*

L'un des plus impressionnants phénomènes karstiques de la région. La cascade et la « salle » des Concrétions sont assez spectaculaires.

Reprendre la S 5 bis. La route s'élève jusqu'au vaste plateau karstique **Rocca di Mezzo** qui s'étend entre les contreforts du Velino et les pentes du mont Sirente. **Rocca di Cambio** juchée à 1 433 m est la commune la plus élevée des Apennins. L'église de Santa Lucia possède de très belles fresques 14e s.

En prolongeant la S 5 bis, on traverse le village d'**Ovindoli**, station de vacances très populaire aussi bien en hiver qu'en été. Juste après le village de **San Potito** (très beaux vestiges d'un château), la première route sur votre droite conduit aux ruines d'Alba Fucens.

Alba Fucens★

☏ 0871 33 16 68 - www.albafucens.info

Il s'agit des **fouilles** d'une colonie romaine fondée en 303 av. J.-C. Parmi les édifices italiques d'origine, il faut souligner les vestiges de la basilique, du forum, des thermes, du marché couvert et de l'**amphithéâtre**, de même que ceux des rues pavées, des puits et des latrines. Dominant les fouilles, l'**église San Pietro★** fut érigée au 12e s. sur les restes d'un temple d'Apollon du 3e s. av. J.-C. L'**intérieur** renferme deux œuvres illustres : un **ambon★★** et une magnifique **iconostase★★** du 13e s., anormales par rapport à la production romane abruzzaine puisqu'on y retrouve l'expression des Cosmates.

D'Alba Fucens, vous pouvez gagner l'A 25 et sortir à Collarmele. La S 5 (l'ancienne Via Tiburtina Valeria) serpente jusqu'au village fortifié de **Castel di Leri**. À la sortie du village, prendre la première route sur votre gauche pour rencontrer les merveilleux villages de **Gagliano Aterno** (il domine le château du marquis Lazzeroni), puis de **Secinaro** (il offre une belle vue panoramique sur la vallée du Subequano).

5 km au nord. **Tione degli Abruzzi** (situé à l'ouest de l'Aterno) puis **Fontecchio** (sur la S 261 qui court à l'est de la rivière) sont deux villages médiévaux. Le second s'enorgueillit d'une imposante tour clocher, d'une splendide fontaine du 14e s. et du beau palazzo Corvi (15e et 16e s.).

« L'or vermeil » de Navelli

La culture du safran, plus particulièrement des stigmates de la fleur du bulbe, se serait développée en Italie dès le début du 14e s. suite à son introduction par un frère dominicain revenant du Moyen-Orient. Aujourd'hui cette culture perdure dans les Abruzzes, plus précisément sur les plateaux de Navelli, région située entre 650 et 1 000 m d'altitude et bien alimentée en précipitations régulières (700 mm par an). Le rendement d'une safranière (entre 2 et 10 kg par ha, environ deux cent mille fleurs pour un kilo de Safran en fils) explique la cherté de cette épice produite par ailleurs en très faible quantité à Navelli. Connu pour ses propriétés médicinales (eupeptiques et analgésiques), le safran est bien sûr apprécié pour ses vertus tinctoriales et gustatives. Le safran de Navelli, réputé pour son arôme étonnamment piquant, est surtout acheté en Italie du Nord où il est l'ingrédient indispensable au risotto à la milanaise.

15 km au nord-est. Prendre la première route sur votre droite qui croise la S 261 après Vallecupa.

Bominaco★
Églises : entrée libre.

À quelque 500 m au-dessus du hameau de Bominaco se dressent deux églises romanes, ultimes témoignages d'un monastère bénédictin détruit au 15e s. L'**église San Pellegrino**★ est un oratoire du 13e s. dont l'intérieur présente des **fresques**★ du 13e s. également, de facture maladroite mais au dessin minutieux, évoquant la vie du Christ et de saint Pèlerin. Deux élégants **panneaux** du 10e s., délimitant la zone réservée au clergé, présentent sur la bande médiane le charmant **Calendrier de Bominaco**, illustré de scènes de style courtois inspirées de la tradition française. L'**église Santa Maria Assunta**★ (11e-12e s.), avec ses belles absides élégamment ornées, est l'un des exemples les plus significatifs du style roman abruzzain. L'**intérieur**, dont la pureté émane d'une simplicité clairement empruntée à l'expression bénédictine, recèle une harmonieuse colonnade romane jouant sur un savant équilibre des lumières et des volumes, et d'où se détache un bel **ambon**★ du 12e s.

On peut ici poursuivre jusqu'au village de Navelli (Voir encadré) avant de revenir sur ses pas pour longer à nouveau la rivière Aterno par la S 261 et revenir sur l'Aquila.
Pour poursuivre vos excursions dans les nombreux parcs de la région, voir les circuits [1] et [3] dans les chapitres Parc national des Abruzzes et Parc du Gran Sasso.

L'Aquila pratique

Informations utiles

Office de tourisme de L'Aquila – *Piazza Santa Maria di Paganica, 5 - ℘ 0862 41 08 08 ou Via XX Settembre, 8 - ℘ 0862 22 306 - www.abruzzoturismo.it*

Parco regionale Sirente-Velino – *Viale XXIV Maggio - 67048 Rocca di Mezzo - ℘ 0862 91 46 - www.parcosirentevelino.it*

Se loger

⊖⊖ **Hotel Duomo** – *Via Dragonetti, 6 - ℘ 0862 41 07 09 - fax 0862 41 30 58 - www.hotel-duomo.it* 🅿 *30 ch.* Cet élégant hôtel 18e s. est situé à deux pas de la place. Les chambres peuvent être parfois exiguës. Magnifique salle pour les petits-déjeuners, copieux par ailleurs.

Se restaurer

⊖ **Ristorante Le Mangiatoie** – *Via Dragonetti, 22, 24 - ℘/fax 0862 24 639. Fermé mar.* Dans cette ancienne écurie d'un palais médiéval, produits de qualité et cuisine traditionnelle. Service attentionné.

Faire une pause

Antica Pasticceria – *A l'angle de la Via Dragonetti et de la piazza Duomo.* Café magnifique présentant également un grand choix de confiseries locales.

Achats

La cooperativa Altopiano di Navelli – *Civitaretenga - L'Aquila - ℘ 0862 95 91 63 - www.worldtelitaly.com/zafferano.* Pour acheter du bon safran « Zafferano purissimo dell'Aquila ».

PESCARA ET LA CÔTE

Pescara et la côte

122 083 HABITANTS
CARTE GÉNÉRALE B1 - CARTE MICHELIN N° 563 O24

Cœur administratif et commercial des Abruzzes, la ville la plus peuplée de la région est également la plus récente. Née en 1926 de l'union de Pescara, petit bourg au sud de la rivière du même nom, avec Castellammare Adriatico, Pescara s'est surtout développée après l'achèvement de son assainissement côtier dès 1939. Cette cité moderne, quadrillée de grandes artères, possède l'un des plus grands ports touristiques de l'Adriatique. Ses plages bordent un imposant front de mer visité à la nuit tombée par tous ceux qui cherchent une table à deux pas d'une mer miroitant sous la lune. Ennio Flaiano, le scénariste de « La Dolce Vita » et de « La Notte » n'est-il pas né à Pescara ?

- **Se repérer** – À 80 km de Sulmona et à 160 km de L'Aquila, accessible par l'A 4.
- **À ne pas manquer** – Le guerrier de Capestrano du musée de Chieti, la réserve naturelle des Calanques.
- **Organiser son temps** – Une demi-journée suffit pour visiter Pescara. Compter une bonne journée pour le circuit en bord de mer.
- **Avec les enfants** – Un bain de mer à Giulianova.
- **Pour poursuivre le voyage** – Voir le Parc national du Gran Sasso-Monti della Laga, L'Aquila, Sulmona.

Visiter

On se repère facilement dans cette ville organisée en longues avenues parallèles au Lungomare et traversée d'est en ouest par le Porto Canale.

Au nord du canal, le **Musée d'Arte moderna Vittoria Colonna** (Lungomare G. Matteotti, 131 - ☎ 085 42 83 759 - www.muvi.org/museovittoriacolonna - juin-sept. : mar.-dim. apr.-midi ; reste de l'année : mar. et jeu. apr.-midi - gratuit) peut être une première halte le long du front de mer. Ce lieu d'exposition temporaire, sans fond permanent, présente des expositions thématiques organisées autour de grands artistes internationaux.

Entre la **Piazza Maggio,** distante d'une centaine de mètres du musée et la **Piazza della Rinascita** voisine, s'étend le quartier le plus animé de la ville. Ses terrasses de cafés sont les lieux de rendez-vous des débuts de soirée. La place débouche sur le Corso Umberto Ier, artère commerciale qui file jusqu'à la gare ferroviaire desservie par la très fréquentée via Vittorio Emanuele II.

De l'autre côté du canal, partie sud de la ville, on découvre l'ancien quartier du poète D'Annunzio. Blottie le long du canal, derrière la via delle Caserme, la maison natale de D'Annunzio apparaît comme un havre de paix : **Museo Casa Natale di Gabriele D'Annunzio** (Corso Manthoné, 111 - ☎ 085 60 391 - 9h-14h ; sam.-dim. : 9h-13h - 2 € (- 18 ans gratuit).

Un poète sensible et nationaliste

Fils d'un riche propriétaire terrien de Pescara, **Gabriele D'Annunzio** publie son premier recueil poétique, *Primo Vere*, dès l'âge de 16 ans. Trois ans plus tard, son *Canto novo*, hymne à la nature et à la joie de vivre devient le bréviaire de la jeunesse italienne. Prodige de la littérature, le plus mondain des poètes, qui vit à Rome depuis déjà quelques années, publie ses premiers récits véristes sous l'influence notamment de *L'Abbé Mouret* de Zola. Huysmans, Dostoïevski, Maupassant, influencent l'écriture d'une œuvre portée par le culte de la volonté et de l'héroïsme. Le Surhomme cher à Nietzsche, chantre de l'énergie et du risque, gouverne les héros de D'Annunzio qui ne s'amollissent qu'au contact de cette nature toute puissante avec laquelle le poète renouvelle et prolonge son inspiration de jeunesse (*Maia, Alcyon*). Criblé de dettes, il se réfugie en France où il rédige ses nouvelles œuvres en français dès 1911 (*Le Martyre de saint Sébastien, La Pisanelle*). La Première Guerre mondiale lui donne l'occasion d'imiter ses héros. Il pousse l'Italie à se ranger aux côtés des Alliés, s'engage dans l'aviation, perd un œil tout en acquérant une figure de héros militaire qui atteint son paroxysme lorsqu'il s'empare de Fiume, déclarée ville libre en septembre 1919. La mort le surprend à la veille de la Seconde Guerre mondiale, alors qu'avec son nationalisme exacerbé il entre dans l'engrenage des premiers rouages du fascisme.

DÉCOUVRIR LES ABRUZZES

Peintures, mobiliers d'époque, photographies, manuscrits, donnent une touche très intime à la visite de cette belle maison bourgeoise où le poète est né en 1863. On peut prolonger cette visite en découvrant quelques rues plus loin l'œuvre picturale de la famille des Cascella parmi laquelle se détache surtout celle du père Basilio aux accents symbolistes très marqués : **Museo civico Basila Cascella** *(Viale G. Marconi, 45 - 085 42 83 515 - mi-juill.-août : mat. et apr.-midi ; reste de l'année : mat. - fermé lun. - 2,50 € (- 18 ans 1,50 €).*

Alentours

Chieti
À 30 km à l'est de Pescara. Prendre la S 16 pour passer par Francavilla, charmante station balnéaire autrefois fréquentée par D'Annunzio ; puis la S 152.

Bâtie au sommet d'une colline d'oliviers et encerclée d'impressionnantes et puissantes montagnes, cette position a valu à Chieti le surnom de « balcon des Abruzzes ». Le **corso Marrucino**, bordé de porches élégants, est l'artère la plus animée de la ville. **Museo Archeologico Nazionale d'Abruzzo**★★ – *0871 33 16 68 - www.soprintendenza-archeologica.ch.it - tlj sf lun. tte la journée - 4 € (- 18 ans gratuit).* Perdu au cœur des beaux **jardins**★ de la néoclassique **Villa Communale**, le musée rassemble la plus grande partie des pièces archéologiques découvertes sur le territoire des Abruzzes. Le rez-de-chaussée recèle des œuvres de l'art abruzzain d'époque romaine : statues et portraits (dont un **Hercule assis**, provenant d'Alba Fucens) retracent certaines pages de l'histoire locale et nous conduisent à la découverte des comportements, us et coutumes de l'époque. L'œuvre la plus prestigieuse de la civilisation picénienne, et symbole des Abruzzes représenté sur tous les dépliants, est bien sûr le célèbre **Guerrier de Capestrano**★★ (6e s. av. J.-C.). Étonnamment chapeauté (son couvre-chef ressemble à un sombrero) ce personnage aux formes androgynes intrigue : si son buste est celui d'un guerrier, son bassin a des rondeurs féminines. Cette sculpture, trouvée dans une sépulture royale, représenterait le chef territorial d'une tribu des Vestini. Elle aurait été exécutée par le sculpteur Aninis si l'on interprète l'inscription du pilier droit comme suit : « Me, bella immagine, fece Aninis per il re Nevio Pompuledonio » (Moi, belle image, j'ai été fait par Aninis pour le roi Nevius Pompuledonius). Complètent cette partie du musée la précieuse **collection numismatique** réunie par le Sulmonais **Giovanni Panza** (ex-voto, objets de la vie quotidienne et petites statues de bronze, dont l'**Hercule de Venafro**) et un splendide **lit funéraire**★ en os (1er s. av. J.-C.-1er s. apr. J.-C.). Le premier étage est consacré aux cultes funéraires des Abruzzes préromaines, avec entre autres des trousseaux funéraires provenant des plus grandes nécropoles abruzzaines (10e-6e s. av. J.-C.).

Vestiges romains – Trois **petits temples** (1er s. apr. J.-C.), érigés près de l'actuel corso Marrucino, ont été retrouvés en 1935. Non loin apparaissent les restes du **théâtre**, qui pouvait accueillir 5 000 spectateurs au moins. Les **thermes** se trouvent dans la partie est de la ville, en dehors du centre historique. Alimentés par une grande citerne constituée de neuf salles creusées dans la colline, ils étaient chauffés par une chaudière et un ensemble de doubles murs et de cheminées communiquant entre eux.

Pour une belle **vue panoramique** sur le paysage environnant Chieti, il faut se rendre à la Civitella (15mn à pied de la Villa Communale en prenant la route qui s'élève juste derrière le musée). Sur cette belle éminence on découvre une réalisation muséographique originale qui fait partie intégrante du complexe archéologique construit autour de l'amphithéâtre romain : le **Complesso Archeologico La Civitella** *Via G. Pianell - 0871 63 137 - www.lacivitella.it - tlj sf lun. tte la journée - 4 € (- 18 ans gratuit).* Le musée montre, via trois itinéraires contextualisés à l'aide de décors mettant en scène le produit des fouilles archéologiques, de quelle manière et autour de quelles fondations la ville de Chieti s'est structurée et développée au fil du temps.

San Giovanni in Venere
À 35 km au sud-est de Pescara, sur la S 16.

Sur un **site panoramique**★ au-dessus de l'Adriatique s'élève cette belle abbaye, fondée au 8e s. sur les restes d'un temple de Vénus, puis remaniée au 13e s. Sur la façade s'ouvre le **portail de la Lune**★ (13e s.), orné de reliefs aux sujets sacrés et profanes. L'intérieur, marqué par l'austérité du style cistercien, comporte trois vaisseaux avec un chœur rehaussé : la **crypte** repose sur des colonnes romanes de récupération et renferme des fresques du 12e au 15e s.

La route qui longe le littoral est ponctuée de *trabucchi* (voir encadré p. 267) jusqu'à **Vasto**, dont la piazza Marconi offre un très beau **panorama** sur la côte.

PESCARA ET LA CÔTE

Circuit de découverte
PLAGES ET CALANQUES 4
Voir carte p. 165. Circuit au départ de Pescara. Environ 140 km – prévoir une journée.

Spoltore
À 5 km à l'ouest de Pescara par la S 165. Ce village juché sur une petite plaine domine la vallée de Pescara. Outre la vue magnifique, le palazzo Castiglioni (16e et 17e s.) avec son impressionnante entrée en brique mérite un petit détour.

Loreto Aprutino
À 12 km à l'ouest de Spoltore par la S 16b puis par la S 151 en prenant la direction de gauche à Cappelle Sur Tave. Autrefois connu sous le nom de Castrum Laureti, le village s'étend sur les pentes d'une colline au milieu des oliviers qui produisent ici une huile réputée (Aprutino-Pescarese).
La via del Baio est flanquée de palais du 19e s. tout à fait remarquables. Le **Palazzo Casamarte** héberge l'une des plus importantes bibliothèques privées des Abruzzes. Quant au **Castelletto Amorotti**, d'une étonnante architecture néogothique, il accueille désormais le musée de l'huile. **L'église Santa Maria in Piano** possède une très belle série de fresques, datant pricipalement du 15e s.

Penne
À 9 km à l'ouest de Loreto par la S 151. Cette ville entièrement construite en briques occupe une place privilégiée en bordure du lac de Penne. L'église **Sant'Agostino**, transformée au 18e s. sur un canevas médiéval, et la **cathédrale Santa Maria degli Angeli e San Massimo Martire** (sa cypte est recouverte de fresques 13e et 14e) sont quelques-uns de ses atouts.

Atri
17 km au nord-ouest de Penne par la S 81. L'ancienne *Hatria-Picena*, italique de fondation puis colonie romaine, jouit d'une belle position sur une colline dominant l'Adriatique. Le noyau historique de la ville renferme des ruelles pittoresques et de beaux édifices d'époque médiévale, Renaissance et baroque.
Cattedrale★ – *(Fermée pour restauration lors de la rédaction de ce guide -* ℘ *085 87 98 140).* Élevé aux 13e et 14e s. sur les vestiges d'une construction romaine, cet édifice est un bel exemple de transition romano-gothique, avec une série de **portails★** sculptés, qui s'imposèrent par la suite comme modèles dans les Abruzzes. Le campanile roman, sur plan carré, s'achève par une élégante flèche du 16e s. de facture lombarde.
À l'**intérieur**, on admire, dans l'abside, les **fresques★★** du peintre abruzzain **Andrea de Litio** (1450-1473). Le cycle représentant des scènes de la vie de Joachim et Marie fait preuve d'une richesse formelle, d'inspiration encore gothique, alliée à une solide construction et à un réalisme d'inspiration toscane. Sous le chœur, on peut voir les restes des thermes romains et des pavements de mosaïque du 3e s.
Par le cloître contigu, on accède à la **citerne romaine** et au **Musée capitulaire**, qui renferme une belle collection de céramiques des Abruzzes.
Sur la piazza Duomo, les restes de l'ancienne cité romaine sont encore visibles.

Les trabucchi (carrelets) sont nombreux sur la côte au sud de Pescara.

DÉCOUVRIR LES ABRUZZES

Riserva Naturale dei Calanchi★★
À 2 km au nord-ouest d'Atri sur la SS 353. Les calanques, appelées ici *scrimioni* (striures), résultent de l'érosion par affouillement d'un haut plateau formé à l'ère tertiaire. Comparées aux fosses qu'évoque Dante, elles sont impressionnantes par la série de corniches qui descendent progressivement sur des centaines de mètres et par la rareté de la végétation qui, associée à la blancheur des sédiments, confère au paysage un aspect lunaire.

San Clemente al Vomano, à Guardia Vomano
À 15 km au nord-ouest d'Atri. Fermée pour restauration au moment de la rédaction de ce guide. 085 89 81 28. Cette église fut bâtie au 9e s. et plusieurs fois reconstruite. Le beau portail d'inspiration classique (12e s.) s'ouvre sur un intérieur d'une étonnante simplicité, où trône le **ciborium★** (12e s.), orné de jours et de décorations en forme d'animaux et de plantes. L'autel, en dessous, est enrichi de motifs orientaux et de marqueterie en terre cuite. Certaines parties du bâtiment d'origine apparaissent à travers les dalles vitrées du pavement.

Giulianova
Cette ville fondée au 16e s. domine magnifiquement le littoral. Lieu de villégiature privilégié pour nombre d'estivants.
Retour sur Pescara (40 km) par la route côtière S 16. Attention aux embouteillages en fin de journée !

Pescara pratique

Informations utiles

Office de tourisme de Pescara – *Corso Vittorio Emanuele II, 301 -* 085 42 90 01 - www.abruzzoturismo.it
Office de tourisme de Chieti – *Via Spaventa, 47 -* 0871 63 640 - www.abruzzoturismo.it

Se loger

PESCARA

Hotel Esplanade – *Piazza Ier Maggio, 46 -* 085 292 141 - www.esplanade.net - 150 ch. Ce bel hôtel, début du siècle, est situé face à la plage à deux pas du centre le plus animé de Pescara. Petit-déjeuner sur la terrasse surplombant magnifiquement la Côte Adriatique.

CHIETI

Albergo Garibaldi – *Piazza Garibaldi, 26 -* /fax 0871 34 53 18 - 16 ch. Cette auberge simple et bien tenue est l'une des meilleures adresses de la ville à ce niveau de prix. Le responsable parle français. Accueil très sympathique. Pas de petit-déjeuner.

CASTIGLIONE MESSER MARINO

Albergo Ristorante Rifugio del Cinghiale – *Contrada Madonna del Monte - environ 144 km de Pescara par la route côtière puis, de Vasto, prendre la S 86 pour Castiglione -* /fax 0873 978 675 - www.rifugiodelcinghiale.it - 16 ch. Dans un cadre perdu au milieu des chevaux, ce refuge est une échappée montagnarde d'une grande beauté. Mieux vaut réserver à l'avance pour vérifier disponibilité et ouverture.

Se restaurer

PESCARA

Shanghai – *Via Lungomare Matteoti, 108 -* 0854 213 577. La cuisine est servie dans un cadre rutilant, couleur du bonheur avec une belle patine de bois rouge. Assurément l'un des restaurants les moins chers du front de mer.

ENVIRONS DE PESCARA

Al Focolare di Bacco – *Via Solagna, 18 -* **Roseto degli Abruzzi** - *31 km au nord ouest sur la S 16 -* 085 89 41 004 - *fermé mar., merc. à midi (sf j. fériés), nov.* Cet établissement, plongé dans la tranquillité des collines abruzzaines, est connu et apprécié pour ses spécialités à la braise. Ambiance rustique et élégante, saveurs du terroir et vue panoramique sur la mer.

Don Ambrosio – *Contrada Piomba, 49 -* **Silvi Marina** - *14 km au nord ou est sur la S 16 -* 085 93 51 060 – *fermé mar., 3 au 15 nov., 15 au 28 fév.* - Ferme centenaire dans l'arrière-pays. Petites salles en pierres apparentes, décorées de souvenirs de l'agriculture d'autrefois. Plats traditionnels abruzzains copieux et de qualité. Service dans le jardin en été.

CHIETI

Trattoria Taverna Teate – *Via Salomone, 26-28 -* 0871 34 92 56. Dans une salle qui ne manque pas de caractère, on sert une cuisine typique des Abruzzes à base de produits de qualité.

Sulmona ★

25 345 HABITANTS
CARTE GÉNÉRALE B1 - CARTE MICHELIN N° 563 P23

Rare ville régionale construite à plat au cœur d'un cirque de montagnes, Sulmona est la patrie du poète latin Ovide qui immortalisa ses origines par ce vers : « Sulmo mihi patria est » (d'où le sigle SMPE des armoiries de la ville). Elle fut, et demeure, un centre dynamique de commerce et d'artisanat, renommé pour ses ateliers d'orfèvrerie.

- **Se repérer** – La ville occupe le fond d'un riche bassin dans un majestueux cadre de montagnes. On s'y rend par l'A 25 depuis Pescara, ou par la S 5 (Via Tiburtina Valeria).
- **À ne pas manquer** – Le corso Ovidio menant à la belle piazza Garibaldi, sans oublier de déguster les confetti (dragées) de la Maison Pelino.
- **Organiser son temps** – Une demi-journée suffit. On peut aussi visiter la ville le soir au retour d'une excursion dans le Parc de la Maiella.
- **Avec les enfants** – Découvrir la fabrication des dragées dans l'atelier Pelino.
- **Pour poursuivre le voyage** – Voir le Parc national des Abruzzes, L'Aquila, Pescara.

Visiter

Porta Napoli★
À l'entrée de la ville, au sud. Cette porte gothique aux chapiteaux historiés (14ᵉ s.) présente une singulière décoration de bossages dorés, armoiries angevines et reliefs d'époque romaine. Ici commence l'élégant **corso Ovidio** qui traverse le cœur médiéval de la ville.

Piazza Garibaldi
Tous les mercredis et samedis un marché très coloré se tient sur cette place, au centre de laquelle trône la **fontaine** Renaissance dite **du Vieillard** *(Fontana del Vecchio)* ; elle doit son nom à l'inscription portée sous la tête barbue, située sous un tympan semi-circulaire. La place est délimitée par les arcades en ogive de l'**aqueduc★** du 13ᵉ s., par le portail gothique de San Filippo et par l'angle baroque du **couvent de Santa Chiara**. À l'intérieur, le **musée du Diocèse (Polo culturale di Santa Chiara)** occupe les espaces articulés autour du cloître : chapelle, réfectoire et bibliothèque. Parmi les pièces les plus importantes figurent la **Casula★** (12ᵉ s.). Cette chape liturgique, doublet de la chasuble, exceptionnellement conservée, est un grand manteau semi-circulaire fait de soie à armature unie (taffetas) rehaussée de dessins brochés en fil d'or (brocart). On peut voir aussi la **Mappula★**, ou manipule (de *manipulus*, à force d'être plissée), bande d'étoffe étroite décorée de broderies que porte le prêtre à l'avant-bras gauche. Beaux dessins également de Giuseppe Cesari dit Il Cavaliere d'Arpino (1568-1640), peintre maniériste qui exécuta entre autres la décoration du palais des Conservateurs au Capitole. La galerie d'art moderne, assez décevante, présente de nombreux peintres italiens contemporains.) ☎ 0864 21 29 62 - ♿ - 9h-13h, 15h30-19h30 - fermé lun. en hiver - 2 € (billet combiné avec pinacothèque).

Sulmona, patrie d'Ovide (43 av. J.-C., 17 ap. J.-C.)

Contemporain du premier siècle avant et après J.-C., Publius Ovidius Naso, plus connu sous le nom d'Ovide, troque rapidement Sulmona, la ville où il est né, contre Rome pour devenir l'élève de brillants rhéteurs. Composant d'abord des poèmes élégiaques où l'image de la femme se forge dans le creuset de son imaginaire érotique (*Les Amours*), il poursuit, autant par jeu que par lassitude, son travail d'écriture par des traités parodiques sur les élégants de Rome (*L'Art d'aimer, Les Remèdes d'amour*). Avec *Les Métamorphoses*, Ovide relève de nouveaux défis en ordonnant selon une chronologie légendaire qui part du chaos et de la création au règne d'Auguste toutes les légendes d'êtres humains se transforment en animal, en pierre, etc. Alors qu'il se livre à des recherches plus érudites portées par une écriture moins artificielle, il est soudain exilé à Tomes (aujourd'hui Constantza, ville roumaine sur la mer Noire) pour des raisons qui sont restées mystérieuses. Malgré ses supplications d'exilé dans *Les Tristes*, il mourra loin de Rome sans vraiment connaître la raison de sa disgrâce.

DÉCOUVRIR LES ABRUZZES

San Francesco della Scarpa
L'église, érigée au 13ᵉ s. par les franciscains chaussés et sans sabots (d'où son nom), présente, sur le corso Ovidio, un beau **portail★** roman.

Palazzo dell'Annunziata★★
Cet ensemble architectural monumental illustre quatre siècles d'art à Sulmona. Construit par une confrérie de Pénitents à partir de 1415, c'est une synthèse d'éléments gothiques (riche ornementation du portail de gauche, avec les statues de la Vierge et de saint Michel, somptueux **triplet★** et statues des quatre docteurs de l'Église), Renaissance (l'élégant portail central, le portail de droite et les deux fenêtres géminées) et baroques (fastueuse façade de l'église attenante). À mi-hauteur court une **frise★** extraordinaire (scènes de chasse et amours).

L'intérieur du palais abrite le **musée Municipal** (Museo Civico). Ce petit musée présente des matériaux archéologiques, quelques sculptures médiévales, de magnifiques bustes reliquaires du 16ᵉ s. ainsi qu'un très beau tabernacle en bois peint de Giovanni da Sulmona. ☏ 0864 21 02 16 - tlj sf lun. 9h-13h - 2 €.

> **Petits plaisirs colorés**
>
> Nées à la fin du 15ᵉ s. les célèbres dragées de Sulmona *(confetti)*, réservent d'agréables surprises : sous un glaçage de sucre pur se dissimulent amandes siciliennes, noisettes, chocolat et fruits secs. Pour en savoir plus, à côté de l'usine Pelino, au 55 de la via Introdacqua, se trouve le petit **musée de l'Art et de la Technologie de la Confiserie** (Museo dell'Arte e della Tecnologia Confetteria). Visite guidée uniquement (en plusieurs langues). ☏ 0864 21 00 47 - www.pelino.it - tlj sf dim. 8h-12h30, 15h-18h30. Fermé j. fériés. - gratuit.

Aux alentours
Voir carte p. 165.

Parco Nazionale della Maiella
À 39 km au nord de Sulmona. Créé en 1995, ce parc de 75 000 ha, présente là encore les traits d'un puissant massif calcaire raviné par les canyons de l'Orfento, de Selva Romana, de Santo Spirito et de la Val Serviera. La végétation extrêmement diversifiée (plus de 1 700 espèces) héberge une riche biodiversité composée de loups, chamois, cerfs. Le grand duc, le pluvier à ventre rouge sont quelques-unes des 130 espèces d'oiseaux vivant dans ce massif arboré d'hêtraies, entre 1 000 et 1 800 m, où de pins mugho dont les cimes sont survolées par l'aigle royal. *Centre d'information du Parc de la Maiella, via del Vivaio, 65023 Caramanico Terme. ☏ 085 92 23 43. www.parcomajella.it. Une carte des sentiers y est vendue.*

Basilique de San Pelino★
À 13 km au nord-ouest de Sulmona, près du village de Corfinio. Par la A 25 ou, plus buccolique, la S 17. ☏ 0864 72 81 20 - été : mat. et apr.-midi ; hiver sur demande uniquement.

Édifié aux 11ᵉ et 12ᵉ s., cet ancien siège épiscopal offre de l'arrière une belle vue sur l'**ensemble absidial★** et la chapelle annexe St-Alexandre. L'intérieur renferme une belle **chaire** du 12ᵉ s.

Popoli
À 17 km au nord-est de Sulmona par la A 25 ou S 17. Cette jolie petite ville se serre autour de la piazza Matteotti, que ferme à gauche l'église St-François, à façade gothique et couronnement baroque, et à droite un quartier s'élevant en gradins jusqu'à l'église de la Trinité (18ᵉ s.). À côté de la place, la **Taverna ducale★** est un élégant édifice gothique orné de blasons et de bas-reliefs, qui servait à la fois d'entrepôt aux dîmes du prince et de relais de poste.

> **La fête des serpents de Cocullo**
>
> Avec plus de 40 d'espèces de reptiles référencées dans ces massifs (dont la très rare vipère d'Orsini), pas étonnant que les paysans voulurent exorciser leurs peurs d'être piqués par un serpent. Héritier de ces rites agraires anciens, saint Dominique, selon la croyance populaire, protège des morsures de serpents. C'est désormais à ce saint, plus catholique que l'ancienne divinité païenne, qu'échoit le rôle d'apprivoiser les serpents chaque premier jeudi de mai. La statue de saint Dominique, sur laquelle grouillent des dizaines de serpents capturés par les villageois, déambule dans les ruelles de Cocullo lors d'une procession très populaire *(voir photo p. 92)*. Les serpents sont ensuite relâchés.
> *(12 km à l'ouest de Sulmona, par la A 25 puis la S 479).*

San Clemente a Casauria★★

À 35 km au nord-est de Sulmona par la A 25 ou S 17. Visite de l'aube au coucher du soleil. Possibilité de visite guidée, sur réservation. ℘ *085 88 85 828.* Fondée en 871 par l'empereur Louis II, la puissante abbaye fut reconstruite au 12ᵉ s. par les moines cisterciens après avoir été dévastée par les Sarrasins. C'est alors que l'**église** reçut son style de transition romano-gothique. La **façade** est remarquable : un profond portique présente trois arcs puissants reposant sur de beaux chapiteaux ; le **portail** principal, orné d'une exceptionnelle décoration sculptée, est fermé par une porte de bronze fondue en 1191, sur laquelle sont représentés les châteaux relevant de l'abbaye. À l'**intérieur**, dont la mystique sobriété seyait à saint Bernard et aux cisterciens, un monumental **chandelier pascal★** et une splendide **chaire★★★** du 12ᵉ s. témoignent du roman abruzzain. Le maître-autel est constitué par un sarcophage paléochrétien du 5ᵉ s., que surmonte un admirable **ciborium★★★** roman, finement sculpté. La crypte du 9ᵉ s., dont les voûtes reposent sur des colonnes antiques, est l'un des rares vestiges de la construction primitive.

Pour poursuivre vos excursions dans les nombreux parcs de la région, voir les circuits dans les chapitres Parc national des Abruzzes ③*, L'Aquila* ② *et Parc national du Gran Sasso-Monti della Laga* ①*.*

La chaire de San Clemente a Casauria.

Sulmona pratique

Informations utiles

Office de tourisme – *Palazzo SS. Annunziata, Corso Ovidio* - ℘ *0864 21 02 16* - *www.comune.sulmona.aq.it* - 9h-13h, 16h-20h.

Se loger

Albergo Italia – *Piazza San Tommasi, 3* - **Sulmona** - ℘ *0864 52 308* - *fax 0864 20 76 14* - *27 ch.* Tarifs et confort modestes pour cette adresse bien placée et qui ne manque pas de charme. Pas de petit-déjeuner.

Se restaurer

Gino – *Piazza Plebiscito, 12* - **Sulmona** - ℘ *0864 52 289. Fermé dim.* Cuisine familiale reposant sur une copieuse gastronomie régionale.

Achats

Confetti Pelino – *À la sortie de Sulmona en direction de Scanno - Via Stazione Introdacqua, 55* - ℘ *0864 21 00 47* - *www.pelino.it.* L'endroit rêvé pour qui se marie, célèbre un baptême, un diplôme ou un anniversaire de mariage. Gage de sérieux, la maison existe depuis le 18ᵉ s.

Maria di Vito – *Corso Ovidio, 187-189* - ℘ *0864 55 908* - On peut aussi trouver dans cette élégante boutique, beaucoup plus centrale puisqu'elle est placée sur le cours Ovide, d'insolites bouquets de fleurs : des dragées multicolores de la Maison Pelino.

Événements

« Madonna che scappa in piazza » – Chaque dimanche de Pâques la statue de la Vierge est portée à la rencontre du Christ ressuscité ; quittant ses vêtements de deuil à la vue de celui-ci, elle apparaît dans une robe d'un vert éblouissant.

Giostra Cavalleresca – Organisé par l'Association Giostra Cavalleresca di Sulmona, le *palio* (course de chevaux en habits médiévaux) se tient chaque année sur la belle piazza Garibaldi entre le 21 juillet et le 8 août. *Rens. :* ℘ *0864 21 02 16* - *www.giostrasulmona.it*

DÉCOUVRIR LE MOLISE

LE MOLISE
CARTE GÉNÉRALE B1 - CARTE MICHELIN Nº 564 A/C 24-27

Autrefois terre de passage des troupeaux qui transhumaient, des armées et des voyageurs, le Molise est dominé par des montagnes, dont les Molisans ont fait depuis l'Antiquité leur défense naturelle et leur refuge : forteresses, châteaux forts et villages perchés sont donc les motifs récurrents du paysage.

- **Se repérer** – Le Molise est coincé entre les Apennins et la mer d'une part, entre les Abruzzes et les Pouilles d'autre part. On peut s'y rendre par l'A 14.
- **À ne pas manquer** – Flâner dans la vieille ville de Termoli.
- **Organiser son temps** – Prévoir deux jours.
- **Pour poursuivre le voyage** – Voir le Parc national des Abruzzes, Pescara et LES POUILLES.

Visiter
Les sites sont présentés par ordre alphabétique.

Agnone
42 km au nord-est d'Isernia. Cette gracieuse bourgade doit sa réputation à la **fonderie pontificale Marinelli**, la plus vieille fonderie de cloches du monde, qui abrite aujourd'hui le **Museo Internazionale della Campana** *(musée international de la Cloche).* ☎ 0865 78 235 - www.campanemarinelli.com - ♿ - visite guidée 12h et 16h - fermé dim. mat. - 4,50 € (enf. gratuit).

Dans la rue centrale, la via Vittorio Emanuele, se trouvent l'**église San Emidio** (15e s.) et le **Théâtre italo-argentin**, fondé au siècle dernier avec les fonds réunis par les émigrés d'Amérique du Sud. La **via Garibaldi**, bordée de demeures ornées de lions, symbole de la communauté des marchands vénitiens, conduit à la **Ripa★**, jardin-belvédère sur la vallée du Verrino.

Altilia Sæpinum★
25 km au sud de Campobasso par la S 87. ☎ 0874 79 02 07 - été : 9h-13h30, 15h-18h30 ; le reste de l'année : 9h-13h30, 15h-17h. Fermé lun. et j. fériés - 2 € (- 18 ans gratuit).

Les ruines de la cité romaine de Sæpinum s'élèvent au centre d'une jolie bourgade édifiée à partir du 17e s. avec des matériaux de récupération. La cité, fondée par les Samnites, fut occupée par les Romains, qui en firent un municipe et la dotèrent à l'époque d'Auguste d'une enceinte de 1 250 m de périmètre, percée de 4 portes et munie de 25 tours.

Visite – On pénètre par la porte de Terravecchia, située à l'extrémité sud du cardo, l'une des voies les plus importantes de la cité. Au niveau du carrefour, formé par le cardo et le *decumanus*, subsistent à gauche les vestiges d'une **basilique** (les colonnes ioniques du péristyle), et à droite le **forum**, vaste place dallée rectangulaire. En empruntant à droite le decumanus, on remarque les ruines de la curie (où siégeait le Sénat), celles d'un temple dédié à Jupiter, Junon et Minerve, quelques restes de carrelage de mosaïque *(à droite, sous un auvent)*, l'exèdre de la « maison du pressoir », dont les quatre réservoirs à huile, en brique, sont encore visibles, et l'impluvium d'une maison samnite. À l'extrémité est du decumanus, outre la **porte de Bénévent**, s'élève à gauche le **mausolée d'Ennius Marsus**, bel édifice semi-circulaire crénelé reposant sur un socle carré.

On revient vers le carrefour afin de poursuivre la promenade sur le decumanus. On traverse l'ancien quartier résidentiel et commercial, où l'on reconnaît les restes de boutiques et du *macellum* (le marché). Au bout de la voie s'élève la **porte de Boiano★**, du haut de laquelle on domine le centre de la ville et la partie ouest de l'enceinte, la mieux conservée. Passée l'enceinte, on se dirige à droite vers le nord pour atteindre le **mausolée de Numisius Ligus**, tombeau quadrangulaire d'une élégante simplicité couronné de quatre acrotères.

Adossé à la face intérieure de l'enceinte, le remarquable **théâtre★** a conservé son entrée monumentale en pierre blanche. Les gracieux édifices voisins abritent un **musée** où sont réunis divers objets trouvés au cours des fouilles.

Pietrabbondante
28 km au nord-est d'Isernia par la S 650. Dans un bel environnement naturel s'élève le **sanctuaire italique de Pietrabbondante★**, centre sacré des Samnites qui firent de cet endroit un lieu de rassemblement non seulement religieux mais aussi politique. Il fut donc un symbole de la résistance anti-romaine. Du sanctuaire

demeurent les fondations du **grand temple**, les restes du petit temple et un joli **théâtre**, aménagé au flanc de la colline. *8h30-1h avant le coucher du soleil. 2 €. ℘ 0865 76 129.*

Santa Maria di Canneto
36 km au sud-ouest de Vasto par les S 16 et 650. Cet ensemble monastique érigé au 8e s. est une précieuse expression de la culture bénédictine lombarde. L'**église** renferme deux célèbres travaux sculptés, la **chaire**★ (13e s.) et le **parement d'autel**★ représentant la Cène (10e s.). À côté de l'église, on a retrouvé les vestiges d'une villa romaine au pavement de mosaïque des 3e et 4e siècles après J.-C.

San Vincenzo al Volturno
28 km au nord-ouest d'Isernia par les S 627 et 158. Visite guidée (2h environ) des fouilles et de l'église gérée par l'Associazione Culturale Atena. Réserver 3 ou 4 j. à l'avance. ℘ 0865 95 10 06 - tlj sf lun. mat. et apr.-midi - 3,50 €.
Dans un milieu naturel enchanteur dont les monts des Mainarde et de spectaculaires villages perchés composent le décor, s'élève ce bel ensemble bénédictin, fondé au 8e s. et plusieurs fois détruit par les Sarrasins. L'**église**, rebâtie vers 1950 avec les matériaux des constructions antérieures, est précédée d'un bel **ordre d'arcs** du 13e s. Les **fouilles** en cours au-delà du Volturno ont mis au jour de très précieux témoignages sur l'abbaye d'origine.

Termoli
La ville, unique port du Molise et point d'embarquement vers les **îles Tremiti**, possède un joli **château** du 13e s., élément des fortifications commandées par Frédéric II pour défendre le port. Par les étroites ruelles tortueuses de la vieille ville, on parvient à la **cathédrale**★ (12e s.), l'un des exemples les plus significatifs du style roman du Molise. La façade est animée de pilastres et d'arcades aveugles aux fenêtres géminées ; le motif décoratif des arcades se poursuit sur le flanc droit et dans la partie absidiale qui remonte au 13e s. À l'intérieur, la crypte recèle des pavements de mosaïque des 10e-11e siècles.

Le Molise pratique

Informations utiles
Assessorato regionale al turismo – *Via Crispi - Campobasso - ℘ 0874 42 95 12 - www.regione.molise.it/turismo*

Se loger
Agriturismo Selvaggi – *Strada provinciale Montesangrina, km 1 -* **Agnone** *- ℘ 086 57 77 85 - fax 086 57 71 77 - www.staffoli.it - fermé en nov. - 15 ch.- restaurant.* Ferme fortifiée de 1720, complètement isolée au milieu des bois, pâturages et champs, idéale pour les amateurs de nature. Salle à manger rustique où l'on déguste les fromages et charcuteries maison. Possibilité de randonnées à cheval.

Residenza Sveva – *Piazza Duomo, 11 -* **Termoli** *- ℘/fax 08 75 70 68 03 - www.residenzasveva.com - 12 ch.* Dans le cœur ancien de la ville, cet établissement incarne le concept d'« Albergo Diffuso » qui préconise la restauration et la valorisation du patrimoine historique dans le respect des traditions. Spacieuses et lumineuses, toutes différentes les unes des autres, les confortables chambres sont réparties dans différents bâtiments. Décoration raffinée et originale.

Dimora del Prete di Belmonte – *Via Cristo 49 -* **Venafro** *- ℘ 0865 90 27 69 ou 333 92 16 30 (portable) - fax 0865 90 01 59 - www.dimoradelprete.it - 5 ch.* Élégante demeure du 19e s. dans le centre historique de Venafro. Superbes parties communes (salle des petits-déjeuners décorée de fresques), chambres soignées et personnalisées.

Événements
Sagra dei Misteri – Grande fête du Molise remémorant miracles et fêtes sacrées. (Se rens. sur la date : fin mai, début juin. www.imisteri.it).

Les fascinantes fresques de la Villa des Mystères à Pompéi.

NAPLES ET LA CAMPANIE

5 760 353 HABITANTS
CARTE MICHELIN Nº 564 C24 À H29

Avec ses côtes parsemées de somptueuses villas, ses îles luxuriantes et ses terres fertiles, la région de Naples accumule les images de la douceur de vivre à l'italienne. Aucun envahisseur n'a jamais résisté à ses charmes : Campania Felix des empereurs romains, résidence de la cour du royaume des Bourbons, villégiature de la jet-set en mal de Dolce Vita. De Capri-la-belle à la « costiera » amalfitaine et à Caserte flanqué de son somptueux palais royal, la Campanie exerce une attraction inexorable. Dans cette région aux mille contrastes, les opulentes demeures des cités balnéaires succèdent aux quartiers populaires dissimulant un patrimoine insoupçonné. La densité du golfe de Naples fait place, vers le sud, au désert montagneux du Cilento, bien loin de la rumeur urbaine. Et l'abondance des récoltes est bien le fait du terrible dieu Vésuve, jamais tout à fait endormi.

- **Se repérer** – La région, la plus peuplée d'Italie après la Lombardie, compte cinq provinces centrées autour de Naples. La côte est constituée de deux baies principales séparées par la péninsule de Sorrente : au nord, celle de Naples, où se concentrent les îles de Capri, Ischia et Procida et, au sud, celle de Salerne. Ces deux baies s'ouvrent sur deux plaines qui s'étendent, pour l'une, très dense, autour du Vésuve et, pour l'autre, très peu habitée, à l'embouchure de la Sele. Le reste du territoire est constitué de moyennes montagnes culminant à près de 2 000 m d'altitude, dans le massif du Cilento.

- **À ne pas manquer** – Le golfe de Naples et les cités antiques encore très bien conservées de Pompéi et d'Herculanum, les îles de Capri et d'Ischia au large, la Côte Amalfitaine au sud, sans oublier la cité de Naples et son centre ancien, Spaccanapoli.

- **Organiser son temps** – Comptez au moins trois ou quatre jours pour découvrir, en partant de Naples, Pompéi, Herculanum et faire une excursion sur l'île de Capri. Une semaine vous permettra de longer également la Côte Amalfitaine et de vous rendre sur l'île d'Ischia. Vous devrez compter une dizaine de jours pour faire un tour complet de la région, jusqu'au Parc national du Cilento, en passant par Paestum et le palais royal de Caserte.

- **Avec les enfants** – Le fabuleux aquarium de la Villa Comunale et la collection de crèches de la chartreuse de San Martino à Naples, la cité des Sciences de Bagnoli, les fumerolles de Solfarata, les grottes du Parc national du Cilento et l'oasis WWF de Persano.

Naples ★★★
Napoli

1 000 449 HABITANTS (AGGLO 3,8 MILLIONS)
CARTE GÉNÉRALE B2 - CARTE MICHELIN N° 564 E24 (AVEC PLAN D'ENSEMBLE)

Blottie au fond de son golfe protégé par la péninsule de Sorrente et les îles de Capri et d'Ischia, la cité légendaire de la sirène Parthénope fut fondée par les Grecs. Au fil de ses trois millénaires d'existence, elle n'a cessé de voir défiler les envahisseurs, sans jamais se soumettre totalement, ni d'amasser les richesses au gré des époques. Entre chefs-d'œuvre muséographiés et trésors encore insoupçonnés, c'est toute la ville qui forme un collage architectural, où s'accumulent pans de murs grecs, colonnes romaines, palais baroques et constructions du siècle dernier. Muse inspiratrice, la ville forme un univers à part entière où les histoires ici se confondent, et où l'on voue un goût immodéré à tous les arts.

▶ **Se repérer** – La ville se développe autour d'une artère centrale, la via Toledo, rythmée de grandes places. Le centre antique, Spaccanapoli s'étire à l'est de la rue, autour des decumanus supérieur et majeur, jusqu'à la porte Capuana. Au sud, à partir de la piazza della Carità débute le centre monumental, organisé autour du palais royal. Le quartier du port longe les docks entre le Castel Nuovo et le corso Garibladi. À l'ouest, au-dessus des versants populaires des quartiers espagnols et de Montesanto, se dresse le plateau aisé du Vomero. Au nord, entre le Musée archéologique et le palais de Capodimonte s'étale le faubourg populaire de Sanità. Et à l'ouest du port de Santa Lucia, enfin, vous trouverez Chiaia, qui s'étire le long du Lungomare. *Voir plans p. 188-189 et 198-199.*

👁 **À ne pas manquer** – Déambuler dans Spaccanapoli et découvrir son immense patrimoine ; visiter le Musée archéologique national, la Galerie nationale de Capodimonte et la chartreuse de San Martino, d'où vous jouirez également d'une vue imprenable sur l'ensemble de la cité.

🕐 **Organiser son temps** – Comptez une journée pour faire un tour dans Spaccanapoli et au Musée archéologique. Ajoutez un jour supplémentaire pour visiter le centre monumental et la chartreuse de San Martino. Mais il vous faudra une petite semaine pour découvrir plus en profondeur les nombreux charmes de la cité parthénopéenne, le cimetière delle Fontanelle, les catacombes, Chiaia et le Lungomare…

👥 **Avec les enfants** – L'aquarium de la Villa Comunale, les magasins de santons de Spaccanapoli et la collection de crèches de la chartreuse de San Martino.

🧭 **Pour poursuivre le voyage** – Voir Capri, Caserte, la Côte Amalfitaine, Herculanum, Ischia, le golfe de Naples et Pompéi.

Impressions napolitaines

Circulation chaotique rythmée par les slaloms des scooters, cris de rue et nonchalance méridionale : Naples, berceau du théâtre lyrique, s'érige en véritable capitale débridée de l'esprit italien, entre légèreté, ferveur religieuse et dérision. Sous la menace permanente du Vésuve et des tremblements de terre, la ville, comme indifférente aux aléas, vit au présent, à un rythme effréné. Mais elle n'en oublie pas pour autant d'évoluer : depuis plus d'une décennie, les projets se succèdent et changent l'image d'une cité à la réputation sulfureuse : restaurations tous azimuts, agrandissement du métro et de l'aéroport, espaces publics embellis et rendus à la propreté…

Mais c'est avant tout la rue napolitaine, grouillante et populaire, qui saisit d'abord le visiteur, formant un véritable théâtre vivant : conversations emportées s'échappant des fenêtres, vendeurs à la sauvette en provenance de tous les horizons, badauds chantonnant à tue-tête et serveurs distribuant à folles enjambées le café typiquement napolitain, onctueux et déjà sucré !

NAPLES

La monumentale piazza del Plebiscito, avec la façade néoclassique de San Francesco di Paola.

Comprendre

Un peu d'histoire

Une cité millénaire – D'après la légende, la sirène Parthénope donna son nom à la ville qui s'était développée autour de son tombeau ; c'est pourquoi on désigne encore parfois Naples par périphrase comme la « cité parthénopéenne ». En réalité, la ville naquit d'une colonie grecque, nommée Neapolis, conquise par les Romains durant le 4e s. av. J.-C. Les riches habitants de Rome venaient y passer l'hiver, tels Virgile, Auguste, Tibère, Néron. Mais les Napolitains restèrent fidèles à la langue et aux coutumes grecques jusqu'à la fin de l'Empire.

Depuis le 12e s., sept familles princières ont régné sur Naples. Les Normands, les Souabes, les Angevins, les Aragonais, les Espagnols et les Bourbons s'y succédèrent. Après l'éphémère **République parthénopéenne** instaurée en 1799, qu'inspirèrent les idéaux de la Révolution française, le trône fut occupé à partir de 1806 par **Joseph Bonaparte**, puis de 1808 à 1815 par **Joachim Murat**, tous deux promoteurs d'excellentes réformes. De 1815 à 1860, les Bourbons revenus se maintinrent malgré les révoltes de 1820 et de 1848.

Naples depuis l'unité italienne – Avec l'arrivée de Garibaldi le 7 septembre 1860, Naples allait changer son statut prestigieux de capitale pour celui de simple province du nouveau royaume, perdant ses avantages commerciaux. L'économie régionale basée sur l'agriculture et l'artisanat allait être également durement touchée, provoquant appauvrissement et résistances de tous ordres (politiques, sociales ou religieuses), terreau au développement de la **Camorra**. À la fin de la Seconde Guerre mondiale, les Napolitains votaient encore en masse pour la monarchie (à 80 %) alors que le reste du pays se prononçait majoritairement pour la république.

Après plusieurs décennies de gestion douteuse de la municipalité, l'opération *Mani pulite* allait précipiter l'arrivée d'**Antonio Bassolino**, maire de Naples de 1993 à 2000. Cet enfant du pays, né dans la proche banlieue (Afragola), engage alors une politique ambitieuse de restauration du patrimoine, de développement culturel et de développement des transports en commun. Les espaces publics sont réaménagés et voient apparaître les premiers véhicules de propreté tandis que le métro quadrille progressivement tout le centre. Et bientôt, une ligne de train à grande vitesse reliera Naples à Rome en une heure. En 2001, les Napolitains élisent pour la première fois une femme à la tête de la municipalité, Rosa Iervolino Russo. Malgré ces évolutions importantes, les problèmes de fond persistent, avec leurs lots d'impôts mafieux et de règlements de compte entre clans rivaux.

L'art à Naples

Un roi mécène – Sous les princes de la maison d'Anjou, Naples se couvre d'édifices religieux qui empruntent leur caractère gothique à l'architecture française. Le roi **Robert le Sage** (1309-1343) attire à sa cour poètes, savants et artistes de différentes régions d'Italie : Boccace passe une partie de sa jeunesse à Naples où il s'éprend de

DÉCOUVRIR NAPLES ET LA CAMPANIE

« Fiammetta », en qui on a voulu voir la propre fille du roi ; son ami Pétrarque y séjourne également. En 1324, le roi Robert fait appel au sculpteur siennois Tino di Camaino qui orne les églises de tombeaux monumentaux. Le peintre romain Pietro Cavallini, ainsi que, un peu plus tard, Giotto (dont les œuvres ont aujourd'hui disparu) et Simone Martini travaillent à Naples, ornant notamment plusieurs églises de fresques.

L'école napolitaine de peinture (17e s. – début 18e s.) – La venue à Naples, vers 1606, du grand rénovateur de la peinture italienne Michelangelo Merisi, dit **le Caravage** (1573-1610), va permettre le développement d'une école locale, dont les représentants s'inspirèrent de la manière ample et dramatique du maître : les principaux protagonistes de ce mouvement restent **Artemisia Gentileschi**, l'Espagnol **José de Ribera**, le Calabrais Mattia Preti et Salvator Rosa.

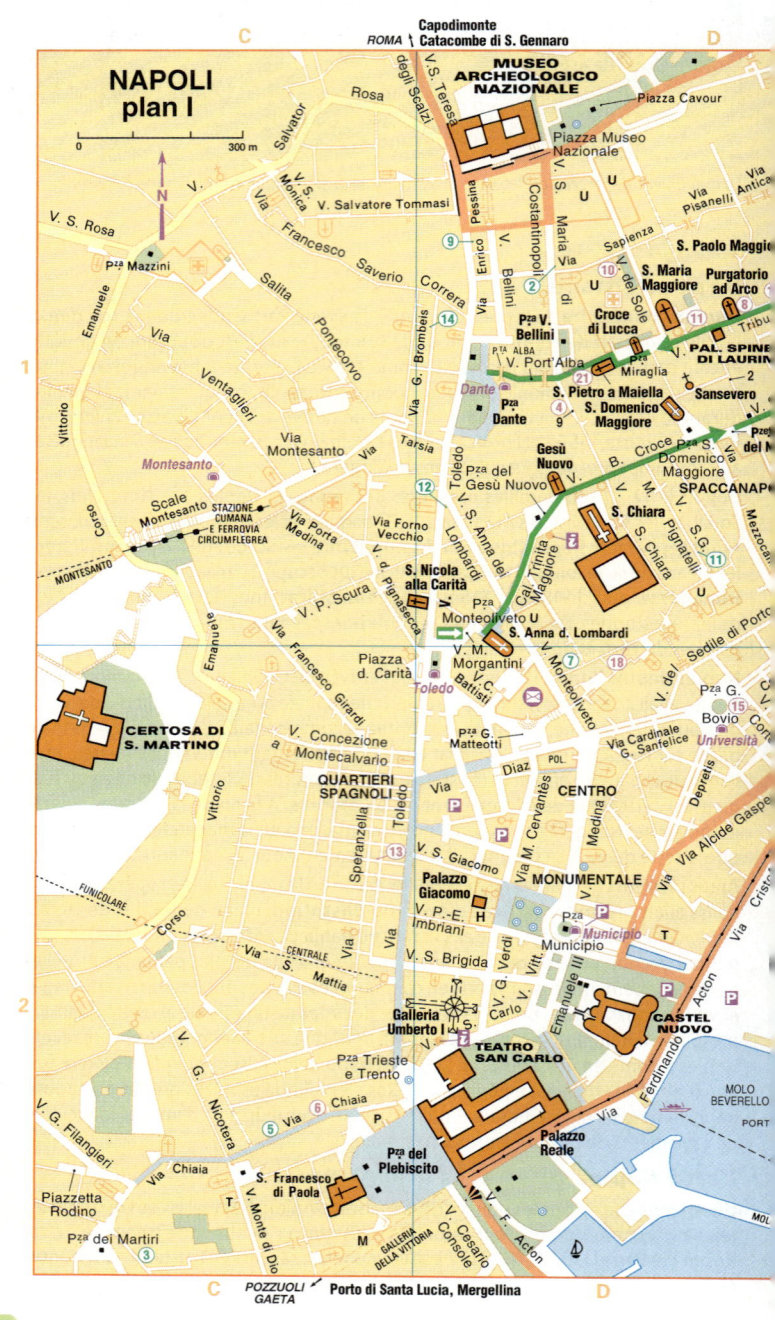

NAPLES

Très à l'écart des caravagesques, **Luca Giordano** (1632-1705) est un virtuose de la décoration qui couvre les plafonds de compositions fougueuses et claires, rappelant les réalisations du baroque romain. Un peu plus tard, **Francesco Solimena** perpétuera sa manière avant de se rapprocher du ténébrisme de Mattia Preti et même du classicisme : ses peintures se caractérisent alors par des compositions savamment équilibrées, où les effets de clair-obscur modèlent les volumes, leur conférant rigueur et solidité.

L'époque baroque – De nombreux architectes dotèrent Naples et ses environs de beaux édifices de style baroque. Si, parmi eux, **Ferdinando Sanfelice** (1675-1748) fit preuve d'une vive invention de scénographe dans la construction d'escaliers qui, édifiés au fond des cours, constituent le principal ornement des palais, c'est **Luigi**

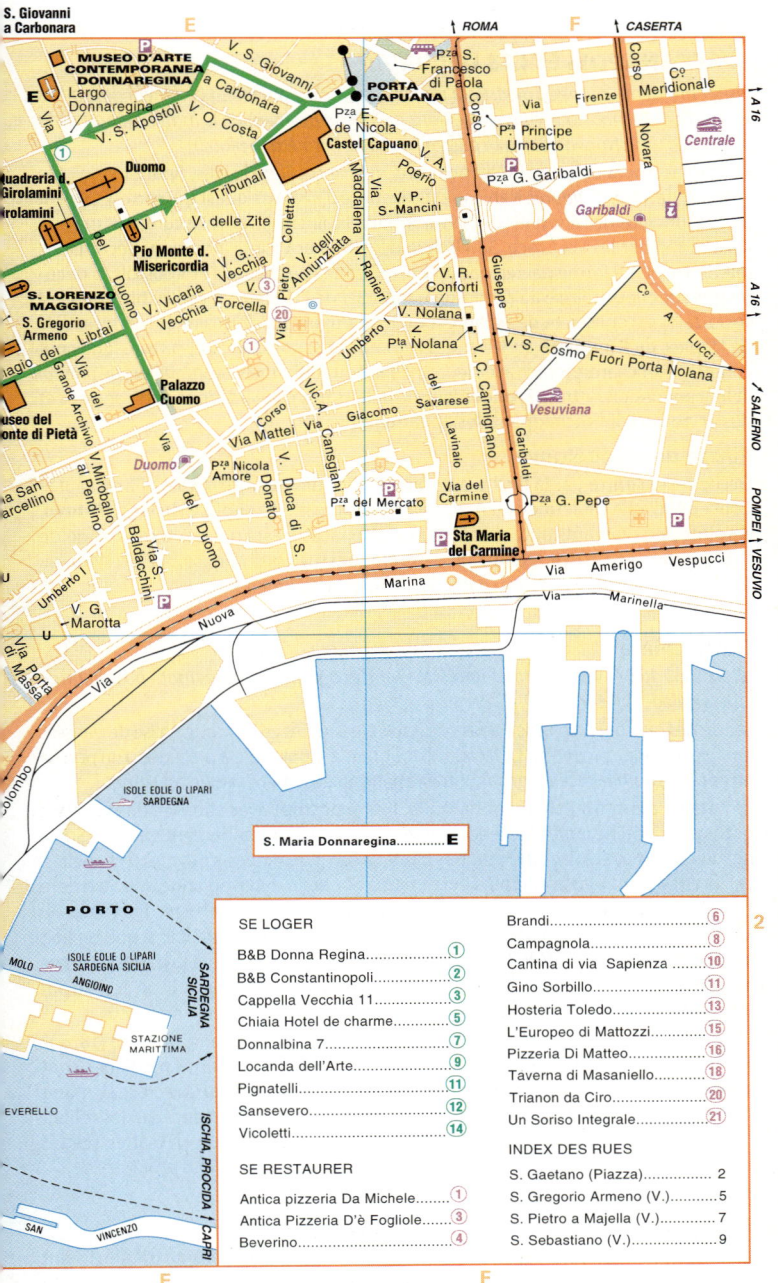

S. Maria Donnaregina............ E

SE LOGER

- B&B Donna Regina................ ①
- B&B Constantinopoli.............. ②
- Cappella Vecchia 11............... ③
- Chiaia Hotel de charme........... ⑤
- Donnalbina 7....................... ⑦
- Locanda dell'Arte.................. ⑨
- Pignatelli........................... ⑪
- Sansevero.......................... ⑫
- Vicoletti............................ ⑭

SE RESTAURER

- Antica pizzeria Da Michele....... ①
- Antica Pizzeria D'è Fogliole...... ③
- Beverino............................ ④
- Brandi.............................. ⑥
- Campagnola....................... ⑧
- Cantina di via Sapienza.......... ⑩
- Gino Sorbillo...................... ⑪
- Hosteria Toledo................... ⑬
- L'Europeo di Mattozzi............ ⑮
- Pizzeria Di Matteo................. ⑯
- Taverna di Masaniello............ ⑱
- Trianon da Ciro.................... ⑳
- Un Soriso Integrale............... ㉑

INDEX DES RUES

- S. Gaetano (Piazza)................ 2
- S. Gregorio Armeno (V.).......... 5
- S. Pietro a Majella (V.)............ 7
- S. Sebastiano (V.).................. 9

Vanvitelli (1700-1773) qui demeure à Naples le grand architecte du 18e s. : Charles III de Bourbon lui confia notamment les plans de Caserte, dont il souhaitait faire son Versailles *(voir Caserte)*.

Dans un domaine plus populaire, de merveilleuses **crèches de Noël** *(presepi)* furent créées à Naples dès le 17e s.

Les Napolitains ont également toujours manifesté un goût particulier pour la musique, que ce soit pour l'**opéra** – la ville abrite depuis le début du 18e s. une scène mythique, le Teatro San Carlo – où l'on accorde une grande importance à la virtuosité du chanteur, ou pour la **chanson populaire**, tantôt joyeuse, tantôt mélancolique, qui se pratique sur accompagnement de guitare ou de mandoline. Dans la commedia dell'arte, Naples a créé la figure de Scaramouche.

Se promener

SPACCANAPOLI ET LES DECUMANUS★★★

Visite : une demi-journée à pied. Pour pouvoir apprécier également l'intérieur des églises et des monuments, nous vous conseillons de faire la promenade le matin. Départ de la piazza del Gesù Nuovo et arrivée piazza Dante (voir itinéraire plan I).

À l'emplacement exact de la Neapolis grecque, le cœur de la ville, Spaccanapoli (de *spaccare*, fendre, et *Napoli*, Naples), est constitué d'axes est-ouest qui correspondent aux decumanus de l'antique cité : la via Tribunali coïncide avec le decumanus majeur, l'axe formé par les via Croce, San Biagio dei Librai et Vicaria à celui du decumanus inférieur et celui formé par les via Sapienza, Pisanelli, Anticaglia et Apostoli au decumanus supérieur. Classé au patrimoine mondial de l'Unesco, le centre historique et ses dizaines d'églises et de palais est un livre ouvert sur l'histoire et l'architecture de Naples, de l'antiquité au 18e s. Ces rues étroites, populaires et pittoresques ont conservé leur charme intact, avec leurs magasins traditionnels, leurs ateliers de *presepi* et leur animation rythmée par des jeux de ballon, des conversations entre anciens et des éclats de voix s'échappant des appartements.

Piazza del Gesù Nuovo Plan I D1

Occupée au centre par la flèche baroque du monument votif dédié à l'Immaculée Conception, elle est fermée au nord par la belle façade de l'**église du Gesù Nuovo**, à pointes de diamant toute de péperin. Cette façade est l'unique témoignage de l'ancien palais Sanseverino (du 15e s.) sur lequel fut érigé l'église. À l'intérieur, au revers de la façade, *Héliodore chassé du Temple* par Solimena.

Entrer dans la via Benedetto Croce.

Santa Chiara★ Plan I D1

☎ 081 552 15 97 - www.santachiara.info - mat. et apr.-midi, j. fériés mat.- possibilité de visites guidées - 4 € (réduit 2, 50 €).

Sancie de Majorque, la pieuse épouse de Robert le Sage, fit édifier cette église de clarisses en style gothique provençal. La façade, d'une grande simplicité, est précédée d'un porche en péperin, dont la couleur grise contraste harmonieusement avec le tuf jaune.

L'intérieur, autrefois richement baroque, fut reconstruit avec sobriété dans le style gothique d'origine, après l'incendie provoqué par un bombardement en 1943. Sur la nef unique, éclairée d'étroites fenêtres hautes à baies géminées, s'ouvrent 9 chapelles. Le chœur à fond plat abrite plusieurs mausolées de la dynastie angevine : derrière l'autel, le **tombeau★★** de Robert le Sage fut exécuté par des artistes florentins en 1345 ; à droite, celui de Charles de Calabre est attribué à Tino di Camaino, à qui l'on doit le **sépulcre★** de Marie de Valois, contre le mur à droite. À droite de la partie réservée au clergé *(presbiterio)*, un vestibule conduit au **coro★** du 14e s., auquel on accède par un beau portail de marbre ; aux murs, restes de fresques de l'école de Giotto.

Chiostro★★ – Son agencement est l'œuvre de Domenico Antonio Vaccaro (18e s.) : le centre, à ciel ouvert, fut transformé en un jardin dont les lignes médianes sont soulignées par deux allées couvertes d'une pergola, dessinant ainsi une croix. Le muret soutenant les arcades du cloître, les colonnes des allées et les bancs qui les relient sont carrelés de magnifiques **faïences★** ornées de motifs floraux, paysages, scènes champêtres, parties de chasse ou sujets mythologiques *(voir photo p. 6-7)*.

San Domenico Maggiore Plan I D1

Fermé pour restauration au moment de la rédaction de ce guide.

Son abside donne sur une place ornée d'un petit obélisque baroque dédié à saint Dominique. À l'intérieur se mêlent éléments gothiques (**cariatides** de Tino di Camaino supportant un cierge pascal) et baroques. La 2ᵉ chapelle du bas-côté droit a été peinte à fresque par Pietro Cavallini (1309). La sacristie (18ᵉ s.), tapissée de boiseries, abrite en hauteur derrière une balustrade les cercueils de personnalités de la cour d'Aragon.

Cappella Sansevero Plan I D1
Via Francesco De Sanctis, 19/21 - ☎ 081 55 18 470 - tlj sf mar. tte la journée, dim. et j. fériés mat. - 6 € (- 10 ans gratuit).

Édifiée au 16ᵉ s., la chapelle surprend par son intérieur, entièrement réaménagé au 18ᵉ s. dans un style baroque exubérant à la demande du prince Raimondo di Sangro, personnage éclectique que sa passion pour l'alchimie et la science nimba de légende. En sont pour preuve les deux présumés « squelettes » complets, dont l'appareil circulatoire fut pétrifié dit-on grâce à une substance inventée par lui *(salle souterraine, accès par le côté droit)*.

Le principal attrait de la chapelle réside dans les étonnantes **sculptures★** de marbre qu'elle abrite : de part et d'autre du chœur, la *Pudeur* (femme voilée) et le *Désespoir* (homme cherchant à se dégager d'un filet) et, au centre de la nef, le magnifique **Christ voilé★**, œuvre magistrale de **Giuseppe Sanmartino**. Les plis du voile sont si légers que le tissu semble non pas sculpté, mais déposé sur le corps allongé, tandis que la sérénité des traits du visage donne l'impression que le Christ repose paisiblement dans un sommeil profond.

Avant de poursuivre dans la via San Biagio dei Librai, on passe par la charmante **piazzetta del Nilo** qui doit son nom à la présence d'une statue antique symbolisant le Nil. Un peu plus loin, tourner à gauche dans la pittoresque via San Gregorio Armeno qu'agrémentent ses nombreux petits magasins et ateliers de *pastori*, ces célèbres santons de crèches. Aux côtés des santons traditionnels, les artisans (dont l'art se transmet de père en fils depuis le 19ᵉ s.) ont placé des sujets modernes qui représentent des personnalités actuelles *(le secteur est caractéristique surtout en décembre)*.

Au fond, au-dessus d'un arc enjambant la rue, se détache le clocher de l'église San Gregorio Armeno.

San Gregorio Armeno Plan I E1
En passant par son profond atrium, on accède à **l'intérieur★** de l'église, de style baroque exubérant. Les fresques qui ornent l'unique nef ainsi que la coupole sont de Luca Giordano. On remarque au fond de la nef deux **orgues** baroques monumentaux ; dans le chœur, le maître-autel marqueté de marbres polychromes ; en haut à droite, la loge fermée d'une grille en laiton derrière laquelle les nonnes suivaient, cachées, la messe ; enfin le très beau plafond de boiseries dorées, orné de médaillons peints par Teodoro di Enrico.

Le **cloître** aux tons ocre jaune *(accès par l'escalier du couvent)*, planté d'agrumes, est ponctué au centre d'une belle fontaine aux effigies du Christ et de la Samaritaine (fin 18ᵉ s.).

Au bout de la via San Gregorio Armeno, on débouche via dei Tribunali, dont le tracé coïncide avec celui du decumanus majeur de l'antique cité romaine.

Tourner à droite en arrivant sur la via del Duomo.

Palazzo Cuomo★ Plan I E1
Avec sa façade à bossages évoquant la Renaissance florentine, ce majestueux palais, édifié à la fin du 15ᵉ s. par le riche marchand napolitain Angelo Como, abrite le **musée municipal Filangieri** : collections d'armes, de céramiques et de porcelaines, meubles ; peintures de Ribera, Caracciolo, Mattia Preti, etc. *Fermé pour restauration au moment de la rédaction de ce guide.*

Remonter la via del Duomo.

Duomo★ Plan I E1
Construit au 14ᵉ s. et dédié à N.-D.-de-l'Assomption, il fut plusieurs fois remanié par la suite. Particulièrement vénéré par le peuple, le **trésor de San Gennaro★** est placé dans une chapelle d'un style

Au cœur de Spaccanapoli, la via San Gregorio Armeno.

DÉCOUVRIR NAPLES ET LA CAMPANIE

> ### Le miracle de saint Janvier
> Ancien évêque de Bénévent décapité en 305 sur ordre de l'empereur Dioclétien, saint Janvier, patron de Naples, fait l'objet d'une vénération toute particulière. Son sang, contenu dans un ancien reliquaire, se liquéfie en effet trois fois par an. Si le miracle n'a pas lieu, les plus terribles calamités risquent de s'abattre sur la cité. Objet de culte, il fut même contesté par Bénévent et dérobé au 10ᵉ s. par le prince de cette cité, avant de revenir définitivement aux Napolitains en 1497. À l'abri dans un coffre-fort, le reliquaire est sorti le samedi qui précède le premier jour de mai, à l'occasion de l'anniversaire du martyr, le 19 septembre, et le 16 décembre, anniversaire de la terrible éruption du Vésuve (1631), interrompue grâce aux prières faites au saint. En 1980, Jean-Paul II en a fait le saint de toute la Campanie.

baroque très riche, précédée par une belle grille de bronze du 17ᵉ s. Sous la coupole, fresque mouvementée de Lanfranco *(Le Paradis)*. Le transept droit recèle une **Assomption** du Pérugin et la **chapelle** gothique **Minutolo**, qui renferme un beau pavement de mosaïque du 13ᵉ s. et des parois ornées de fresques. La **crypte** (Succorpo) est une élégante création Renaissance.

Une porte située au milieu du collatéral gauche donne accès à la **basilique Santa Restituta**, cathédrale primitive du 4ᵉ s., transformée à l'époque gothique puis au 17ᵉ s. : au fond de sa nef, le **baptistère San Giovanni**, du 5ᵉ s., a gardé une belle structure et des **mosaïques★** de cette époque. L'abside de gauche donne accès à un spectaculaire **parcours archéologique** dans le Naples grec, romain et du haut Moyen Âge.

Le **musée du Trésor de San Gennaro★** conserve les documents anciens, ex-voto, sculptures en argent et peintures de valeur qui faisaient partie du trésor de San Gennaro, dont le célèbre portrait du saint par Solimena (1702), à l'entrée, l'ostensoir en émaux et pierres précieuses (1837) et les deux ampoules contenant le sang du saint. Vous ne manquerez pas non plus d'admirer les fresques de Luca Giordano ornant la sacristie. *Via Duomo, 149 - www.museosangennaro.com - tlj sf lun. tte la journée, dim. et j. fériés mat. - 5,50 € (- 18 ans 3,50 €).*

Remonter encore la via del Duomo et la première à droite (via San Apostoli).

Santa Maria Donnaregina★ Plan I E1
Largo Donnaregina - ☎ 081 29 91 01 - Visite guidée le matin, sur demande préalable.
C'est une petite église gothique (14ᵉ s.) d'inspiration française, à laquelle on accède par une église baroque portant le même nom, après avoir traversé un cloître orné de faïences du 18ᵉ s. Elle conserve le **tombeau★**, par Tino di Camaino, de la reine Marie de Hongrie, veuve de Charles II d'Anjou, qui fonda l'édifice. Les murs du chœur des moniales ont été couverts de **fresques★** au 14ᵉ s. Elle fait maintenant partie du complexe dédié au département « Restauration des monuments » de l'université de Naples.

Si vous continuez sur le decumanus supérieur en direction du Musée archéologique, vous découvrirez les **ateliers** où les artisans fabriquent les personnages des **presepi**, les fameuses crèches napolitaines (via Sapienza et via Pisanelli).

Descendre la via San Apostoli puis tourner à droite (via San Giovanni a Carbonara) jusqu'à la piazza E. de Nicola.

Porta Capuana★ Plan I E1
La porte de Capoue, fortifiée, fut construite en 1484 sur un dessin de Giuliano da Maiano ; elle est encadrée de deux tours massives en granit noir, qui forment un beau contraste avec l'arc en marbre blanc, à la décoration Renaissance raffinée. Elle protégeait l'accès, à l'est, du decumanus majeur.

Tout proche, le **Castel Capuano** est l'ancienne résidence des princes normands et des Hohenstaufen.

Prendre la via dei Tribunali.

Pio Monte della Misericordia★ Plan I E1
Via dei Tribunali, 253 - ☎ 081 44 69 44 - www.piomontedellamisericordia.it - tlj sf merc. mat. - fermé 24 et 25 déc., 1ᵉʳ janv. et dim. de Pâques - 5 € (- 18 ans 3 €).
Fondée au 17ᵉ s. par sept nobles napolitains, la confrérie de la Miséricorde conserve six retables dont le sujet est lié aux œuvres de charité de l'institution. L'église baroque à plan centré, en particulier, est ornée de *La Libération de saint Pierre* par Caracciolo et

du très beau tableau du Caravage **Les Sept Œuvres de Miséricorde**★★★. À l'étage, la **galerie** expose une importante série de peintures du Napolitain Francesco De Mura (1696-1782), l'*Aller au Calvaire* du Caravage et plusieurs œuvres de Luca Giordano dont un *Autoportrait*.

Quadreria dei Girolamini Plan I E1
Entrée via Duomo, 142.
Logée au premier étage du couvent des Hiéronymites (les « Girolamini », dont le patron est saint Jérôme), la galerie recèle une riche collection d'œuvres du 16e au 18e s. des écoles napolitaine, romaine et florentine, dont des toiles de Luca Giordano, G.B. Caracciolo, José de Ribera (**Apôtres**), Guido Reni et Francesco Solimena (*Prophètes*) et de Dürer (**Saint Jérôme à l'étude**). Le couvent comprend en outre une **bibliothèque** avec une splendide **salle du 18e s.**★ (*fermée au public*). L'église conserve des œuvres de Pietro Bernini (père de Lorenzo), Pietro da Cortona, Luca Giordano et Francesco Solimena.

San Lorenzo Maggiore★ Plan I E1
Cette église fut élevée au 14e s. sur un édifice paléochrétien dont elle a conservé les murs extérieurs, deux mosaïques et les colonnes bordant sa nef unique. Remaniée en style baroque, elle a retrouvé son apparence d'origine suite à une restauration.
Elle présente à la croisée du transept un très bel **arc triomphal**★ en plein cintre.
La nef, rectangulaire et nue (hormis une chapelle nobiliaire sur le côté droit à l'exubérante décoration baroque), est le témoignage de la rigueur et de la sévérité franciscaine. En revanche, l'**abside polygonale**★ de style gothique français est surmontée de hautes fenêtres géminées en lancette et cernée d'un déambulatoire sur lequel s'ouvrent des chapelles ornées de fresques par des disciples de Giotto. Le croisillon gauche abrite la grande chapelle St-Antoine (cappellone di Sant'Antonio), au-dessus de l'autel, une peinture du saint entouré d'anges (1438) sur fond doré. À droite du maître-autel, on peut admirer le **monument funéraire**★ de la reine Catherine d'Autriche, taillé par Tino di Camaino.
Par le cloître de l'église, on pénètre dans la **salle capitulaire**, aux voûtes et murs ornés de fresques, où est conservée une singulière « bible illustrée », constituée de sujets en terre cuite placés dans des coquilles de noix, minutieux travail réalisé dans les années 1950.
Dans le cloître toujours, commence le parcours archéologique des **fouilles** qui ont mis au jour une petite rue de la ville gréco-romaine et un forum (on y distingue le Trésor public – *aerarium* –, un four et le marché – *macellum*). *Piazzetta San Gaetano - 081 21 10 860 - www.sanlorenzomaggiorenapoli.it - tlj tte la journée, j. fériés mat. - 4 € (- 18 ans 2 €).*

Un peu plus loin, l'église **San Paolo Maggiore**, précédée d'un majestueux escalier et caractérisée par un fastueux intérieur baroque (noter l'autel polychrome). La sacristie conserve deux belles **fresques**★ de **Solimena**, la *Chute de Simon le Magicien* et la *Conversion de saint Paul*, qui sont au nombre de ses chefs-d'œuvre. *081 45 40 48.*

Napoli Sotterranea★★ Plan I D1
Piazza San Gaetano 68 - 081 29 69 44 - www.napolisotterranea.org - visite guidée uniquement (1h30 env.) lun.-vend. 12h-16h, sam.-dim. et j. fériés 10h-18h (visite déconseillée aux personnes souffrant de claustrophobie) - 9, 30 €.
Les 121 escaliers conduisent aux souterrrains enfouis à 30-40 m de profondeur, dans les galeries de tuf que les Grecs creusèrent au 4e s. av. J.-C. pour la construction des murs d'enceintes de la cité (dont il reste quelques ruines piazza Bellini). Un **aqueduc** romain de 5 m de profondeur servit à alimenter en eau la cité jusqu'en 1885, date à laquelle une épidémie de choléra condamna définitivement l'ouvrage. Le parcours conduit ensuite par un passage étroit à plusieurs citernes privées construites par les Grecs, dont une fut transformée en cave à vin et utilisée jusqu'en 1952 par le cloître San Gregorio Armeno, avec un système de ventilation en porcelaine maintenant le taux d'humidité constant.
La visite se termine avec le **théâtre romain** de 6 000 places (1er-2e s.), découvert en 2002. Une partie des ruines est accessible par un *basso* (pièce d'habitation modeste de rez-de-chaussée) : au sous-sol, vous entrez à l'intérieur de la galerie de service, qui faisait alors office de garage. Vous pourrez distinguer également deux des **arches** du monument qui se succèdent via Anticaglia.
En continuant sur le decumanus majeur (via dei Tribunali), au-delà de la piazza San Gregorio Armeno, l'**église del Purgatorio ad Arco** (17e s.), sur la droite, possède un petit cimetière souterrain où, il y a encore quelques années, on pratiquait la singulière cérémonie du nettoyage des ossements afin d'obtenir une grâce (pratique en usage à Naples).

Palazzo Spinelli di Laurino★ Plan I D1

Œuvre de Sanfelice, l'ancien palais (18e s.) de Trojamo Spinelli VIII, duc de Laurini, est agencé autour d'une **cour** elliptique : elle est ornée de statues représentant les huit vertus et de médaillons en bas-relief figurant des scènes mythologiques et champêtres. Au fond, l'**escalier** à double révolution dévoile les statues des membres de la famille ducale, à l'intérieur des niches.

Un peu plus loin, sur le parvis de **Santa Maria Maggiore**, au beau pavement de brique et majolique (1764), s'élèvent, à gauche, la chapelle Pontano, d'époque Renaissance, et sur la droite, le beau clocher en brique rouge de l'église d'origine (11e s.).

Après la **Croce di Lucca**, église du 17e s. au plafond à caissons de bois doré, on arrive à l'église **San Pietro a Maiella**, d'époque gothique, mais remaniée au 17e s. On y admire les belles stalles marquetées qui ornent le chœur et les fresques de l'abside.

Ensuite, on rejoint la piazza Bellini, où il est agréable de s'arrêter, surtout en soirée. Au centre de la place sont encore visibles des restes des **murs grecs**.

Piazza Dante Plan I D1

Œuvre de Vanvitelli, cette place en hémicycle, animée à toute heure, est accessible par la **porta Alba** (18e s.), l'une des quatre dernières portes du centre historique, sous laquelle se concentrent les bouquinistes.

À VOIR ENCORE DANS LE CENTRE HISTORIQUE★

Quartieri spagnoli Plan I C2

En bordure de la via Toledo et de son cortège de magasins en vogue, les quartiers espagnols, avec leurs ruelles formant un damier serré, furent édifiées par le vice-roi don Pedro de Tolède (16e s.) pour loger les troupes espagnoles. Les bâtiments, de modeste facture, sont composés de *bassi* (*basso* au singulier), logements de rez-de-chaussée d'une pièce où vit souvent à l'étroit toute une famille.

Santa Anna dei Lombardi★
Plan I D1-D2

Fermé pour restauration au moment de la rédaction de ce guide.

Édifice Renaissance aux influences toscanes, il faisait partie du vaste et riche monastère de Monteoliveto, bâti au début du 15e s. L'église abrite des **sculptures**★ florentines de cette époque, dont le tombeau de Marie d'Aragon (*1re chapelle à gauche*), œuvre d'Antonio Rossellino, et une Annonciation (*1re chapelle à droite*)

Jours tranquilles dans les Quartiers espagnols.

par Benedetto da Maiano. On peut encore admirer, dans l'oratoire du Saint Sépulcre (*à droite du chœur*), une **Déposition de Croix**★ en terre cuite exécutée à la fin du 15e s. par Guido Mazzoni, exemple d'un genre réaliste et théâtral appelé à connaître un vif succès en Italie méridionale.

Dans la vieille sacristie, ancien réfectoire du couvent, vous pourrez voir également les belles fresques de la voûte, œuvre du 15e s. de Giorgio Vasari, ainsi que de belles stalles dues à Fra Giovanni da Verona (1457-1525).

San Nicola alla Carità Plan I C1-D1

Dessinée par Solimena, cette église baroque (17e-18e s.) abrite à l'intérieur quelques-unes des plus belles **fresques** du peintre de Salerne Paolo de Matteis (1662-1728), dont *La Gloire de saint Nicolas* et *Le Passage de saint Nicolas* dans le retable.

À proximité, la via Pignasecca et ses étals envahissants mène au cœur de Montesanto, jusqu'au funiculaire du même nom.

San Giovanni a Carbonara★ (Hors-plan)

Un élégant escalier du 18e s. mène au portail gothique de cette église fondée au 14e s. À l'intérieur se trouve l'imposant tombeau de Ladislas d'Anjou (15e s.). De part et d'autre du chœur, les chapelles Caracciolo del Sole, pavée de majoliques bleues, et Caracciolo del Vico, surmontée d'un plafond à caisson.

NAPLES

Museo d'Arte contemporanea Donnaregina (MADRE)★ Plan I E1
Via Settembrini, 79 - ℘ 081 56 24 561 - www.museomadre.it - tlj sf mar. tte la journée - lun. gratuit - 7 € (- 6 ans gratuit).

Métamorphosé en musée d'art contemporain par l'architecte portugais Alvaro Siza, l'ancien palais Donnaregina a été réouvert en décembre 2005. Outre le rez-de-chaussée consacré aux expositions temporaires, il abrite aux étages supérieurs une intéressante collection permanente, constituée d'œuvres d'artistes locaux et internationaux : Horn, Manzoni, Rauschenberg, Warhol, Klein, Koons, etc.

LE CENTRE MONUMENTAL★★
Visite : 3h. Au sud de Spaccanapoli, par la via Toledo.

La royale via Toledo, percée en 1536 par le roi d'Espagne don Pedro et tracée au cordeau, conduit au quartier des anciens souverains de la ville, avec ses larges voies et ses monuments solennels, investis par les sièges des banques, les édiles de la ville et les élégantes faisant leur *passeggiata*.

Castel Nuovo (ou Maschio Angioino)★ Plan I D2
Piazza Municipio - ℘ 081 79 55 877 - tlj sf dim. - 5 € (- 18 ans 4 €).

Imposant et entouré de profonds fossés, le Nouveau Château fut construit en 1282 par les architectes de Charles Ier d'Anjou, Pierre de Chaulnes et Pierre d'Agincourt, sur le modèle du château d'Angers.

Un remarquable **arc triomphal★★** embellit son entrée côté ville. Celui-ci, exécuté sur les plans de **Francesco Laurana** en 1467, est orné de sculptures à la gloire de la maison d'Aragon. Au fond de la cour intérieure, un escalier, à gauche, conduit à la **salle des Barons** (15e s.), à la belle voûte ornée d'un réseau d'ogives en étoiles. La **chapelle palatine** (14e s.) est précédée d'un élégant portail Renaissance autrefois surmontée d'une *Vierge* de Laurana, aujourd'hui conservée avec d'autres œuvres de l'artiste dans la sacristie. La chapelle elle-même abrite le long de ses murs des fresques provenant du château de Casaluce (province de Caserta).

Une terrasse panoramique permet de jouir d'une belle **vue** sur les monuments du quartier, le port envahi de paquebots et les toits de Spaccanapoli en fond.

À proximité, le **palais San Giacomo** (18e s.), siège de la municipalité, abrite l'église **San Giacomo degli Spagnoli** (1540) où vous ne manquerez pas de remarquer le **tombeau★** du vice-roi don Pedro de Tolède, œuvre de Giovanni da Nola. *Fermé pour restauration au moment de la rédaction de ce guide.*

Teatro San Carlo★★ Plan I D2
♿ *- Visite guidée uniquement, 9h-18h (ttes les 30mn). Fermé en août. 5 €. ℘ 081 66 45 45. www.teatrosancarlo.it*

Premier théâtre lyrique d'Europe, il fut édifié sous Charles de Bourbon, en 1737, un demi-siècle avant la Scala de Milan et la Fenice de Venise. Entièrement ravagé par un incendie en 1816, il fut reconstruit à l'identique en seulement six mois, à l'exception de la **loge royale★** : cette dernière possède de somptueux rideaux, fabriqués en papier mâché afin d'alléger la structure et d'avoir une meilleure acoustique. Avec son fastueux décor de stucs, boiseries dorées et velours rouges, l'intérieur en fer à cheval s'élève sur six étages et comporte 184 loges. Les miroirs installés dans chacune d'elles permettaient à la fois de voir la loge du roi et d'avoir un meilleur éclairage en réfléchissant la lumière des bougies.

Le **bas-relief** ajouté au-dessus de la scène en 1840 comprend une horloge avec un cadran qui pivote sur lui-même, le doigt indiquant l'heure.

Sa parfaite acoustique et l'ampleur de sa scène permettent à ce théâtre d'occuper une place de premier plan dans la vie musicale italienne : la première école de danse et de scénographie italienne fut fondée en 1816 et Verdi dirigea plusieurs saisons pendant la 2e moitié du 19e s. L'escalier, le vestibule et la façade, de facture néoclassique, datent de la fin du 19e s.

Galleria Umberto I★ Plan I D2
Cette galerie, au pavement de mosaïque relevé de marbre, dorures et bas-relief,

> **À la cour comme au théâtre**
>
> Construit avec les fonds apportés par la noblesse napolitaine, le théâtre, discrètement installé dans une rue sans recul, fut édifié volontairement à proximité immédiate du palais royal. Il n'était alors pas seulement ouvert pour les représentations, mais, sur autorisation du roi, également en journée. La cour venait y prendre ses déjeuners, donner des rendez-vous ou tout simplement s'informer des dernières nouvelles.

fut inaugurée en 1890, en pleine vogue des passages couverts à Paris. Investie par quelques-uns des plus beaux magasins de la cité, elle s'ouvre sur le théâtre San Carlo et sur la via Toledo piétonne. Au centre, la coupole en verre et en fer forgé est soutenue par d'élégantes figures féminines.

Piazza del Plebiscito★ Plan I C2-D2
Aménagée sous le règne de Murat, cette place en hémicycle, d'un noble aspect, est fermée d'un côté par le palais royal, et de l'autre par la façade néoclassique de l'église **San Francesco di Paola**, construite sur le modèle du Panthéon de Rome et prolongée par une colonnade curviligne *(voir photo p. 187)*. Rebaptisée en l'honneur du plébiscite du 21 octobre 1860 qui rattachait définitivement Naples à l'Italie, elle n'en a pas moins conservé les statues équestres des souverains du royaume déchu des Deux-Siciles, Ferdinand de Bourbon et de Charles de Bourbon, par Canova. La nouvelle maison souveraine de Savoie fit même installer sur la façade du palais royal les huit statues des principaux anciens rois de Naples (Roger Le Normand, Frédéric II, Charles Ier d'Anjou, etc.).

Palazzo Reale★ Plan I D2
Piazza del Plebiscito, 1 - ℘ 081 74 10 067 - tlj sf merc. tte la journée - 25 déc., 1er janv., 25 avr. et 1er Mai - 4 € (- 18 ans gratuit).

Bâti au début du 17e s. par l'architecte Domenico Fontana, le **palais royal** a été plusieurs fois remanié, mais sa façade présente à peu de choses près son aspect d'origine. Entouré à l'arrière de jardins, le vaste complexe accueillait également la manufacture royale de porcelaine, l'imprimerie, la tapisserie, la bibliothèque et l'académie.

Un immense **escalier** à double rampe surmonté d'une voûte à caissons et décoré de stucs par Genovese (1837) donne accès aux **appartements★** et à la **chapelle palatine**, somptueusement décorée. En pénétrant dans les appartements, qui ne furent habités par les rois qu'à partir de 1734, on voit tout d'abord, à droite, la salle de théâtre ; les pièces, à la riche décoration, conservent de nombreuses œuvres d'art, peintures, meubles et quelques belles pièces de porcelaines napolitaines. Remarquez en particulier les magnifiques **battants★** de porte en bois : sur un fond d'or, angelots, jeunes filles et animaux émergent d'une composition florale. Ne manquez pas non plus d'admirer les deux immenses **tapisseries des Gobelins** (17e-18e s.) du salon des Ambassadeurs, *Les Allégories de la terre et de la mer* et les *Histoires d'Henri IV*.

Abrité à l'intérieur de la bibliothèque nationale, **la collection de papyrus d'Herculanum★** conserve les manuscrits datant du 3e s. av. J.-C. au 1er s., ensevelis pendant des siècles sous les cendres volcaniques de l'éruption qui ravagea Pompéi. Ils furent découverts au 18e s. : après quelques malheureuses tentatives d'ouverture des rouleaux carbonisés, le père Antoine Piaggio conçut une **machine** spéciale pour les dérouler, à l'aide d'une colle à base de substances naturelles facilitant le décollement des feuilles. Les manuscrits contiennent des textes philosophiques de Philodème et d'Épicure, dont le *De la Nature*, ainsi que des œuvres en latin (comédies, ouvrages juridiques, etc). ℘ *081 78 19 231 - visite guidée sur demande 15 j. avant.*

LE PORT ET LE QUARTIER DU MARCHÉ

Visite : 1h. À l'est du centre historique. Accès à pied par l'ascenseur de la piazza del Plebiscito ou de la piazza del Municipio. Pour la piazza del Mercato, montez à bord du tramway (lignes 1 ou 4).

Fondé par les Grecs qui débarquèrent au 8e s. av. J.-C., le port, l'un des plus importants d'Italie et le premier pour le trafic passager, s'est développé à partir de son emplacement originel sur plus de 3 km. Le **molo Angioino** fut construit au début du 14e s. par la maison d'Anjou. Il abrite la station maritime (1936), œuvre fasciste dépouillée, à la façade immaculée, accueillant les croisiéristes et les passagers pour la Sicile et la Sardaigne. La dernière ligne de **tramway** de Naples longe les installations portuaires jusqu'à l'église Santa Maria del Carmine et au-delà.

Santa Maria del Carmine Plan I F1
℘ *081 20 06 05 - mat. et apr.-midi, merc. et dim. mat. - gratuit.*

Symbole du quartier du marché, le **campanile**, face aux docks, est décoré au sommet de carreaux de majolique (16e s.). L'église à nef unique, construite à la fin du 13e s., est surmontée à l'intérieur d'un plafond à caisson doré et d'un bas-relief représentant une Vierge à l'enfant. Remarquez également le bel orgue aux tuyaux orientés en direction de l'autel. En face, le parvis fut le théâtre au 17e s. de la révolte menée par Masaniello *(voir encadré ci-dessous)*.

À quelques pas de là, la **piazza del Mercato** en hémicycle fut édifiée au 18e s., suite à un incendie qui ravagea le quartier. Elle est dominée par la façade de l'église Santa Croce. *Marché tlj 8h-18h.*

> ### La révolte de Masaniello
> En 1647, alors que l'Espagne est en plein conflit avec la France, le duc d'Arcos, vice-roi de Naples, doit également faire face à un soulèvement à Palerme. Il décide dans ce contexte de rétablir une taxe sur les produits frais. Cette dernière sonnera la révolte des maraîchers, qui s'allièrent, le 7 juillet, aux commerçants du marché. Un certain Masaniello, vendeur de poisson, prit alors la tête de la fronde. Il fut finalement assassiné le 17 juillet, avec la complicité de meneurs populaires, et son corps fut jeté en pâture aux chiens. Ses partisans rassemblèrent ses restes et, sous la ferveur populaire, il eut droit à des funérailles officielles. Il est inhumé à l'intérieur de l'église du Carmine.

CHIAIA ET LE LUNGOMARE★

Visite : 3h. À l'ouest du centre monumental. Accès à pied de la piazza del Plebiscito : au sud par le bord de mer ou à l'ouest par la via Chiaia. Accès en tramway (lignes 1 ou 4), terminus piazza dei Martiri ou en métro (ligne 2), arrêts Amedeo ou Mergellina.

Dès le port de Santa Lucia, on aperçoit le **lungomare** qui se déploie jusqu'à la petite anse de Mergellina. Lieu de promenade dominicale prisé, les Napolitains s'y rassemblent en masse, en famille, entre amis ou en amoureux, pour prendre l'air et contempler l'infini méditerranéen, à bonne distance de l'agitation du centre. Les amateurs d'ombre se réfugient plutôt sous les platanes et les pins de la villa Comunale. Le soir, jusque tard au milieu de la nuit, la piazza Sannazzaro rassemble la jeunesse et les noctambules de la ville, pour une dernière ivresse.

Porto di Santa Lucia★★ (Hors-plan)

Une des plus célèbres chansons du répertoire napolitain a immortalisé ce minuscule port, blotti entre un îlot rocheux et la jetée qui le relie à la rive. Le **Castel dell'Ovo** (château de l'Œuf), qui doit son nom à une légende selon laquelle Virgile aurait caché dans ses murs un œuf magique dont la destruction entraînerait celle de tout l'édifice, est une sévère construction d'origine normande, refaite en 1274 par les Angevins.
De la jetée, on jouit d'une **vue★★** admirable sur le Vésuve, d'une part, sur la partie occidentale du golfe, d'autre part.
Si, à la nuit tombée, on s'avance un peu en direction de la piazza Vittoria, la **vue★★★** sur le Vomero et le Pausilippe brillant de tous leurs immeubles étagés devient féerique.

Le Castel dell'Ovo et le port de Santa Lucia.

DÉCOUVRIR NAPLES ET LA CAMPANIE

Villa Comunale Plan II A3

Créés par Vanvitelli en 1780, ces jardins longent le bord de mer sur près d'un kilomètre et demi. C'est une promenade fréquentée des Napolitains, en fin de journée surtout.

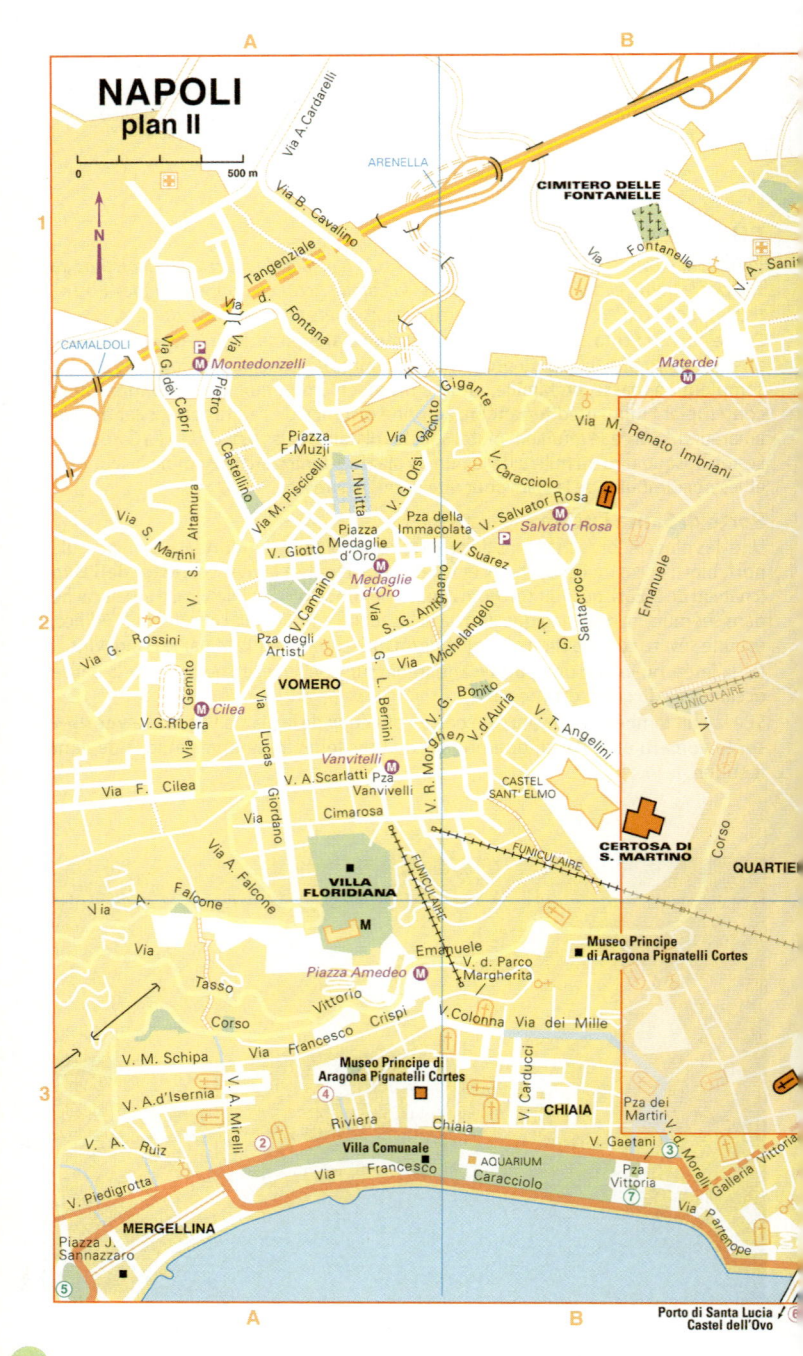

Au centre se trouve l'**aquarium**, l'un des plus anciens d'Europe, ouvert en 1874. Il présente un choix intéressant d'espèces sous-marines vivant dans le golfe de Naples, notamment de beaux spécimens de gorgones, animaux formant des colonies arborescentes qui rappellent la tête du monstre mythologique homonyme, à la chevelure faite de serpents. Autour de l'aquarium, plantations d'espèces variées : chênes verts, platanes, pins, palmiers, eucalyptus, etc. ℘ 081 58 33 263 - www.szn.it - mars-oct. : mat., j. fériés tte la journée ; reste de l'année : tte la journée, j. fériés mat. - fermé lun. - 1,50 € (- 12 ans 1 €).

Museo Principe di Aragona Pignatelli Cortes **Plan II A3**

Riviera di Chiaia, 200 - ℘ 081 66 96 75 - www.pignatelli.spmn.remuna.org - tlj sf mar. 8h-13h30 - 2 € (- 18 ans gratuit).

On visite le rez-de-chaussée de la résidence d'été de la princesse Pignatelli, qui y vécut jusqu'à la fin des années 1950. La bibliothèque est tapissée d'un élégant papier peint doré, tandis que la salle à manger expose son service de table en porcelaine

SE LOGER
- Casa del Monacone .... ①
- Morelli 49 .... ③
- Ostello Mergellina .... ⑤
- Parteno .... ⑦

SE RESTAURER
- 'A Tiella .... ②
- Dora .... ④
- Trattoria Castel dell'Ovo .... ⑥

de Limoges. L'ameublement général remonte au 19ᵉ s et forme une somptueuse collection. Dans le jardin, les anciennes écuries abritent une intéressante collection de **carrosses** de la même époque. Les véhicules parfaitement conservés sont de fabrication anglaise, française et italienne.

Mergellina★ Plan II A3
Au pied de la colline du Pausilippe, Mergellina, avec Sannazzaro, son petit port, est l'un des plus tranquilles endroits de Naples. On y jouit d'une **vue**★★ splendide sur la baie : la colline du Vomero que couronne le château Sant'Elmo s'abaisse doucement jusqu'à la pointe de Santa Lucia, prolongée par le château de l'Œuf ; au fond, le Vésuve.

LE VOMERO★

Visite : 3h. À l'ouest de Spaccanapoli. Accès en funiculaire (Montesanto, Centrale, Chiaia) ou en métro (ligne 1). Ascension à pied par la via Pedamentina San Martino (Montesanto) ou la Salita Petraio (quartieri spagnoli).

À pied ou en funiculaire, l'ascension sur le plateau du Vomero permet de jouir des plus belles vues sur la cité parthénopéenne et le golfe. Ruelles en escaliers, espaces verts, rues larges et plantées, ici, tout prête au calme et à la détente. Au centre, la **piazza Vanvitelli** est dédiée au grand architecte Luigi Vanvitelli (voir p. 189) ; les principales avenues, investies par les grands noms de la mode, rayonnent autour de la place. Un havre de paix que ce beau quartier dominant la ville, à seulement quelques mètres au-dessus des très populaires quartiers espagnols, vivants et bruyants.

Certosa di San Martino★★ Plan II B2 et Plan I C2
Largo San Martino, 5 - ℘ 081 57 81 769 - www.smartino.napolibeniculturali.it - tlj sf merc. - 6 € (- 18 ans gratuit) ; billet combiné avec Castel Sant'Elmo.

Cet immense couvent de chartreux est admirablement situé sur une avancée de la colline du Vomero. Le **Castel Sant' Elmo**, fort massif à bastions, refait au 16ᵉ s. par les Espagnols et longtemps utilisé comme prison, le domine à l'ouest. De la place d'armes *(accès à pied ou par ascenseur)*, très beau panorama sur la ville et son golfe. La chartreuse, fondée par la dynastie d'Anjou au 14ᵉ s., fut à peu près totalement remaniée aux 16ᵉ et 17ᵉ s. On visite aujourd'hui la partie monumentale et le musée qui s'ordonnent autour du cloître des Procurateurs, construction harmonieuse due à l'architecte sculpteur Fanzago.

Chiesa – L'intérieur★★ de l'église, à la fastueuse décoration baroque, abrite des toiles de Carracciolo, Guido Reni et Simon Vouet. À gauche du chœur, après la sacristie entièrement marquetée, on rejoint la salle du Trésor ornée de fresques de Luca Giordano et d'une toile de Ribera, *La Pietà*.

Museo★ – Outre les salles consacrées aux arts décoratifs, au théâtre, à la peinture napolitaine du 19ᵉ s. et aux représentations de la ville (dont la célèbre *Tavola Strozzi* figurant la cité vue du port au 14ᵉ s.), ne manquez pas la **section des crèches**★★ *(presepi)* qui expose une extraordinaire collection de figurines napolitaines en terre cuite polychrome, datant des 18ᵉ s. et 19ᵉ s. Très riche collection d'objets (depuis des petits paniers de fruits et légumes en cire, jusqu'à des animaux et des ustensiles) servant à décorer la traditionnelle crèche napolitaine. La visite se conclut par la grande **crèche Cucciniello** de la fin du 19ᵉ s. (dont quelques figurines remontent au 18ᵉ s.).

Villa Floridiana★ Plan II A2
Agréablement situé sur la frange du Vomero, c'est un élégant petit palais blanc de style néoclassique, entouré d'un beau parc planté de nombreuses essences. La façade s'ouvre sur le jardin, d'où l'on jouit d'un beau **panorama**★. La villa abrite le **Museo Nazionale di Ceramica Duca di Martina**★, qui présente d'intéressantes collections d'émaux, d'ivoires, de faïences et surtout de porcelaines. *Villa Floridiana, via Cimarosa 77 - ℘ 081 57 88 418 - tlj sf mar. mat. - 2,50 € (- 18 ans gratuit).*

SANITÀ ★

Visite : 2h. Au nord du Musée archéologique. Accès en bus au départ de la piazza Cavour (lignes C51 et C52).

Coincé entre deux nobles institutions napolitaines, le Musée archéologique national et le palais royal de Capodimonte, le faubourg populaire de la Sanità est un enchevêtrement de ruelles sinueuses bâties de part et d'autre du Corso Amedéo di Savoia, tracé par Murat. Mémoire du peuple, les nombreuses catacombes du quartier honorent les morts décimés par les épidémies récurrentes qui ravagèrent Naples jusqu'à la fin du 19ᵉ s.

Santa Maria della Sanità - Catacombe di San Gaudioso Plan II C1
Visite guidée uniquement - tlj 9h30-12h30 (ttes les 15mn). 5 €. ℘ 081 54 41 305. www.santamariadellasanita.it

En plein cœur du faubourg, la basilique fut édifiée au début du 17ᵉ s. à l'emplacement où fut inhumé San Gaudioso, évêque martyr de Béthanie, venu se réfugier à Naples en 439. La crypte est décorée de fresques de la fin du 17ᵉ s., réalisées par Bernardino Fera, élève de Solimena. Les **catacombes** abritent encore quelques mosaïques et des fresques paléochrétiennes (5ᵉ-6ᵉ s.), ainsi que la tombe du saint, dont il ne reste que l'inscription funéraire.

Catacombe di San Gennaro★★ Plan II C1
Au nord de la ville. Via Capodimonte, 16 - ☏ 081 74 11 071 - visite guidée tlj sf mar., le matin - 5 € (- 15 ans 3 €).
Entièrement creusé dans le tuf, ce vaste complexe se développe sur deux niveaux. Les amples galeries peu éclairées s'élargissent jusqu'à former, au niveau inférieur, un « baptistère » et, au supérieur, une spacieuse basilique à trois vaisseaux (4ᵉ-6ᵉ s.). Le tombeau de saint Janvier (*Gennaro* en italien), dont la dépouille fut transportée ici au 6ᵉ s., est orné de fresques représentant le saint. On remarque les très belles peintures décorant les niches funéraires (3ᵉ-10ᵉ s.) et, en particulier, la voûte du vestibule, au niveau supérieur, avec les premières représentations chrétiennes et les portraits des défunts ornant les sépultures familiales. La crypte des évêques, au-dessus du tombeau de saint Janvier, conserve quant à elle des mosaïques.

Cimitero delle Fontanelle★★ Plan II B1
Via Fontanelle, 154 - ☏ 081 54 90 368 - visite guidée uniquement.
Tout au bout de la sinueuse via Fontanelle, cette ancienne carrière de tuf gréco-romaine abrite les milliers d'ossements des victimes de la peste du 17ᵉ s., qui extermina les trois-quarts des habitants de Naples (300 000 morts).
Rendue célèbre par le film de Rossellini *Voyage en Italie* (1953), la vaste cave, constituée de trois longues allées bordées de crânes, abrite notamment un **autel** constitué d'os et de bois. Le reste des ossements s'accumule, sous le sol, jusqu'à 70 m de profondeur.
Ouvert au public au 19ᵉ s., l'ossuaire fut l'objet d'un culte, la cérémonie de *capuzelle* (« tendres têtes »), interdit par l'église dans les années 1950 : les fidèles venaient prendre soin des restes d'un crâne, se confiaient à lui, caressaient son front et le couvraient parfois de baisers.

> #### La tête du Capitaine
> Situé à proximité du calvaire, le crâne dit du Capitaine (*testa del Capetano* en italien), avec son front poli à force d'avoir été touché, est le plus célèbre du cimetière des Fontanelles. La légende raconte qu'une femme qui le vénérait lui pria de lui trouver un mari, ce qu'il accomplit. Au cours de leur mariage, un invité inconnu de tous, en tenue de capitaine, les honora de sa présence. La mariée sut reconnaître en lui son défunt protecteur.

Visiter

MUSEO ARCHEOLOGICO NAZIONALE★★★ Plan I D1
Piazza Museo Nazionale, 19 ☏ 081 44 01 66 -www.archeona.arti.beniculturali.it - tlj sf mar., tte la journée - fermé 25 déc., 1ᵉʳ janv. et 1ᵉʳ Mai - 6,50 € (- 18 ans gratuit). Certaines salles peuvent être fermées pour inventaire, restauration ou absence de personnel. Visite : 2h.
Il occupe des bâtiments construits au 16ᵉ s. pour abriter la cavalerie royale et qui furent, de 1610 à 1777, le siège de l'Université. Ses collections, essentiellement constituées par les œuvres d'art ayant appartenu aux Farnèse et par le matériel retrouvé à Herculanum et à Pompéi, en font l'un des plus riches musées du monde pour la connaissance de l'Antiquité grecque et romaine.
Par l'exhaustivité et la beauté de ses collections, le musée vaut à lui seul le voyage : c'est un complément indispensable à la visite des sites de Pompéi et d'Herculanum.

Sculptures gréco-romaines★★★
Rez-de-chaussée. L'ensemble du rez-de-chaussée abrite la fameuse collection Farnèse, rassemblée à l'initiative du pape Paul III (Alessandro Farnese). La galerie de l'atrium de droite donne accès au sous-sol consacré à la **section épigraphique** et à la **collection égyptienne**.

DÉCOUVRIR NAPLES ET LA CAMPANIE

En raison de l'organisation des expositions temporaires au rez-de-chaussée, l'emplacement des sculptures peut varier d'une saison à l'autre. Les œuvres sont donc indiquées sans ordre particulier d'emplacement (à l'exception des groupes monumentaux).

Vous pouvez admirer l'**Aphrodite Sosandra**, magnifique réplique d'un bronze grec du 5e s. av. J.-C., à l'expression hautaine et au drapé d'une rare élégance, le célèbre groupe des **Tyrannicides** Harmodios et Aristogiton qui, au 6e s. av. J.-C., libérèrent Athènes de la tyrannie d'Hipparque (copie en marbre d'un bronze grec), la majestueuse Pallas Farnèse (Athéna), un émouvant bas-relief évoquant les adieux d'Orphée à Eurydice, réplique d'une œuvre du 5e s. av. J.-C., et une copie du fameux **Doryphore** de Polyclète (5e s. av. J.-C.). Vous trouverez également la célèbre *Vénus Callipyge* (« aux belles fesses » – 1er s.), l'admirable **Artémis d'Éphèse** (2e s.), en albâtre et en bronze, représentation de l'idole vénérée dans le célèbre temple : elle a la poitrine couverte de mamelles, symboles de son caractère nourricier.

Parmi les **groupes monumentaux** découverts au 16e s. dans les thermes de Caracalla à Rome (salles 11 à 16), se dresse une statue féminine en basalte du 5e s. av. J.-C. (probablement une Nikê, personnification du Triomphe et de la Victoire). L'imposant **Taureau Farnèse**, sculpté dans un seul bloc de marbre, évoque le supplice de Dircé, la légendaire reine de Thèbes. C'est une copie romaine du 2e s. qui, comme tant d'autres œuvres de la collection Farnèse, a subi de nombreux remaniements et restaurations qui ont en partie dénaturé son aspect originel. Vous ne manquerez pas le monumental **Hercule Farnèse**, sculpté au repos après avoir achevé ses célèbres travaux. Les deux *Flore Farnèse* et *Flore Mineure* également exposées ici ne faisaient pas partie à l'origine des thermes.

Toujours au rez-de-chaussée, le cabinet des **gemmes taillées** *(salles 9 et 10)* compte l'un des joyaux du musée, la célèbre **Tasse Farnèse**★★★, énorme camée en forme de coupe, réalisée à Alexandrie d'Égypte au 2e s. av. J.-C.

Entresol.

Mosaïques★★

Entresol à gauche. Provenant pour la plupart de Pompéi, Herculanum et Stabies, elles offrent une grande variété de styles et de sujets : on remarquera avant tout les deux petites scènes réalistes *(Consultation chez la magicienne* et *Musiciens ambulants)* signées Dioscourides de Samos et des *Acteurs en scène* retrouvés à Pompéi dans la maison du Poète tragique (salle 59). Les salles 60 et 61 abritent les mosaïques de la maison pompéienne du Faune (dont la frise à festons et masques) et la belle **Bataille d'Alexandre**, qui illustre avec un sens admirable du mouvement et de la profondeur (cheval vu de dos au 1er plan) la victoire du roi de Macédoine sur le roi des Perses Darius. La collection comprend également de beaux exemples d'opus sectile (salle 57).

Premier étage.

Salles de la villa des Pison ou des Papyrus★★★

En haut des escaliers, à droite. On suppose que cette villa, découverte à Herculanum au 18e s., puis réensevelie, appartenait à L. Calpurnius Pison, beau-père de Jules César. Son propriétaire avait fait de cette demeure un véritable musée.

La salle des Papyrus (salle 114) renferme des photographies de quelques-uns des 800 papyrus qui formaient la bibliothèque *(voir p. 239)*. La salle 116 rassemble les **statues en bronze** qui ornaient le péristyle de la villa : on reconnaît le **Silène ivre**, tout à son allégresse, et un jeune **Satyre endormi** au visage admirable dans l'abandon du sommeil ; les deux **Athlètes**, saisissants de vie, sont inspirés de Lysippe (4e s. av. J.-C.) ; les fameuses « **Danseuses** » **d'Herculanum** sont probablement des porteuses d'eau ; le célèbre **Hermès au repos**, au corps élancé et vigoureux, reflète l'idéal de Lysippe. Dans la salle 117, outre le **portrait** dit à tort « **de Sénèque** », l'un des plus remarquables de l'Antiquité par sa puissance d'expression, on note une « Tête idéale », identifiée à Artémis, et la majestueuse Athéna Promachos.

Argenterie, ivoires, terres cuites vernissées et verrerie★

À l'entrée du salon du Cadran solaire (salone della meridiana), à gauche. Dans ces salles sont rassemblés des objets provenant principalement d'Herculanum et de Pompéi : trésor en argent retrouvé dans la maison de Ménandre à Pompéi, petits ustensiles d'ivoire, armes grecques et italiques et objets en verre, dont le splendide **vase bleu**★★ décoré de petits amours et de scènes de vendanges.

De cette section, on accède à la salle où est exposée la **maquette de Pompéi** en chêne-liège à l'échelle 1/100, exécutée en 1879.

Salles du temple d'Isis★★★

Après les salles d'argenterie. Objets et peintures du temple découvert à Pompéi au dos du grand théâtre. Trois espaces sont plus particulièrement évoqués et partiellement reconstruits : le portique, l'*ekklesiasterion* (où se réunissaient les adeptes d'Isis) et le *sacrarium* (sanctuaire où étaient déposés les objets sacrés). Les fresques des murs représentent des natures mortes : figues, raisins, oies et colombes, éléments tous en relation avec le culte de la déesse égyptienne. On remarque surtout les beaux et grands panneaux (bien conservés), où sont représentés des paysages sacrés et des scènes liées au mythe de Io.

Salles des fresques★★★
Au fond du salon du Cadran solaire, à gauche, ou après les salles du temple d'Isis. Très belles fresques provenant essentiellement de Pompéi, Herculanum et Stabies. Leur diversité de style et la variété des couleurs attestent de la richesse décorative romaine *(voir le chapitre Pompéi et son introduction sur la peinture pompéienne)*. Splendides peintures inspirées par la mythologie (légende d'Héraclès, d'Ariane), par la tragédie *(Médée, Iphigénie)* ou encore par des poèmes épiques (épisodes de la guerre de Troie), souvent encadrés par des perspectives architecturales, des frises d'amour, de satyres et de ménades. Remarquer la douceur et la légèreté des figures féminines retrouvées à Stabies, représentant *Léda, Médée, Flore* et *Artémis*. D'une villa de Boscotrecase nous sont parvenus des cadres et médaillons représentant des paysages de Campanie.

PALAZZO E GALLERIA NAZIONALE DI CAPODIMONTE★★
Via Miano, 2 - ℘ 081 74 99 111 - http://capodimonte.spmn.remuna.org - tlj sf merc. 8h30-19h30 (la billetterie ferme 1h avant). Fermé 1er janv., 1er Mai, 25 déc. - 7,50 € (- 18 ans gratuit). Visite : 2h.

Cet ancien **domaine royal★** s'étend sur les hauteurs de la ville **(hors plan)** : il est formé du palais, massif et austère, bâti entre 1738 et 1838, et d'un grand parc où subsistent notamment les restes d'une fabrique de porcelaines qui fut célèbre au 18e s. Le palais abrite une pinacothèque et les appartements royaux.

Pinacoteca★★
La collection des Farnèse, héritée des Bourbons et enrichie au fil du temps, constitue le noyau de la pinacothèque. La disposition des œuvres, essentiellement chronologique, permet de retracer certaines des grandes étapes de l'histoire de la peinture italienne, mise en regard avec quelques exemples étrangers importants.

La collection s'ouvre par la galerie Farnèse, qui présente de célèbres portraits des principaux représentants de la famille, dont **Paul III avec ses neveux★★**, chef-d'œuvre de profondeur psychologique du **Titien**.

Dans l'émouvante **Crucifixion★★★** de Masaccio, le personnage de Marie-Madeleine vêtu d'un habit rouge feu et tendant les bras vers la croix dans un geste dramatique, est un parfait exemple du travail de perspective qui fit de Masaccio un précurseur de la Renaissance. La position rentrée de la tête du Christ n'est pas une erreur mais est due au fait que le panneau, placé à l'origine au sommet d'un haut polyptyque, était vu d'en bas. Un exemple admirable de l'école vénitienne est **La Transfiguration★★** de **Bellini**, où l'utilisation de la lumière et des nuances produit une impression de sérénité qui baigne tout le paysage.

Le célèbre *Portrait de Fra' Luca Pacioli* est également exposé dans la section vénitienne. Parmi les maniéristes, on remarque Sebastiano del Piombo **(Portrait de Clément VII★)**, Pontormo et le Rosso. Les recherches sur la lumière du Titien trouvent leur expression à travers la sensuelle **Danaé** et les travaux du Greco : dans *Jeune garçon allumant une bougie à l'aide d'une braise*, la lumière semble être le personnage principal. Sérénité et douceur émanent de la petite toile du Corrège, les **Noces mystiques de sainte Catherine**, tout comme de la *Sainte Famille* du **Parmesan**, qui souligne ici le rôle primordial de la maternité : la figure de l'Enfant n'apparaît pas entièrement dans le tableau. Du même artiste, on admire aussi la *Lucrèce* et l'élégante **Antea★**. Dans la section flamande, on relève deux belles œuvres de **Pieter Bruegel**, *Le Misanthrope* et **La Parabole des aveugles★★**.

Le second étage accueille la « Galerie napolitaine », constituée par Murat avec des œuvres acquises lors de la dissolution des ordres monastiques. Figurent parmi les chefs-d'œuvre exposés **Saint Louis de Toulouse** de Simone Martini, le célèbre **Saint Jérôme dans sa cellule** de Colantonio, l'Annonciation du **Titien** et la **Flagellation★★** du **Caravage** ainsi que des œuvres de Caracciolo, Ribera, Mattia Preti, Luca Giordano et Francesco Solimena.

Le troisième étage est consacré aux collections du 19e s. (œuvres de Morelli et Palizzi), à la photographie (travail du photographe napolitain Mimmo Jodice) et à l'art contemporain (*La Grande Craquelure noire* de Burri et le *Vesuvius* de **Warhol**).

Appartements royaux

1er étage. Ils sont remarquables par la qualité du mobilier présenté, dont se détache notamment un **cabinet**★ entièrement plaqué de porcelaine décorée de pampres et de scènes d'inspiration chinoise. On verra aussi une collection de porcelaines, dont l'*Aurore*, élégante série en biscuit du début du 19e s., et l'armurerie royale, particulièrement riche.

Naples pratique

Informations utiles

OFFICES DE TOURISME

Azienda Autonoma di Soggiorno Cura e Turismi di Napoli - *Via San Carlo, 9 - ☎ 081 40 23 94 ou Piazza del Gesù Nuovo - ☎ 081 55 123 701 - www.inaples.it* - lun.-sam. 9h30-18h30 (18h en hiver), dim. 9h30-13h30 (13h en hiver). Fermeture 13h30-14h30 (13h-14h en hiver).

Soprintendenza ai beni culturali - *Palazzo Reale - ☎ 081 58 08 334* - lun.-vend. 7h30-15h30. Documentation fournie sur les principaux monuments de Naples, avec plans et parcours thématiques.

Museo Aperto Napoli - *Via Pietro Colletta, 89/95 - ☎ 081 56 36 062 - www.museoapertonapoli.com -tlj sf merc. 10h-18h.* Une façon originale de visiter Scappanapoli, à l'aide d'audioguides décrivant plus de 80 édifices du centre.

MUSÉES

Campania Artecard - Valable de 3 ou 7 jours, elle donne droit à l'entrée gratuite ou réduite dans la plupart des musées et sites de Naples et de la région. La carte 3 jours permet également d'utiliser les transports gratuitement.

NUMÉROS DE TÉLÉPHONE UTILES

Carabiniers ☎ 081 54 81 111
Police nationale ☎ 081 79 41 111
Police de la route ☎ 081 59 54 111
Police municipale ☎ 081 75 13 177
Urgences ambulances ☎ 081 75 28 282 ou 081 75 20 696
Informations sur les lignes ferroviaires ☎ 892 021

Transports

ARRIVER À NAPLES

Aéroport de Capodichino - *6 km au nord de Naples - ☎ 848 888 777*. Il est relié à la ville par l'*alibus* (6h30-23h30, ttes les 30mn, billet 3 € valable 1h30 avec les transports de Naples) jusqu'à la piazza Garibaldi (gare ferroviaire) et la piazza Municipio (station maritime). Compter 20 € en **taxi**.

SE DÉPLACER À NAPLES

Évitez de vous déplacer en voiture, la circulation est chaotique et souvent paralysée aux heures de pointe, tandis que l'offre en transports en commun est bien développée.

Tickets Unico Napoli - Ils permettent de prendre le bus, le tram, le funiculaire et le métro. Il en existe deux sortes : l'un valable 90mn (1 €), l'autre, toute la journée (3 € en sem., 2,50 € le w.-end).

Métro - La **ligne 1** relie le nord de la ville et le Vomero au centre de Naples jusqu'à la piazza Dante. Elle reliera prochainement l'aéroport et traversera le centre jusqu'à la piazza Garibaldi, en passant par la piazza Municipio. La **ligne 2** (gérée par la compagnie nationale de chemins de fer, FS) traverse la cité d'est en ouest, de Pozzuoli à la piazza Garibaldi et Gianturco. La **ligne 6** qui relie pour l'instant Mergellina à Mostra, longera à terme le lungomare jusqu'à la piazza Municipio.

Funiculaires - Ils permettent de rejoindre le Vomero en quelques minutes : le **funiculaire central** (de via Toledo à piazza Fuga), le **funiculaire de Chiaia** (de via del Parco Margherita à via Cimarosa – accès par le corso Vittorio Emanuele) et le **funiculaire de Montesanto** (de piazza Montesanto à via Raffaele Morghen). Le **funiculaire de Mergellina** (à proximité du port Sannazzaro, accès par le tunnel della Vittoria) relie la via Mergellina à la via Manzoni.

Radio Taxi - **Consortaxi** ☎ 081 20 20 20 ; **Cotana** ☎ 081 57 07 070 ; **Free** ☎ 081 55 15 151 ; **Napoli** ☎ 081 55 64 444 ; **Partenope** ☎ 081 55 60 202.

SE DÉPLACER DANS LES ENVIRONS

Train - La **Cumana** et la **Circumflegrea** (gare sur la piazza Montesanto) relient Naples à Bagnoli et à la région des Champs Phlégréens. La **Circumvesuviana** (gare sur le corso Garibaldi) offre la possibilité d'atteindre rapidement Herculanum, Pompéi, Castellammare, Vico Equense et Sorrente.

Bateau - Au départ du molo Beverello et du port de Mergellina, ferries et hydrofoils pour Capri, Ischia, Procida et Sorrente.

Metrodelmare - *☎ 199 600 700, www.metrodelmare.com*. Service côtier saisonnier (avr.-mi-oct.) desservant les principales stations du golfe de Naples et de la Côte Amalfitaine, jusqu'à Salerne.

Se loger

CENTRE

Voir localisation sur le plan I p. 188-189.

⌂ **I Vicoletti** - *Via S. Domenico Soriano, 46 - ☎ 081 54 94 644 - www.ivicoletti.it - fax 081 56 41 156* - 11 ch. Point fort : l'immense terrasse donnant sur Castel Capuano ; mais les grandes chambres, décorées simplement et très colorées, et les hôtes enthousiastes ne sont pas en reste. En plein centre historique, une atmosphère de vacances méditerranéennes. Douches communes. Pour ceux qui ont de bonnes jambes.

😴 **La Locanda dell'Arte** – *Via Enrico Pessina, 66 - ℘ 081 56 44 640 - fax 081 56 45 427 - www.bbnapoli.org- 6 ch*. Des chambres sobres et élégantes, aux meubles en bois sombre, sol en briques et grandes fenêtres donnant sur une rue piétonne du centre historique. Bon goût et sens du détail, et une délicieuse odeur de fleur d'oranger, dans ce B&B logé dans un vieux palais du début du 19ᵉ s., en face de l'Académie des beaux-arts.

😴😴 **Pignatelli** – *Via S. Giovanni Magg. Pignatelli, 16 - ℘ 081 65 84 950 - www.hotelpignatellinapoli.com - 11 ch*. En plein cœur du centre historique, à deux pas de la piazza S. Domenico Maggiore, les appartements du marquis Pignatelli abritent des chambres spacieuses et lumineuses, dont quelques-unes avec des décorations datant du 17ᵉ s.

😴😴 **Donnalbina 7** – *Via Donnalbina, 7 - ℘ 081 19 56 78 17 - fax 081 19 56 76 20 - www.donnalbina7.it - 6 ch*. Un agréable B&B à l'intérieur d'un palais d'époque, à deux pas de la via Monteoliveto. Chambres confortables aux volumes originaux et au mobilier design. Petits-déjeuners servis dans la chambre. Prix compétitifs.

😴😴 **B&B Constantinopoli** – *Via S. M. di Constantinopoli, 27 - ℘ 081 44 49 62 - fax 081 56 47 888 - www.discovernaples.net - 2 ch*. Un superbe appartement au dernier étage d'un palais d'époque : cet authentique B&B ravira les amateurs d'art de toutes époques. Le copieux petit-déjeuner, typiquement napolitain, se prend dans la cuisine couverte de majoliques. Vastes chambres décorées de meubles anciens, avec salle de bains privatives à l'extérieur.

😴😴 **B&B Donna Regina** – *Via Luigi Settembrini, 80 - ℘ 081 44 67 99 - www.discovernaples.net - 5 ch*. Un véritable B&B à l'intérieur d'un ancien monastère du 13ᵉ s., occupant le vaste appartement de la famille Mazzela. Grand salon bohème avec ses nombreux objets d'arts et hauts murs couverts de tableaux. La terrasse ensoleillée s'ouvre sur l'ancien cloître. Domenico, le propriétaire, épris de sa ville, est également guide indépendant. Chambres colorées et pleines de charme.

😴😴 **Cappella Vecchia 11** – *Vico S. M. a Capella Vecchia, 11 - ℘ 081 24 05 117 - fax 81 24 55 338 - www.bednaples.com - 6 ch*. À deux pas de la piazza dei Martiri, accueil familial au premier étage d'un palais historique, idéalement situé entre Chiaia et le centre monumental. Géré par un jeune couple sympathique et passionné.

😴😴 **Sansevero** – *Piazza VII Settembre, 28 - ℘ 081 79 10 00 - www.albergosansevero.it - fax 081 21 16 98- 8 ch*. Les hôtels Sansevero offrent de grandes chambres, aux meubles en osier léger et aux lits en fer forgé, dans trois palais du 18ᵉ s. en plein cœur de Naples. L'atmosphère y est fraîche et ensoleillée, le séjour agréable et à des prix acceptables.

😴😴😴 **Chiaia Hotel de charme** – *Via Chiaia, 216 - ℘ 081 41 55 55 - fax 081 42 23 44 - www.hotelchiaia.it - 33 ch*. L'hôtel occupe l'ancien appartement du marquis Nicola Lecaldano Sasso La Terza, au premier étage d'un palais nobiliaire du 17ᵉ s., à proximité de la piazza del Plebiscito. Les chambres sont décorées avec goût et dotées de tout le confort moderne. Atmosphère pleine de charme.

Location d'appartements (non localisés sur le plan)

😴😴 **Loc'appart** – *℘ 01 45 27 56 41 (Paris) - fax 01 42 88 38 89 (Paris) - www.destinationslocappart.com - 10 appart*. Une dizaine d'appartements disséminés dans le centre de Naples, entièrement équipés, pouvant accueillir jusqu'à 6 personnes. Celui du palais Marinelli dispose d'une vaste terrasse panoramique et celui de Petraio, décoré de belles majoliques, d'une vue aérienne au-dessus de Chiaia.

HORS CENTRE

Voir localisation sur le plan II p. 198-199.

Lungomare :

😴 **Ostello Mergellina** – *Via Salita della Grotta, 23 - ℘ 081 76 12 346 - www.ostellionline.org - 210 lits*. 🅿. Auberge de jeunesse située à proximité de la piazza Sannazaro, dominant Chiaia et le lungomare. Chambres de 2 à 6 lits.

😴😴 **Morelli 49** – *Via Domenico Morelli, 49 - ℘ 081 24 52 291 - fax 081 24 57 721 - www.bbmorelli49.it - 4 ch*. En position centrale, à l'intérieur d'un palais d'époque, un B&B simple à la décoration rustique soignée et aux salles de bains colorées, pour un authentique séjour napolitain.

😴😴😴 **Parteno** – *Lungomare Partenope, 1 - ℘ 081 24 52 095 - fax 081 24 71 303 - www.parteno.it - 6 ch*. B&B d'une élégance raffinée, intime et accueillante, où le mobilier et la décoration sont l'œuvre d'un artiste connu de la région. Une demeure patricienne savamment restaurée, où les hôtes sont traités comme de petits princes. Sauna et salle de sport à disposition.

Sanità :

😴 **Casa del Monacone** – *Basilica S. M. della Sanità - ℘ 338 91 48 012 - www.santamariadellasanita.it- 4 ch. et 3 appart*. 🅿. Bel établissement niché à l'intérieur de la basilique du faubourg de la Sanità, avec deux agréables terrasses. Chambres et appartements (jusqu'à 4 pers.) confortables et colorés, décorés de faïences originales signées Riccardo Dalisi.

Se restaurer

CENTRE
Voir localisation sur le plan I p. 188-189.

Antica pizzeria Da Michele – Via Cesare Sersale, 1/3 - 081 55 39 204 - fermé dim., 3 semaines en août -. Une adresse populaire et authentique, où les amateurs de pizza se donnent rendez-vous pour savourer, à toute heure, la Margherita ou la Marinara. Queue pratiquement inévitable !

Antica pizzeria D'è Fogliole – Via Giudecca Vecchia, 39 - 081 28 67 21 - fermé dim.-. Au cœur du Spaccanapoli populaire, tout le monde se presse dans cette institution pour goûter à la fameuse pizza frite, spécialité napolitaine à ne pas manquer !

Brandi – Salita di S. Anna di Palazzo, 1/2 - 081 41 69 28 - fermé mar. -. C'est dans ce lieu historique que serait née, le 11 juin 1889, la mythique pizza Margherita, ainsi nommée en l'honneur de la reine. Que tous les amateurs lui rendent hommage, au moins après un après-midi passé à faire les emplettes !

Pizzeria Di Matteo – Via Tribunali, 94 - 081 45 52 62 - fermé dim. -. Il y a quelques années, elle a accueilli Bill Clinton ! Mais d'autres célébrités, parmi lesquelles le grand Mastroianni, avaient déjà auparavant goûté aux délicieuses pizzas préparées dans cet endroit tout simple. Des prix imbattables et un service très rapide. Attention à la tête en montant au 1er étage !

Gino Sorbillo – Via Tribunali, 32 - 081 44 66 43 - fermé dim., 3 sem. en août. Comme l'indique le menu, le jeune et enthousiaste Gino vient « d'une vieille famille où l'on est pizzaiolo de père en fils depuis 21 générations » et est considéré, à raison, comme l'une des étoiles montantes de la pizza napolitaine. Dans son établissement typique, on ne mange que des pizzas… mais quelles pizzas !

Trianon da Ciro – Via Pietro Colletta, 42/46 - 081 55 39 426 - fermé 25 déc., 1er janv. Dans le style années 1920, avec des plafonds en stuc et des murs d'un bel ocre jaune, un endroit agréable qui a déjà une longue histoire. Outre de délicieuses pizzas, le patron vous régalera de poésie à sa façon et vous apprendra que la passion est l'ingrédient essentiel de la « vraie » pizza.

Un Soriso Integrale – Vico S. Pietro a Maiella, 6 - 081 45 50 26 - fermé lun. Un agréable restaurant végétarien aux compositions savoureuses, situé au fond d'une cour. Broccoli au citron, paupiettes de choux, crèpes à la ricotta et aux épinards, à base de mets biologiques.

Beverino – Via S. Sebastiano, 62 - 081 29 03 13 - fermé lun. soir, mar. soir, sam. midi et dim. midi. Tout près de la très « littéraire » piazza Bellini, une adresse pour des déjeuners et dîners informels, à l'enseigne des bons vins, des entrées et des plats froids. L'ambiance y est rustique, comme dans tout bar à vins qui se respecte, et les voûtes de la salle en sous-sol vous permettront d'échapper à la chaleur estivale.

La Cantina di via Sapienza – Via Sapienza, 40/41 - 081 45 90 78 - fermé le soir, dim. -. Trattoria fréquentée par les étudiants et les médecins de l'hôpital à proximité. Excellent rapport qualité prix pour une cuisine napolitaine à base de légumes.

Campagnola – Via Tribunali, 47 - 081 45 90 34 - fermé dim. en hiver, mar. en été. Une osteria simple et bien tenue, constituée de plats du jour indiqués sur le tableau noir, et d'une belle cave à vin.

Hosteria Toledo – Via Giardinetto, 78a - 081 42 12 57 - fermé mar. soir. Une petite adresse au cœur des quartieri spagnoli, qui célèbre les saveurs napolitaines, avec beaucoup d'attention pour le choix des ingrédients.

L'Europeo di Mattozzi – Via Campodisola, 4/6/8 - 081 55 21 323 - fermé dim., lun. soir et mar. soir en hiver, sam. soir en été et 2 sem. en août. Une cuisine maison, avec des plats régionaux dont la saveur est fondée sur le choix rigoureux des matières premières. Une vraie passion et un réel sens de l'accueil, dans une ambiance simple, orchestrée par le patron.

Taverna di Masaniello – Via Donnalbina, 28 - 081 55 28 863 - fermé dim. -. Une cuisine soignée, à déguster sous les voûtes d'un ancien palais, dans une charmante ruelle de Spaccanapoli. Sauté de coques, écrevisses à la roquette et au parmesan, espadon à la ricotta.

HORS CENTRE
Voir localisation sur le plan II p. 198-199.

Lungomare :

Trattoria Castel dell'Ovo – Via Luculliana, 28 - 081 76 46 352 - fermé jeu. Une trattoria toute simple, dont les tables sont installées sur le petit port du charmant faubourg Marinaro. Pour une pause romantique avec vue sur l'imposant Castel dell'Ovo, sur le golfe et sur les petites barques de pêcheurs.

'A Tiella – Riviera di Chiaia, 98/100 - 081 76 18 688 - fermé merc. - Après une promenade sur le bord de mer, un petit restaurant où déguster des spécialités de poisson, entre autres, et des pâtes fraîches faites maison. Installez-vous sous le plafond voûté ou à l'extérieur, où le citron et le lierre sont inspirés une décoration fraîche à laquelle s'ajoutent de belles photographies de la Naples d'antan.

Dora – Via Ferdinando Palasciano, 30 - 081 66 05 19 - fermé dim. Dans une venelle pentue de Chiaia, une adresse de poisson où les bonnes saveurs riment à merveille avec l'atmosphère chaleureuse et entraînante : en plein service, la mamma se faufile entre les tables et se met à chanter un air napolitain. Fruits de mer crus, spaghetti au homard et excellentes profiterolles.

Faire une pause

Caffè Mexico – *Piazza Dante, 86 -* ℘ *081 54 99 330.* Une institution napolitaine, où le café est servi déjà sucré!

Bar del Professore – *Piazza Trieste e Trento, 46 -* ℘ *081 40 30 41.* Pour goûter un excellent café *nocciolato* (à la noisette).

Gran Caffè Gambrinus – *Via Chiaia, 1/2 -* ℘ *081 41 75 82.* Le plus célèbre café napolitain. On croirait presque y entendre résonner les frous-frous des robes à crinoline d'autrefois. Depuis plus de 150 ans, ces salles décorées avec faste sont témoins des principaux événements de l'histoire de Naples.

Scaturchio – *Piazza S. Domenico Maggiore, 19 -* ℘ *081 55 16 944.* Pour déguster une *sfogliatella riccia* (feuilleté fourré de ricotta, fruits confits et parfumé à la fleur d'oranger) tout juste sortie du four, ou un baba, pâtisserie d'origine étrangère mais très répandue et appréciée dans le « Royaume de Naples ».

En soirée

PRENDRE UN VERRE

Intra Moenia – *Piazza Bellini, 70 -* ℘ *081 29 07 20.* Lieu de rencontre privilégié des intellectuels, dans le vieux cœur de la cité. Ce bar-librairie-glacier est également le siège d'une maison d'édition « engagée ». À déguster sans modération.

SPECTACLES

Teatro San Carlo – *Via San Carlo, 98 -* ℘ *081 79 72 111 - biglietteria@ teatrosancarlo.it - saison lyrique : déc.-mai - guichet : mar.-dim. 10h-13h, 16h30-18h30.* Le théâtre San Carlo, avec sa troupe lyrique permanente, est l'un des plus célèbres opéras du monde.

Teatro Sannazaro – *Via Chiaia, 157 -* ℘ *081 41 88 24 - www.teotrosannazaro. it.* Le célèbre théâtre comique de la ville, dans la plus pure tradition napolitaine.

L'Hôpital des Poupées (Ospedale delle bambole).

Achats

Ospedale delle Bambole – *Via San Biagio dei Librai, 81 -* ℘ *081 20 30 67.* Un lieu historique de Naples, où l'on prend soin des poupées malades.

Raffaele Russo – *Via S. Biagio dei Librai, 116.* Une boutique datant des années 1930, où l'on achète les fameuses madones servant à décorer la crèche traditionnelle napolitaine.

Ferrigno – *Via S. Gregorio Armeno, 8.* Une boutique réputée pour ses santons. Un authentique musée!

Marinella – *Riviera di Chiaia, 287 -* ℘ *081 76 44 214.* Le plus célèbre magasin de cravate de toute l'Italie, fondé en 1914.

Événements

Les fêtes religieuses à Naples sont somptueuses. Celles de la Madone de Piedigrotta, le 8 septembre, de Santa Maria del Carmine, le 16 juillet, et surtout celles du Miracle de saint Janvier (1er dim. de mai et 19 sept.) sont les plus connues.

Au moment de Noël et de l'Épiphanie, de magnifiques crèches sont installées dans les églises.

DÉCOUVRIR NAPLES ET LA CAMPANIE

Golfe de **Naples**★★★
Golfo di Napoli

CARTE GÉNÉRALE B2 - CARTE P. 210-211 - CARTE MICHELIN N° 564 E/F 24-25

Dès la sortie de la dense et trépidante cité de Naples, le célèbre golfe s'offre dans toute son étendue au regard de ses admirateurs : à l'ouest, les Champs Phlégréens et leurs intenses activités terrestres, jadis prisés par les Romains pour leurs sources thermales ; au sud, la péninsule de Sorrente, accidentée et sauvage, bordée de falaises et traversée de gorges profondes. Entre les deux, villas d'hier et stations balnéaires d'aujourd'hui s'égrennent le long de la vaste baie, avec les îles d'Ischia et de Capri à horizon. Plantée au milieu, la silhouette du Vésuve est omniprésente, montagne majestueuse et menaçante, source de fertilité et de richesses comme de brutalité et de tragédies.

- **Se repérer** – S'étirant sur 80 km de Pozzuoli, au nord, à Sorrento, au sud, le golfe de Naples est très peuplé et la circulation côtière est souvent dense, malgré les autoroutes qui la bordent ou la contournent.

- **À ne pas manquer** – Les thermes de Baia et les fumerolles de Solfatara dans les Champs Phlégréens, l'ascension du Vésuve, Sorrente et les paysages de la péninsule, sans oublier le panorama depuis le parc Virgiliano, à la sortie de Naples.

- **Organiser son temps** – Prévoir environ 4 jours pour explorer le golfe (avec la visite des sites archéologiques d'Herculanum et de Pompéi). Evitez la période de juillet et août, où vous serez pris dans une circulation affolante et une activité touristique intense ; préférez le printemps ou l'automne, juin et septembre étant les mois idéaux.

- **Avec les enfants** – La cité des Sciences de Bagnoli propose une découverte ludique du musée pour les enfants ; les fumerolles de Solfatara les fascineront.

- **Pour poursuivre le voyage** – Voir Capri, Caserte, la Côte Amalfitaine, Herculanum, Ischia, Naples et Pompéi.

Les vestiges du temple de Sérapis à Pozzuoli.

Circuits de découverte

4 circuits permettant de découvrir les différentes parties du golfe vous sont ici proposés (dont les deux premiers au départ de Naples), chacun d'eux constituant une suite idéale au précédent (voir carte p. 210). Le circuit 5 *se trouve au chapitre « La Côte Amalfitaine ».*

I CAMPI FLEGREI★★ (LES CHAMPS PHLÉGRÉENS) 1

De Naples à Cumes. 45 km – 6h environ. S'incurvant le long du golfe de Pouzzoles, cette région fut appelée par les Anciens « **Champs Phlégréens** » en raison de son caractère volcanique (« phlégréen » vient d'un verbe grec signifiant « brûler »). Du sol et de la mer jaillissent des sources thermales, des fumerolles, des gaz et des vapeurs sulfureuses, qui témoignent d'une vive activité souterraine ; plusieurs lacs occupent d'anciens cratères. Enfin, des phénomènes de **bradisisme**, lentes variations du niveau du sol, s'y observent.

Naples★★★ *(voir ce nom)*

Posillipo★
On nomme **Pausilippe** la célèbre colline qui, se terminant en promontoire, sépare le golfe de Naples de celui de Pouzzoles. Couvert de villas et de jardins, hérissé d'immeubles modernes, ce quartier résidentiel de Naples procure à ses habitants de beaux points de vue sur la mer.

Marechiaro★
Une célèbre chanson napolitaine, *Marechiare*, a fait connaître ce petit port, dont les maisons de pêcheurs se dressent au-dessus de l'eau.

Parco Virgiliano★
Appelé aussi **Parco della Rimembranza** (parc du Souvenir). De son extrémité, on découvre de splendides **vues**★★ sur tout le golfe, du cap Misène à la presqu'île de Sorrente, ainsi que sur les îles de Procida, Ischia et Capri.

Città della Scienza★ à Bagnoli
Via Coroglio, 104 - ℘ *081 73 52 111 - www.cittadellascienza.it - tlj sf lun., tte la journée - 7 € (- 18 ans 5 €).*

Un bel édifice industriel des années 1850 abrite cette très innovante Cité des Sciences divisée en sections thématiques (la physique classique, la nature, l'évolution, les communications). Ne pas oublier l'**Atelier des petits** *(Officina dei Piccoli)*, où les enfants jusqu'à 10 ans pourront s'instruire tout en s'amusant, et le grand Planétarium.

Pozzuoli★
Fondée par les Grecs, Pouzzoles fut aménagée en port maritime à l'époque romaine. Située au cœur de la zone volcanique des Champs Phlégréens, elle souffre irrémédiablement des mouvements de la plaque tectonique qui affectent la région : le centre historique, **Rione Terra**, a été évacué en 1983. Il est progressivement restauré et remis en valeur pour en faire un musée à ciel ouvert.

La ville a, en outre, donné son nom à la pouzzolane, roche siliceuse d'origine éruptive, utilisée dans la composition de certains ciments.

Anfiteatro Flavio★★ – *Via Terracciano, 75 -* ℘ *081 52 66 007 - tlj sf mar., tte la journée - fermé 25 déc., 1ᵉʳ janv. et 1ᵉʳ Mai - 2,50 € (- 18 ans gratuit).*

Datant de l'époque de Vespasien, c'est l'un des plus grands amphithéâtres d'Italie : il pouvait contenir 40 000 spectateurs. Bâti en brique et en pierre, il est assez bien conservé : on voit notamment ses enceintes, ses entrées et les **souterrains**★★, pratiquement intacts.

Tempio di Serapide★ – *En retrait de la via Roma.* Situé près de la mer, c'est en fait l'antique *Macellum* (marché) dont le périmètre était occupé par des boutiques. Dans une abside de la paroi du fond se trouvait autrefois la statue de Sérapis, dieu protecteur des commerçants. La corrosion marine que présentent jusqu'à 5,70 m au-dessus du sol les colonnes subsistant du pavillon central montre que celles-ci furent à certaines époques immergées.

Tempio di Augusto★ – Au sommet de la ville, ce temple datant des premières années de l'Empire a été transformé au 11ᵉ s. en église chrétienne. En 1964, un incendie a permis de retrouver les structures romaines : une grandiose colonnade de marbre surmontée d'un imposant entablement.

Solfatara★★
℘ *081 52 62 341 - www.solfatara.it - 5,50 € (- 10 ans 4 €).*

Il s'agit du cratère d'un ancien volcan éteint où subsistent néanmoins d'impressionnants phénomènes, tels que des fumerolles d'anhydride sulfureux dégageant une forte odeur et laissant des dépôts jaunes, des volcans en miniature crachant de la boue, et des jets de sable bouillonnant. Le sol, dont la surface est chaude, sonne creux quand on le frappe. Les émanations de soufre ont été utilisées dès l'époque romaine à des fins thérapeutiques.

Lago Lucrino
Sur les rives de ce lac, où l'on pratiquait la culture des huîtres dans l'Antiquité, s'élevaient de luxueuses villas dont l'une appartint à Cicéron ; une autre fut le théâtre de l'assassinat d'Agrippine, ordonné par son fils Néron.

Baia★

Colonie fondée par les Grecs, Baia était au temps des Romains une plage à la mode et une station thermale qui disposait de la plus grandiose installation hydrothérapique de l'Empire. Les patriciens et les empereurs y possédaient d'immenses villas disparues sous la mer à la suite de l'affaissement du sol.

Baia Sommersa★ – ℘ 081 37 23 760 - www.areamarinaprotettabaia.it - pour visites sous-marines : mai-oct., ℘ 081 37 23 760.
Le parc sous-marin permet de découvrir le bassin portuaire, enfoui à quelques mètres sous le niveau de la mer. Vous pourrez notamment voir les thermes publics, la villa à Vestibule, avec les restes d'un pavement en mosaïque géométrique, et la grande villa des Pisoni, entourée de colonnades qui protégeaient les jardins.

Parco di Baia★★ – ℘ 081 86 87 592 - 2,50 € (- 18 ans gratuit). De l'antique complexe impérial sont conservées essentiellement les ruines des thermes : sur la colline, de gauche à droite, s'alignent face à la mer les thermes de Vénus, les thermes de Sosandra et les thermes de Mercure, dont on voit encore partiellement la grande **coupole** (plus de 21 m de diamètre).

Castello aragonese★ – tlj sf lun. 9h-1h avant le coucher du soleil - 4 € (parking 3 €) - ℘ 081 52 33 797 - www.ulixes.it. Édifié au 15e s. sur les ruines d'un villa romaine qui aurait appartenu à César, le château aragonais abrite le **Museo archeologico dei campi flegrei**, dont les salles occuperont, prochainement, l'ensemble du château et mettront en lumière les pièces majeures retrouvées à Baia et Pouzzoles.

Bacoli

Sur la hauteur, dans la vieille ville, on visite les **Cento Camerelle★** (via Cento Camerelle, à droite de l'église) : ce monumental réservoir à eau qui appartenait à une villa privée est aménagé sur deux étages ; le niveau supérieur, bâti au 1er s., est grandiose avec ses quatre nefs et ses immenses arcades ; le niveau inférieur, d'époque bien antérieure, comprend un réseau de galeries étroites débouchant à-pic sur la mer. La fameuse **Piscina Mirabile★** (accès par la via Ambrogio Greco que l'on prend à gauche, à l'église, puis par la via Piscina Mirabile, tout droit) est une immense citerne qui alimentait en eau la flotte romaine du port de Misène. Longue de 70 m, large de 25, haute de 15, elle est divisée en cinq nefs dont les voûtes sont supportées par 48 piliers ; la lumière y produit de remarquables effets. Prendre contact avec la gardienne Mme Illiano - ℘ 081 523 31 99 - gratuit (laisser une offrande).

Golfe de NAPLES

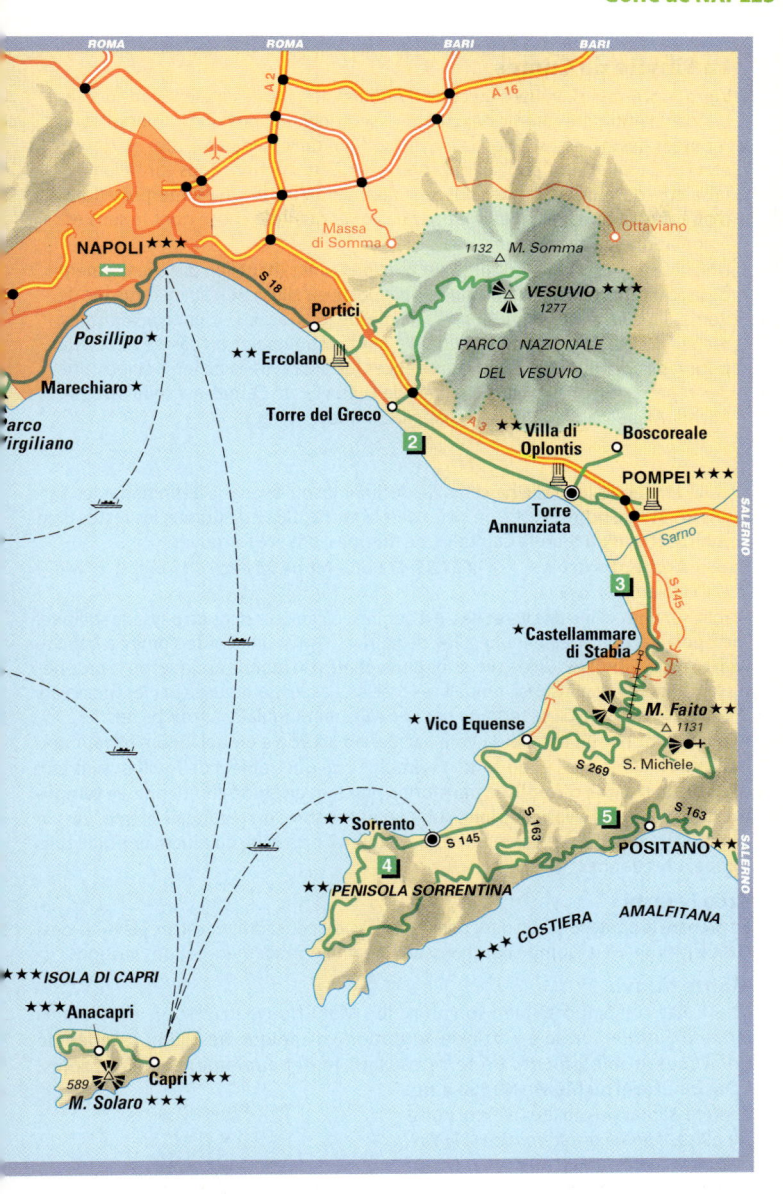

Miseno

Un lac, un port, un village, un promontoire et un cap portent ce nom. Le lac de Misène, ancien cratère, était considéré par les Anciens comme le Styx, que faisait franchir aux âmes des morts le nautonier Charon. Sous l'empereur Auguste, il fut relié par un canal au port de Misène, qui servait de base à la flotte romaine. Le bourg est dominé par le mont Misène, au pied duquel aurait été enterré le héros du même nom, compagnon d'Énée. Sur les pentes du promontoire s'élevaient des villas somptueuses, parmi lesquelles celle où, en 37, l'empereur Tibère périt étouffé.

Lago di Fusaro

Lac lagunaire avec une petite île, où Carlo Vanvitelli créa en 1782 un pavillon de chasse pour le roi Ferdinand IV de Bourbon.

Cuma★

Cumes, l'une des premières colonies grecques en Italie, fondée au 8e s. av. J.-C., ne tarda pas à dominer la région phlégréenne, y compris Naples, et marqua toute la contrée de son empreinte hellénique. Néanmoins, les Romains la soumirent en 334

DÉCOUVRIR NAPLES ET LA CAMPANIE

> ### La Sibylle de Cumes
> Vierges prêtresses, vouées au culte d'Apollon, les sibylles étaient considérées pendant l'Antiquité comme des créatures semi-divines, presque immortelles, et réputées devineresses. Selon la croyance, Apollon les aidait à entrer en transe, état dans lequel elles pouvaient prophétiser. Leurs prédications sur l'avenir se faisaient toutefois en termes obscurs, donnant lieu à diverses interprétations, d'où l'appellation de « sibyllin » pour désigner quelque chose dont le sens est énigmatique ou caché.
>
> Une des sibylles les plus connues est celle de Cumes (haut lieu de rayonnement de la civilisation grecque en Italie). On rapporte qu'elle vendit au roi étrusque de Rome, Tarquin l'Ancien ou Tarquin le Superbe (6e s. av. J.-C.), les *Livres Sibyllins*, recueil de prophéties utilisées ensuite par les souverains en cas de nécessité pour répondre aux questions et exigences les plus variées de leurs sujets. Une des représentations les plus connues de la Sibylle de Cumes est celle qu'en fit Michel-Ange sur la voûte de la chapelle Sixtine à Rome.

av. J.-C. et, depuis lors, elle ne cessa de décliner jusqu'à son sac définitif par les Sarrasins en 915 de notre ère. Là où s'étendait la partie basse de Cumæ, les restes d'un amphithéâtre, d'un temple Capitolin, de thermes, ont été retrouvés.

Parco Archeologico★★ – ✆ 081 85 43 060 - fermé 25 déc., 1er janv. et 1er Mai - 2,50 € (- 18 ans gratuit).

Établie sur une colline de lave et de tuf d'origine volcanique, dans un paysage solitaire, l'acropole est précédée par une allée de lauriers. Après une voûte s'ouvre à gauche l'**antre de la Sibylle**★, un des lieux les plus vénérés du monde antique, où la prophétesse, qu'Énée vint consulter, rendait ses oracles. La galerie, creusée par les Grecs vers le 6e ou le 5e s. av. J.-C., se termine par une salle rectangulaire à trois niches.

Ayant rejoint par un escalier la Voie Sacrée, on accède à un belvédère offrant une belle **vue**★ sur la mer, et où sont rassemblés quelques objets de fouilles, puis aux vestiges du **temple d'Apollon**, transformé plus tard en église chrétienne. Le **temple de Jupiter**, qui s'élevait plus loin, subit le même sort : on reconnaît même, vers le centre, la grande vasque des fonts baptismaux et, à proximité du sanctuaire, quelques tombes chrétiennes.

Arco Felice★

En prenant la petite route en direction de Naples, on peut admirer cet arc élevé au-dessus de l'antique Via Domitiana, chaussée romaine dont demeurent des vestiges.

Monte Nuovo

Cette colline porte bien son nom : le « Mont Nouveau » est en effet le plus jeune d'Europe, formé à partir de l'éruption volcanique de 1538 précédée de nombreux tremblements de terre causant le dépeuplement de Pouzzoles. L'**Oasis naturel du Monte Nuovo** offre d'intéressantes possibilités d'excursions sur place. *Pour toute information : Via Virgilio, Arco Felice -* ✆ *081 80 41 462 - www.tightrope.it/monten/intro.htm - w.-end possibilité de visite guidée.*

Lago d'Averno★

En contrebas de la route de Cumes à Naples : belvédère, à droite, environ 1 km au-delà de l'Arco Felice. Ce lac repose, immobile, sombre et silencieux, au fond d'un cratère dont les flancs sont couverts de forêts. L'atmosphère de mystère dont il est empreint était dans l'Antiquité d'autant plus grande que les oiseaux qui le survolaient s'y engloutissaient, asphyxiés par les gaz qui s'en dégageaient. Virgile y plaçait l'entrée du monde des Morts (l'Averne). Sous l'Empire romain, Agrippa, général au service de l'empereur Auguste, le fit transformer

L'antre de la Sibylle à Cumes.

Golfe de NAPLES

en base navale et le relia par un canal au lac Lucrino, qui lui-même reçut un débouché sur la mer. Une galerie souterraine de 1 km, dite **grotte de Cocceius**, permettait aux chars d'atteindre Cumes.

IL VESUVIO★★★ (LE VÉSUVE) 2

De Naples à Torre Annunziata. 45 km – environ une journée.

La route nationale qui longe cette partie du golfe traverse une zone sans attrait – suite ininterrompue d'agglomérations industrielles et populeuses –, qui fut pourtant au 18e s. et au début du 19e s. le lieu de villégiature préféré de l'aristocratie napolitaine.

Portici

La route traverse la cour du **palais royal★** ocre jaune, élevé en 1738 pour le roi Charles III de Bourbon, aujourd'hui siège de la faculté d'Agronomie de Naples. L'escalier sud possède encore de belles **fresques** en trompe-l'œil qui recouvrent entièrement les murs. Deux vastes terrasses décorées de bustes s'avancent en direction de la mer, entourées de plantations d'agrumes et de rangées d'eucalyptus et de cyprès.

Auber, dans son opéra *La Muette de Portici* (1828), a illustré l'histoire de la révolte fomentée au 17e s. contre les Espagnols par Masaniello, un jeune pêcheur de Portici *(voir p. 197)*.

Herculanum★★ *(voir ce nom)*

Vesuvio★★★

Indissociable du paysage napolitain, le Vésuve est l'un des rares volcans européens encore en activité. Il est formé de deux sommets : au nord le **mont Somma** (1 132 m), au sud le Vésuve proprement dit (1 277 m). Avec le temps, les matériaux éruptifs qui couvraient ses basses pentes se sont transformés en terres fertiles, où croissent aujourd'hui des arbres fruitiers et des vignes produisant le fameux lacrima-christi. Il est protégé depuis 1995 par un **Parc national** et classé réserve de la biosphère par l'Unesco. Il abrite une flore très riche comprenant près de mille espèces différentes, et, parmi la faune, une grande variété de papillons diurnes (44 espèces) et d'oiseaux (buses, éperviers, corbeaux impériaux, faucons pèlerins et crécerelles, etc.).

Les éruptions du Vésuve – Avant le séisme de 62 apr. J.-C. et l'éruption de 79 qui ensevelit Herculanum et Pompéi, le Vésuve semblait mort : des vignes réputées et des bois garnissaient ses pentes. Jusqu'en 1139, sept éruptions furent enregistrées, puis suivit une période de calme, au cours de laquelle la montagne se couvrit de cultures. Le 16 décembre 1631, le Vésuve eut un terrible réveil, détruisant toutes les habitations situées à son pied : 3 000 personnes périrent. L'éruption de 1794 dévasta Torre del Greco, puis le volcan se manifesta à intervalles rapprochés tout au long de la deuxième moitié du 19e s. Après celle de 1929, l'éruption de 1944 a modifié le profil du cratère. Depuis, hors une brève manifestation liée au séisme de 1980, le Vésuve ne souffle plus que quelques fumerolles.

Ascension – *À partir d'Herculanum, avec retour par Torre del Greco : 27 km, plus 45mn à pied AR (chaussures de marche nécessaires). Parking payant à côté de la route ou à Herculanum ; service d'autobus, départ de la gare ferroviaire, ligne Circumvesuviana. Guide obligatoire pour aller jusqu'au bord du cratère - ✆ 081 77 75 720 ou 337 94 22 49 - www.parconazionaledelvesuvio.it - 6,50 € (- 8 ans gratuit).*

Une route en bon état conduit au milieu des coulées de lave à un carrefour, où l'on prend à gauche *(parking quelques kilomètres plus haut)*. Après avoir laissé la voiture, on gravit, par un chemin facile mais impressionnant, le flanc du volcan dans un décor plombé de cendres et de lapilli.

Du sommet, on embrasse un immense **panorama★★★** sur toute la baie de Naples, avec les îles et la presqu'île de Sorrente au sud, le cap Misène au nord ; au-delà, se déploie le golfe de Gaëte.

Par l'ampleur de ses dimensions, l'aspect de désolation que présentent ses parois en à-pic et les fumerolles qui s'en dégagent, le cratère béant, dont la couleur rose flamboie sous les rayons du soleil, offre une vision inoubliable.

Torre del Greco

Plusieurs fois détruite par les éruptions du Vésuve, cette petite ville est réputée pour ses productions d'objets en corail, en pierre de lave et pour ses camées.

Torre Annunziata

C'est là que sont produites les pâtes napolitaines (spaghettis, macaronis). La ville a été recouverte sept fois par les laves du Vésuve. On y visite la somptueuse villa d'Oplontis, inscrite en 1997 au Patrimoine mondial de l'humanité par l'Unesco.

Villa di Oplontis★★ – ☎ 081 85 75 347 - www.pompeiisites.org - avr.-oct. : tte la journée ; reste de l'année : mat. - fermé 1er janv., 1er Mai et 25 déc. - 5,50 € (- 18 ans gratuit).
Ce bel exemple de villa romaine suburbaine a peut-être appartenu à la femme de Néron, Poppée. Le vaste édifice, où l'on reconnaît l'aile réservée aux domestiques (à l'est) et le secteur des appartements impériaux (à l'ouest), a conservé quelques très belles **fresques** d'origine. On peut admirer en particulier des perspectives avec des éléments architecturaux, des médaillons avec des portraits et des natures mortes, parmi lesquelles se détachent une corbeille de figues et des compositions de fruits (respectivement dans les deux espaces à l'est et à l'ouest de l'atrium, identifiés comme des tricliniums). En raison des nombreuses représentations de paons, on a pensé que le nom de la villa pouvait être lié à cet oiseau. On reconnaît aisément la cuisine (avec four et évier) et les latrines, qui présentent un système avancé d'écoulement et de chasse d'eau. Les locaux à l'ouest de la piscine, peut-être aménagés en serres, conservent de belles fresques avec des compositions florales et des fontaines.

Boscoreale
Au 1er s., le territoire abritait une trentaine de *villæ rusticæ*, coopératives agricoles destinées à la production d'olive et de vin.

Antiquarium★ – *Via Settetermini, 15 -* ☎ *081 857 53 47 - www.pompeiisites.org - 8h30-19h30 (17h hors sais., billetterie fermée 1h30 avant) - fermé 1er janv., 1er Mai et 25 déc. - 5,50 € (-18 ans gratuit) ; billet combiné avec la Villa di Oplontis.*
L'antiquarium a été créé à proximité des ruines de la villa Regina, coopérative vinicole datant du 1er s. av. J.-C. Il présente l'environnement et l'économie rurale à l'époque romaine, avant l'éruption de 79. Les activités principales se concentraient autour de l'élevage de volailles, d'ovins, de bovins et de chevaux, et de la culture de céréales et de légumineuses. Vous remarquerez notamment une cage à loir, rongeur dont la viande était très appréciée par les Romains. La visite se termine par la villa, découverte en 1977, dans laquelle on peut voir 18 cuves en terre cuite qui étaient à moitié enterrées dans le sol.

ENTRE LE VÉSUVE ET LA PRESQU'ÎLE DE SORRENTE★★★ 3
70 km – environ une journée. Circuit au départ de Torre Annunziata.

Pompéi★★★ *(voir ce nom)*
Castellammare di Stabia★
C'est l'antique ville romaine des eaux minérales. Après avoir été osque, étrusque et samnite, **Stabies** passa sous domination romaine au 4e s. av. J.-C. mais, s'étant révoltée contre la capitale, elle fut détruite par Sylla au 1er s. av. J.-C. Elle fut reconstruite en petites agglomérations, auxquelles s'ajoutèrent bientôt de luxueuses villas édifiées sur les hauteurs et où séjournaient les riches patriciens, avant de disparaître sous les cendres de l'éruption du Vésuve en 79. Le naturaliste Pline l'Ancien, venu observer le phénomène par bateau, périt asphyxié par les gaz. Au 18e s., les Bourbons entreprirent les fouilles, remirent en état le port et fondèrent des chantiers navals encore actifs aujourd'hui.

Dominant l'ensemble de Castellammare, le **château médiéval** (9e s.) a laissé son nom à la ville (*Castello a mare*, « château-au-dessus de la mer »).

Villas romaines – *2 km à l'est. En venant du nord, prendre la S 145, suivre la direction d'Agerola-Amalfi, emprunter la voie surélevée et, à la sortie du tunnel, tourner à gauche en direction des fouilles.* ☎ *081 87 14 541 - gratuit.*
La **Villa di Arianna** (2e s. av. J.-C.) était une riche demeure admirablement située face au golfe de Naples et au Vésuve. La **Villa di San Marco**, construite sur deux niveaux dans une architecture raffinée et agrémentée de jardins et piscines, devait également être une somptueuse villa de campagne.

Monte Faito★★
Accès depuis Vico Equense par une route panoramique ou depuis Castellammare di Stabia par un funiculaire partant de la piazza Circumvesuviana (trajet : 10mn). www.vesuviana.it - fermé oct.-mars - 6,70 €.
Il appartient au massif des **monts Lattari**, qui sépare le golfe de Naples de celui de Salerne et se termine par la presqu'île de Sorrente. Son nom lui vient des hêtres (*fagus* en latin) qui y procurent en été une agréable fraîcheur. Du belvédère dei Capi, on jouit d'une splendide **vue**★★★ sur le golfe de Naples. De là, une route en montée mène à la **chapelle San Michele** d'où l'on découvre un **panorama**★★★ incomparable : on demeure stupéfait par le contraste entre les paysages sauvages des monts Lattari et le spectacle riant offert par le golfe de Naples et la plaine du Sarno.

Golfe de NAPLES

Vico Equense★

Petite station climatique et balnéaire occupant un site pittoresque sur un promontoire rocheux, où les habitants trouvèrent refuge face aux incursions sarrasines. Dans le **centre historique★**, vous visiterez la **cathédrale**, exemple rare d'église gothique dans la région, et le **château angevin** qui se dresse au-dessus de la mer, entouré d'un splendide jardin. Du centre, un chemin descend aux **plages★** de Marin di Equa, accessibles également de Seiano. Ne manquez pas non plus la **plage de la Tortue** (spiaggia della Tartaruga) au nord de Vico Equense.

SORRENTE ET SA PRESQU'ÎLE★★ 4

30 km – une demi-journée environ.

Sur un parcours de 30 km environ, le voyageur découvre des paysages magnifiques où se succèdent des rochers à l'aspect fantastique plongeant à-pic dans la mer, des gorges profondes franchies par des ponts vertigineux, des tours sarrasines perchées sur des pitons : ce relief accidenté et sauvage est dû à l'érosion de la chaîne calcaire des monts Lattari dont la Côte Amalfitaine constitue l'extrême rebord *(voir La Côte Amalfitaine)*. Dans cette région que fréquentent volontiers les étrangers et les artistes, la gastronomie joue un rôle important : la table est constituée avant tout de poissons fins, de crustacés et de coquillages ; on y déguste également la mozzarella que l'on accompagne des vins rouges de Gragnano ou des vins blancs de Ravello, Positano, etc.

Sorrento★★

Cette importante villégiature du Sud de l'Italie, dont les hôtels et les villas se dissimulent au milieu de jardins merveilleusement fleuris, domine une vaste baie. D'exubérantes plantations d'orangers et de citronniers envahissent la ville et la campagne. Enfin Sorrente a vu naître, en 1544, le poète **le Tasse**.

Museo Correale di Terranova★ – ☎ 081 87 81 846 - www.museocorreale.com - tlj sf mar. mat. - fermé j. fériés - 6 €. Installé dans un palais du 18ᵉ s., il abrite quelques remarquables pièces de marqueterie en mosaïque de Sorrente (**secrétaire** de 1910), une petite collection archéologique ; au premier étage, mobilier des 17ᵉ et 18ᵉ s. et intéressantes peintures napolitaines (17ᵉ-18ᵉ s.). Deux salles sont consacrées aux paysagistes de l'**école de Pausilippe**, née vers 1830 et qui avait pour chef de file **Giacinto Gigante** (1806-1876). Au deuxième étage, belle collection de porcelaines et de majoliques. En traversant le jardin du musée, on parvient à un belvédère en terrasse qui dévoile une **vue★★** magnifique sur le golfe.

La « plage » de Sorrente.

Le centre historique – La via San Cesareo, decumanus de la ville romaine, conduit au **Sedile Dominova**, siège de l'administration urbaine à l'époque angevine, qui se présente comme une loggia ornée de fresques et surmontée d'une coupole en majoliques du 17ᵉ s. En suivant la via San Giuliani, perpendiculaire, on atteint l'église baroque **San Francesco**, surmontée d'un campanile à bulbe et flanquée d'un ravissant **cloître★** du 13ᵉ s. Ses chapiteaux décorés de motifs végétaux soutiennent des arcs entrecroisés de style siculo-arabe. Juste à côté, les jardins de la **Villa Comunale** offrent un magnifique **point de vue★★** sur le golfe de Naples.

Museo bottega della Tarsialignea★ – Via San Nicola, 28 - ☎ 081 87 71 942 - www.alessandrofiorentinocollection.it - visite guidée tlj sf lun. mat. et apr.-midi - fermé j. fériés - 8 €. Installé à l'intérieur d'un palais du 17ᵉ s., ce centre est dédié à la célèbre **marqueterie sorrentine.** Dans le musée proprement dit, vous pourrez admirer, après une introduction historique, une remarquable collection de **pièces★** du 18ᵉ s., produites principalement par les trois plus fameux artistes locaux de l'époque, Luigi et Giuseppe Gargiulo, et Michele Grandville. L'école des arts appliqués installée sur place a restauré certaines de ces pièces. La boutique présente des œuvres contemporaines, de l'accessoire de maison au mobilier : porte-manteaux, appliques, miroirs, tables, chaises, portes, boiseries, etc.

Presqu'île de Sorrente★★

Quitter Sorrente par la route S 145 en direction de l'ouest et, à une bifurcation, prendre à droite la route de Massa Lubrense.

La petite route sinueuse qui, de Sorrente, permet de faire le tour de la presqu'île procure des vues magnifiques sur les collines verdoyantes, couvertes d'oliviers, d'orangers et de citronniers, auxquels se mêle la vigne ; celle-ci grimpe à l'assaut de curieux treillis, où sont empilés des nattes destinées à protéger les agrumes du froid de l'hiver.

De la **pointe du cap de Sorrente** *(accès à pied, à partir de l'église de Capo di Sorrento, par une route à droite puis, au-delà d'un collège, un chemin pavé, 1h AR)*, on jouit d'une **vue★★** superbe sur Sorrente.

À **Sant'Agata sui Due Golfi**, bâti sur une crête qui domine les golfes de Naples et de Salerne, le **belvédère del Deserto** (monastère bénédictin situé à 1,5 km à l'ouest du village) offre un splendide **panorama★★**. *À 1,5 km à l'ouest du centre.* ✆ 081 87 80 199 - *avr.-sept. 8h30-12h30, 16h-20h ; oct.-mars 8h30-12h30, 14h30-16h30.*

Après Sant'Agata, la descente vers Colli di San Pietro, extrêmement rapide, est spectaculaire. De là, on peut revenir à Sorrente par la route S 163 qui offre de superbes **vues★★** sur le golfe de Naples. Vous pouvez aussi continuer en direction de Positano (voir l'itinéraire [5] au chapitre Côte Amalfitaine).

LES ÎLES★★★

Capri★★★ *(voir ce nom)*

Ischia★★★ *(voir ce nom)*

Procida★ *(voir Ischia)*

Golfe de Naples pratique

Informations utiles

OFFICES DE TOURISME

Naples - *Via San Carlo, 9 -* ✆ *081 40 23 94 ou Piazza del Gesù Nuovo -* ✆ *081 55 123 701 - www.inaples.it*

Campi Flegrei - *Largo Matteotti 1A - Pozzuoli -* ✆ *081 526 66 39 ou 081 526 50 68 - www.infocampiflegrei.it*

Vésuve - *Parco nazionale del Vesuvio - Piazza Municipio 8 - San Sebastiano al Vesuvio - Napoli -* ✆ *081.7710911 - www.parconazionaledelvesuvio.it*

Presqu'île de Sorrente - *Via De Maio, 35 - Sorrente -* ✆ *081 80 74 033 - www.sorrentotourism.com - lun.-sam. 8h30-18h30.*

MUSÉES

Campania Artecard - Valable 3 ou 7 jours, elle donne droit à l'entrée gratuite ou réduite dans la plupart des musées et sites de Naples et de la région.
La carte 3 jours permet également d'utiliser les transports gratuitement à Naples et dans les Champs Phlégréens.

Transports

Ticket UnicoCampania3T - *www.unicocampania.it* Il permet d'utiliser pendant 3 jours tous les transports en commun de la région, y compris les bateaux vers l'île d'Ischia (20 €).

Campi Flegrei - ✆ *081 55 13 328.* Au départ de Naples, la ligne 2 du métro dessert Pozzuoli ; les lignes de train Cumana et Circumflegrea desservent également les autres stations de la zone. On peut faire l'aller-retour dans la journée.

Archeobus - *vend.-dim. et j. fériés, 9h-19h,* ✆ *800 001 616 - www.sepsa.it/html/archeobus.htm.* Au départ de Pozzuoli (piazza Repubblica), desserte des centres archéologiques des Champs Phlégréens.

Metrodelmare - ✆ *199 600 700 - www.metrodelmare.com.* Service côtier saisonnier (avr.-mi-oct.) desservant les principales stations du golfe de Naples (de Bacoli à Sorrente), jusqu'à la Côte Amalfitaine et Salerne.

Se loger

⊝ **Agrimar** – *Via Vincenzo Maggio, 40 (en dir. du port)-* **Massa Lubrense** - ✆ *081 80 89 682 - fax 081 53 30 749 - www.agr-mar.it - Ouvert avr.-oct. - 6 ch. et 1 appart.* 🅿. Un agritourisme à 30 m seulement de la mer, auquel on accède par un chemin privé. Six bungalows simples équipés de salle de bains, à l'ombre des oliviers. Terrasse panoramique, salle de restaurant et petit coin bibliothèque. Pour profiter de la nature en toute quiétude.

⊝⊝ **La Ginestra** – *Via Tessa, 2 (dir. Moiano, localité S. Maria del Castello)-* **Vico Equense** *(à 12 km du centre)-* ✆*/fax 081 80 23 211 - www.laginestra.org - 7 ch.* 🅿.
À 600 m d'altitude sur les pentes du Monte Faito, une ferme datant du 17e s.

Golfe de NAPLES

avec terrasses en espaliers et aire de jeux pour enfants. Vastes chambres bien tenues, pouvant accueillir jusqu'à 6 personnes. Vente des produits biologiques de la ferme : huile d'olive, confiture, miel, courge à l'huile, etc.

⊜⊜ **Piccolo Paradiso** – *Piazza Madonna della Lobra, 5 (en dir. du port)*- **Massa Lubrense**- ℘ *081 80 89 534 - fax 081 80 89 056 - www.piccolo-paradiso.com - 54 ch.* 🅿. Hors des circuits touristiques de la Côte Amalfitaine toute proche, une adresse agréable avec des chambres lumineuses décorées de céramiques sorrentines. Piscine panoramique.

⊜⊜ **Sant'Agata** – *Via dei Campi, 8A -* **Sant'Agata sui due Golfi** - ℘ *081 80 80 800 - fax 081 53 30 749 - www.hotelsantagata.com - ouvert mars-oct. - 33 ch.* - 🅿. Situé à proximité du village, établissement spacieux et lumineux, aux chambres décorées avec goût, et cuisine soignée. Bon rapport qualité-prix et point de départ idéal pour découvrir les beautés de la Côte Amalfitaine et les sites de Pompéi et d'Herculanum.

⊜⊜ **Villa Oteri** – *Via Miliscola, 18 -* **Bacoli** *- ℘ 081 52 34 985 - www.villaoteri.it - fax 081 52 33 944 - 9 ch.* 🅿. Villa du début du 19e s., élégante et raffinée, proposant des chambres feutrées décorées de beaux tissus. Pour profiter des richesses des Champs Phlégréens en toute tranquillité, face au lac de Bacoli.

Se restaurer

⊜⊜ **Abraxas** – *Via Scalandrone, 15 (località Lucrino)-* **Pozzuoli** *- ℘ 081 85 49 347 - fermé mar. et le midi sf dim.* Restaurant bar à vin bien situé avec vue panoramique, à l'étage, sur Ischia, Bacoli et Pozzuoli. Cuisine de terroir délicate et dégustation de vin au verre.

⊜⊜ **A Ridosso** – *Via Mercato di Sabato, 320 (dir.Pozzuoli)-* **Bacoli** *- ℘ 081 86 89 233 - fermé le midi, dim. et lun.* Un agréable restaurant à l'atmosphère intime. Saveurs de la mer, dans le respect des traditions locales.

⊜⊜⊜ **Taverna del Capitano** – *Piazza delle Sirene, 10/11 -* **Marina del Cantone** *(5 km au sud-ouest de Sant'Agata sui Due Golfi) - ℘ 081 80 81 028 - www.tavernadelcapitano.com - fermé janv.-févr., lun.-mar. sf juin-sept.* Sobre et élégante, avec d'immenses baies vitrées donnant

Les marchés de la région regorgent de produits savoureux.

sur la mer qui en étendent la profondeur jusqu'à l'horizon ; les saveurs proposées sont typiquement méditerranéennes, basées sur la qualité des matières premières, et en tout premier lieu du poisson. Le bon goût et le soin des détails caractérisent également les chambres adjacentes.

⊜⊜ **Cicciotto** – *Calata Ponticello a Marechiaro, 32 -* **Marechiaro** *(Naples)- ℘ 081 57 57 124.* Une taverne à l'atmosphère romantique et authentique, où vous dégusterez, en toute simplicité, une excellente cuisine à base de poisson. (réservation recommandée).

⊜⊜ **Taverna Azzurra** – *Via Marina Grande, 166 - fermé lun. en hiver -* **Sorrento** *- ℘ 081 87 72 510.* Une adresse courue principalement par les locaux, face au petit port de pêcheurs. Cuisine de poissons et de fruits de mer à la fraîcheur irréprochable, en fonction des arrivages du jour.

⊜⊜ **Zi'ntonio** – *Via Luigi De Maio, 11 -* **Sorrento** *- ℘ 081 87 81 623.* Un endroit à l'ambiance composite, avec des salles caractéristiques, couvertes de majolique peinte ou de tuf, et une soupente rustique en bois. Il séduit aussi bien les habitants que les touristes et propose une cuisine typique, des plats de toute l'Italie et de très bonnes pizzas. À essayer.

Faire une pause

Gelateria Bilancione – *Via Posillipo, 238 -* **Posillipo** *(Naples) - ℘ 081 76 91 923.* Un des meilleurs glaciers de Naples. Goûtez notamment au parfum noisette, plusieurs fois primé !

DÉCOUVRIR NAPLES ET LA CAMPANIE

Bénévent
Benevento

61 636 HABITANTS
CARTE GÉNÉRALE B2 - CARTE MICHELIN N° 564 D26

L'antique Maleventum, rebaptisée Beneventum par les Romains après leur victoire sur Pyrrhus, porte encore les stigmates des bombardements de la Seconde Guerre mondiale. Un tour dans le centre historique permet de découvrir les traces d'un passé illustre. Entre août et septembre, la cité accueille le Benevento Città Spettacolo, un important rassemblement de spectacles et d'évènements culturels qui ont lieu dans différents sites de la ville.

- **Se repérer** – Pour rejoindre Bénévent, emprunter la route S 88, qui la relie à Isernia et à l'A 16, ou la Via Appia, qui mène à Caserte.
- **À ne pas manquer** – L'arc de Trajan, merveilleusement conservé, point de départ de l'antique Via Appia Traiana.
- **Organiser son temps** – Prévoir une demi-journée.
- **Pour poursuivre le voyage** – Voir Caserte.

Détail d'un des bas-reliefs ornant l'Arc de Trajan.

Comprendre

Antique capitale des Samnites qui freinèrent longtemps l'expansion des Romains (en 321 av. J.-C., ceux-ci furent condamnés à passer sous le joug des Fourches Caudines), elle fut occupée par les Romains après leur victoire sur Pyrrhus en 275 av. J.-C. Elle connut son apogée sous Trajan, qui en fit le point de départ de la Via Appia Traiana vers Brindisi. Siège d'un duché lombard à partir de 571, puis importante principauté, Bénévent fut aussi le théâtre d'une fameuse bataille (1266) à l'issue de laquelle Charles d'Anjou, appelé par le pape Urbain IV, s'empara du titre de roi de Sicile au détriment du roi Manfred.

Visiter

Arco di Traiano★★

Du corso Garibaldi, prendre à gauche la via Traiano. La Porte Dorée (*Porta Aurea*), érigée en 114 apr. J.-C. en hommage à l'empereur qui avait fait de Bénévent un point de passage obligé vers les Pouilles, est l'arc de triomphe le mieux conservé d'Italie. Elle porte des sculptures d'une haute valeur artistique, à la gloire de l'empereur Trajan : scènes et œuvres pacifiques côté ville, devises de guerre et scènes de la vie des provinces côté campagne.

Teatro romano

Entrée par la via Port'Arsa, à gauche de l'église Santa Maria della Verità. Piazza Caio Ponzio Telesino - fermé 25 déc., 1er janv. et 1er Mai - 2 € (- 18 ans gratuit).

BÉNÉVENT

Ah, ces sorcières égyptiennes !

Au 1er s. apr. J.-C., Bénévent est l'un des centres les plus importants du culte d'Isis, qui prospère jusqu'au 6e s. À l'arrivée des Lombards, l'image des rites magiques et mystérieux devient inconciliable avec le christianisme. On raconte cependant que les fidèles continuèrent à se retrouver pour célébrer les rituels à l'extérieur de la ville, près d'un noyer dans la vallée du fleuve Sabato. Ce serait là l'origine des mythes de la sorcellerie sabbatique et des sorcières de Bénévent, auxquels, selon la tradition, saint Barbato mit fin au 7e s. en abattant le noyer. Toutefois, le souvenir de cette légende reste présent grâce à la fameuse liqueur *Strega* (Sorcière), créée en 1861 par **Giuseppe Alberti**, qui fut aussi le promoteur du prestigieux prix littéraire homonyme.

Bâti au 2e s. apr. J.-C. par Hadrien et agrandi par Caracalla, c'est l'un des plus vastes théâtres qui aient été conservés. Il accueille en été différents spectacles de théâtre, danse et opéra.

De la piazza Duomo, dominée par la cathédrale, très endommagée par les bombardements de 1943 (de l'édifice d'origine, il ne reste que la façade et l'énorme clocher, tous deux du 13e s.), on s'engage **corso Garibaldi**, où se trouvent les monuments les plus représentatifs de l'histoire de la ville, tel l'**obélisque égyptien** du temple d'Isis (88 apr. J.-C.).

Santa Sofia★

Piazza Matteotti. Cette église du 8e s. fut reconstruite au 17e s. L'intérieur révèle un plan audacieux, même surprenant, constitué d'un hexagone central contenu dans une structure en décagone et semi-stellaire. Dans les absides, restes de fresques du 8e s. Dans les dépendances du **cloître★** (12e s.) aux admirables colonnades soutenant des arcades de style mauresque, le **musée du Samnium★** *(Museo del Sannio)* présente d'importantes collections archéologiques et un bel ensemble de peintures de l'école napolitaine. *Piazza Santa Sofia -* ✆ *0824 21 818 - tlj sf lun. - 4 € (réduit 2 €).*

Rocca dei Rettori (Forteresse des Recteurs)

Au bout du corso Garibaldi, sur la piazza IV Novembre, se dresse cette forteresse construite au 14e s., sur les restes d'un fortin lombard.

Arcos-Museo di arte contemporanea del Sannio

Palazzo del Governo, Corso Garibaldi - ✆ *0824 31 24 65 - mar.-vend. apr.-midi (mat. sur demande préalable), w.-end mat. et apr.-midi - fermé lun. - 4 € (- 11 ans gratuit).*
Les souterrains du palais de la Préfecture abritent ce nouveau musée qui offre une vue d'ensemble sur la création artistique italienne et internationale depuis la fin des années 1940.

Bénévent pratique

Informations utiles

OFFICE DE TOURISME
Ente Provinciale per il Turismo - *Via Nicola Sala, 31 -* ✆ *0824 31 99 11 - www.eptbenevento.it*

Se restaurer

Da Gino e Pina – *Viale dell'Università, 1 -* ✆ *0824 24 947 - fermé dim. et août.* Une institution locale proposant depuis plus de 60 ans les plats traditionnels de la cuisine de Bénévent, concoctés avec des produits frais et naturels. Pizzas à déguster également.

Événements

Benevento Città Spettacolo – Chaque année, lors de la première semaine de septembre, la ville revêt des allures de scène de théâtre : sur un thème imposé se déclinent tous les arts du spectacle qui investissent les lieux consacrés et les tréteaux improvisés.
Une programmation de belle qualité dans une ville sous les feux de la rampe.
Renseignements : **Teatro Comunale Vittorio Emanuele** - *Corso Garibaldi -* ✆ *0824 24700 - fax 0824 21848;* ou **Assessore alla Cultura** - *Via Traiano Palazzo del Reduce -* ✆ *0824 772518 - www.cittaspettacolo.it.*

DÉCOUVRIR NAPLES ET LA CAMPANIE

Île de **Capri**★★★
Isola di Capri

**7 220 HABITANTS
CARTE GÉNÉRALE B2 - CARTE MICHELIN N° 564 F24**

Les empereurs Auguste et Tibère succombèrent à son charme, à la douceur de son climat et à la diversité de la végétation luxuriante qui la couvrait… on ne s'étonnera pas, dès lors, que dès le 19e s., Capri soit devenue l'un des lieux de prédilection des personnalités du monde des arts et du spectacle. Un engouement d'ailleurs partagé par les milliers de touristes du monde entier qui se pressent en toutes saisons sur la fameuse « piazzetta ».

▶ **Se repérer** – Pour se rendre à Capri, emprunter les bacs au départ de Naples ou de Sorrente. On débarque sur le port de Marina Grande★, au nord de l'île, où les maisons blanches et colorées se détachent sur de hautes falaises, qui leur offrent un cadre grandiose. Un funiculaire relie le port à Capri (piazza Umberto I), d'où partent les bus pour Anacapri. Les plus courageux monteront à pied (agréable promenade longeant villas et jardins).

👁 **À ne pas manquer** – Le tour de l'île et le panorama du haut du Monte Solaro.

🕐 **Organiser son temps** – Prévoyez au moins 2 à 3 jours pour profiter de votre retraite sur cette île et admirer ses splendeurs.

👥 **Avec les enfants** – Les beautés naturelles de l'île et la Grotte Azzurra.

🧭 **Pour poursuivre le voyage** – Voir la Côte Amalfitaine, Ischia, Naples et le golfe de Naples.

Les célèbres Faraglioni.

Visiter

CAPRI★★★
La ville ressemble à un décor d'opérette : petites places et maisonnettes blanches, avec, en coulisses, des ruelles rustiques évoquant le style mauresque. À cet attrait s'ajoute, au hasard des promenades, celui qu'offre la juxtaposition de lieux fréquentés par une foule animée et de sites sauvages et solitaires, propices à la rêverie.

La Piazzetta (Piazza Umberto I)★
C'est le centre, minuscule lui aussi, de la ville, où, à l'heure de l'apéritif, se rassemble le Tout-Capri. Alentour, des ruelles animées, comme l'étroite **via Le Botteghe**★, abritent des boutiques de souvenirs ou d'articles de luxe.

Belvedere Cannone★★
On y accède par la **via Madre Serafina**★, presque entièrement sous voûtes. Il permet de découvrir un aspect plus silencieux et plus secret de Capri.

Île de CAPRI

Belvedere di Tragara★★
Accès par la via Camerelle et la via Tragara. La vue est magnifique sur les Faraglioni.

Certosa di San Giacomo et giardini d'Augusto
Du 14ᵉ s., la **chartreuse** possède deux cloîtres dont le plus petit abrite des statues romaines retrouvées dans un nymphée de la grotte Bleue. Les jardins d'Auguste offrent une belle **vue**★★ sur la pointe de Tragara et les Faraglioni ; en contrebas, la **via Krupp**★, accrochée à la paroi rocheuse, conduit à Marina Piccola.

Marina Piccola★
Au pied de la paroi abrupte du mont Solaro, Marina Piccola possède de jolies petites plages et sert d'abri aux barques de pêche.

Villa Jovis★★
45mn à pied du centre-ville par la via Tiberio - ℘ *081 85 70 381 - 2 €.*

C'est l'ancienne résidence de l'empereur Tibère ; les fouilles ont permis de retrouver les logements des serviteurs, des citernes alimentant les bains, les appartements impériaux disposant d'une loggia donnant sur la mer. De l'esplanade où a été édifiée une église, **panorama**★★ sur l'île entière.

En descendant par le grand escalier en arrière de l'église, on peut voir le **Saut de Tibère**★ où l'empereur avait coutume, dit-on, de précipiter ses victimes.

Arco Naturale★
Rocher creusé d'une arche gigantesque et suspendu au-dessus de la mer. Dans la **Grotta di Matromania**, située en contrebas, les Romains vénéraient Cybèle.

Villa Malaparte
Ne se visite pas. Au sud, en suivant une petite route panoramique, vous pourrez jeter un coup d'œil sur cette villa, rendue célèbre par Jean-Luc Godard qui y tourna *Le Mépris* (1963). Œuvre rationaliste d'Adalberto Libera, elle fut bâtie sur la pointe Masullo dans les années 1930 pour l'écrivain Curzio Malaparte.

ANACAPRI★★★
Par la via Roma et une très belle route de corniche, on accède à ce joli bourg dont les ruelles fraîches et ombragées, moins envahies que celles de Capri, se glissent entre les jardins et les maisons, petits cubes à terrasses d'aspect oriental.

Villa San Michele★
Accès à partir de la piazza della Vittoria. ℘ *081 83 71 401 - www.sanmichele.org - nov.-févr. mat. : reste de l'année : tte la journée - 5 €.*

Construite à la fin du siècle dernier par le médecin et écrivain suédois Axel Munthe (mort en 1949), qui y vécut jusqu'en 1910 et en a décrit l'ambiance dans le fameux *Livre de San Michele*, cette villa est garnie de meubles des 17ᵉ et 18ᵉ s., de copies d'œuvres antiques et de quelques sculptures romaines originales. Son beau jardin se termine par une pergola dominant vertigineusement la mer, d'où le **panorama**★★★ sur Capri, Marina Grande, le mont Tibère et les Faraglioni est splendide.

Au-dessous de la villa aboutit la **Scala Fenicia**, sentier en escalier qui compte près de 800 marches et qui fut longtemps la seule voie reliant Anacapri au port. Sur ces marches, Axel Munthe rencontra la vieille Maria « Portalettere », qui avait charge de distribuer le courrier mais ne savait pas lire, et dont il a fait l'une des figures de son roman.

San Michele
C'est du haut de la tribune d'orgue que l'on admire le mieux le beau **pavement**★ de majolique (1761), réalisé à partir d'un dessin de Solimena et représentant le Paradis terrestre.

Monte Solaro★★★
℘ *081 83 71 428 - www.seggioviamontesolaro.it - mars-oct. : mat. ; reste de l'année : tte la journée - 7 €.*

Un télésiège, au départ d'Anacapri, survole agréablement les jardins à la riche végétation et mène au sommet d'où l'on bénéficie d'un inoubliable **panorama**★★★ sur l'île de Capri, le golfe de Naples et, au-delà, jusqu'à l'île de Ponza, les Apennins et les monts du Sud de la Calabre.

Belvedere di Migliara★
1h à pied AR. Passer sous le télésiège pour prendre la via Caposcuro. **Vue**★ remarquable sur le phare de la Punta Carena et sur des falaises vertigineuses.

DÉCOUVRIR NAPLES ET LA CAMPANIE

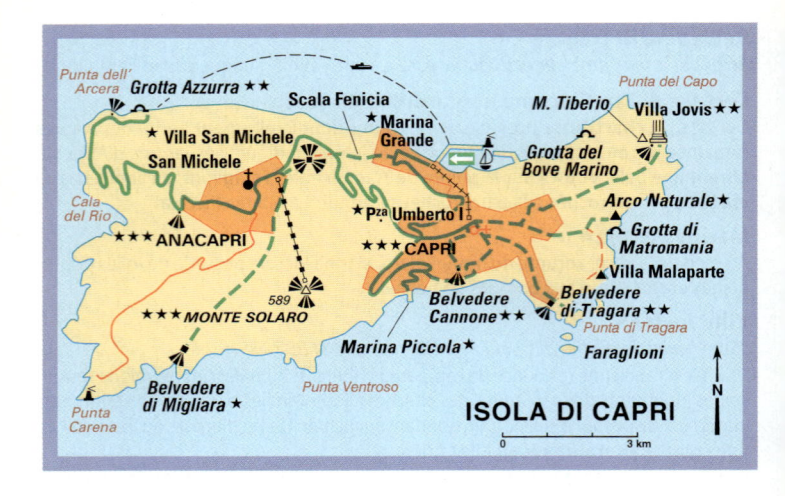

Excursions

Grotta Azzurra★★

Au départ de Marina Grande. Accès également possible par route (8 km au départ de Capri). Visite de la grotte toute l'année (sf jours de grosse mer ou de grande marée) - durée : 1h - 📞 081 83 70 686 - www.capri.it/it/orari-traghetti.

C'est la plus fameuse des nombreuses grottes qui s'ouvrent sur la côte très escarpée de l'île. La lumière, pénétrant par réfraction, donne à l'eau un admirable coloris bleu azuré.

Tour de l'île★★★

Au départ de Marina Grande. Trajet en bateau toute l'année (sf jours de grosse mer) - 📞 081 83 70 686 - www.capri.it/it/orari-traghetti.

Ce « périple » permet de découvrir une côte accidentée le long de laquelle se succèdent les grottes, les écueils aux formes fantastiques, de petites criques paisibles ou de hautes falaises tombant à-pic dans la mer. L'île n'est pas grande pourtant : à peine 6 km de long et 3 km de large. Le climat, particulièrement tempéré, favorise le développement d'une flore très variée, faite de pins, de lentisques, genévriers, arbousiers, asphodèles, myrtes et acanthes.

Effectuant le tour de l'île dans le sens des aiguilles d'une montre, le bateau rencontre d'abord la **Grotta del Bove Marino** (du Bœuf marin), ainsi nommée en raison du mugissement de la mer par gros temps ; on contourne ensuite la pointe du Cap, dominée par le **Monte Tiberio**. Ayant laissé derrière soi l'impressionnant Saut de Tibère *(voir plus haut)*, on approche de la Punta di Tragara au sud, où surgissent les célèbres **Faraglioni**, îlots aux formes hérissées et fantastiques sculptées par les flots *(voir photo p. 220)*. La **Grotta dell'Arsenale** était un nymphée au temps de Tibère. On passe devant le petit port de Marina Piccola avant d'atteindre la côte ouest, plus basse. Le bateau termine son trajet par la côte nord où s'ouvre la grotte Bleue.

Île de Capri pratique

Informations utiles

OFFICES DE TOURISME
Piazza Umberto I, 1 - **Capri** - ☏ 081 83 70 686 - fax 081 83 70 918 - www.capritourism.com
Via Orlandi, 59 - **Anacapri** - ☏ 081 83 71 524 - www.capritourism.com

Transports

POUR LA TRAVERSÉE
Alilauro Volaviamare (à partir d'Amalfi, Castellammare, Positano, Naples, Salerne et Sorrente) - ☏ 081 49 72 222 - www.volaviamare.it
Caremar (à partir de Naples et Sorrente), ☏ 892 123 ou 081 01 71 998 (d'un portable ou de l'étranger) - www.caremar.it
Navigazione Libera del Golfo, (à partir de Castellammare, Naples et Sorrente) - ☏ 081 55 20 763 - www.navlib.it

SUR L'ÎLE DE CAPRI
Funiculaire – Il relie le port (Marina Grande) à la ville de Capri : 1,30 €, billet aller pouvant servir aussi bien pour le funiculaire que pour un trajet en bus ; 2,10 €, billet horaire (1h) permettant l'utilisation d'un aller sur le funiculaire et une course en bus ; 6,70 €, billet valable une journée permettant deux allers en funiculaire et l'utilisation illimitée du bus. Pour toute information : ☏ 081 83 70 420.

Se loger

⊖⊜ **Hotel Florida** – *Via Fuorlovado, 34* - **Capri** - ☏ 081 83 70 710 - fax 081 83 70 042 – fermé nov.-fév. - 19 ch. Un petit hôtel aux prix abordables, sur une île où ce n'est pas la règle, assez central et à seulement deux minutes de la plage en funiculaire. Le mobilier est simple, dans le style années 1950, et rajeuni par son laqué blanc. Petit-déjeuner dans un jardin avec terrasse.

⊖⊜ **Da Gelsomina** – *Via Migliara, 72* - **Anacapri** - ☏ et fax 081 83 71 499 - www.dagelsomina.com - 5 ch. À 20mn à pied d'Anacapri, cet hôtel, situé près du belvédère de Migliara et desservi quotidiennement par des navettes, offre des chambres simples mais accueillantes, dans un bel établissement qui comprend également une piscine et qui offre une belle vue sur Ischia et le golfe de Naples.

⊖⊜ **Da Giorgio** – *Via Roma, 34* - **Capri** - ☏ 081 83 75 777 - fax 081 83 70 898 - www.dagiorgiocapri.com. À 100 m de la fameuse piazzetta, un petit hôtel-restaurant en position panoramique sur le golfe de Naples. Les chambres sont simples mais lumineuses et le restaurant permet de goûter aux saveurs traditionnelles, ou à une bonne pizza.

Se restaurer

⊖ **Pizzeria Le Arcate** – *Viale T. De Tommaso, 24* - **Anacapri** - ☏ 081 83 73 325 - www.caprionline.it - fermé lun., mi-janv.-fév. Très fréquenté par les touristes qui y déjeunent sur le pouce à midi, l'endroit est plus tranquille en soirée. C'est une bonne adresse où vous pourrez aussi bien déguster une pizza que des plats plus consistants, dans une ambiance simple, à deux pas du centre de la petite ville.

⊖ **Pulalli Wine Bar** – *Piazza Umberto I* - **Capri** - ☏ 081 83 74 108 - fermé mar. En descendant les escaliers qui longent l'office du tourisme, vous découvrirez les petites tables posées sur la terrasse panoramique de ce joli bar à vins. L'intérieur, moderne et raffiné, est également très agréable. Vous pourrez y consommer d'excellents vins et un large choix de plats, ou simplement un casse-croûte.

⊖⊜ **La Savardina** – *Via lo Capo, 8* - **Capri** (à environ 40mn à pied de Capri sur la route qui mène à la Villa Jovis) - ☏ 081 83 76 300 - fermé mar. en avr. Si vous décidez de visiter la Villa Jovis ou que vous avez seulement envie d'une belle balade, ne manquez pas de faire une pause ici pour vous restaurer. Les saveurs, l'ombre des orangers et la vue incomparable que vous y goûterez vous feront de magnifiques souvenirs.

⊖⊜ **Verginiello** – *Via Lo Palazzo, 25/a* - **Capri** - ☏ 081 83 70 944 - fermé 2 sem. en nov. Aux portes de Capri, une grande terrasse et une véranda font face à la mer et aux falaises de Marina Grande. Un endroit simple et familial, tenu par des hôtes sympathiques qui vous proposeront une cuisine à base de produits de la mer à des prix très intéressants.

⊖⊜⊜ **Da Paolino** – *Via Palazzo a Mare, 11* - **Marina Grande** - ☏ 081 83 76 102 - fermé à midi, nov. à Pâques. Enivrés par le parfum des citronniers, vous aurez la délicieuse sensation de dîner dans le jardin d'Éden version méditerranéenne. Une ambiance sympathique et familiale, à laquelle les tables en fer forgé ajoutent une touche raffinée, et où vous pourrez manger aussi bien du poisson que d'autres spécialités.

En soirée

Quisibar – *Viale Camarelle, 2* - **Capri** - ☏ 081 83 70 788. En face du mythique Grand Hotel Quisisana, une adresse en plein air pour un apéritif ou après le dîner.

Achats

Carthusia – *Via Camarelle, 10* - **Capri** - ☏ 081 83 70 368. Laboratoire et magasin de parfums, spécialisé dans la réalisation de produits à base de citron de Capri.

DÉCOUVRIR NAPLES ET LA CAMPANIE

Le palais royal de Caserte★★
Reggia di Caserta
CARTE GÉNÉRALE B2 - CARTE MICHELIN N° 564 D25

Charles III de Bourbon eut la prudence, pour faire construire son Versailles parthénopéen, de choisir un lieu assez éloigné des vulnérables côtes napolitaines et c'est Caserta qui fut ainsi désignée pour accueillir le palais. Ce dernier est aujourd'hui inscrit au Patrimoine mondial de l'Unesco, ainsi que l'aqueduc de Vanvitelli et la manufacture de soie de San Leucio, fondée en 1789 par Ferdinand IV de Bourbon.

- **Se repérer** – Le palais royal de Caserte se situe à quelques kilomètres de l'A 1, à une vingtaine de kilomètres de Naples.
- **À ne pas manquer** – Outre la visite du palais royal, perdez-vous dans les ruelles médiévales du vieux Caserte, allez admirer les splendides fresques de l'église Sant'Angelo in Formis et plongez-vous dans les délices de Capoue.
- **Organiser son temps** – Comptez deux jours avec les alentours.
- **Avec les enfants** – Le parc du palais royal et ses fontaines sont l'occasion d'un bel après-midi en famille.
- **Pour poursuivre le voyage** – Voir Bénévent, la Côte Amalfitaine, Naples et le golfe de Naples.

La fontaine de Vénus et Adonis, au pied de la grande cascade.

Visiter

Il Palazzo
Via Douhet, 22 - ℘ 0823 44 80 84 ou 0823 46 20 78 - www.reggiadicaserta.org - tlj sf mar. - possibilité de visite guidée - fermé 25 déc. et 1er janv. - 4,20 € (- 18 ans gratuit).
Charles III de Bourbon commanda la construction de ce **palais** à l'architecte **Luigi Vanvitelli** qui, par rapport aux grandioses résidences royales de la même époque, dota l'édifice d'un plan rigoureux et géométrique, reflétant sa propre personnalité. Mais si la pureté des lignes apparaît déjà comme une anticipation du style néoclassique, le goût de l'apparat qui prédomine dans la distribution des pièces est encore typiquement rococo.
L'édifice est un énorme bloc rectangulaire (249 m x 190 m) s'articulant autour de quatre cours intérieures que relie le magnifique **vestibule★**. La façade qui accueille le visiteur se présente avec un avant-corps à colonnes et une double rangée de fenêtres reposant sur des appuis à bossages ; la façade principale, côté jardin, reprend cet ornement, mais l'enrichit de pilastres au flanc de chaque fenêtre. Le grand **escalier d'honneur★★**, somptueux chef-d'œuvre de Vanvitelli, donne accès à la chapelle Palatine *(ne se visite pas)* et aux fastueux appartements royaux, meublés en style néoclassique. L'**appartement du 18e s.**, avec ses voûtes peintes de fresques sur le

Le palais royal de CASERTE

thème des quatre saisons et ses vues de ports par J.-P. Hackert, est particulièrement intéressant. Le charmant **appartement de la reine** est meublé avec la frivolité du goût rocaille : parmi les pièces les plus curieuses, le lampadaire aux petites tomates et la pendule à cage avec un petit oiseau empaillé. Dans la salle elliptique est apprêtée une **crèche napolitaine**★ du 18ᵉ s.

Il Parco
☎ 0823 44 80 84 ou 0823 46 20 78 - www.reggiadicaserta.org - mars-oct. : tlj sf mar. tte la journée ; reste de l'année : mat. - fermé 25 déc. et 1ᵉʳ janv. - 2 € (- 18 ans gratuit).

Il incarne l'idéal du grandiose jardin baroque, dominé par une perspective infinie et organisé autour d'un axe central (le canal). Les fontaines et les viviers sont alimentés par l'aqueduc carolin, œuvre pharaonique de Vanvitelli, qui traverse cinq montagnes et trois vallées sur une distance de 40 km. Parmi les différents groupes de sculptures aux thèmes mythologiques, le plus remarquable est celui de **Diane et Actéon**, avec la splendide meute de chiens se jetant sur le cerf, situé au pied de la **grande cascade**★★ (78 m de hauteur).

À droite de la cascade s'étend le pittoresque **jardin anglais**★★ créé pour Marie Caroline d'Autriche.

Aux alentours

Complesso di San Leucio
À 2 km du palais- Via Atrio superiore - ☎ 0823 30 18 17 - visite guidée sur demande préalable - tlj sf mar. tte la journée - fermé j. fériés - 6 € (- 10 ans 3 €).

Ce complexe incarne l'idéal d'utopie socialiste soutenu à la fin du 18ᵉ s. par Ferdinand IV de Bourbon, qui prônait la création d'une coopérative autonome, vouée au travail de la manufacture de la soie (abrité à l'intérieur de la maison de chasse du Belvédère). Du projet initial n'ont été réalisées que les habitations des ouvriers.

Caserta Vecchia★
10 km au nord-est. Cette petite ville, dominée par les vestiges de son château du 9ᵉ s., offre le charme désuet de ses ruelles à demi abandonnées, courant entre de vieux murs de tuf brun. La **cathédrale**, précieux édifice du 12ᵉ s., témoigne des influences siculo-arabe, locale et lombarde. À l'intérieur du monument a été conservée une belle chaire du 13ᵉ s.

Basilica di Sant'Angelo in Formis★★
15 km au nord-ouest de Caserta Vecchia (prendre la SS 87 jusqu'à Santo Iorio). mat. et apr.-midi.

C'est l'un des plus beaux monuments du Moyen Âge campanien. La basilique, dont on doit la construction au 11ᵉ s. à Desiderio, abbé du Mont-Cassin, allie un plan architectural plutôt rudimentaire à un cycle pictural parmi les plus riches de la peinture romane. L'intérieur est entièrement couvert de **fresques** aux thèmes bibliques : Jugement dernier (contre-façade), vie du Christ (nef), Ancien Testament (bas-côtés) et Majesté (abside). Bien qu'exécutées par l'école locale, elles manifestent une nette inspiration byzantine (due à l'œuvre de peintres grecs qui avaient travaillé au Mont-Cassin), tempérée cependant par la culture régionale, qui transparaît dans des passages chromatiques plus marqués et dans le dynamisme de certaines scènes. Dans l'abside, l'abbé Desiderio est représenté tandis qu'il offre l'église à Dieu (l'auréole bizarrement carrée prouve qu'au moment de la représentation, l'abbé était encore vivant).

Capua
6 km au sud-ouest de Sant'Angelo in Formis.

Cette petite ville de fondation lombarde, entourée de remparts, est la patrie de Pier della Vigna, chancelier de Frédéric II, et d'Ettore Fieramosca, le capitaine des 13 chevaliers italiens qui sortirent vainqueurs du défi de Barletta (1503) contre les Français *(voir p. 260)*.

Piazza dei Giudici, l'église baroque Sant'Eligio, un arc gothique surmonté d'une loggia et l'hôtel de ville (16ᵉ s.) y forment un bel ensemble urbain. À proximité, l'**église de l'Annonciation** (16ᵉ s.) possède un beau dôme sur tambour et, à l'intérieur, un chœur et des plafonds de bois d'une précieuse facture.

Duomo – Élevé au 9ᵉ s., mais plusieurs fois détruit et reconstruit, cet édifice possède un campanile lombard, dont la base englobe des fragments antiques. Dans l'atrium, on remarque des colonnes aux beaux **chapiteaux corinthiens** (3ᵉ s.), tandis que l'intérieur renferme un chandelier pascal du 13ᵉ s., une *Assomption* de Solimena et, dans la crypte, un *Christ mort*, belle sculpture du 13ᵉ s.

Museo Campano★ – *À l'angle de la via Duomo et de la via Roma.* ✆ 0823 96 14 02 - *tlj sf lun. mat. - possibilité de visite guidée - 4 € (- 18 ans gratuit).*

Le musée de la Campanie est installé dans un palais du 15e s. doté d'un beau **portail** catalan en péperin. La section archéologique réunit une étonnante série de **Matutæ** (6e-1er s. av. J.-C.), déesses-mères italiques portant leurs nouveau-nés dans les bras, ainsi qu'une remarquable **mosaïque**. Dans la section médiévale sont exposées de précieuses sculptures, restes de l'imposante porte de ville construite par Frédéric II vers 1239 (tête de femme dite *Capua Fidelis*).

Au sud-est du musée s'étend une zone concentrant plusieurs intéressantes églises de fondation lombarde (San Giovanni a Corte, San Salvatore Maggiore a Corte, San Michele a Corte, San Marcello).

Santa Maria Capua Vetere

5 km au sud-est de Capua. Il s'agit de la célèbre Capoue romaine, où Hannibal s'amollit dans les « délices » qui lui furent fatals. Réputée pour sa production de vases en bronze et de céramiques au vernis noir, Capoue était considérée comme l'une des villes les plus opulentes de l'Empire romain. Après les déprédations causées par les Sarrasins au 9e s., ses habitants émigrèrent vers un méandre du Volturno, où ils fondèrent l'actuelle Capoue. L'**amphithéâtre campanien★**, rénové au 2e s. apr. J.-C. est, après le Colisée, le plus grand du monde romain. Il fut le siège de la prestigieuse école de gladiateurs, où éclata, en 73 apr. J.-C., la révolte menée par Spartacus. ✆ 081 74 10 067 - *tlj sf lun. - possibilité de visite guidée - 2,50 € avec le mitreo et le museo dell'Antica Capua.*

Le **mitreo** (2e s. apr. J.-C.) est une salle rectangulaire souterraine décorée d'une précieuse **fresque★** du dieu perse Mithra sacrifiant le taureau.

L'agréable **museo dell'Antica Capua** (Musée archéologique) rassemble d'intéressants témoignages de l'histoire locale, de l'âge du bronze à l'époque impériale, parmi lesquels de belles terres cuites architectoniques peintes et trois *Matres Matutæ*. *Via R. d'Angiò, 48.* ✆ 081 74 10 067 - *tlj sf lun. - 2,50 € avec l'amphithéâtre et le mitreo.*

Cimitile

30 km au sud-est de Caserte. Le bourg abrite un superbe ensemble de **basiliques paléochrétiennes★** remontant au 5e s. et érigé sur le martyrium de San Felice (2e s.). ✆ 335 633 79 63 - www.basilichedicimitile.it - *8h30-13h30, 14h30-18h - fermé dim. après-midi (j. fériés mat.) - 4 €.*

Caserte pratique

Informations utiles

OFFICE DE TOURISME
Caserta - *Palazzo Reale* - ✆ 0823 32 22 33 ou *Piazza Dante* - ✆ 0823 32 11 37 - www.casertaturismo.it

Se loger

⊖ **Amadeus** – *Via Verdi, 72* - **Caserta** - ✆ 0823 35 26 63 - fax 0823 32 91 95 - 12 ch. Au centre de Caserte, à seulement 500 m du palais royal, cet hôtel, logé dans un palais du 18e s., offre une ambiance chaleureuse, pleine d'élégance, et des chambres de bon confort.

Se restaurer

⊖ **Antica locanda** – *Piazza della Seta 8/10* - **San Leucio** - ✆ 0823 30 54 44 - *fermé dim. soir et lun.* Une auberge rustique proposant les spécialités de la cuisine napolitaine, dont la fameuse mozzarella di bufala.

⊖ **O Masto** – *Via S. Agostino, 10* - **Caserta** - ✆ 0823 32 00 42 - *fermé lun. et 2 sem. en août.* Une adresse sans prétention, dont le point fort est le naturel et l'abondance des portions. Nous vous recommandons les antipasti aux produits typiques de la région et les grillades, à accompagner du vin de la maison.

Parc national du CILENTO

Parc national du **Cilento** ★
Parco Nazionale del Cilento
CARTE MICHELIN N° 564 F/G 26-28

À peine sortis de Salerne et des foules de la « Costiera », vous voyez déjà s'étendre, à perte de vue, horizons inhabités et plages désertes. En contraste saisissant avec le reste de la région, ce bout de Campanie est le domaine des grands espaces. Ici, les habitants revendiquent d'ailleurs, avant tout, leur appartenance au Cilento : traditions, terroir et gastronomie en sont des valeurs essentielles. Cette terre de villages isolés et de routes solitaires est une invitation à l'exploration de ses trésors cachés : au bord d'une large vallée agricole se dissimule la plus grande chartreuse d'Italie, les paysages se transforment radicalement d'un versant à l'autre des montagnes, passant des champs de maquis aux vastes forêts de hêtres, et les richesses des grottes creusées aux tréfonds des montagnes font écho à la diversité des oiseaux survolant les cimes.

- **Se repérer** – Le territoire du Parc national s'étend sur plus de 1 780 km², de la Côte Tyrrhénienne au Vallo di Diano (lac du pléistocène progressivement comblé par les alluvions du Tanagro). Il est délimité au nord par les monts Alburni et au sud par le golfe de Policastro. On s'y rend en empruntant l'A 3 Salerne-Reggio Calabria.
- **À ne pas manquer** – La visite de la chartreuse baroque de Padula, une excursion au cœur des grottes de Castelcivita et de Pertosa parmi des formations géologiques oniriques, un pique-nique à la tombée du jour au cap Palinuro quand le soleil tombe dans la mer cristalline et que les fleurs embaument.
- **Organiser son temps** – Comptez au moins deux jours pour découvrir les richesses du parc.
- **Avec les enfants** – L'oasis de Persano, les grottes de Castelcivita et de Pertosa.
- **Pour poursuivre le voyage** – Voir Au cœur de la Calabre (CALABRE) et Matera (BASILICATE).

Le cap Palinuro devrait son nom à l'un des héros de l'Énéide de Virgile.

Comprendre

La très grande diversité de ses paysages est due à l'ambivalence de la nature des roches : au flysch du Cilento, caractéristique de la partie occidentale et côtière (monts Stella et Gelbison), aux doux paysages et à la végétation méditerranéenne s'opposent les roches calcaires de la zone intérieure (monts Alburni et mont Carviati) et de la côte méridionale (du cap de Palinuro à Scario), plus arides, aux forêts de hêtres et aux phénomènes karstiques spectaculaires, comme les nombreuses grottes terrestres et marines. L'espèce florale la plus intéressante est la primevère de Palinuro, symbole du parc, tandis que la faune compte loutres, loups, aigles royaux, renards et lièvres. Instituée en Parc national en 1991, la région a également été classée en 1997 réserve de la biosphère par l'Unesco.

Circuit de découverte

Ce circuit part d'Agropoli puis descend par la côte pour remonter vers le nord-ouest (290 km, compter au moins deux jours). Vous pouvez le compléter en intégrant l'itinéraire du golfe de Policastro (voir le chapitre Matera p. 290), entre le cap Palinuro et la chartreuse de San Lorenzo (350 km, compter trois jours).

Agropoli, Castellabate et Acciaroli

Longeant la côte vers le sud, ces trois villages de pêcheurs se succèdent et offrent chacun un visage différent de la région. Ils ont connu un développement touristique récent, sans rien perdre de leur charme passé. L'antique Agropoli, dominée par un très beau château, renferme l'église Santa Maria di Costantinopoli, tandis qu'Acciaroli fut le lieu de séjour préféré de l'écrivain Ernest Hemingway.

14 km au sud-est par la SS 267.

Velia★

La colonie fut fondée en 535 av. J.-C. par des Phocéens fuyant les Perses de Cyrus. Port actif et prospère, Velia (Elea pour les Grecs) devint municipe romain en 88 av. J.-C., sans pour autant abandonner la culture, les traditions et la langue grecques. La ville est restée célèbre pour son école de philosophie, particulièrement florissante aux 6e et 5e s. av. J.-C., au sein de laquelle se distinguèrent Parménide et son disciple Zénon.

Les fouilles – Pour y accéder, passer sous la voie ferrée. ☏ 0974 97 23 96 - 2 €. Dès l'entrée, on a une intéressante vue d'ensemble sur la zone archéologique de la **ville basse**, où l'on peut reconnaître les vestiges de l'ancien phare, une section de la muraille du 4e s. av. J.-C., la porte de Mer Sud et les thermes romains de l'époque impériale (restes de pavements en mosaïque et marbre). Des thermes, la voie de la Porte Rose traverse l'agora et monte jusqu'à l'ancienne porte (6e s. av. J.-C.) et à la **porte Rose★** (4e s. av. J.-C.), bel exemple d'arc à claveaux, qui constitue le plus important monument civil grec de l'ancienne Grande Grèce.

Sur le promontoire portant l'**acropole** subsistent les vestiges d'un château médiéval élevé sur les fondations d'un temple grec, et la chapelle palatine, qui accueille diverses pièces gravées. Un peu plus bas, on distingue les ruines du théâtre grec, réaménagé à l'époque romaine. À mi-pente, près de la ville basse, on a mis au jour une villa grecque, dont les pièces présentent encore des traces de fresques.

27 km au sud-est par la SS 447.

Capo Palinuro★★

Il porte le nom mythologique du rocher d'Énée, qui tomba dans la mer et fut enterré ici. Le port de Palinuro est le point de départ d'**excursions** en bateau pour la **Grotta Azzurra★** (grotte Bleue) et d'autres grottes cachées au cœur de l'imposant promontoire, sur lequel on peut admirer au printemps la primevère de Palinuro. ☏ 0974 93 16 04 - départ toutes les 30mn (visite de différentes grottes et pause sur une petite plage) - 12 € (- 10 ans 6 €).

De la S 562, on peut gagner l'**arche naturelle** de l'embouchure du Mingardo et les magnifiques plages de la côte *(voir aussi le golfe de Policastro p. 290).*

80 km au nord-est par la SS 562, la SS 447 (prendre la direction de Policastro Bussentino), la SS 517 et la SS 19.

Certosa di San Lorenzo, à Padula★

4 € (reduit 2 €).

La **chartreuse** dédiée **à St-Laurent** (San Lorenzo), fondée en 1306, est l'un des ensembles architecturaux les plus vastes de l'Italie méridionale. Elle est inscrite au Patrimoine mondial de l'Unesco depuis 1998. Les dimensions données au bâtiment, essentiellement baroque dans sa forme actuelle, exigèrent plusieurs siècles de travaux.

Du cloître de la Foresteria, un magnifique portail en cèdre du 14e s. conduit à la fastueuse **église** baroque, qui renferme deux admirables **chœurs★** du 16e s., l'un pour les frères convers, l'autre pour les pères, ainsi qu'un remarquable maître-autel couvert de majolique. Autour du **grand cloître**, de très vastes dimensions (104 m x 149 m), s'ouvrent les cellules des moines. En franchissant le portail de gauche, on parvient à un grand **escalier★** du 18e s., majestueux et théâtral, inspiré des réalisations de Vanvitelli.

35 km au nord-ouest par la SS 19.

Parc national du CILENTO

Grotte di Pertosa★
♿ *Visite guidée uniquement (1h).* ☎ *0975 39 70 37- www.grottedellangelo.sa.it - 10 € (- 15 ans 8 €).*

Dans le magnifique amphithéâtre naturel des Alburni, s'ouvrent, sur environ 2,5 km, des grottes auxquelles on accède par un petit lac formé par une rivière souterraine. Habitées depuis le néolithique, elles renferment de belles concrétions, de bicarbonate de sodium pour la plupart ; la **salle des Éponges** (Sala delle Spugne) présente un intérêt particulier.

17 km au sud par la SS 19 (dir. la Certosa di Padula), puis la SS 426.

Au cœur du massif du Cilento
La **SS 166** monte jusqu'au Passo della Sentinella (932 m) à travers un **paysage★** enchanteur coloré au printemps par les genêts dorés. Vous pouvez faire un bref détour à **Roscigno Vecchio**, village fantôme abandonné à cause des éboulements de terrain. Une remise en valeur progressive du site et des maisons permet déjà d'apprécier l'architecture de l'ancien village, avec ses beaux murs en pierre, ses balcons en fer forgé et son église, datant su 17e s. ☎ *0828 96 33 77 - www.roscignovecchia.it*

En retournant sur la SS 166 puis en prenant sur la SS 488 (tournez à gauche), vous trouverez **Felitto** (sur la gauche), situé au cœur de la vallée du fleuve Calore et point de départ pour l'**excursion des gorges★**. *Pour toute information : Piazza Mercato, 1 -* ☎ *0828 94 50 28 - www.comune.felitto.sa.it*

32 km au nord de Felitto par la SS 488.

Grotte di Castelcivita★
☎ *0828 77 23 97 - www.grottedicastelcivita.it - visites guidées uniquement (1h) : mi-mars-sept. : 10h-12h, 13h30-18h30 ; oct.-mi-mars : 10h30-16h30 - 8 € (- 12 ans 6,50 €).*

Les grottes s'enfoncent sur près de 5 km au pied des monts Alburni. Elles ont été formées par un fleuve souterrain abandonné depuis 50 000 ans et se terminent par un lac. Elles furent habitées par l'homme dès le paléolithique supérieur, comme en attestent les os et les pierres récupérés lors des excavations. Le parcours touristique permet d'en visiter 1,2 km et d'apprécier les **formations géologiques** nombreuses et variées comme les *salami*, stalactites en forme de saucissons tronqués, les stalagmites translucides, la « cascade rose », les stalactites excentriques se développant à l'horizontal et la « cathédrale », salle de 28 m de hauteur recouverte de concrétions. Un parcours plus approfondi permet de les parcourir sur 3 km (en été).

30 km au nord-ouest par la SS 488 et SS 19.

Oasis WWF de Persano
☎ *0828 97 46 84 - www.wwfaversa.it - sept.-juin : merc. et dim. 10h et 14h.*

Elle occupe environ 110 ha d'une plaine alluviale formée par le fleuve Sele, entre les monts Alburni et Picenti. Les paysages où l'on trouve la végétation la plus caractéristique sont ceux du marais et du bois hygrophile, l'un des derniers refuges de la loutre, symbole de l'oasis. Parmi les autres habitants du lieu, outre de nombreux oiseaux aquatiques, on trouve renards, blaireaux, sangliers, belettes et fouines.

Découvrez des paysages naturels bien préservés.

Le Cilento pratique

Informations utiles

Parco Nazionale del Cilento e Vallo di Diano - *Via F. Palumbo, 16 (Palazzo Mainenti), Vallo della Lucania - Salerno* - ✆ 0974 71 99 11 - www.pncvd.it

Se loger

😊😊 **Capital** – *Piazza Mercato -* **Campagna** *(8 km au nord-est d'Eboli) -* ✆ *0828 45 945 - fax 0828 45 995 - www.hotelcapital.it - 36 ch. -* 🅿. Hôtel moderne, sans charme particulier mais très confortable, avec de beaux espaces communs, un jardin avec piscine et des chambres élégantes et bien équipées.

😊😊 **La Colombaia** – *Via La Vecchia, 2,* **Agropoli** *-* ✆ */ fax 0974 82 18 00 - www.lacolombaiahotel.it - fermé janv.-fév. - 10 ch. -* 🏊 🅿. Cette belle maison de campagne entourée de verdure abrite un hôtel plein de charme, avec des chambres confortables et une vue panoramique. Terrasse équipée d'une piscine.

😊😊 **Giacaranda** – *Contrada Cenito -* **San Marco** *(5 km au sud-ouest de Castellabate) -* ✆ *0974 96 61 30 - www.giacaranda.it - fax 0974 96 68 00 - fermé 1 sem. fin déc. - 7 ch. -* 🅿. Lits en fer forgé et draps de lin, commodes fin 19e s., journal le matin… et une salle illuminée par des baies vitrées, où vous pourrez vous reposer ou déguster des pâtes. Des initiatives intéressantes, tant sur le plan culturel que gastronomique.

😊😊 **Iscairia** – *Via Isacia, 7 (dir. Salerno) -* **Velia di Ascea** *-* ✆ *0974 97 22 41 - fax 0974 97 23 72 - - www.iscairia.it - ouvert pâques-oct. - 11 ch. -* 🅿. Au pied de l'ancienne agora grecque, un B&B tenu par un archéologue, pour un séjour entre mer et montagne. Agréables chambres avec lits en fer forgé et petit-déjeuner roboratif au milieu des champs d'oliviers. Parcours fitness pour les amateurs et, sur demande, repas traditionnel.

Se restaurer

😊😊 **Da Carmelo** – *Strada Statale, 562 (dir. Sapri) -* **Palinuro** *-* ✆ *0974 93 070 - www.dacarmelo.it*. Une adresse populaire, connue de tous dans la région. Sergio est aux petits soins pour ses clients et garde toujours le sourire et la bonne humeur. Cuisine simple et savoureuse : sardines à la tomate, friture de poissons variés, spaghetti au homard, mais aussi de bonnes pizzas. Le patron tient également, en saison, un restaurant sur le port de Palinuro, la « Taverna del Porto » *(via Porto, 48 -* ✆ *0974 93 278)*.

😊😊 **Il Papavero** – *Corso Garibaldi, 112 -* **Eboli** *(15 km au nord de l'oasis de Persano) -* ✆ *0828 33 06 89 - fermé dim. soir et lun*. Derrière une ancienne façade du centre, deux petites salles décorées de grands tableaux aux couleurs vives et au mobilier design, pour une cuisine moderne, inventive et raffinée. Antipasti variés aux poisson crus, gnocchi de fèves aux jeunes calamars.

😊😊 **Il Porcino** – *Via Provinciale, 9 (à l'entrée du village) -* **Castelcivita** *-* ✆ *0828 97 50 71 - www.ristoranteilporcino.it*. Vaste terrasse panoramique sur les pentes des monts Alburni, à quelques kilomètres au-dessus des grottes de Castelcivita. Cuisine locale à base de champignons, de cèpes en particulier, préparés en antipasti, ainsi qu'en accompagnement de pâtes et de viandes.

LA CÔTE AMALFITAINE

La Côte Amalfitaine★★★
Costiera amalfitana
CARTE GÉNÉRALE B2 - CARTE MICHELIN Nº 564 F25-26

Côtes dressées au-dessus des flots transparents, villas paradisiaques dissimulées dans une végétation luxuriante, villages perchés et bourgs de pêcheurs nichés au fond de petites baies… Au cœur d'un décor verdoyant planté de cyprès, agrumes, vignes, amandiers et bougainvilliers, la Côte Amalfitaine étale ses beautés le long de la Méditerranée, et ses admirateurs défilent lentement sur son unique corniche, découvrant à chaque virage une nouvelle merveille. Son histoire légendaire, celle d'une république maritime rivalisant avec la Sérénissime, se confond avec le mythe de la Dolce Vita des années 1960. Aujourd'hui encore, ses rivages font rêver les touristes, attirés par milliers. Au bout de cet itinéraire magnifique, le lungomare de Salerne est l'occasion de contempler une dernière fois la belle « costiera », comme tout le monde l'appelle ici.

- **Se repérer** – Entre Sorrente et Salerne, la route suit en corniche les accidents de la plus belle côte d'Italie, qui pour sa valeur naturelle et artistique figure parmi la liste du Patrimoine mondial de l'Unesco depuis 1997.
- **À ne pas manquer** – Un air de Dolce Vita à Positano, les splendeurs de Ravello et d'Amalfi et la nature farouche du Vallone di Furore.
- **Organiser son temps** – Dédiez au moins 3 jours à la découverte de la côte. Évitez de venir en été, période à laquelle la corniche est souvent encombrée et les villages envahis de touristes. Si vous décidez de vous y rendre pendant cette saison, privilégiez dans ce cas le bateau avec le « metrodelmare ».
- **Avec les enfants** – La Grotta dello Smeraldo lors d'une racontée en barque.
- **Pour poursuivre le voyage** – Voir Caserte, Naples, Pompéi.

La coupole recouverte de majoliques de Santa Maria Assunta à Positano.

Circuit de découverte
LE LONG DE LA CÔTE [5]
Les itinéraires [1] à [4] sont décrits au chapitre Golfe de Naples (voir p. 208), conclusion ou point de départ idéal à ce voyage.
79 km – compter une journée. Ce circuit constitue une suite idéale à l'itinéraire [4], décrit au chapitre Golfe de Naples. Pour ceux qui souhaitent se consacrer exclusivement à la découverte de la côte, le meilleur point de départ est Positano.

Positano★★
Ancienne bourgade de marins, dont les petites maisons cubiques et blanches d'allure mauresque se dissimulent parmi de verdoyants jardins qui descendent en terrasses vers la mer. Positano est le « seul endroit au monde conçu sur un axe vertical » (Paul

Klee). Autrefois très prisé des artistes et intellectuels (Picasso, Cocteau, Steinbeck, Moravia et Noureiev – qui acheta l'îlot Li Galli), ainsi que par des habitués de la « Dolce Vita » qui se retrouvaient à la *Buca di Bacco*, ce village est aujourd'hui un des lieux les plus fréquentés de la Côte Amalfitaine. C'est ici que naquit dans les années 1950 la « mode Positano », aux formes légères et aux tissus de couleurs vives. Tout aussi célèbres : les sandales, dont les femmes du beau monde faisaient provision au cours de leurs voyages à Positano.

Vettica Maggiore
Joli village touristique, ses maisons sont dispersées sur les pentes. On a, de l'esplanade, une belle **vue**★★ sur la côte et la mer.

Praiano
Bourgade à l'aspect mauresque avec ses maisons dispersées sur les pentes du Monte Sant'Angelo, Praiano abrite la délicieuse **Marina di Praia**★, attrayante plage dissimulée entre les maisons et les barques de pêcheurs.

On peut accéder à la marina par un sentier qui passe devant la **Torre Asciola**, construite durant les invasions sarrasines. Le peintre et céramiste Paolo Sandulli l'a investie pour en faire son atelier et consacre ses œuvres à la vie du village, entre pêche et plaisirs balnéaires *(entrée libre)*.

Vallone di Furore★★
Entre deux tunnels, la « gorge de la Fureur » est la plus impressionnante entaille de la côte, par la sombre profondeur de ses parois rocheuses resserrées et escarpées, par le mugissement d'une mer sauvage qui, les jours de gros temps, déferle avec force. Une bourgade de pêcheurs s'est pourtant installée là, à l'endroit où débouche le lit d'un torrent. Les maisonnettes accrochées aux pentes et les barques de couleurs vives tirées sur la grève surprennent un peu dans ce paysage farouche. Anna Magnani ne put échapper à ce ravissement : lors de son séjour à Furore en 1948 en compagnie de Roberto Rossellini pour le tournage de *L'Amore*, elle voulut acquérir une petite maison de pêcheurs. Pour découvrir les divers aspects du site, on peut suivre le sentier qui longe un des côtés de la gorge. Ainsi, à côté d'œuvres plus traditionnelles, on pourra aussi admirer les **« murs d'auteurs »**, peintures et sculptures contemporaines en plein air évoquant l'histoire locale.

Divers chemins traversent Furore, dont le fameux **Sentier des dieux** *(sentiero degli Dei)* qui part de Positano et mène au Monte Sant'Angelo, avec de splendides points de vue sur la côte, de Praiano à Capri.

LA CÔTE AMALFITAINE

Grotta dello Smeraldo★★

Accès par ascenseur depuis la route. ☎ *089 87 11 07 - www.amalfitouristoffice.it - 5 € - accès également par bateau depuis le port d'Amalfi -10 €.*

L'eau de cette grotte marine, d'une transparence exceptionnelle, est éclairée indirectement par réflexion des rayons qui lui donnent cette admirable couleur émeraude. Le fond de la grotte, qui paraît tout proche malgré 10 m de profondeur, n'a pas toujours été recouvert par la mer, ainsi qu'en témoignent les stalagmites surgissant curieusement de l'eau ; son immersion résulte du lent mouvement local d'affaissement de la croûte terrestre. Pendant la visite, un batelier vous emmènera faire le tour de la grotte, le long de ses parois, et vous contera les légendes et les figures évocatrices associées aux stalagmites.

Amalfi★★

Amalfi, petite ville d'allure espagnole dont les hautes maisons blanches, juchées sur les pentes d'un vallon qui fait face à une mer très bleue, composent un **site★★★** merveilleux, jouissant d'un climat très agréable, vivement apprécié des vacanciers.

Centro storico★ – Depuis la piazza Duomo, les via Genova, via Capuano (son prolongement) et **via dei Mercanti** (parallèle sur la droite) constituent le **centre historique★** et commerçant de la ville, pittoresque avec ses façades toutes différentes, ses balcons et ses niches fleuries. Ruelles, petits escaliers et passages voûtés qui débouchent sur des placettes ornées de fontaines sont les particularités du plan urbain, inspiré du modèle arabe.

Duomo (Sant'Andrea)★ – *Visite du cloître du Paradis et du Musée diocésain. www.diocesiamalficava.it - 7 nov.-24 déc. : mat. et apr.-midi : reste de l'année : tte la journée - fermé 7 janv.-28 fév. - 2,50 € (reduit 1 €).* Fondée au 9e s., agrandie aux 10e et 13e s. puis maintes fois transformée, cette **cathédrale** témoigne du goût des cités maritimes pour la splendeur orientale. La façade, refaite au 19e s. sur le modèle de l'ancienne, s'élève au sommet d'un imposant escalier et frappe par son appareil de pierres polychromes formant des motifs géométriques variés. À gauche, le campanile est tout ce qui reste de la construction d'origine. Un vaste atrium précède l'église dans laquelle on pénètre par une belle **porte★** de bronze (11e s.), provenant de Constantinople. À l'intérieur, de style baroque, on peut admirer deux colonnes antiques, deux candélabres et deux ambons du 12e s.

Par l'atrium, on pénètre dans le **cloître du Paradis★★**, bâti en 1268, où se mêlent l'austérité romane et la fantaisie arabe, et dont les galeries abritent quelques beaux sarcophages. Le **Musée diocésain** est installé dans la basilique du Crucifix, qui correspond

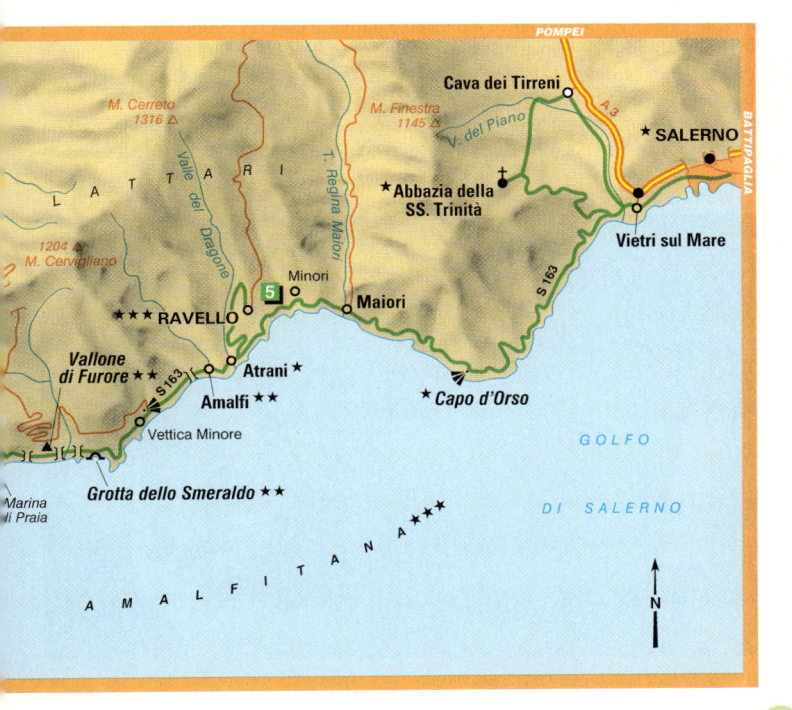

DÉCOUVRIR NAPLES ET LA CAMPANIE

> ### La république d'Amalfi
> Amalfi est la plus ancienne république d'Italie : fondée en 840, elle atteignit son apogée au 11ᵉ s., époque à laquelle la navigation en Méditerranée était réglée par les **Tables amalfitaines**, le plus ancien code maritime du monde. Entretenant un commerce régulier avec les ports de l'Orient, plus particulièrement avec Constantinople, Amalfi possédait un **arsenal** *(à gauche de la Porte de la Mer)* où étaient construites des galères comptant jusqu'à 120 rameurs, les plus grandes de l'époque ; la flotte amalfitaine prit une part importante au transport des croisés.

à l'ancienne cathédrale du 9ᵉ s. Faisant autrefois partie de l'édifice principal puis transformée dans le style baroque, elle a désormais retrouvé ses formes romanes d'origine (remarquer la tribune ornée de fenêtres géminées ou simples, ainsi que les chapelles contenant des restes de fresques). Depuis la basilique, on accède à la crypte qui renferme les reliques de l'apôtre saint André, transférées de Constantinople à Amalfi en 1206.

Atrani★
Au débouché de la vallée du Dragon, Atrani est un agréable village de pêcheurs qui possède deux églises anciennes : Santa Maria Maddalena et San Salvatore. Cette dernière, fondée au 10ᵉ s., conserve une porte de bronze qui semble inspirée par celle de la cathédrale d'Amalfi. La route littorale passe au-dessus d'Atrani par un pont à arcades : vous entrez à l'intérieur du village sous l'une de ses arcades, à quelques pas de la mer. Au-dessus, le pont forme une agréable terrasse : vue sur la mer et les toitures du village.

Une route admirable, en lacet, serpente le long de la colline du Dragon au milieu des vignes et des oliviers et conduit jusqu'à Ravello.

Ravello★★★
Ravello, suspendue entre ciel et mer, accroche à une colline ses ruelles, escaliers, passages voûtés, qui composent un **site★★★** inoubliable. Au cours des siècles, l'aristocratique sobriété de Ravello ne fut pas sans attrait pour les artistes, musiciens et écrivains ; parmi eux, le Bloomsbury Group de Virginia et Leo Woolf, D.H. Lawrence, Graham Greene, Gore Vidal, Escher et Mirò.

Villa Rufolo★★★ – *Piazza Vescovado, où s'élève la cathédrale.* ✆ 089 85 76 57 - www.ravellotime.it - 5 € (enf. 3 €).

Bâtie au 13ᵉ s. par les Rufolo, riche famille de Ravello citée par Boccace dans le *Décaméron*, elle servit de résidence à plusieurs papes, à Charles d'Anjou, et, en 1880, à **Richard Wagner**, qui, en quête d'inspiration pour *Parsifal*, se serait exclamé à la vue du splendide jardin de la villa : « J'ai trouvé le jardin de Klingsor ! ». On y pénètre par une belle allée ombragée ; après la tour gothique, on parvient à la « cour mauresque » aux arcatures de style siculo-normand, surmontées d'entrelacs : il s'agit en fait d'un ancien cloître du 11ᵉ s. Une puissante tour, également du 11ᵉ s., domine les jardins

Le belvédère de la villa Cimbrone à Ravello.

LA CÔTE AMALFITAINE

somptueusement fleuris et l'architecture tout en décrochements de cette élégante villa. Des terrasses, splendide **panorama★★★** sur des sommets découpés jusqu'au cap d'Orso, la baie de Maiori et le golfe de Salerne. Au premier plan : coupoles de l'église de l'Annunziata.

En été, les jardins sont le lieu idéal pour les concerts, avec pour coulisses le décor incomparable d'arbres, de fleurs et de mer. *Pour toute information, contacter la Società dei Concerti di Ravello -* ℘ *089 85 81 49 - www.ravelloarts.org.*

Duomo – Fondé en 1086 et transformé au 18ᵉ s., le Dôme a gardé un campanile du 13ᵉ s., et une splendide **porte de bronze★** signée Barisanus de Trani, 1179, avec des figures en relief. La nef centrale, dont les colonnes antiques ont été dégagées, conserve une magnifique **chaire★★** couverte de mosaïques à motifs et animaux fantastiques d'une extrême variété (1272). À gauche, un élégant **ambon** du 12ᵉ s. est orné de mosaïques vertes représentant Jonas avalé et recraché par la baleine. La crypte abrite un petit **musée** qui réunit des fragments de sculptures, des mosaïques et une **tête-reliquaire** en argent contenant les reliques de sainte Barbe. ℘ *089 85 83 11 - www.chiesaravello.com - 2 €.*

À gauche de la cathédrale, la Cameo Factory abrite un minuscule **musée du Corail** qui présente des pièces d'une grande valeur artistique, dont une très précieuse tabatière incrustée de camées.

San Giovanni del Toro – La rue du même nom, le long de laquelle se découvre sur la droite un splendide **belvédère★★**, conduit à cette belle église du 11ᵉ s. À l'intérieur, les arcades reposent sur des colonnes antiques. Elle abrite une **chaire★** du 11ᵉ s. richement décorée, un sarcophage romain *(collatéral droit)* et des fresques du 14ᵉ s. *(abside et crypte).*

Villa Cimbrone★★ – ℘ *089 85 80 72 - www.ravellotime.it - 5 € (enf. 3 €).* Une charmante **ruelle★** conduit de la piazza Vescovado à la villa, en passant sous le porche gothique du couvent de San Francesco. Érigée au début du 19ᵉ s. par Lord William Bechett, dans un style éclectique qui renvoie par endroits à San Francesco et à la villa Rufolo, la villa Cimbrone est un hommage à l'histoire de Ravello, mais aussi un point de référence pour le **Bloomsbury Group**, dont l'idéal esthétique de clarté, d'ordre et d'harmonie est incarné par le splendide jardin. À l'entrée de la villa s'ouvrent sur la gauche un magnifique cloître et une belle salle aux voûtes en ogives. Une grande allée traversant les splendides jardins mène au belvédère dont la terrasse est jalonnée de bustes de marbre : le **panorama★★★** dont on bénéficie sur les collines couvertes de cultures en terrasses, Maiori, le cap d'Orso et le golfe de Salerne est vertigineux.

Maiori

Ce village dissimule l'église rupestre **Santa Maria de Olearia★**, ancienne abbaye médiévale édifiée au 10ᵉ s. Vous pourrez apprécier à l'intérieur de beaux restes de **fresques byzantines** datant du 11ᵉ s., dont les *Trois figures auréolées* recouvrant la crypte, et, dans la chapelle principale, plusieurs scènes de la vie de Jésus-Christ (*L'Annonciation, La Visitation* ou *L'Adoration des Rois mages*). ℘ *089 87 74 52 - www.ass-amca.com - été : vendr.-dim. 16h-18h - reste de l'année : se renseigner - possibilité de visite guidée - gratuit.*

Capo d'Orso★

Composé de roches bizarrement découpées, ce cap offre un point de vue intéressant sur la **baia di Maiori★**.

Vietri sul Mare

Étagée à l'extrémité de la Côte Amalfitaine sur laquelle elle offre de magnifiques **vues★★**, Vietri est renommée pour son artisanat traditionnel de la céramique.

Abbazia della Santissima Trinità★

À 5 km au nord de Vietri sul Mare - ℘ *089 46 39 22 - 8h30-13h, 16h-19h30 - 3 € (église seule gratuite).*

Abbaye bénédictine fondée au 11ᵉ s., elle était l'une des plus puissantes de l'Italie méridionale durant le Moyen Âge. L'**église**, reconstruite au 18ᵉ s. selon le modèle original, conserve une belle chaire et un candélabre pascal. La visite comprend également les salles du monastère, le beau cloître du 13ᵉ s., le cimetière lombard et une section muséale.

Cava dei Tirreni

Agréable cité blottie dans la vallée du Piano, signalée, à son entrée, par un pont médiéval à six arches. Ce dernier conduit au **corso Vittorio Emanuele**, belle artère bordée d'arcades et de façades à stucs, décor insolite pour une cité d'Italie méridionale.

DÉCOUVRIR NAPLES ET LA CAMPANIE

Voyage dans le temps

D'abord dominée par les Étrusques, puis par les Romains, Salerne fut érigée en principauté par les Lombards. Le Normand **Robert Guiscard** en fit sa capitale en 1077. Riche cité commerçante, elle acquit un vaste renom intellectuel en Europe grâce à son université et notamment à son école de médecine (accessible aussi aux femmes) qui rayonna surtout du 11e s. au 13e s. et lui valut le surnom de « cité hippocratique ». À l'arrivée de la maison d'Anjou, Salerne perdit de son importance au profit de sa voisine et rivale, Naples. Au cours de la Seconde Guerre mondiale, la 5e armée américaine débarqua le 9 septembre 1943 près de Salerne, qui fut le siège du gouvernement royal de l'Italie libérée de février à juillet 1944.

Salerno★

Le long de la courbe harmonieuse de son golfe, Salerne conserve un quartier médiéval, sur les pentes d'une colline couronnée d'un château. Du **Lungomare Trieste★**, belle promenade agrémentée de palmiers et de tamaris, on découvre une large vue sur le golfe.

Duomo★★ – *8h-12h, 16h-20h. Laisser une offrande.* Dédié à saint Matthieu, dont le corps se trouve dans la crypte, il fut construit sous l'impulsion de Robert Guiscard et consacré par le pape Grégoire VII en 1085. De style normand, il a été remanié au 18e s. et le séisme de 1980 l'a fortement ébranlé. On parvient à la porte des Lions (11e s.) par un escalier. L'**atrium** carré à appareil de pierre polychrome, colonnes antiques et arcades, précède l'église proprement dite ; à droite, tour carrée du 12e s. Le portail central a des **portes de bronze★** du 11e s. provenant de Constantinople. À l'intérieur, de dimensions imposantes, les deux **ambons★★**, richement ornés de mosaïques et reposant sur de fines colonnes à chapiteaux merveilleusement sculptés, forment avec le **chandelier pascal** et l'élégante **iconostase**, qui ferme l'arrière-chœur, un ensemble exceptionnel (12e-13e s.). Dans l'abside de droite s'ouvre la chapelle des Croisés, où ceux-ci venaient faire bénir leurs armes. Sous l'autel, tombeau de Grégoire VII, mort en exil à Salerne. Dans le bas-côté gauche, tombeau (15e s.) de Marguerite de Duras (Durazzo), femme de Charles III d'Anjou.

Museo Archeologico – ✆ 089 23 11 35 - *tlj sf lun. 9h-19h45. Gratuit.* Abrité dans l'agréable ensemble de San Benedetto, il rassemble des vestiges de la préhistoire à la dernière époque impériale, dont une admirable **tête d'Apollon★** en bronze (1er s. av. J.-C.) et une belle collection d'ambres préromains.

Via Mercanti★ – Pittoresque rue du vieux Salerne avec des boutiques, maisons anciennes, oratoires ; elle se termine par l'**arc d'Arechi** construit au 8e s. par les Lombards.

La Côte Amalfitaine pratique

Informations utiles

OFFICES DE TOURISME

Amalfi - *Corso delle Repubbliche Marinare, 27* - ✆ 089 87 11 07 - www.amalfituristoffice.it

Salerno - *Lungomare Trieste 7/9* - ✆ 089 22 49 16 - www.aziendaturismo.sa.it

Transports

Metrodelmare - ✆ 199 600 700 - www.metrodelmare.com. Service côtier saisonnier (avr.-mi-oct.) desservant les principales stations du golfe de Naples et de la côte amalfitaine jusqu'à Salerne.

Se loger

⊖⊖ **Antica Repubblica** – *Via dei Pastai, 2* - **Amalfi** - ✆ 089 87 36 310 - fax 089 87 19 26 - www.anticarepubblica.it - 7 ch. Ancien palais aux salles voûtées et pavées de briques de Vietri, à quelques pas des escaliers de Sant'Andrea. Chambres chaleureuses et parfaitement tenues, équipées avec tout le confort moderne. Terrasse sur le toit pour admirer le campanile du *Duomo*.

⊖⊖ **L'Argine Fiorito** – *Via dei Dogi, 45* - **Atrani** - ✆ / fax 089 87 36 309 - www.larginefiorito.it - 5 ch. Isolée au bout de la rue principale d'Atrani, cette ancienne fabrique de pâtes abrite un agréable établissement, rythmé par l'écoulement du ruisseau. Agréable jardin fleuri de bégonias. Chambres assez spacieuses et colorées de mosaïques.

⊖⊖ **Bacco** – *Via Lama, 9 (dir. Agerola)* - **Furore** - ✆ 089 83 03 60 - fax 089 83 03 52 - www.baccofurore.it - 20 ch. - 🅿. Dominant le charmant village, témoignage de l'amour entre Roberto Rossellini et Anna Magnani, l'hôtel et le restaurant vous

LA CÔTE AMALFITAINE

offrent une superbe vue sur la mer. La gestion est familiale, l'ensemble confortable, à proximité de la « Côte ». Chambres simples, spacieuses et lumineuses.

La Fenice – Via G. Marconi, 4 - **Positano** - 089 87 55 13 - fax 089 81 13 09 - 12 ch. - P. Deux villas du 19ᵉ s. et du début du 20ᵉ s. entourées d'une végétation luxuriante. Chambres simples et agréables, avec piscine panoramique alimentée en eau de mer.

La Maliosa d'Arienzo – Via Arienzo, 74 (sur la route nationale) - **Positano** - /fax 089 81 18 73 - www.lamaliosa.it - 10 ch. Un beau B&B à la sortie de Positano, immergé dans la flore méditerranéenne : oliviers, citronniers et fleurs d'orangers. Chambres confortables et vue panoramique. Accès direct à la plage d'Arienzo en contrebas.

Torre Paradiso – Via Nazionale (entrée ouest du village)- **Minori** - 01 45 27 56 41 (Paris) - fax 01 42 88 38 89 (Paris) -www.destinations locappart.com - 2 appart. Deux magnifiques appartements (un studio et un duplex) à l'intérieur d'une ancienne tour médiévale, située à-pic au-dessus de la côte. À l'arrière, jardin fleuri et planté de bananiers et de bougainvillées. Accès direct à la mer.

B&B Villa Avenia – Via Porta di Ronca, 5 - **Salerno** - 089 25 22 81 - fax 089 55 55 555 - www.villaavenia.com - 4 ch. Un véritable B&B à l'intérieur d'une magnifique villa surplombant le centre historique et le port, idéalement située à quelques pas de l'ascenseur public. Vaste jardin panoramique en espalier, avec vasque hydromassante, où vous pourrez dîner face au lumière de la cité. Chambres de caractère, colorées et mêlant avec goût mobilier ancien et touche contemporaine.

Villa Relais Annalara – Via delle Cartiere, 1 - **Amalfi** - 089 87 11 47 - www.villaannalara.it - 5 ch. Une belle villa perchée au-dessus du centre historique. Grande terrasse panoramique et jardin en espalier planté de pins et de palmiers. Chambres spacieuses, colorées et parfaitement tenues.

Villa San Michele – Strada Statale (sur la route nationale) - **Castiglione di Ravello** - / fax 089 87 22 37 - www. starnet.it/smichele - fermé déc.-fév. - 12 ch. - P. En à-pic sur la mer, cet hôtel jouit d'une vue magnifique sur le golfe et sur le Capo d'Orso. Le jardin luxuriant, l'escalier qui descend à la plage et les chambres lumineuses, aux dominantes de blanc et de bleu et aux pavements de majolique ancienne, vous assurent un séjour exceptionnel.

Se restaurer

A' Paranza – Traversa Dradone, 2 - **Atrani** - 089 87 18 40 - fermé mar. À deux pas de la place du village, restaurant proposant une cuisine authentique qui célèbre les saveurs locales, avec des produits de la mer d'une fraîcheur irréprochable. Antipasti variés aux écrevisses crues, pâtes fraîches aux fruits de mer.

Hostaria Il Brigante – Via Fratelli Linguiti, 4 - **Salerno** - 089 22 65 92 - fermé lun. Une adresse où les traditions locales sont parfois accommodées d'une agréable touche d'originalité. Pour savourer la cuisine salernitaine en plein centre de la ville, à quelques pas du Duomo.

Vicolo della Neve – Vicolo della Neve, 24 - **Salerno** - 089 22 57 05 - www. vicolodellaneve.it - fermé mer. Une institution locale, authentique et rustique, au cœur du centre historique, dans une partie investie aujourd'hui par la jeunesse locale. Spécialités de la maison, pizzas et plats traditionnels de la région.

Da Memé – Salita Marino Sebaste, 8 - **Amalfi** - 089 83 04 549 - fermé lun. Dissimulée dans une venelle de la cité médiévale, cette trattoria-pizzeria occupe deux salles voûtées d'un ancien monastère bénédictin. Cuisine de produits du terroir, pâtes fraîches maison et excellente soupe de poisson composée selon la saison de dorade, loup de mer, denté, etc.

Giardiniello – Corso Vittorio Emanuele, 17 (sur la route nationale) - **Minori** - 089 87 70 50 - fermé mer. Situé au cœur de la petite cité, le restaurant dispose d'une vaste salle intérieure. En été, vous pourrez être servis dehors, sous une agréable tonnelle. On vous y proposera de savoureuses spécialités locales, essentiellement à base de poisson, à un bon rapport qualité/prix. Vous pourrez aussi déguster des pizzas.

Il Ritrovo – Via Montepertuso, 77 (localité Montepertuso)- **Positano** (à 4 km au nord) - 089 81 20 05 - fermé lun. sf en été. À quelques kilomètres au-dessus de la mondaine Positano, une adresse où vous pourrez goûter aux plats de la tradition locale, à base de poisson et de viande. Ambiance rustique et familiale, avec possibilité de manger à l'extérieur en été. Bon rapport qualité-prix.

Saraceno d'Oro – Via Pasitea, 254 - **Positano** - 089 81 20 50 - fermé mi-oct.- fév. sf période de Noël. Avec ses décorations aux motifs en arabesques, le Sarrasin d'or rappelle le passé de la station. Cuisine traditionnelle, pizzas et intéressant service de plats à emporter.

DÉCOUVRIR NAPLES ET LA CAMPANIE

Herculanum ★★
Ercolano

**56 174 HABITANTS
CARTE GÉNÉRALE B2 - CARTE MICHELIN N° 564 E25
VOIR LA CARTE P. 210-211**

Fondée, d'après la tradition, par Hercule, cette ville romaine fut ensevelie, comme Pompéi, lors de l'éruption du Vésuve en 79 apr. J.-C. Les patriciens riches et cultivés l'avaient choisie comme lieu de villégiature en raison de la beauté de son site au sein du golfe de Naples. Le site a été inscrit sur la liste du Patrimoine mondial de l'Unesco en 1997.

- **Se repérer** – Herculanum se trouve au pied du Vésuve, sur l'A 3 Naples-Pompéi-Salerne.
- **À ne pas manquer** – Les thermes et la casa dei Cervi.
- **Organiser son temps** – Prévoyez une bonne demi-journée en venant de Naples.
- **Avec les enfants** – L'histoire dramatique des dernières heures de la cité.
- **Pour poursuivre le voyage** – Voir la Côte Amalfitaine, Naples et le golfe de Naples.

Visiter

Visite : 2h. Attention : certaines des maisons décrites peuvent être périodiquement fermées en raison de travaux de restauration et de conservation. ☎ 081 85 75 347 - www.pompeiisites.org - 11 € (- 18 ans gratuit) ; billet combiné avec les sites de Pompéi, Oplontis, Stabies, Boscoreale 20 €.

Divisée en quartiers par trois voies secondaires *(cardo)* et deux voies principales *(decumanus)*, Herculanum présente des types d'habitations très variés, que le torrent de boue qui déferla sur la ville enroba en comblant le moindre recoin ; ainsi, le caractère particulièrement émouvant que revêt la visite d'Herculanum est-il dû en grande partie à ces morceaux de bois qui, brûlés à Pompéi, ont été conservés ici comme dans une carapace protectrice : charpentes, poutres, escaliers, portes ou cloisons qui témoignent de la soudaineté du cataclysme. La population, quant à elle, fut rattrapée par le flot de boue alors qu'elle tentait de fuir hors de la cité.

L'itinéraire de visite commence en bas du cardo III.

La **Casa dell'Albergo** est une vaste maison patricienne qui était sur le point d'être transformée en maison de location, d'où son nom de **maison de l'Auberge**. Ce fut l'une des plus dévastées par l'éruption.

La **Casa dell'Atrio a mosaico**★★ doit son nom au pavement de son atrium, constitué par une mosaïque en damier. À droite, un jardin entouré d'un péristyle ; à gauche, les chambres à coucher. Au fond, agréable triclinium (salle à manger). La terrasse, flanquée de deux petites chambres de repos, offrait une vue agréable sur la mer.

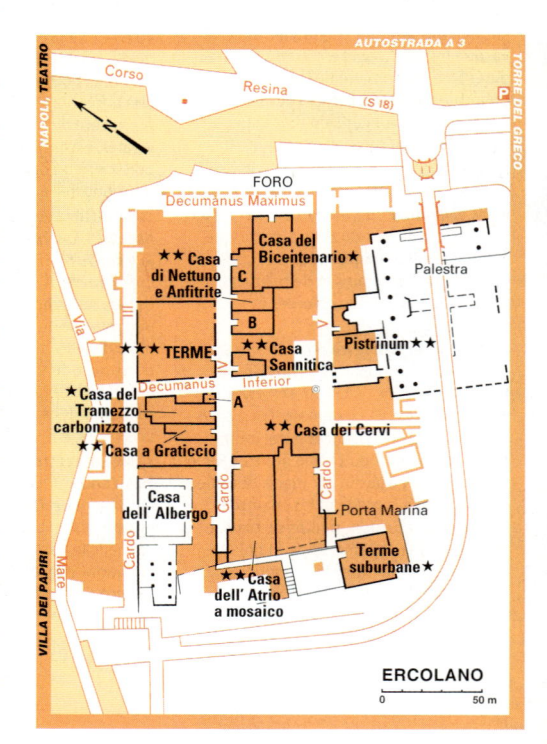

HERCULANUM

Dans la **Casa a graticcio★★**, un treillage de bois (*graticcio*) formait la trame des murs ; c'est le seul exemple de ce mode de construction à nous être parvenu de l'Antiquité.

Adjacente à la précédente, la **Casa del Tramezzo carbonizzato★**, avec sa façade remarquablement conservée, est un bel exemple de demeure aristocratique capable d'accueillir plusieurs familles. Une clôture (*tramezzo*) de bois, dont il ne reste que les parties latérales, séparait l'atrium du tablinium (salle de séjour).

> ### Herculanum pratique
>
> #### Se restaurer
>
> **Viva lo Re** – *Corso Resina, 261 - Erculano - 081 73 90 207 - fermé dim. et lun.* Un restaurant-bar à vin à quelques centaines de mètres des ruines, avec antipasti et plats de pâtes, à accompagner d'un bon vin.

Juste à côté, la **boutique du teinturier (A)** conserve une intéressante presse en bois.

La **Casa Sannitica★★**, construite sur un plan sobre, typique des habitations samnites, possède un superbe **atrium** autour duquel court une galerie à colonnes ioniques. Les chambres sont décorées de fresques.

Datant de l'époque d'Auguste, les **thermes★★★** sont modestes mais très bien conservés. Leur plan, d'une logique distributive remarquable, permet de visiter le **bain des Hommes** avec la palestre, les vestiaires, le frigidarium, dont la voûte est ornée de fresques, le tepidarium et le caldarium. Dans le **bain des Femmes**, on voit successivement la salle d'attente, le vestiaire (apodyterium) avec un pavement à mosaïque représentant Triton, le tepidarium sur le sol duquel une mosaïque évoque un labyrinthe, et le caldarium.

La **Casa del Mobilio carbonizzato★ (B)**, de dimensions modestes, la maison du Mobilier carbonisé est néanmoins d'assez belle allure. Dans une pièce subsiste un lit à montants de bois.

La **Casa del Mosaico di Nettuno e Anfitrite★★** est complétée par une **boutique★** et son comptoir donnant sur la rue. Le nymphée est orné d'une mosaïque représentant Neptune et Amphitrite.

Tout de suite après, une cour à escalier et balcon de pierre tient lieu d'atrium (au beau *cortile* qui désigne ce lieu), fait de la **Casa del Bel Cortile★ (C)** l'une des demeures les plus originales d'Herculanum.

La **Casa del Bicentenario★**, dégagée en 1938, soit deux cents ans après le début officiel des fouilles, est décorée de fresques et d'une croix qui reste l'un des plus anciens témoignages du culte chrétien dans l'Empire romain.

Comme en témoigne une inscription, le **Pistrinum★★** était la boulangerie d'un certain Sextus Patulus Felix : dans la boutique et l'arrière-boutique, on peut voir des moulins et un grand four.

La **Casa dei Cervi★★**, riche maison patricienne, sans doute la plus belle parmi celles qui donnaient sur le golfe, était abondamment décorée de fresques et d'œuvres d'art, notamment un groupe sculpté représentant des cerfs (*cervi*) assaillis par des chiens.

La visite se termine par les **Terme Suburbane★**, petits thermes qui conservent une élégante décoration, et par le **teatro★** (*entrée par la via Mare, 123*), qui pouvait contenir 2 000 spectateurs.

Villa dei Papiri

250 m environ à l'ouest de la zone archéologique, en contrebas de la ville moderne. 081 85 75 347 ou 081 73 24 333 - www.arethusa.net. Fermée pour restauration au moment de la rédaction de ce guide. On dit que la villa, découverte à Herculanum au 18e s. et à nouveau ensevelie, appartenait à Lucius Calpurnius Pison, beau-père de César, qui avait fait de sa demeure un véritable musée. L'immense et somptueuse construction a pris le nom de la précieuse collection de près de 800 papyrus qui y a été retrouvée. Les fouilles sont encore en cours mais vous pouvez visiter dès à présent l'étage supérieur avec l'atrium et les mosaïques, la Natatio (piscine) avec nymphée (pièce d'agrément ovale dédiée à une nymphe) et les autres structures appartenant à l'*insulae* (quartier) nord-ouest.

DÉCOUVRIR NAPLES ET LA CAMPANIE

Île d'Ischia★★★
Isola d'Ischia

**17 992 HABITANTS
CARTE GÉNÉRALE B2 - CARTE MICHELIN N° 564 E23**

Surnommée l'« île Verte », en raison de l'abondante et luxuriante végétation qui la couvre, Ischia est la plus grande île du golfe de Naples et l'une de ses attractions majeures. Une lumière transparente y baigne des paysages variés. Les côtes, jalonnées de pinèdes, sont échancrées de criques et de baies où se nichent des ports bariolés aux maisons cubiques ; les oliviers et les vignes (produisant l'epomeo, blanc ou rouge) couvrent les pentes, parsemées de petits villages dont les maisonnettes blanches à escalier extérieur, parfois surmontées d'un dôme, ont les murs tapissés de treilles. Surgie de la mer à l'ère tertiaire, lors d'une éruption volcanique, l'île possède un sol constitué de laves et des eaux thermales aux multiples propriétés.

- **Se repérer** – L'île étant de dimensions restreintes, on en fait aisément le tour en quelques heures.
- **À ne pas manquer** – Grimper au sommet du Mont Epomeo, déguster un verre du vin du même nom.
- **Organiser son temps** – Prévoyez un séjour d'au moins trois jours. Pour les séjours dédiés aux cures thermales, comptez au moins une semaine.
- **Pour poursuivre le voyage** – Voir l'île de Capri, la Côte Amalfitaine, Naples et le golfe de Naples.

Les couleurs de Procida.

Circuit de découverte

40 km : suivre l'itinéraire figurant sur le schéma. La route étroite, qui serpente entre les vignes, dévoile de nombreux et beaux points de vue sur la côte et la mer.

Ischia★
La capitale de l'île est divisée en deux agglomérations, **Ischia Porto** et **Ischia Ponte**. Le corso Vittoria Colonna, bordé de cafés et de boutiques, relie le port occupant un ancien lac de cratère et Ischia Ponte qui doit son nom à la digue construite par les Aragonais pour joindre la côte à l'îlot rocheux où se dresse le **Castello Aragonese★★**, bel ensemble de bâtiments comprenant un château et plusieurs églises. ☏ 081 99 19 59 - www.castelloaragonese.it.
De la terrasse du bar homonyme, on bénéficie d'une **vue★★** enchanteresse. En bordure de l'agglomération s'étendent une grande pinède et une belle plage de sable fin.

Monte Epomeo★★★
Accès à partir de Fontana, par un chemin prenant dans un virage, presque en face du jardin public. 1h30 à pied AR. De ce sommet, étroit piton de tuf apparu lors de l'éruption volcanique qui donna naissance à l'île, le regard embrasse un vaste **panorama** sur toute l'île et le golfe de Naples.

Île d'ISCHIA

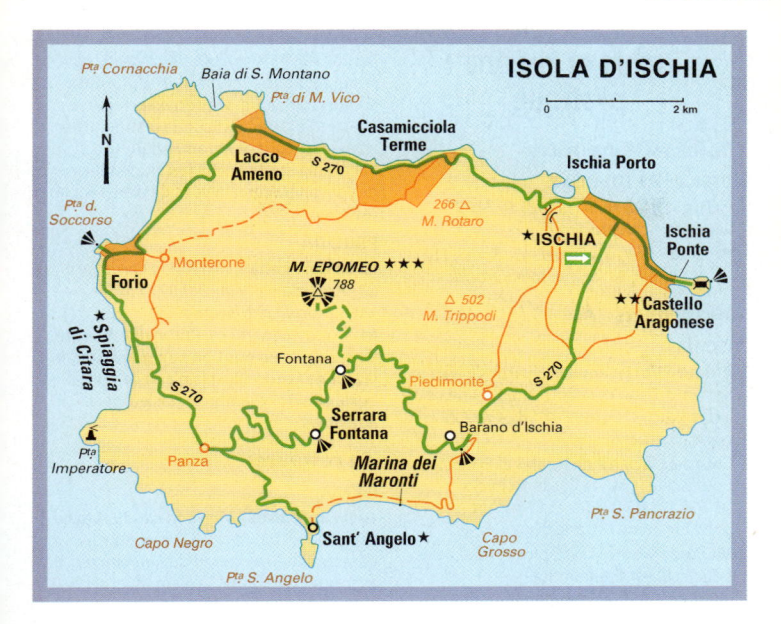

Serrara Fontana
À proximité de cette localité, un belvédère offre une **vue**★★ plongeante sur le site de Sant'Angelo, sa plage et sa presqu'île.

Sant'Angelo★
Tranquille village de pêcheurs, dont les maisons s'étagent autour d'un petit port. À proximité, grande **plage de Maronti** (Marina dei Maronti), transformée par les établissements thermaux *(accessible par un sentier)*.

Spiaggia di Citara★
Fermée par le majestueux cap Imperatore, la plage est occupée par un important établissement thermal, « I Giardini di Poseidone » (Les Jardins de Poséidon), séduisant ensemble de piscines d'eau chaude, disposées parmi les fleurs et les statues.

Forio
Localité dont le centre est formé par la piazza Municipio, jardin tropical bordé d'édifices anciens.

Lacco Ameno
Plan dans Le Guide Michelin Italia. Cette première colonie grecque de l'île, l'ancienne Pithecusa (« riche en singes »), est devenue un centre de villégiature. On a découvert sous l'église Santa Restituta *(piazza Santa Restituta)* une ancienne basilique paléochrétienne et une nécropole ; petit Musée archéologique. Le tour de l'île s'achève par **Casamicciola Terme** importante station thermale.

Aux alentours

Isola di Procida★
*L'île est à 15-30 minutes d'Ischia en bateau (**voir encadré pratique**).*
Cette petite île volcanique, dont les cratères ont été arasés par l'érosion, est restée l'île la plus sauvage de tout le golfe de Naples. Les maisons colorées des pêcheurs, jardiniers et vignerons sont à coupole, arcades et terrasses, et peintes en blanc, jaune, ocre ou rose. Procida a servi de décor pour de nombreux films, dont *Le Facteur* avec Philippe Noiret (1994) et *Le Talentueux Monsieur Ripley* (1999).
Terra Murata★ est un bourg médiéval fortifié dominant la baie de **Marina Corricella**★ et son port de pêcheur coloré. Le bourg, qui comprend également un château érigé par les Aragonais au 16e s., rassemble d'intéressants monuments.
Plus au sud, le **belvédère**★ de Punta Pizzaco offre de splendides vues sur les bords d'un ancien cratère, d'où vous pourrez rejoindre à pied la plage de Chiaia. Au sud-ouest de l'île se trouve la **marina de Chiaiolella**, faisant face à l'îlot de **Vivara**.

Ischia et Procida pratique

Informations utiles

OFFICES DE TOURISME

Ischia - *Via Iasolino* - ☏ *081 50 74 231* - www.infoischiaprocida.it

Procida - *Graziella Travel - Via Roma, 117*- ☏ *081 89 69 594* - www.isoladiprocida.it

Transports

ISCHIA

Alilauro Volaviamare (à partir de Naples, Sorrente, Capri et la Côte Amalfitaine pour Ischia Porto et Forio) - ☏ *081 49 72 222* - www.caremar.it

Caremar (à partir de Naples et Pouzzoles pour Ischia Porto et Casamicciola) - ☏ *892 123 ou 081 01 71 998* (d'un portable ou de l'étranger).

Medmar (à partir de Naples et Pouzzoles pour Ischia et Casamicciola) - ☏ *081 55 13 352* - www.medmargroup.it

SNAV (à partir de Naples et Procida pour Casamicciola) - ☏ *081 42 85 278* - www.snav.it

PROCIDA

Caremar (de Naples, Pouzzoles et Ischia) et **SNAV** (de Naples et Ischia Casamicciola), **Procidamar** ☏ *081 49 72 278*, **Procida Lines** ☏ *081 89 60 328*.

Se loger

ISCHIA

☺ **Agriturismo Il Vitigno** – *Via Bocca, 31 - Forio* - ☏ */ fax 081 99 83 07* – www.ilvitigno.com - *fermé déc.- fév.* - 18 ch. Véritable oasis de verdure entre les vignes et les oliviers, accrochée sur les flancs d'une colline et offrant de beaux points de vue panoramiques (*voir photo p. 15*). Les chambres sont très attrayantes, simples mais décorées avec goût. Les amateurs de farniente apprécieront la piscine.

☺ **La Mandorla** – *Via Maronti, 39 - Barano d'Ischia* - ☏ *081 99 00 46 - fax 081 90 62 11 - www.hotel-lamandorla.it - fermé nov.-Pâques* - 35 ch. Hôtel doté de tout le confort, à deux pas de la célèbre Marina dei Maronti. Chambres agréables, piscine et vasque thermale à disposition pour les hôtes.

☺ **Pera di Basso Agriturismo** – *Via Pera di Basso, 10 - Casamicciola Terme* - ☏ *081 90 01 22 - www.agriturismo.com/peradibasso - fermé oct.-Pâques* - 12 ch. Au bout de la route, vous descendez sur la plage et vous la longez sur la gauche jusqu'à la première enseigne. De là, après une centaine de mètres, vous arrivez dans un univers à part. Citronniers et vignes entourent cette petite maison silencieuse, gérée avec passion. Un vrai paradis !

☺☺ **Casa Sofia** – *Via Sant' Angelo, 29 - Sant'Angelo d'Ischia* - ☏ *081 99 93 10 - fax 081 99 98 59 - www.hotelcasasofia.com - fermé début nov.-mi-mars* - 11 ch. La Casa Sofia est une adresse précieuse, réputée et estimée par une clientèle restreinte de voyageurs curieux et romantiques. Panorama et site enchanteurs, gentillesse des propriétaires… à vous de découvrir le reste.

PROCIDA

☺ **La Corricella** – *Via Marina Corricella, 88 - Procida* - ☏ */ fax 081 89 67 575* – www.procida.net/lacorricella - *fermé nov.- déc.* - 10 ch. Une vieille maison de pêcheurs en position panoramique sur la Marina Corricella et la plage de Chiaia, qui abrite des chambres spacieuses et agréables.

Se restaurer

ISCHIA

☺ **Il Funghetto** – *Via Pannella, 30 - Lacco Ameno* - ☏ *081 99 68 95*. Une petite adresse située en retrait du *lungomare*, avec quelques tables seulement et service à emporter. Bon choix de pizza et quelques spécialités de rôtisserie.

☺ **Mamma Mia** – *Via Sant'Angelo, 62 - Sant'Angelo d'Ischia* - ☏ *081 99 92 73 - fermé en hiver*. Les tables tournées vers l'extérieur disposent d'une magnifique vue sur les plages de Maronti et, au-delà, jusqu'à Ischia. Bonne cuisine de poisson, à prix raisonnables.

☺ **Valle Verde** – *Via Bocca Corbaro, 28 - Forio* - ☏ *081 99 76 96 - fermé nov.-avr. (sauf période de noël), mer. en hiver*. Vaste restaurant panoramique, qui propose, outre les grands classiques de la cuisine italienne, quelques spécialités locales, dont le célèbre lapin d'Ischia.

☺☺ **Da « Peppina » di Renato** – *Via Montecorvo, 42 - Forio* - ☏ *081 99 83 12 - fermé à midi, mer. (sf juin-sept.), nov.-fév*. Une fois remontée la ruelle étroite et tortueuse, vous serez récompensés par une vue spectaculaire sur la mer. À l'ombre d'une tonnelle, assis sur de drôles de petits canapés en fer forgé recouverts d'anciennes têtes de lits, vous dégusterez une savoureuse cuisine maison.

☺☺☺ **Il Melograno** – *Via Giovanni Mazzella, 110 - Citara* (à 2,5 km au sud de Forio) - ☏ *081 99 84 50 - fermé lun. en oct., début janv.-mi-mars*. Plats de poisson et de fruits de mer, présentés avec soin et qui changent quotidiennement en fonction des arrivages. Deux salles accueillantes, égayées par une belle cheminée, ou, au choix, un jardin à l'ombre des oliviers.

PROCIDA

☺☺ **Gorgonia** – *Marina della Corricella - Procida* - ☏ *081 81 01 060 - fermé nov.-fév*. Une adresse pour goûter aux poissons du jour, servis sur le quai du port de pêche.

☺☺ **Scarabeo** – *Via Salette, 10 - Ciraccio* - ☏ *081 89 69 18 - fermé nov.-déc*. Sous une splendide pergola de citronniers, spécialités de la terre et de la mer.

Pæstum ★★★
Paestum

CARTE GÉNÉRALE B2 - CARTE MICHELIN N° 564 F 26-27

Le site archéologique fut découvert par hasard vers 1750 lors de la construction, décidée par les Bourbons, de la route qui traverse aujourd'hui encore cette zone. L'antique Poseidonia grecque, fondée vers l'an 600 av. J.-C. par les habitants de Sybaris, tomba aux mains des Lucaniens deux siècles plus tard. Devenue romaine en 273 av. J.-C., elle déclina à la fin de l'Empire, quand la malaria obligea les habitants à fuir les lieux. Les temples, appareillés en un beau calcaire doré, surgissent parmi les ruines des habitations, derrière les cyprès et les lauriers roses.

- **Se repérer** – Pæstum semble jaillir de la mer, tout près de la S 18, à 48 km au sud de Salerne.
- **À ne pas manquer** – Les temples et la tombe du Plongeur, magnifiques témoignages de l'Antiquité.
- **Organiser son temps** – Prévoyez trois heures.
- **Pour poursuivre le voyage** – Voir la Côte Amalfitaine.

Les temples de Paestum sont l'un des plus beaux témoignages de la présence grecque en Italie du Sud.

Visiter

L'itinéraire indiqué (2h) conduit du sud vers le nord. Si l'on souhaite visiter d'abord le musée, il est préférable de partir du nord. ☏ 0828 72 26 54 - www.infopaestum.it - *fermé 25 déc., 1er janv. et 1er Mai -* 4 € ; *billet combiné avec le musée* 6,50 €.

Après avoir franchi, par la porte de la Justice, l'**enceinte**★ qui encercle la ville sur près de 5 km, suivre la **Via Sacra** axe routier principal de la ville grecque et romaine.

Basilica★★
À droite de la Via Sacra se présente la façade postérieure de cet édifice, baptisé basilique par les archéologues du 18e s. En fait, ce temple, le plus ancien de la ville (milieu du 6e s. avant J.-C.), était dédié à Héra, sœur et épouse de Zeus. Son caractère archaïque est attesté par le renflement accusé du centre des colonnes *(entasis)* et par le tassement prononcé de l'échine des chapiteaux, particularités répondant à la conception antique qui voulait que les structures d'un édifice, comme des membres vivants, se bombent sous l'action de l'effort et se tassent sous celle d'un poids. Précédée d'un pronaos, la salle centrale est divisée en deux vaisseaux, probablement parce que deux cultes y étaient célébrés.

Tempio di Nettuno★★★
Ce temple magnifiquement conservé *(voir photo p. 54)* n'est pas consacré à Neptune (ou Poséidon en grec, d'où l'ancien nom de la ville, Poseidonia), mais à Zeus ou Apollon. Datant du milieu du 5e s. av. J.-C., il est d'un style dorique d'une étonnante harmonie :

DÉCOUVRIR NAPLES ET LA CAMPANIE

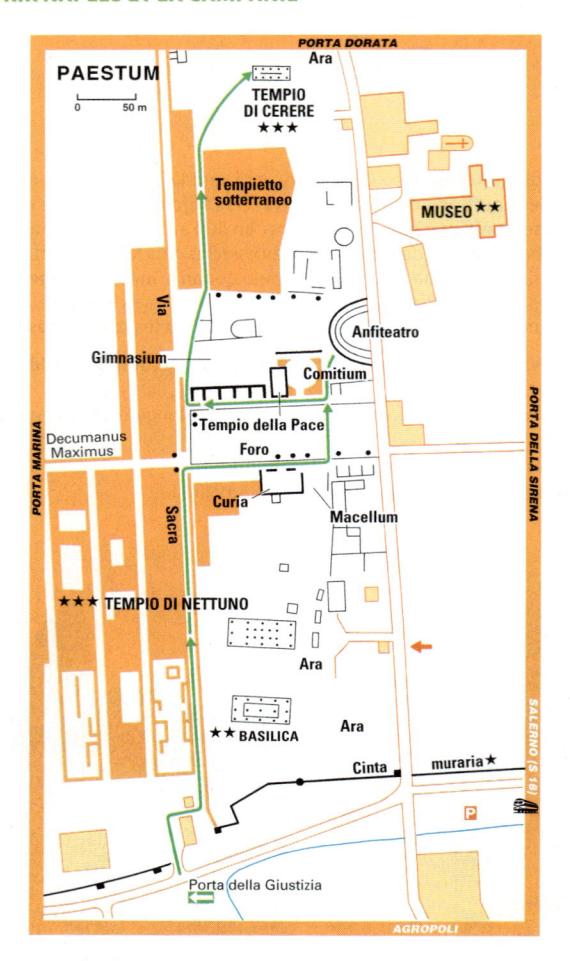

parmi les différentes astuces de construction, l'élément le plus marquant est la légère convexité (2 cm) des lignes horizontales, qui permet d'éviter aux nombreuses colonnes de donner une impression de divergence ; pour la même raison, les cannelures des colonnes d'angle sont légèrement inclinées vers l'intérieur.

Au centre de la cité se trouve le **forum**, entouré d'un portique et de boutiques et sur lequel s'ouvrent la **curie**, le **macellum** (marché couvert) adjacent, puis le **comitium** (3e s. av. J.-C.), édifice public le plus important où avaient lieu les élections des magistrats. À la gauche du comitium s'appuie le **temple de la Paix** (2e-1er s. av. J.-C.), orienté nord-sud selon l'usage italique.

À l'est du forum, échappant au principe général de l'emplacement excentré (destiné à faciliter les mouvements de foule), s'élève, coupé en deux par la route, l'**amphithéâtre**, construit à cheval sur les périodes républicaine et impériale.

Ce qu'on appelle le **gimnasium** (3e s. av. J.-C. environ) était probablement un sanctuaire renfermant une piscine. Au cours des célébrations rituelles, la statue de la divinité était immergée dans le bassin puis placée sur une estrade située sur le côté ouest. Dès le 1er s. apr. J.-C., la piscine était comblée et l'édifice accueillait le gymnase.

Le **petit temple souterrain** (6e s. av. J.-C.) est considéré comme un *hérôon*, sorte de cénotaphe consacré au culte du fondateur de la cité, élevé au rang de héros après sa mort. On y a retrouvé des vases de bronze, exposés au musée et contenant des restes de miel.

Tempio di Cerere★★★

Élevé à la fin du 6e s. av. J.-C. en l'honneur d'Athéna, il présente une intéressante fusion des styles : massif et puissant pour la colonnade dorique extérieure, plus gracieux et ornemental pour les colonnes ioniques de l'intérieur. À côté se trouve l'autel des sacrifices.

PÆSTUM

Musée★★

On peut y admirer les célèbres **métopes★★**, bas-reliefs doriques du 6e s. av. J.-C., qui ornaient le *Thesauros* (épisodes de la vie d'Héraclès et de la guerre de Troie) et le Grand Temple (jeunes femmes dansant) du sanctuaire d'Héra à Sele *(10 km au nord, près de l'embouchure du Sele)*. Noter également la **tombe du Plongeur★★**, rare exemple de peinture funéraire grecque. On y voit des scènes vivantes de banquet, ainsi que le célèbre plongeon, allégorie du passage de la vie à la mort, que symbolise le saut au-delà des colonnes d'Hercule (l'actuel détroit de Gibraltar) qui marquent la frontière du monde connu. Le musée renferme également de superbes **vases★**, chefs-d'œuvre de l'art du bronze du 6e s. av. J.-C. et provenant du petit temple souterrain, des tombes peintes lucaniennes (4e s. av. J.-C.) et des représentations typiques de Pæstum : Héra Argienne avec un grenadier (symbole de fertilité) et femme-fleur en terre cuite, utilisée comme brûle-parfums.

Paestum pratique

Informations utiles

OFFICE DE TOURISME
Paestum - *Via Magna Gracia, 887/889* - ℘ *0828 81 10 16 - www.infopaestum.it*

Se loger

⊜⊜ **Agriturismo Peliano** – *Tenuta Seliano* - **Paestum** - ℘ *0828 72 36 34 - fax 0828 72 45 44 - www.agriturismoseliano.it - fermé nov.-mi-mars - 15 ch.* - 🅿. Agréable agritourisme à l'intérieur d'une ferme du 18e s., offrant des chambres spacieuses et bien tenues, une piscine et un jardin rafraîchissant. Le restaurant propose des produits de la ferme, comme la mozzarella et la viande de Bufala.

DÉCOUVRIR NAPLES ET LA CAMPANIE

Pompéi★★★

**25 820 HABITANTS
CARTE GÉNÉRALE B2 - CARTE MICHELIN N° 564 E25
VOIR CARTE P.210-211**

Pompéi, ville somptueuse ensevelie en 79 apr. J.-C. par une énorme éruption du Vésuve, constitue un document capital sur l'Antiquité. Par leur ampleur et leur variété, par la beauté du paysage environnant, les ruines de Pompéi procurent une vision grandiose et émouvante de ce que pouvait être une cité romaine de l'époque impériale. Pompéi a été inscrite sur la liste du Patrimoine mondial de l'Unesco en 1997.

- **Se repérer** – Située au pied du Vésuve qui l'a rendue mondialement connue, on accède à Pompéi par l'A 3.
- **À ne pas manquer** – Les thermes Stabiane, le forum et la villa des Mystères.
- **Organiser son temps** – Sachant l'étendue et la richesse du site, commencez la visite dès le matin et prévoyez une journée.
- **Avec les enfants** – Les maisons et les fresques qui content la terrible journée…
- **Pour poursuivre le voyage** – Voir la Côte Amalfitaine, Capri, Herculanum, Ischia, Naples, le golfe de Naples.

Cour intérieur d'une villa.

Comprendre

La cité antique

Fondée au 8e s. av. J.-C. par les Osques, Pompéi subit au 6e s. une influence hellénistique par l'intermédiaire de Cumes, alors puissante colonie grecque. Devenue samnite à la fin du 5e s., la cité vécut une période prospère jusqu'au début du 1er s. : constructions urbaines et activités artistiques s'y développèrent. En 80 av. J.-C., la ville tomba sous la domination de Rome et devint un séjour apprécié des riches familles romaines, qui y imposèrent leur langue, leurs mœurs, leur organisation et leur façon de construire et de décorer. À la veille de l'éruption du Vésuve, Pompéi était donc une ville aisée comptant quelque 25 000 habitants. Au cœur d'une région fertile, elle pratiquait le commerce et la petite industrie, possédait un port sur la mer. Les nombreuses boutiques et ateliers qu'on y a découverts, la largeur imposante des rues et les ornières creusées par les chars suffisent à suggérer l'activité intense qui devait y régner. Pourtant, les Pompéiens appréciaient également les spectacles, jeux et affrontements politiques, comme en témoigne une fresque conservée au Musée archéologique de Naples : en 59 av. J.-C., à la suite d'une violente rixe avec les « supporters » de Nuceria, le camp pompéien fut disqualifié pour dix ans, et seule l'intervention de Poppée, épouse de Néron, permit la réouverture anticipée de l'amphithéâtre. En 62 apr. J.-C., un tremblement de terre avait déjà fortement endommagé la ville, et les travaux de restauration n'étaient pas achevés, quand, le 24 août 79, débuta la terrible éruption qui détruisit également Herculanum et Stabies. En deux jours, Pompéi fut recouverte d'une couche de cendres atteignant 6 à 7 m d'épaisseur. Ce n'est qu'au 18e s. que commencèrent de vraies fouilles officielles et systématiques, sous le règne de Charles de Bourbon. La découverte eut un tel retentissement dans toute l'Europe que, quelques années plus tard, on vit naître une mode « pompéienne ».

Architecture et décoration
Les modes de construction – Pompéi présente une grande diversité dans la nature des matériaux utilisés et dans leur mode d'agencement pour la construction des ouvrages. On distingue **quatre grands procédés** : l'**opus quadratum** (gros blocs de pierre de taille empilés sans liaison de mortier) ; l'**opus incertum** (éléments en tuf ou en lave, de taille indifférente, amalgamés dans du mortier) ; l'**opus reticulatum** (constitué de petits blocs carrés en calcaire ou en tuf, disposés en losanges de manière à former une sorte de réseau décoratif) ; l'**opus testaceum** (revêtement de briques triangulaires posées à plat, la pointe à l'intérieur). En outre, les murs recevaient souvent un revêtement supplémentaire de plâtre ou de marbre. On trouve à Pompéi presque tous les types de maisons antiques : sobres et sévères à l'époque des Samnites, beaucoup plus vastes et plus richement décorées dès que la ville subit l'influence hellénistique. Avec l'arrivée des Romains et l'accroissement important de la population, on compensa la limitation de l'espace par le faste de la décoration.
La peinture pompéienne – La plupart des peintures qui ornaient les parois des maisons pompéiennes ont été transportées au Musée archéologique de Naples. Néanmoins, la visite des ruines permet de se faire une large idée de la richesse de cette décoration picturale, dans l'histoire de laquelle on distingue quatre **styles**. Le premier se caractérise par une peinture sans sujet, imitant par un jeu de relief et de légères touches de couleur un placage de marbre. Le deuxième style, le plus beau d'entre tous, couvre les murs d'architectures graciles, colonnes feintes surmontées de frontons ou couronnées de petits temples, fausses ouvertures destinées à provoquer des illusions de perspective ; l'utilisation du fameux « rouge pompéien » obtenu à partir du sulfure de mercure, le cinabre, opposé à un noir éclatant, donne à ces peintures leur éclat particulier. Le troisième style remplace le trompe-l'œil par des scènes ou des paysages brossés avec légèreté dans des couleurs pastel. Le quatrième style, le plus fréquent à Pompéi, reprend certains éléments du deuxième style pour les combiner, dans des compositions opulentes, à ceux du troisième.

Découvrir

Compter une journée. Attention, certaines des maisons décrites peuvent être fermées pour des travaux de restauration et de conservation. 081 85 75 347 - *fermé 25 déc., 1er janv. et 1er Mai - 11 € (- 18 ans gratuit) ; billet combiné avec Herculanum, Oplontis, Stabies, Boscoreale 20 €. Accès par la Porta Marina (via Villa dei Misteri ou piazza Esedra) ou par la piazza Anfiteatro. Un guichet d'information se trouve Porta Marina (9h-17h).*

Porta Marina
La route descendant vers la mer franchissait cette porte. Des passages distincts pour les animaux et les piétons y sont ménagés.

Les rues
Elles sont rectilignes et se coupent à angle droit. Encaissées entre de hauts trottoirs, elles sont fréquemment interrompues par des blocs de pierre qui permettaient aux piétons de traverser sans descendre du trottoir et qui étaient particulièrement utiles les jours de pluie, lorsque la chaussée se transformait en ruisseau ; ces bornes étaient placées de façon à laisser les espaces nécessaires au passage des chars. Les fontaines, de forme très simple, étaient toutes construites sur le même modèle à bassin carré.

Forum★★★
C'était le centre de la vie publique. Aussi, la plupart des grands édifices s'y trouvent-ils rassemblés. On y célébrait les cérémonies religieuses, on y faisait du commerce, on y rendait la justice. La place, immense et réservée aux piétons, était pavée de grandes dalles de marbre et ornée de statues d'empereurs. Un portique surmonté d'une terrasse l'entourait sur trois côtés. Le plus vaste édifice de Pompéi était la **basilique**★★ (67 m x 25 m), où se réglaient les affaires commerciales et judiciaires.
Le **temple d'Apollon**★★ a pour fond la silhouette majestueuse du Vésuve. Devant les marches qui conduisaient à la *cella* se trouve l'autel. Se faisant face, copies des statues d'Apollon et de Diane retrouvées à cet endroit (originaux au musée de Naples).
Le **temple de Jupiter**★★ (Giove), traditionnellement situé en position prééminente, dédié à la triade capitoline (Jupiter, Junon et Minerve), est encadré par deux arcs de triomphe, autrefois recouverts de marbre.

DÉCOUVRIR NAPLES ET LA CAMPANIE

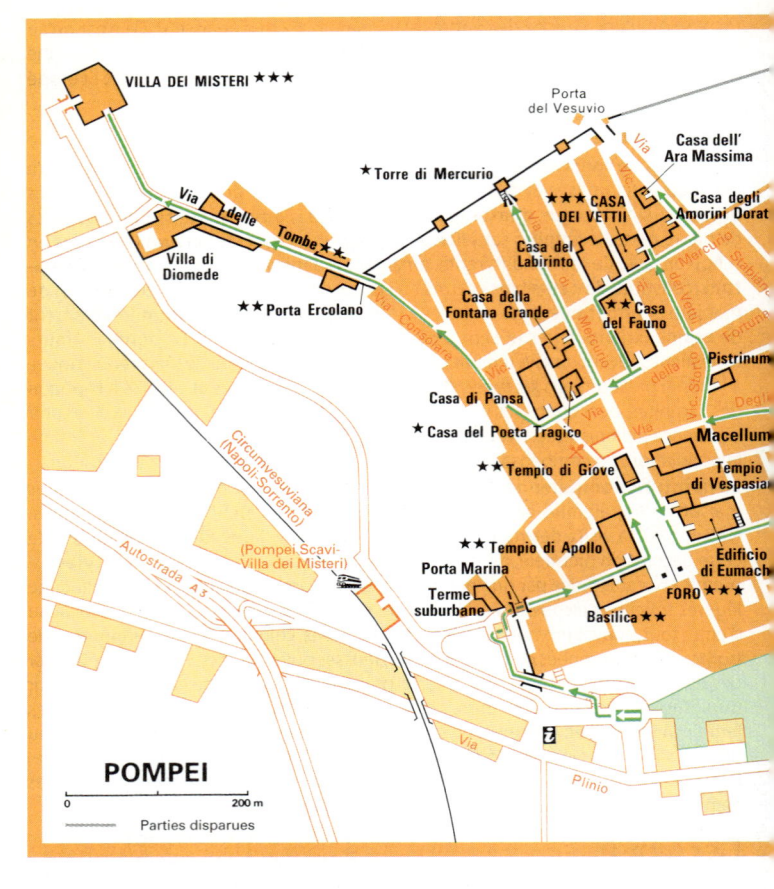

Le grand marché couvert, le **macellum**, était bordé de nombreuses boutiques. Au centre, un édicule à coupole entouré de colonnes renfermait un bassin, utilisé pour nettoyer les poissons.

Le **temple de Vespasien** possédait un autel en marbre orné d'une scène sacrificielle. Un beau **portail**★ à corniche de marbre sculptée de motifs végétaux donne accès à l'**édifice d'Eumachie**, construit par les soins de cette prêtresse pour la puissante corporation des foulons *(voir Fullonica Stephani p. 249)*, dont elle était la patronne.

Foro triangolare★
Un majestueux propylée, dont on peut voir encore plusieurs colonnes ioniques, le précédait. Son petit **temple dorique**, dont quelques vestiges émergent du sol, est l'un des rares témoignages de l'existence de la ville au 6e s. av. J.-C.

Teatro Grande★
Élevé au 5e s. avant notre ère, puis remanié à l'époque hellénistique (entre 200 et 150 av. J.-C.), à nouveau transformé par les Romains au 1er s. apr. J.-C., il pouvait être couvert d'un vélum si le soleil était trop ardent et recevoir 5 000 spectateurs.

Caserma dei Gladiatori
Cette grande esplanade limitée par un portique, utilisée à l'origine comme foyer des théâtres, fut ensuite affectée à l'entraînement des gladiateurs.

Odeon★★
Les odéons étaient des théâtres couverts, utilisés pour les concerts, les séances de déclamation et les ballets. Celui-ci pouvait accueillir 800 spectateurs. Il était surmonté d'un toit en bois. Sa construction date du début de la colonisation romaine.

Tempio d'Iside★
Le culte de la déesse égyptienne Isis se propagea à l'époque hellénistique grâce aux contacts avec l'Orient et l'Égypte. Ce petit temple s'élève sur un podium, lui-même situé au centre d'une cour entourée d'arcades. Sur la gauche du temple, se trouve le

purgatorium, pièce destinée aux cérémonies de purification où l'on gardait les eaux puisées dans le Nil. Le décor pictural du temple se trouve aujourd'hui au Musée archéologique de Naples.

Casa di Lucius Ceius Secundus
Intéressante pour sa façade couverte de stuc imitant un revêtement de pierre, dans la manière du premier style, et pour son joli petit atrium.

Casa del Ménandro★★
Cette grande demeure patricienne, richement décorée de peintures (quatrième style) et de mosaïques, possédait ses propres thermes. Un corps de bâtiment était réservé au logement des domestiques. On note, dans un angle de l'atrium, un laraire en forme de petit temple. Remarquable péristyle à colonnes doriques recouvertes de stuc, entre lesquelles court une cloison basse décorée de plantes et d'animaux.

On débouche dans la **via dell'Abbondanza★★**, l'une des rues commerçantes de Pompéi, et aujourd'hui l'une des plus suggestives, bordée de boutiques et de maisons.

Casa del Criptoportico
Après avoir traversé le péristyle (peinture laraire : Mercure, avec un paon, des serpents et de fins feuillages), on descend dans le cryptoportique, grand couloir souterrain surmonté d'une belle voûte en berceau et prenant jour par des soupiraux. Ce type de couloir, à l'honneur dans les villas romaines de l'époque impériale, constituait un passage et un lieu de promenade, à l'abri du soleil et des intempéries.

Fullonica Stephani★★
N° 7. Exemple d'une maison d'habitation transformée en atelier. L'industrie du vêtement était prospère chez les Romains, dont le costume à l'abondant drapé nécessitait une grande quantité de tissu. Dans les *fullonicæ*, on nettoyait les étoffes neuves, qui recevaient là leur traitement de finition, et les vêtements ayant déjà servi. Les **foulons**

(fullones) y lavaient les étoffes en les foulant aux pieds dans des cuves remplies d'un mélange d'eau et de soude ou bien d'urine. Plusieurs de ces ateliers ont été retrouvés à Pompéi.

Termopolio di Asellina
Le *termopolium* était le débit de boissons où l'on vendait aussi des plats préparés. Un comptoir en maçonnerie donnant sur la rue formait la devanture ; les jarres qui y étaient encastrées contenaient les produits à vendre.

Termopolio Grande★
Boutique semblable à la précédente, avec laraire peint.

Casa di Trebius Valens
Inscriptions, en façade, qui tenaient lieu d'affiches électorales. Au fond du péristyle, amusante fresque polychrome imitant un mur de pierre.

Casa di Loreius Tiburtinus★
À en juger par le bel impluvium en marbre, le triclinium orné de fresques, la **décoration★** de l'une des pièces offrant sur fond blanc l'un des plus beaux exemples de peinture du quatrième style, il s'agissait d'une riche demeure. Son plus bel ornement réside pourtant dans son **jardin★** aménagé pour les jeux d'eau.

Villa di Giulia Felice★
Bâtie à la limite de la ville, elle s'ordonne originalement en trois corps : la partie réservée à l'habitation ; des bains, que la propriétaire avait ouverts au public ; un ensemble destiné à la location, comprenant une hôtellerie et des boutiques. Le vaste jardin, bordé d'un beau **portique★**, est agrémenté d'une suite de bassins.

Anfiteatro★
C'est le plus ancien du monde romain que l'on connaisse (80 av. J.-C.) ; il fut excentré afin que l'affluence du public ne perturbe pas la vie alentour. Par temps chaud, les spectateurs étaient protégés par un vélum de lin soutenu par des mâts de bois. À côté, la grande **palestre** servait à l'entraînement des athlètes.

Necropoli fuori Porta di Nocera★
Elle aligne ses tombeaux, selon la coutume, le long de l'une des routes qui sortaient de la ville.

Par la via di Porta di Nocera, revenir à la via dell'Abbondanza et prendre à gauche.

Terme Stabiane★★★
Cet établissement de bains, le plus ancien de Pompéi (2e s. av. J.-C.), comprend une section pour les femmes et une section pour les hommes. On pénètre dans la palestre, à gauche de laquelle se trouvent un vestiaire et une piscine. Au fond, à droite, commence le **bain des femmes** : vestiaires avec cases à vêtements ; à côté, se trouvaient le tepidarium (tiède) et le caldarium (chaud). L'installation du chauffage central sépare le bain des femmes du **bain des hommes**, comportant vestiaires vastes et bien conservés, frigidarium, tepidarium, caldarium ; belle décoration de stucs, en caissons.

Lupanare
Établissement officiel de la ville, il était orné de peintures aux sujets obscènes, visant à illustrer les « spécialités » des différentes prostituées. En retour, les graffitis gravés sur les murs rapportent les remarques des clients sur les prestations obtenues.

Pistrinum
Four de boulanger, avec ses meules à farine.

Casa dei Vettii★★★
Les frères Vettius étaient des riches marchands. Leur demeure qui, pour la décoration, surpasse en somptuosité toutes les autres, représente l'exemple le plus célèbre de maison et de jardin fidèlement reconstitués. L'atrium, dont le toit a été rétabli, donne directement sur le péristyle entourant un délicieux jardin embelli de statuettes, de vasques, de jets d'eau.

Les **fresques** du triclinium *(à droite du péristyle)*, représentant des scènes mythologiques et des frises d'amours occupés aux tâches domestiques, sont parmi les plus belles de l'Antiquité.

Casa degli Amorini Dorati★
Elle dénote le goût raffiné de son propriétaire, qui vécut probablement sous Néron, et son penchant pour ce qui avait trait au théâtre. Les médaillons en verre et en or représentant des Amours, qui ont donné son nom à la villa, ont été détériorés.

POMPÉI

Mais l'ensemble, avec un remarquable péristyle (dont une aile est surélevée à la façon d'une scène), reste bien conservé. Remarquer le miroir en obsidienne incrusté dans le mur, près du passage entre le péristyle et l'atrium.

Casa dell'Ara massima
Peintures★ (dont une en trompe-l'œil) très bien conservées.

Casa del Labirinto
Dans une des pièces s'ouvrant au fond du péristyle, mosaïque figurant un labyrinthe avec Thésée tuant le Minotaure.

Casa del Fauno★★
C'était une demeure d'un faste exceptionnel. De proportions grandioses, elle occupait l'espace de tout un pâté de maisons et comptait deux atriums, deux péristyles et des salles à manger pour toutes les saisons. L'original de la statuette de faune en bronze qui ornait l'un des impluviums est au musée de Naples. Les pièces renfermaient d'admirables mosaïques, dont la fameuse *Bataille d'Alexandre* (musée de Naples), qui couvrait le sol entre les deux péristyles.

Casa della Fontana Grande
Sa principale parure est sa **fontaine**★ en forme de niche tapissée de mosaïques et de fragments de verres polychromes, dans le goût égyptien.

Torre di Mercurio★
C'est l'une des tours carrées qui jalonnaient l'enceinte. Du sommet, **vue**★★ sur les fouilles.

Casa del Poeta Tragico★
Cette maison doit son nom à une mosaïque, aujourd'hui au musée de Naples. Sur le seuil, chien de garde en mosaïque et inscription *Cave Canem*.

Casa di Pansa
Immense, elle avait été en partie transformée pour la location.

Porta Ercolano★★
C'est la plus importante de Pompéi, avec deux passages pour piétons et un pour les chars.

Via delle Tombe★★
De cette voie bordée de tombes monumentales et de cyprès se dégage une grande mélancolie. Toutes les formes de l'architecture funéraire gréco-romaine s'offrent ici : tombes à niches, petits temples de plan circulaire ou carré, autels reposant sur un socle, mausolées en forme de tambour, simples bancs semi-circulaires (ou exèdres).

Villa di Diomède
Important ensemble avec loggia surplombant un jardin et une piscine.

Villa dei Misteri★★★
Située à l'écart de la ville, la villa des Mystères, ancienne villa patricienne, se compose de deux parties : l'une résidentielle *(à l'ouest)*, qui se distingue par son luxe et sa finesse, et l'autre composée de dépendances *(à l'est)* réservées aux travaux domestiques et agricoles et au logement des serviteurs. Dans le quartier d'habitation des maîtres, la salle à manger *(difficile à trouver dans ce labyrinthe de pièces que forme la villa : de la salle en hémicycle située à l'ouest devant la véranda, entrer dans le tablinum, tourner à droite dans le cubiculum, puis de nouveau à droite dans une salle qui donne accès au triclinium)* renferme la splendide **fresque** à laquelle la villa doit sa célébrité et son nom : autour de la pièce, sur fond rouge pompéien, se déroule une grande composition qui représenterait l'initiation d'une jeune épouse aux mystères dionysiaques *(de gauche à droite :* lecture par un enfant du texte rituel ; scènes d'offrandes, sacrifices et rites dionysiaques ; flagellation d'une jeune fille ; danse d'une bacchante ; toilette de l'épouse). Le culte de Dionysos, dont la maîtresse de céans aurait été prêtresse, était alors en grande faveur en Italie méridionale.

Un beau péristyle et un cryptoportique complètent la demeure.

Pompéi pratique

Informations utiles
Office de turismo - *Via Sacra, 1 -* ☎ *081 85 07 255 - www.pompeiturismo.it*

Se restaurer
☺ **Snack wine's Todisco** – *Piazza Schettini, 19,* **Pompéi** *-* ☎ *081 85 05 051 - fermé lun. -* 🍴. Une adresse très simple, fréquentée par les riverains, qui propose de bons plats à des prix modestes.

Les Trulli de la vallée d'Itria sont devenus un des emblèmes de la région.

LES POUILLES

4 MILLIONS D'HABITANTS
CARTE MICHELIN N° 561 G 4-5
CARTE DE LA RÉGION P. 254-255

Campées sur la pointe orientale de la botte italienne entre, d'ouest en est, les Appenins et la mer Adriatique, les Pouilles sont marquées par une géographie d'une grande diversité : au nord, l'immense plaine dorée du Tavoliere aux ondulations de blé contraste avec les terres de la Pouille centrale, les Murge, bosselées de collines, encloses de murets blancs, de vignes, d'oliveraies et d'étranges habitations aux reflets de craie ; au sud, la province du Salento, fouettée par les embruns des mers Adriatique et Ionienne, fait courir une garrigue basse où affleure, sous un sol karstique veiné de cours d'eau invisibles, les joues pleines et rouges des coquelicots.

Sur un plan historique, les Pouilles ont su donner, avec 800 km de littoral, de nombreux caps aux proues conquérantes. Byzantins, Lombards, Sarrasins, Normands ont tour à tour influencé cette terre prise entre l'Orient et l'Occident, comme en témoignent châteaux fortifiés et tours de guets mais aussi campaniles de pierres blanches et roses chaulés de ciel bleu, vaisseaux de cathédrales appareillés dès les Croisades pour lever d'autres horizons.

- **Se repérer** – Les Pouilles forment un quadrilatère de 400 km de long sur quelque 50 km de large, soit une superficie de 20 000 km². Elles partent du Promontoire du Gargano, seule zone montagneuse du nord, pour s'étirer vers le sud en suivant l'Adriatique jusqu'au Capo di Leuca, à la pointe extrême du Salento. Administrativement, les Pouilles sont divisées en cinq provinces : Bari, Brindisi, Foggia, Lecce et Tarente. Bari jouant à la fois le rôle de la capitale de la région et celle de la province de Bari.

- **À ne pas manquer** – La forêt sombre du Promontoire du Gargano et Sant'Angelo ; l'architecture de style roman apulien des grandes cathédrales du littoral de la région de Bari (en particulier celles de Saint Nicolas de Bari, Trani, Bitonto) ; la belle vallée verdoyante d'Itrsa parsemée de vignes et de *trulli*, habitations de pierre sèche ; la ville d'Ostuni par une belle « notte » de pleine lune ; le festival de musique classique de Martina Franca ; Lecce, la Florence des Pouilles, petit joyau baroque du Salento.

- **Organiser son temps** – Différents circuits sont proposés dans chacun des chapitres traités. De manière plus générale, on peut rayonner à partir de Bari sur de nombreuses régions : la côte nord de Bari, terre de joyaux romans, jusqu'au Promontoire du Gargano (compter une semaine). La côte sud de Bari jusqu'à la ville de Lecce (150 km) en revenant par la belle vallée d'Itria (compter une quinzaine de jours environ).

- **Avec les enfants** – L'univers magique des trulli, la grotte de Castellana, le château de Castel del Monte, les plages occidentales du Salento.

DÉCOUVRIR LES POUILLES

Comprendre

Aux premières heures des Pouilles – Dès la fin du 8ᵉ s. av. J.-C., des Grecs de Laconie et de Sparte fondent sur les rivages de l'Apulie, ancien nom des Pouilles, les villes de Gallipoli, Otrante et, surtout, Tarente, qui, aux 5ᵉ et 4ᵉ s. av. J.-C. fut le centre le plus florissant de la Grande Grèce. Les populations autochtones, les Lapyges, opposèrent une résistance farouche à la colonisation grecque ; mais au 3ᵉ s., cités grecques et peuples italiques durent se soumettre à la puissance romaine. Tarente déclina au profit de Brindisi, reliée à Rome par la Via Appia prolongée par Trajan, et port ouvert sur la Méditerranée orientale. La colonisation romaine profita largement à l'Apulie pour ses voies de communication et pour son l'organisation politique. Le christianisme, implanté dès le 3ᵉ s. dans la région, s'affirma au 5ᵉ s. grâce à l'apparition de l'archange saint Michel à Monte Sant'Angelo. Puis, successivement occupée par les Byzantins, les Lombards et les musulmans, au 11ᵉ s., les Pouilles firent appel aux Normands, qui établirent leur domination sur tout le territoire. Grâce aux premières croisades qui

LES POUILLES

partaient des ports de la côte apulienne et au règne de Roger II, les Pouilles accrurent considérablement fortune commerciale et patrimoine architectural.

Grandeur et décadence – C'est pourtant avec l'arrivée de **Frédéric II de Souabe**, étonnant personnage autoritaire et cruel, athée, mais cultivé et d'une très haute intelligence, que la région connut au début du 13e s. l'apogée de sa splendeur : il en favorisa l'essor économique, la réunifia et la dota d'une administration. Son œuvre fut poursuivie par son fils Manfred, qui dut se soumettre à Charles d'Anjou en 1266. Les Français se désintéressèrent de la région qui perdit bientôt de son prestige et de sa vitalité. Les Pouilles passèrent ensuite sous la domination des Aragonais qui isolèrent la région et l'appauvrirent. Après une brève période de domination autrichienne, le règne des Bourbons de Naples améliora quelque peu les conditions d'immobilisme et de misère auxquelles les Espagnols avaient réduit le pays. Ce fut également le souci de la période napoléonienne. En 1860, les Pouilles se ralliaient massivement à l'Italie unifiée. Au cours du 20e s., la région s'est progressivement dégagée de cette difficile situation d'infériorité qu'elle partage avec tout le « Mezzogiorno » italien.

DÉCOUVRIR LES POUILLES

Bari ★

314 166 HABITANTS
CARTE GÉNÉRALE C1 - CARTE MICHELIN N° 564 D32

Centre agricole et industriel, Bari doit toutefois sa principale activité à son port, tourné vers l'Orient. La Foire du Levant (Fiera del Levante), qui a lieu en septembre, dote la ville des fastes orientaux. C'est une importante manifestation créée en 1930 afin de favoriser les échanges commerciaux avec les autres pays de la Méditerranée. Mais Bari est aussi avec les reliques de saint Nicolas un lieu de pèlerinage important pour les orthodoxes russes. Ce lien historique qui remonte au Moyen Âge est aujourd'hui revivifié : le gouvernement italien veut céder au Patriarcat de Moscou la « maison des pèlerins russes » de Bari... La cité se compose d'une vieille ville (Bari vecchia) serrée sur son promontoire donnant sur la mer et d'une ville moderne aux larges avenues ouvertes au 19e s. par Murat (borgo Murattiano) sur un plan en échiquier. Plus tardif, le développement du front de mer est jalonné d'édifices publics imposants et austères, issus de l'héritage fasciste.

- **Se repérer** – Pour rejoindre le chef-lieu des Pouilles, qui domine l'Adriatique, emprunter l'A 14 Adriatique ou la voie express S 16 *(voir la carte de la région p. 254-255)*.
- **À ne pas manquer** – La basilique Saint Nicolas ; autour de Bari : la cathédrale de Bitonto, le port de Trani, le colosse et la collection De Nittis à Barletta.
- **Organiser son temps** – Compter une matinée pour visiter Bari. Et au minimum deux à trois jours pour chacun des itinéraires proposés.
- **Avec les enfants** – La grotte de Castellana et le Castel del Monte.
- **Pour poursuivre le voyage** – Voir le Promontoire du Gargano, Lecce, la Terre des Trulli et BASILICATE.

Saint Nicolas, le patron de la ville, figure sur les murs de la basilique (derrière saint Pierre).

Comprendre

Selon la légende, Bari fut bâtie par les Illyriens, puis colonisée par les Grecs. Du 9e au 11e s., la cité fut le centre de la domination byzantine dans le Sud italien. Très prospère au Moyen Âge en raison, notamment, du pèlerinage de Saint-Nicolas de Bari et de l'embarquement des croisés vers l'Orient, elle déclina avec les Sforza de Milan et la domination espagnole au 16e s.

Visiter

San Nicola★★ B1

Située au cœur de la vieille ville, au centre de ce que l'on appelle la *cittadella nicolaiana*, cette basilique commencée en 1087 fut consacrée en 1197 et dédiée à saint Nicolas, après qu'un groupe de marins de Bari eut dérobé dans la ville de Myre, pour les rapporter dans leur ville natale, les précieuses reliques de saint Nicolas. L'église, l'un des exemples les plus remarquables de l'art roman, a servi de modèle à toute

BARI

l'architecture religieuse de la région. La façade, sobre et puissante, flanquée de deux tours, n'est égayée que par quelques baies géminées et un portail sculpté dont les colonnes s'appuient sur des taureaux. Sur le flanc gauche s'ouvre le riche portail des Lions (12e s.). L'intérieur est à trois vaisseaux, avec triforium et beau plafond à caissons ajouté au 17e s. Un important ciborium (baldaquin) du 12e s. surmonte le maître-autel, derrière lequel se trouve un **trône épiscopal★** en marbre blanc du 11e s. Dans la chapelle latérale gauche, *Vierge à l'Enfant et les saints*, du Vénitien Bartolomeo Vivarini ; sur l'autre face, *Le Cabinet de saint Jérôme*, de Costantino da Monopoli. La crypte, soutenue par des colonnes de marbre couronnées de beaux chapiteaux aux décorations riches et variées, abrite le tombeau de saint Nicolas.

La **fête de saint Nicolas**, qui dure généralement trois jours, a lieu du 7 au 9 mai. Un défilé historique fait revivre l'exploit légendaire des 62 marins qui rapportèrent les reliques du saint *(voir plus haut)*.

Saint Nicolas, de miracles en Cola

Saint Nicolas serait né en Lycie (Asie Mineure), à Patare, vers 270 ap. J.-C. avant de devenir l'évêque de Myre et de mourir dans cette ville portuaire un 6 décembre 329. Depuis, d'innombrables miracles lui sont attribués : il aurait ressuscité trois enfants tués et découpés en morceaux par un boucher ; aidé trois jeunes filles pauvres à échapper à la prostitution en faisant don à leur père d'une dot conséquente, sous forme de pièces d'or, dont on dira plus tard avoir été jetées par la cheminée… Reconnu pour sa très grande générosité, le saint devient, au Moyen Âge, le protecteur des petits enfants. La fête de saint Nicolas ou « fête des enfants » célébrée le 6 décembre, est abolie en Europe par la Réforme protestante (16e s.). Elle ne doit son salut qu'aux Hollandais qui, migrant aux États-Unis, n'oublient pas d'emporter leur *Sinter Klaas* (saint Nicolas). Devenant rapidement très populaire outre-atlantique la fête du 6 décembre est déplacée à la date de naissance de l'Enfant Jésus. Et saint Nicolas (*Santa Claus* aux États-Unis) de prendre alors les traits du Père Noël, troquant son âne contre rennes et traîneau, avant d'épouser dans les années 1930 les couleurs de Coca-Cola.

Cattedrale di San Sabino★ B1

De style roman (11e-12e s.) avec adjonctions postérieures, la cathédrale a été remaniée par la suite. Les collatéraux sont prolongés par des chapelles orientées se terminant, comme l'abside, en cul-de-four. L'intérieur est animé par un faux triforium surmontant les arcades et abrite de nombreuses œuvres d'art, dont une chaire et un baldaquin, reconstitués avec des éléments des 11e, 12e et 13e s. Dans le bas-côté gauche, on peut voir la copie de l'**Exultet** (l'original étant conservé dans la curie, à la sortie de l'église), précieux parchemin du 11e s. d'origine byzantine, composé en « bénéventine », écriture médiévale très en usage dans l'Italie méridionale. Une particularité : les images qui accompagnent la sainte écriture ont été enluminées à l'envers par rapport au texte, de manière à pouvoir être vues des fidèles tandis que le parchemin était déroulé pour les chanteurs.

Castello★ A1

Piazza Federico II di Svevia - ☎ 080 52 86 218 - www.castellipuglia.org - tlj sf merc. - 2 € (- 18 ans gratuit). Se renseigner sur les différentes expositions temporaires que le château héberge régulièrement.

Élevé en 1233 par Frédéric II de Hohenstaufen sur des édifices byzantins et normands préexistants, ce château conserve de l'époque souabe une grande cour trapézoïdale et deux des tours d'origine, mais il a été renforcé au 16e s.

Pinacoteca Provinciale (Hors-plan)

Lungomare Nazario Sauro, 27 (au-delà de la piazza A. Diaz) - ☎ 080 54 12 422 - mar.-sam. mat. et apr.-midi, dim. mat. - fermé lun. et j. fériés dans la semaine - 2,60 €.

Aménagée au 4e étage du palais de la Province *(ascenseur)*, elle abrite des œuvres d'art byzantin (sculptures et peintures), un **Christ★** en bois peint (12e-13e s.), une peinture de Giovanni Bellini *(Le Martyre de saint Pierre)*, des toiles de l'école napolitaine (17e-18e s.).

Museo Archeologico B2

Au 1er étage de l'université. Fermé pour restauration au moment de la rédaction de ce guide. ☎ 080 52 11 559. Collections gréco-romaines, provenant des fouilles effec-

DÉCOUVRIR LES POUILLES

SE LOGER		SE RESTAURER	
Boston Bari	①	Ai 2 Ghiottoni	②
Pensione Giulia	③	Al Sorso Preferito	④
		Osteria delle Travi "Il Buco"	⑥

tuées dans l'ensemble des Pouilles. Intéressante collection de vases antiques et exposition de pièces découvertes dans la cité grecque de Canosa di Puglia *(voir p. 261)*.

Aux alentours

Altamura

A 40 km au sud-ouest de Bari par la S 96. Ce gros bourg des Murge possède un beau quartier ancien qui se serre sur une butte. En haut de la rue principale s'élève la **cathédrale**, construite au 13e s. dans un style de transition roman-gothique. Sa façade, couronnée de deux clochers à bulbe ajoutés au 16e s., s'orne d'une **rosace**★ finement décorée (13e s.) et d'un **portail**★ richement sculpté (14e-15e s.).

Circuits de découverte

Voir la carte région p. 254-255.

LES JOYAUX DE L'ART ROMAN : LA CÔTE NORD DE BARI ③

Comptez environ 180 km A/R. La route qui conduit de Bari à Barletta traverse quelques jolies petites villes côtières que les menaces venues de la mer, depuis les raids des Sarrasins durant le haut Moyen Âge jusqu'aux incursions des Turcs à la fin du 15e s., amenèrent à se fortifier. Le retour sur Bari par l'intérieur des terres alterne la pierre calcaire de la Terre de Bari non plus avec l'eau bleue du littoral mais avec la verdure argentée des oliviers.

Dans bon nombre des petites villes de ce circuit, une **cathédrale** généralement taillée dans le calcaire s'élève en bordure de mer. Repère des âmes et des navires, la cathédrale est à la fois le trait d'union entre terre et ciel mais aussi entre la mer et le centre historique qui généralement se presse derrière elle dans un lacis de ruelles qui s'évaporent sur le port inondé de lumière.

Giovinazzo

À 25 km au nord-ouest de Bari par la S 16. Passé l'aéroport de Palese, ce petit bourg portuaire donne un premier aperçu sur la manière dont étaient organisées les villes côtières, centrées autour de la cathédrale et du port.

Le portail de la **cathédrale**, surmonté d'un tympan flanquant son côté gauche, est le seul témoignage de ses origines du 12e s. On peut jeter un coup d'œil sur les quelques palais (Framarino, piazza Duomo ; Lupis, via San Giacomo ; Zurlo à l'angle de la rue éponyme) qui ont essaimé dans le quartier historique.

Molfetta

À 6,5 km à l'ouest de Giovinazzo par la S 16. Important port de pêche dominé par une magnifique **cathédrale**★ de style roman apulien en calcaire blanc. Le duomo vecchio dédié à San Corrado (Saint Conrad de Bavière) aligne au dessus de la nef centrale trois coupoles aux formes pyramidales recouvertes de *chiancarelle*, sorte de lauzes locales, petites plaques (d'environ 5 cm d'épaisseur) de pierre des Pouilles.

Bisceglie

À 9 km au nord-ouest de Molfetta par la S 16. Port de pêche bordé d'un marché aux poissons et aux puces très fréquenté le dimanche matin. La ville, enrichie là encore grâce à son commerce maritime, a pu construire dès l'époque normande une **cathédrale** dont les travaux échelonnés sur près de deux siècles n'ont été achevés qu'au 13e s. La façade s'orne d'un beau portail central posé sur deux lions. De l'époque normande, subsistent du château élevé par le comte Pietro au 11e s., trois grosses tours quadrilatères (Largo Castello au bout du Corso Umberto).

Trani

À 8 km à l'ouest de Bisceglie par la S 16. Important marché vinicole possédant un port antique entouré de vieilles maisons, Trani s'enorgueillit de sa **cathédrale**★★ romane, une des plus belles des Pouilles, malheureusement fortement restaurée (la pierre calcaire ou marbre de Trani s'altérait profondément) et curieusement isolée de la vieille ville (isolement dû en fait aux travaux de restauration des années 1950 qui ont fait place nette autour de l'édifice ; *voir photo p. 63*). Dédiée à saint Nicolas le Pèlerin, humble berger grec qui serait arrivé à Trani sur le dos d'un dauphin, elle fut construite entre les 11e et 13e s. Entourée d'arcatures aveugles, sa belle **porte de bronze**★ a été fondue vers 1180. Le transept, très élevé, précède le chevet percé d'une fenêtre finement décorée. Sur le côté droit s'élève le campanile. L'intérieur est marqué par des influences normandes. Légèrement surélevés, les vaisseaux sont bâtis sur deux immenses cryptes dont la plus basse est peuplée d'une forêt de colonnes antiques. L'église supérieure, claire et sobre, présente de fines colonnes géminées soutenant les grandes arcades et l'élégante galerie à triplets (baies à trois ouvertures).

Du **jardin public**★, situé à l'est du port, on a une jolie vue sur la vieille ville et sa haute cathédrale. Le **château**, au bord de la mer, fut édifié par Frédéric II de Souabe en 1233. Son fils Manfred y célébra ses secondes noces avec Elena d'Epiro.

Barletta★

À 13 km au nord-ouest de Trani par la S 16. Aux 12e et 13e s. Barletta fut une ville importante, base de départ des croisés se rendant en Orient, que de nombreux ordres militaires ou hospitaliers avaient choisie comme siège de leur institution. La ville, qui compte aujourd'hui 100 000 habitants, est toujours un pôle économique non négligeable pour la région, grâce à son activité agricole, portuaire et commerciale. Son joli centre historique aux édifices civils et religieux médiévaux attire un tourisme

Le défi de Barletta

Nous sommes en 1503. La ville, aux mains des Espagnols, est assiégée par les Français. Un prisonnier français, le capitaine La Motte, accuse les Italiens de lâcheté ; ces derniers lancent alors un défi. Treize chevaliers italiens, conduits par Ettore Fieramosca, combattent et vainquent autant de chevaliers français. Au 19e s., cet incident devient le modèle même du patriotisme et Ettore Fieramosca est tenu pour un héros… À tel point que Massimo d'Azeglio fait de l'événement le point de départ de son roman *Ettore Fieramosca, ou Le défi de Barletta* (1833).

---

de plus en plus nombreux. Le symbole de la ville est une statue datant de la période romaine : le **Colosse**★★ (ou statue d'Hercule). D'une hauteur de plus de 5 m, il représente un empereur byzantin, difficilement identifiable (peut-être Valentinien Ier). La statue trouvée sur la plage de Barletta serait arrivée de Constantinople à la fin du Moyen Âge suite au naufrage du bateau qui la transportait à destination de Venise. Elle remonterait probablement au 4e s., mais bras et jambes ayant été fondus pour alimenter les cloches d'une église, elle fut reconstituée au 15e s. se dotant au passage d'un crucifix. Elle témoigne du passage de l'art romain décadent à l'art chrétien primitif. La rigidité du personnage est heureusement atténuée par la forte intensité de l'expression.

Derrière la statue se trouve la **basilique du St-Sépulcre** (12e-14e s.), qui recèle un beau **reliquaire**★ de la Sainte Croix, dont le socle est revêtu d'émaux de Limoges.

Le **château**★ magnifiquement restauré est une imposante construction, érigée sous Frédéric II et amplement remaniée par la suite, surtout sous Charles Quint au 16e s. C'est à ce dernier que l'on doit la forme singulière des quatre bastions d'angle en pointe de lance, qui renferment deux vastes casemates (l'une au-dessus de l'autre) hémisphériques. L'intérieur du château abrite une **pinacothèque** *(Museo Pinacoteca)* qui ne présente plus aujourd'hui que des expositions temporaires, les tableaux du peintre impressionniste Giuseppe de Nittis ayant migré au Palazzo della Marra *(voir ci-dessous)*.

Dans la via Cialdini, au rez-de-chaussée du palais de Don Diego de Mendoza (14e s.), se trouve la « **cantina della Disfida** » *(cave du défi)* où, dit-on, fut lancé le fameux **défi de Barletta** *(voir encadré plus haut)*. ✆ 0833 53 22 04 - *tlj sf lun. 9h-13h, 15h-19h - 4 €.*

Un peu plus loin, le **palazzo della Marra** (17e s.) présente une façade à la riche décoration baroque. Il héberge désormais la belle **collection**★ de Giuseppe de Nittis (1846-1884), grâce à un don de son épouse Léontine Lucie Gruvelle. Né en 1846 à Barletta, **Giuseppe De Nittis** fait ses études artistiques à Naples avant de se rendre à Paris et de fréquenter dès 1869 le Café Guerbois (correspond aujourd'hui au 9 avenue de Clichy), laboratoire de l'impressionnisme sous l'égide de Manet et de son cercle de l'École des Batignolles. Degas, Forain, Caillebotte, Daudet, Zola, Goncourt font partie de ses amis. Une hémorragie cérébrale, il a alors 38 ans, le fauche en pleine gloire à Saint-Germain-en-Laye. Sa production picturale est alors circonscrite à une description impressionniste de la vie mondaine. La palette de l'artiste est plus complexe comme le prouvent les 150 peintures et 65 gravures exposées dans le palais et les nouvelles réorientations critiques qui se font jour depuis ces dernières années. ✆ 0883 53 83 12 - *www.pinacotecadenittis.it - fermé le lun. sf j. fériés - 4 € (- 12 ans gratuit).*

Le saline di Margherita di Savoia

On peut observer, à une quinzaine de kilomètres au nord-ouest de Barletta *(via la S 16)*, la zone humide des salines de Marguerite de Savoie qui, avec une étendue d'environ 4 000 hectares, constitue la saline maritime la plus grande d'Italie. Devenue Réserve Naturelle d'État puis Zone Humide à valeur internationale, cette étendue est aujourd'hui un patrimoine naturel d'une grande importance pour l'observation ornithologique.

Rappelons que l'empereur Frédéric II de Hohenstaufen (1194-1250) qui s'adonnait ici à la chasse aux faucons a écrit un traité de fauconnerie d'une grande richesse : *De arte venandi cum avibus* (De l'art de chasser avec les oiseaux). Magnifiquement illustré, ce livre est devenu une référence en matière de traités cynégétiques médiévaux.

Canne della Battaglia

À 12 km au sud-ouest de Barletta par la S 93. Cet endroit, qui, depuis l'Antiquité, doit son développement à sa position stratégique, fut rendu célèbre par la bataille entre Carthaginois, conduits par Hannibal, et Romains, conduits par Scipion (216 av. J.-C.), bataille qui s'acheva par une très nette victoire carthaginoise. On peut encore y voir, sur un versant, les vestiges d'une nécropole médiévale et d'un village apulien et, sur l'autre versant, la citadelle, où l'on distingue toujours le *decumanus* romain traversé de ruelles, les restes des basiliques bâties à l'époque médiévale, et ceux du château normand (☏ 0883 51 09 93 - 9h-19h - 2 €).

Canosa di Puglia
À 14 km de Canne della Battaglia par la S 93. 23 km au sud-ouest de Barletta. Les habitants de cette antique cité grecque, puis romaine, produisaient des vases en céramique (*askoi*). Sa **cathédrale** romane du 11ᵉ s., remaniée au 17ᵉ s. après un tremblement de terre, présente des influences byzantines. La façade a été refaite au 19ᵉ s. Remarquer à l'intérieur le trône épiscopal (11ᵉ s.) et le **tombeau★** de Bohémond, fils de Robert Guiscard, mort en 1111, curieux mausolée cubique surmonté d'une coupole. Via Cadorna, on peut visiter trois **hypogées** (*Ipogei Lagrasta*) du 4ᵉ s. av. J.-C. et, à droite de la route d'Andria, les vestiges de la basilique paléochrétienne de **San Leucio**, édifiée sur un temple romain. *Visite guidée sur demande préalable au ☏ 0883 66 47 16 - tlj sf lun. mat. et apr.-midi.*

Castel del Monte★★
À 42 km au sud de Canosa di Puglia par Andria. Prendre la S 98 puis la S 170d à partir d'Andria. ☏ 0883 56 99 97 - www.castellodelmonte.it - ♿ - mars-sept. : 10h15-19h ; oct.-fév. : 9h-18h (la billetterie ferme 30mn avant) - fermé 1ᵉʳ janv., 25 déc. - 3 €.

Au sommet d'une éminence des Murge, ce puissant château hautain et solitaire, élevé vers 1240 par Frédéric II de Souabe, domine la plaine environnante. Par son plan original, il fait exception dans la série de quelque deux cents châteaux en forme de quadrilatère que ce souverain fit construire en Italie à son retour de croisade *(voir encadré p. 262)*. En effet, bâti en pierre blonde, cet ouvrage présente un plan octogonal garni de huit tours d'angle de 24 m de haut, elles-mêmes octogonales. Un superbe portail en arc de triomphe d'époque gothique mais d'inspiration antique ouvre sur la cour intérieure, autour de laquelle se succèdent huit pièces en trapèze à voûtes d'ogives. À l'étage supérieur, huit pièces identiques sont éclairées par des baies finement décorées. L'aménagement des conduites d'eau était très raffiné : l'eau tombée sur les toits et dans les citernes des tours était ensuite canalisée vers les différentes pièces. Le château a été classé au Patrimoine mondial de l'Unesco en 1996.

Ruvo di Puglia
À 20 km à l'est de Castel del Monte par la S 170. Aux confins de la région des Murge, Ruvo possède une **cathédrale★** de style roman apulien dont la sobre façade est rehaussée d'une rosace, d'une baie géminée, d'un beau portail sculpté (avec un aigle, une paire de gryphons et de lions soutenus par deux télamons) et, au sommet, d'une frise d'arcs. À l'intérieur, la nef très élevée est scandée par de hautes arcades que surmonte une épaisse corniche soutenue par des consoles sculptées.

Le **Musée archéologique Jatta,** lové dans un palais délicieusement suranné, possède une belle collection de **vases★** attiques, italiques et apuliens (environ 2 000 pièces), d'où se détache le **cratère de Talos★★**, superbe vase noir à figures rouges. *Piazza Bovio, 35 - ☏ 080 361 28 48 - www.palazzojatta.org - ♿ - lun.-merc. : 8h30-13h30 ; jeu.-dim. : 8h30-19h30 - fermé 25 déc., 1ᵉʳ janv. et 1ᵉʳ Mai - gratuit.*

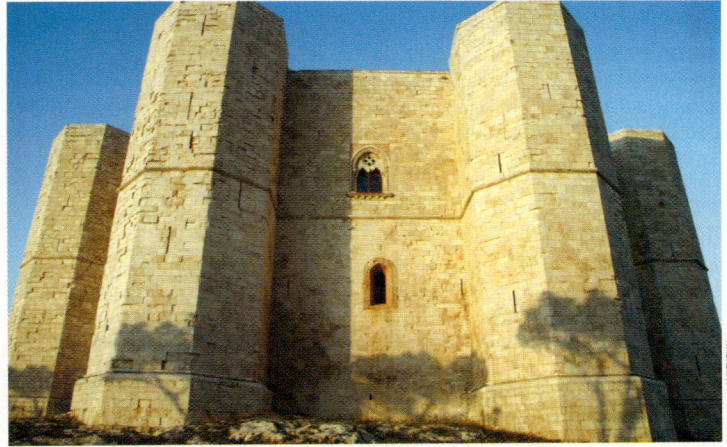

L'étrange Castel del Monte fascine depuis des siècles et fait l'objet de multiples interprétations.

Les châteaux de Frédéric II

Homme éclectique et cultivé, Frédéric II (1194-1250) fit édifier sur les terres des Pouilles nombre de châteaux et forteresses dont il suivit de près la construction. La formule de base, qui est le quadrilatère, dérivé du *castrum* romain, témoigne également de la symbolique numérique à laquelle on conféra, au Moyen Âge, une valeur magique. Le carré et le cercle étaient en fait considérés comme les symboles des deux forces vitales de la terre et du ciel, de l'homme et de Dieu. Cette synthèse « pratique et magique » connut son apogée avec le plan octogonal de Castel del Monte. L'octogone était apprécié comme le juste compromis entre le carré et le cercle, ce qui réunit et mêle en soi l'humain et le divin. Le huit est un chiffre qui revient sans cesse dans cet édifice : huit côtés, huit tours d'angle, huit pièces à chaque étage. Parmi les nombreux châteaux élevés par Frédéric II en Pouilles, citons ceux de Bari, Barletta, Brindisi, Castel del Monte, Gioia del Colle, Lagopesole, Manfredonia (érigé par le fils de Frédéric II, Manfred), Trani.

Jouxtant le musée, les **appartements privés**★de la famille Jatta sont accessibles sur demande. La visite organisée par le dernier descendant de la famille, Marco Jatta, permet de découvrir les appartements privés de l'ancien palais qui n'ont quasiment pas évolué depuis 1844. Chapelle, salle de danse (compartimentée par les Anglais lors de la Seconde Guerre mondiale), galerie de portraits, composent une visite très personnelle. ℘ 080 36 12 456 - www.palazzojatta.org - 5 € *(enf. gratuit).*

Par la via De Gasperi, où se trouvent la tour de l'Horloge (16ᵉ s.) et, de l'autre côté, le palais Renaissance Caputi, on parvient à la piazza Matteotti, bordée de beaux palais et des restes d'un château médiéval.

Le peintre **Domenico Cantatore** (1906-1998), originaire de Ruvo di Puglia et l'une des grandes figures de la peinture italienne (il a appartenu au groupe Corrente, mouvement d'artistes antifascistes et avant-gardistes), devrait bientôt avoir un musée.

Bitonto
À 20 km à l'ouest de Ruvo di Puglia par la S 98. À 17 km au sud-ouest de Bari par la S 96 puis la S 98 à hauteur de Modugno. Entourée d'une mer d'oliviers – Bitonto est d'ailleurs réputée pour la production d'huile d'olive –, la ville ancienne possède l'une des plus belles et impressionnantes **cathédrales**★★ romanes de la région. La cathédrale surprend car elle surgit au détour de ruelles étroites et tortueuses. La façade tripartite est animée de larges ouvertures richement sculptées ; sur le flanc droit court une élégante galerie à colonnettes supportée par de hautes arcades. L'intérieur, indexé sur le modèle de Bari, possède des colonnes à beaux chapiteaux soutenant une galerie à triplets ; remarquable **chaire**★ de 1229.

LES PLAISIRS DE LA NATURE : LA CÔTE SUD DE BARI 4

Compter environ 160 km A/R. La côte sud moins urbanisée est jalonnée de bourgs aux dimensions plus modestes. De nombreuses petites plages de sable apparaissent après Cozze, à moins de 30 km de Bari.

Mola di Bari
À 21 km au sud-est de Bari par la S 16. Cette petite ville très vivante, moins envahie par les touristes, était un port d'embarquement très important à l'époque des Croisades. Le **château** du 13ᵉ s. est l'œuvre de Charles d'Anjou. De forme quadrangulaire, la place forte possède des bastions angulaires qui ne sont pas sans rappeler ceux de Barletta : l'ingénieur militaire qui présida à son remaniement au 16ᵉ s. est Evangelista Menga, celui-là même qui structura le château de Barletta.

Polignano a Mare
À 13 km au sud-est de Mola di Bari par la S 16. Entaillée par une profonde échancrure, la vieille ville de Polignano occupe un **site**★ pour le moins pittoresque, puisqu'elle s'organise de part et d'autre de cette *gravina* bordée de mer et flanquée de falaises d'une trentaine de mètres de hauteur. On accède à la **grotte Palazzese**, anfractuosité creusée par l'érosion, par la via Narciso. Les habitants aiment à dire que le chanteur **Domenico Modugno** (1928-1994), natif de Polignano et mondialement connu depuis 1958 grâce à son célèbre *Volare* (« Volare… oh ! oh ! Cantare… oh ! oh ! oh ! oh ! Nel blù, dipinto di blù, felice di stare quaggiù »), faisait ses gammes au-dessus de la *gravina*…

Monopoli

À 10 km au sud-est de Polignano a Mare par la S 16 puis par la S 377. Sa position géographique entre Bari et Brindisi, un arrière-pays riche en produits d'exportation (comme l'huile, les amandes, le caroube et le vin), ont permis à Monopoli de devenir une belle petite cité portuaire. Monopoli (*ville unique* en grec) s'est surtout développée pendant les Croisades, sous la férule des Vénitiens entre le 15e et le 16e s., avant de passer sous domination espagnole jusqu'au 18e s. Témoignent de son ancienne vitalité d'élégantes façades Renaissance (l'église San Domenico) ou typiquement baroques à l'image de la petite **place de Vescovado**. La **cathédrale**, entièrement reconstruite au 18e s., expose dans un intérieur fastueux des trésors comme **La Cène★**, du grand peintre napolitain Francesco de Mura (1696-1782), signée et datée de 1755. Près de la cathédrale, au 73 de la via San Domenico, surgit la petite église rupestre **Madonna del Soccorso** tandis que via Almafitana, la belle église **Santa Maria degli Amalfitani**, construite sur une grotte au 12e s., remaniée au 18e s., rappelle la présence d'habitants ayant migré d'Amalfi (*voir le chapitre « La Côte Amalfitaine »*). Belle balade le long du **port** flanqué de petits palais à la pierre chaude sur laquelle ondulent les ombres bleutées des barques des pêcheurs.

Sur la route qui longe la mer *(S 379)*, juste après la sortie de Monopoli, la magnifique plage de sable blanc, **lido Santo Stefano**, surgit dans une calanque près de l'ancienne abbaye de Santo Stefano.

Grotte di Castellana★★★

À 30 km au sud-ouest de Monopoli par la S 377. À Castellana-Grotte. ☎ 080 49 98 211 ou 800 21 39 76 (n° vert) - www.grottedicastellana.it - ♿- visite guidée uniquement, également en anglais, français et allemand à heures fixes. Visite courte (1 km, 50mn) : 15 mars-15 oct., 26 déc.-6 janv. : 8h30-12h30, 13h-19h (dép. toutes les heures). 16 oct.-14 mars : 9h30-12h30. 8 € (- 14 ans 6,50 €). Visite longue, jusqu'à la grotte Blanche (3 km, 2h) : 15 mars-15 oct., 26 déc.-6 janv. : 9h-12h, 15h-18h (dép. toutes les heures). 16 oct.-14 mars : 10h-12h. 13 € (- 14 ans 10,50 €). Fermé 1er janv., 25 déc. Visite déconseillée aux personnes souffrant de maladies cardio-vasculaires.

Les grottes suivent le parcours d'une ancienne rivière souterraine qui sillonnait le sous-sol calcaire des Murge. Découvertes en 1938 par le professeur Franco Anelli, elles ont révélé de magnifiques concrétions d'une infinie diversité : draperies, stalactites et stalagmites aux riches coloris. Le spectacle se hausse au grandiose avec la **grotte Blanche★★★**, qui étincelle grâce à ses cristaux de calcite.

Gioia del Colle

À 21 km au sud-ouest de Putignano (grotte de Castellana) par la S 377. Au centre de la petite ville s'élève un imposant **château normand** édifié sur une ancienne forteresse byzantine par Riccardo Siniscalco, (frère de Robert Guiscard) et conforme au plan des châteaux de Frédéric II. La cour carrée donne accès aux pièces du rez-de-chaussée qui accueillent un **Musée archéologique** : on y trouve notamment un splendide cratère

La vieille ville de Polignano a Mare.

DÉCOUVRIR LES POUILLES

corinthien à figures noires du peintre de Memnon, datant de la seconde partie du 6e s. av. J.-C. Il a été découvert sur l'acropole du mont Sannace (à 5 km au nord-ouest de Gioia del Colle) lors des campagnes de fouilles de 2002, attestant peut-être d'échanges commerciaux avec les colonies grecques de Tarente. Les décorations représentent des scènes de combat entre Achille et Memnon en présence de leurs mères respectives, Thetis et Eos qui, d'un geste désespéré, se drape la tête dans son manteau rouge quand Memnon succombe sous les coups d'Achille. À l'étage supérieur, la salle du Trône, éclairée par une belle fenêtre géminée, est caractérisée par un grand arc en plein cintre ✆ 080 34 81 305 - 2,50 € (- 18 ans gratuit).

Un pari sur l'avenir

Dans les années 1960, de grands projets industriels dans le triangle Tarente-Bari-Brindisi ont vu le jour pour sortir le sud de sa torpeur agricole. Mais ne subsiste vraiment que le complexe sidérurgique d'Ilva (ancien Italsider) autour du port de Tarente. Celui-ci compte aujourd'hui sur le développement du commerce asiatique pour devenir la plaque tournante de l'Europe vers l'Asie. À suivre...

Conversano

À 28 km au nord-ouest de Gioia del Colle via Turi. Cette belle bourgade juchée sur une éminence se voit de loin. Sa vieille ville possède un beau château de type normand, qui, aux 17e et au 18e s. sous l'impulsion de la famille Acquavira d'Aragona, s'est transformé en résidence. Près du château s'élève la cathédrale (achevée au 14e s.) et dont ne subsiste que la belle façade. Côté sud, surgissent l'église (identifiable à sa coupole en majolique) et le monastère de **San Benedetto**, siège d'un ancien couvent bénédictin (11e s.). La merveilleuse église **San Cosma e Damiano**, sanctuaire dédié au culte de Santa Rita da Cascia, mérite un détour pour ses surprenantes décorations baroques. Les fresques sont de Carlo Rosa et de Cesare Francanzano. Ne pas manquer dans le cloître le chef-d'œuvre de Paolo Finoglio, **Le martyre de saint Janvier★**.

Rutigliano

À 11 km au nord-ouest de Conversano par la S 634. La ville qui s'appelait autrefois *Rutilianum* (cité de la terre rouge) est surtout connue pour la production de ses *fischietti* : sifflets en terre cuite. Selon la tradition les hommes offraient à leur fiancée, le jour de la fête de saint Antoine, le 17 janvier, un sifflet en forme de coq. Gage d'amour, ce don augurait la célébration d'un mariage dans l'année. Le sifflet était généralement placé au centre d'un panier contenant des fruits secs (promesse de fécondité) et des *taralli* à l'anis, petits gâteaux secs en forme d'anneau. L'utilisation du sifflet n'est pas sans rappeler la parade amoureuse des oiseaux.

Puis retour sur Bari au nord-ouest (20 km environ) par la S 634 qui rejoint la S 100 à hauteur de Ognissanti.

Bari pratique

Informations utiles

OFFICES DE TOURISME

Bari – Piazza Aldo Moro, 32 - ✆ 080 52 42 244 - www.comune.bari.it

Barletta – Corso Garibaldi, 208 - ✆ 080 52 42 244 - www.comune.barletta.ba.it

Trani – Piazza Trieste, 10 - 1er étage du Palazzo Palmieri - ✆ 0883 58 88 30 - www.traniweb.it

TRANSPORTS

Pour les liaisons en train, voir p. 16-17.

Se loger

BARI

⌂ **Pensione Giulia** – Via Crisanzio, 12. **Bari** - ✆ 080 521 82 71 - www.hotel pensione giulia.it - 15 ch. avec ou sans salle de bains. La pension est située non loin de la gare ferroviaire et de la Piazza Aldo Moro, à une vingtaine de minutes à pied du centre historique. Un compromis géographique renforcé par des prix très compétitifs.

⌂ **Boston Bari** – Via Niccolò Piccinni, 155. **Bari** - ✆ 080 521 66 33 - www.bostonbari.it. Cet hôtel très prisé des hommes d'affaires pour la qualité de ses prestations et sa position stratégique entre quartiers d'affaires, rues commerçantes et quartier historique est la bonne adresse pour ce type de formule.

BARLETTA

⌂ **Itaca Hotel** – Viale Regina Elena, 30. **Barletta** - ✆ 0883 34 77 41 - fax 0883 34 77 86 - www.itacahotel.it - 🅿 - 27 ch. Hôtel moderne très confortable situé en bordure du front de mer loin des embouteillages, à une vingtaine de minutes à pied du centre historique. Belle salle de déjeuner. Poste Internet gratuit. Accueil très sympathique.

BARI

Artù – *Piazza Castello 67* - **Barletta** - ☏ *0883 33 21 21 - fax 0883 33 22 14 - www.hotelartu.it* - 🅿 *- 32 ch.* Cet hôtel placé juste en face du château, à la lisière du centre historique est une valeur sûre de Barletta.

BITONTO

Hotel Nuovo – *Via E. Ferrara, 21 - Bitonto -* ☏ *080 375 11 18 - fax 080 371 85 46 -* 🅿 *30 ch.* Cet hôtel un peu désuet mais le plus accessible de Bitonto grâce à un fléchage assez explicite, peut-être une solution de repli idéal pour prendre un vol matinal à l'aéroport de Palese, après avoir déambulé de nuit dans la belle ville de Bitonto. Parking payant mais indispensable.

TRANI

Albergo Lucy – *Piazza Plebiscito, 11 - Trani -* ☏ *0883 48 10 22 - www.albergolucy.com - - 11 ch.* Cet ancien palazzo aux chambres amples et lumineuses est placé à proximité du vieux port. Pas de petit-déjeuner. Une très bonne adresse avec le meilleur rapport qualité-prix de la ville.

B&B Centro storico - *Via Leopardi, 29 - Trani -* ☏ *0883 50 61 76 - www.bbtrani.it - 8 ch. (ch. et appart) -* . Couvent de Clarisses métamorphosé en B&B dans l'ancien quartier juif. Petit-déjeuner derrière les balustres et un ciel à claire-voie sous les citronniers du jardin suspendu.

Se restaurer

BARI

Osteria delle Travi « il Bucco » – *Largo Chyurlia 12 -* ☏ *33 91 57 88 48 - fermé 2ᵉ quinz. d'août, dim. soir et lun.* Accueillant restaurant familial, dans la vieille ville. Recettes de traditions.

Al Sorso Preferito – *Via Vito Nicola De Nicolò, 46 -* ☏ *080 52 35 747 - fermé merc., dim. soir - réserv. conseillée.* Bien que la clientèle soit nombreuse et les prix modérés, c'est la qualité qui distingue cet établissement, notamment grâce à une rigoureuse sélection des matières premières. On peut y déguster des plats maison traditionnels, aussi bien de poisson que de terroir.

Ai 2 Ghiottoni – *Via Putignani 11 -* ☏ *080 523 24 81.* Restaurant situé dans la ville moderne, fréquenté par la clientèle locale. Savoureuse cuisine inspirée du terroir apulien.

BARLETTA

I Saraceni – *Piazza Plebiscito, 64/65 -* **Barletta** *-* ☏ *0883 33 25 82.* Dans cette petite salle à l'ambiance populaire qui jouxte la partie boutique, comptoir et traiteur, laissez-vous guider par le patron ; une profusion de plats indexée sur la pêche du jour défilera rapidement sur la table. Bien fixer au préalable la somme que chacun compte dépenser afin qu'aucun malentendu ne vienne gâcher ce petit moment festif, scandé les soirs de match télédiffusés par les commentaires intarissables du journaliste sportif.

RUVO DI PUGLIA

U.P.E.P.I.D.D.E - RistorArte – *Vico S. Agnese, 2 (Corso Cavour à l'angle de Trapp. Carmine) -* **Ruvo di Puglia** *-* ☏ *080 36 13 879 - www.upepidde.it - Fermé lun., 10 juil.-10 août.* Spécialités à la braise, saveurs traditionnelles et spécialités maison interprétées de façon très originale, le tout servi dans de petites salles aux plafonds en berceau et aux murs en pierre. Un bon choix de vins régionaux et italiens (si vous avez la chance de visiter la cave, vous comprendrez pourquoi). L'une des adresses les plus réputées de la région.

TRANI

Pizzerai Il Nabuccho – *Via Fabiano, 21 (piazza Teatro) -* **Trani** *-* ☏ *0883 48 69 11 - fermé mar.* Dans cette salle immense convergent le samedi soir toutes les familles de Trani, qui peuvent dévorer des pizzas jusqu'à trois heures du matin. L'une des valeurs sûres du port de Trani. Ambiance et service chaleureux.

Achats

RUTIGLIANO

Atelier Filippo Lasorella – *Via Vincenzo Chiaia, 67 -* **Rutigliano** *-* ☏ *080 476 27 27 - lun.-sam. - 8h-13h30, 17h-20h.* Une bonne adresse pour acheter des *fischietti*, les sifflets en terre cuite, spécialité des Pouilles.

Événements

En dehors des traditionnelles fêtes de Pâques, de nombreuses manifestations se déroulent à Bari et dans sa région : **la Festa delle fanove à Castellana** célèbre chaque année, les 11 et 12 janvier, depuis 1691 la fin de la peste grâce à l'intervention de Madonna della Vetrana ; parades en bateau le dernier dimanche du Carnaval (Gallipoli, Manfredonia) ; la **Fiera di San Leone** le 6 avril à Bitonto, traditionnel défilé historique déjà référencé dans le *Décaméron* de Boccace ; la fête de **Saint Nicolas de Bari** le 9 mai ; la **Disfida di Barletta** en septembre (l'évocation historique du fameux défi de Barletta, voir p. 260).

DÉCOUVRIR LES POUILLES

Promontoire du **Gargano** ★★★
Promontorio del Gargano
CARTE GÉNÉRALE B1 - CARTE MICHELIN N° 564 B/C 28-30

Le Gargano forme une des régions naturelles les plus attachantes de l'Italie par ses vastes horizons, ses forêts profondes et mystérieuses, sa côte découpée et solitaire. C'est un véritable paradis pour les amoureux du soleil et de la mer, mais la plupart des plages et des baies sont privées (elles appartiennent aux campings ou aux hôtels) et sont, par conséquent, difficilement accessibles.

- **Se repérer** – Le Gargano est planté tel un éperon dans la botte italienne. Pour s'y rendre, emprunter l'A 14.
- **À ne pas manquer** – La côte du Gargano et le village de Peschici. Pour le promontoire, le sanctuaire de San Michele, San Giovanni Rotondo et la Foresta Umbra composent trois moments clefs du voyage. Peu connue des touristes, la ville de San Severo vous réjouira.
- **Organiser son temps** – Compter au minimum deux journées par itinéraire.
- **Avec les enfants** – Un pique-nique dans la Foresta Umbra. La visite du sanctuaire de San Michele. Une leçon de chose sur les trabucchi en suivant la belle route côtière de Peschici à Manfredonia.
- **Pour poursuivre le voyage** – Voir Bari et ses deux circuits de découverte.

Vieste, l'un des jolis villages de la côte.

Comprendre

Du point de vue physique, le Gargano est complètement indépendant des Apennins : c'est un plateau calcaire creusé de gouffres où disparaissent les eaux. L'actuel promontoire formait jadis une île qui fut rattachée au continent par les alluvions des fleuves descendant des Apennins. Aujourd'hui, le Gargano apparaît comme un massif coupé de hautes vallées où s'est amassée la terre arable permettant les cultures. Son extrémité orientale est couverte de forêts. Les maigres pâturages et les landes des plateaux sont parcourus de troupeaux de moutons, de chèvres et de cochons noirs.

Au même système géologique appartiennent les très pittoresques îles Tremiti.

Le Gargano a été institué **Parc national** en 1991.

Circuits de découverte

LA CÔTE ET LE PROMONTOIRE DU GARGANO 1

190 km environ AR (voir carte p. 269).

Prendre la belle route côtière qui part de Manfredonia et suit toutes les indentations de la côte jusqu'à Peschici. Retour par l'intérieur du promontoire.

Promontoire du GARGANO

Manfredonia
Fondé au 13e s. par Manfred, fils de Frédéric II, ce port est protégé par un beau **château** caractérisé par un bastion en pointe de lance.

De Manfredonia, on peut se rendre *(3 km au sud par la route S 89)* à **Santa Maria di Siponto★**, élégante église romane du 11e s. qui mêle des influences orientales (plan carré, toit en terrasse dissimulant une coupole) et pisanes (arcades aveugles reposant sur des colonnes et renfermant des losanges).

L'**église San Leonardo** *(au-delà de Santa Maria, prendre à droite vers Foggia)*, de la fin du 11e s., s'orne d'un beau **portail★** finement sculpté (début du 13e s.).

Mattinata
À 15 km de Manfredonia par la S 89. La route côtière qui descend sur Mattinata offre une belle **perspective★★** sur cette grande bourgade agricole, formant une tache lumineuse au cœur d'une plaine plantée d'oliviers, d'amandiers et de figuiers d'Inde, encadrée de montagnes. C'est Horace qui le premier popularisa sa plage en écrivant une ode sur le philosophe Archytas de Tarente qui perdit la vie en faisant naufrage sur un écueil de Mattinata (347 av. J.-C.). Ami intime de Platon et illustre pythagoricien, Archytas fut le premier philosophe à exercer des responsabilités politiques en appliquant les idées de Pythagore à la puissante cité de Tarente.

De Mattinata à Vieste, très beau **parcours★★** en corniche dominant une côte découpée. La **baia delle Zagare★**, est le premier site pittoresque qui se trouvera sur votre route. Si l'on prolonge par la belle route littorale, **Pugnochiuso** et **Porto Greco**, donnent une dizaine de kilomètres plus loin de douces alternatives balnéaires. De la **Testa del Gargano**, belle tour carrée et ancienne tour côtière qui servait à guetter l'arrivée des Sarrasins, on obtient une très belle **vue★** sur la **crique de San Felice**. Juste avant d'arriver à Vieste, au large d'une immense plage de sable se dresse l'**écueil de Pizzomunno**, beau piton calcaire.

Vieste
À 15 km de Mattinata par la route côtière P 53. Attention, la S 89 passe par l'intérieur des terres. Cet ancien bourg de pêcheurs, assez étendu le long du littoral se resserre à flanc de falaise, autour de son château du 13e s. Au centre du village, se trouve un intéressant **musée de Malacologie** *(Museo Malacologico)*, qui possède une riche collection de coquillages provenant du monde entier. *avr.-oct. mat. et apr.-midi ; fermé le reste de l'année - gratuit.*

Isole Tremiti★
Excursions en bateau possibles depuis Vieste (voir l'encadré pratique). Ce minuscule archipel, le seul de la côte adriatique, comprend deux îles principales, San Nicola et San Domino, ainsi que deux îlots inhabités, Capraia et la lointaine Pianosa. Le trajet en bateau au départ de Manfredonia offre des **vues★★★** inoubliables sur le littoral du Gargano et ses hautes falaises calcaires d'un blanc lumineux. L'approche pittoresque de Vieste, Peschici et Rodi Garganico qui occupent des sites escarpés ajoute à la splendeur du parcours. Sur les pointes rocheuses, on aperçoit le traditionnel « trabocco » *(voir encadré ci-dessous)*.

San Nicola★ – Au sommet d'une falaise abrupte se dresse l'abbaye **Santa Maria al Mare**, fondée au 9e s. par les moines bénédictins. On y accède par une rampe fortifiée. À l'intérieur, vestiges d'un pavement de mosaïque du 11e s., polyptyque gothique du 15e s. et crucifix byzantin du 13e s. Des cloîtres, on bénéficie de beaux aperçus sur San Domino.

San Domino★ – Une promenade en bateau permet de découvrir les côtes rocheuses très découpées de cette île sauvage couverte d'une pinède. *Excursions : pour faire le tour de l'île prendre contact avec la Società Cooperativa A.M.A. : 0882 46 30 32.*

Les trabucchi, cousins des carrelets ?
Le long des côtes escarpées, surtout entre Vieste et Peschici, on remarque ces drôles de plates-formes en bois aussi déliées que des araignées d'eau *(voir photo p. 177)*. Elles tiennent au-dessus de la mer de larges filets carrés, tendus sur une armature plane de plusieurs mètres carrés de superficie. Les filets descendus et remontés horizontalement à l'aide d'un treuil à contrepoids appartiennent à une technique de pêche ancestrale qui rappelle la pêche au carrelet, technique encore pratiquée sur notre littoral atlantique.

Eaux cristallines et falaises spectaculaires des îles Tremiti.

Peschici★
À 40 km de Vieste par la route côtière P 52. Le village est magnifiquement lové sur un éperon rocheux éventrant la mer. Bourg de pêcheurs transformé en station balnéaire, moins touristique cependant que Vieste, ce village recroquevillé autour de l'église Sant'Elia (fête religieuse le 20 juillet) déploie dans un lacis de ruelles quelques discrètes et surprenantes richesses patrimoniales. Quelques-unes sont estampillées de cet imaginaire oriental (tête de sphinx) qui était alors très en vogue au retour de la campagne d'Egypte menée par Napoléon.

Foresta Umbra★★
À 28 km de Peschici par la S 89 puis la S 528. Unique dans la région des Pouilles, cette forêt, vaste futaie de hêtres vénérables, érables, pins, chênes chevelus, tilleuls, chênes, châtaigniers et très vieux ifs, couvre plus de 11 000 ha de vallons. Bien entretenue, elle est aussi très bien aménagée pour le tourisme.

Un **centre d'information** est installé dans la maison forestière située un peu au-delà de la bifurcation pour Vieste *(voir l'encadré pratique)*.

LA PLAINE DU TAVOLIERE 2
Compter environ 150 km pour ce circuit qui mélange les reliefs escarpés du promontoire aux planes immensités du Tavoliere. Voir la carte de la région p. 254-255.

Monte Sant'Angelo★
Monte Sant'Angelo, bâti sur un éperon de 803 m et dominé par la masse de son château, occupe un **site étonnant★★**, surplombant à la fois le promontoire du Gargano et la mer. Dans une grotte voisine, entre 490 et 493, l'archange saint Michel, chef des milices célestes, apparut à trois reprises à l'évêque de Siponto. Cet événement s'étant répété au 8e s., on décida la fondation de l'abbaye, où, au Moyen Âge, tous les croisés vinrent prier l'archange avant de s'embarquer à Manfredonia. Une fête accompagnée d'une procession de l'Épée de saint Michel a lieu chaque année le 29 septembre.

Santuario di San Michele★★ – Construit en style de transition roman-gothique, ce sanctuaire se trouve à l'entrée d'un campanile octogonal, élevé par Charles Ier pour remercier saint Michel de la conquête de l'Italie méridionale. Une fois passé le parvis (l'atrium supérieur), un grand escalier (13e s) couvert de grandes arcades gothiques descend jusqu'à l'atrium intérieur illuminé par un puits de ciel bordé par une corniche. Il faut ensuite franchir une très belle **porte de bronze★** richement ouvragée, (un travail byzantin de 1076), pour accéder à la nef couverte d'ogives qui s'ouvre sur la grotte *(à droite)* où saint Michel fit son apparition. Statue du saint, en marbre, par Andrea Sansovino (16e s.) et trône épiscopal du 11e s., d'un style courant dans la région des Pouilles.

Tomba di Rotari★ – *Descendre l'escalier face au campanile (fermé pour restauration lors de la rédaction du guide).* Le tombeau de Rotharis se trouve à gauche de l'abside de l'ancienne église San Pietro. Son entrée est surmontée de scènes de la Vie du Christ. À l'intérieur, un carré, un octogone, un tronçon conique se superposent pour recevoir la coupole. L'édifice abritait, dit-on, les restes de Rotharis, roi des Lombards au 7e s., mais il s'agirait en fait plutôt d'un baptistère du 12e s.

Promontoire du GARGANO

Chiesa di Santa Maria Maggiore – *À gauche du tombeau de Rotharis*. Bâtie dans le style roman des Pouilles, l'église possède un joli portail. L'intérieur renferme les restes de fresques d'époque byzantine, qui recouvraient autrefois tous les murs (dans le bas-côté gauche, on distingue le personnage de saint Michel).

San Giovanni Rotondo

À 15 km à l'ouest de Sant'Angelo par la S 272. La croix plantée en 1540 par les Frères Capucins dans le petit bourg de San Giovanni Rotondo allait donner racine 130 ans plus tard à la petite église **Santa Maria delle Grazie**, mondialement connue par la suite, puisqu'elle allait accueillir pendant plus de 40 ans l'incroyable personnage que fut **Padre Pio** *(voir encadré)*. Depuis San Giovanni Rotondo n'a cessé de se développer, à l'image des 7 millions de pèlerins qui viennent prier ici chaque année. La **Casa Sollievo della Sofferenza** *(la Maison du Soulagement de la Souffrance)* créée par Padre Pio est aujourd'hui l'hôpital le plus grand et le plus moderne du Mezzogiorno italien. Plus récemment la nouvelle **chiesa San Pio★**, œuvre extraordinairement épurée et inventive de l'architecte Renzo Piano, dispose de la plus grande toiture ayant jamais recouvert une église européenne.

Cripta del santuario di Santa Maria delle Grazie – Né de l'agrandissement de l'ancienne église des Capucins à la fin des années 1950, le sanctuaire accueille depuis 1968 le corps de Padre Pio. Un parcours permet aux pèlerins de découvrir la cellule dans laquelle vécut Padre Pio de 1943 à 1968, le dortoir des séminaristes, la salle de classe, la cellule de l'intervention religieuse où le père fut opéré à sa propre demande d'hernie inguinale sans anesthésie afin d'empêcher le médecin d'examiner ses stigmates. Une librairie termine le parcours. *(Tlj : 7h30-12h, 15h30-18h30).*

L'extraordinaire Padre Pio

Né en 1887 à Pietrelcina, à quelques kilomètres de Bénévent, dans une modeste famille paysanne, Francesco Forgione exprime très vite le désir de devenir moine. Dès 16 ans, il fait son noviciat et, tout en revêtant le froc capucin, prend le nom de frère Pio. Novice d'une ferveur exceptionnelle, il prononce quatre ans plus tard ses vœux perpétuels et poursuit des études de philosophie et de théologie fréquemment interrompues par des maladies aussi graves qu'inexplicables. C'est au couvent de San Giovanni Rotondo, où il doit reprendre des forces, qu'apparaissent les cinq stigmates christiques (mains, pieds et flanc). Les autorités religieuses en prennent ombrage. Mais les enquêtes médicales se suivent et les conclusions convergent : les plaies qui suintent continuellement sont scientifiquement inexplicables. Désormais les fidèles affluent pour voir et écouter ce prêtre aux mains enveloppées de mitaines. Padre Pio meurt le 23 septembre 1968. Ultime miracle observé lors de sa toilette mortuaire : son corps ne porte plus aucun stigmate. Le pape Jean-Paul II l'a canonisé en 2002.

DÉCOUVRIR LES POUILLES

Chiesa San Pio★ – Le parvis descend doucement à l'intérieur de la nouvelle église qui peut accueillir jusqu'à 30 000 fidèles, et qui semble suspendue au-dessus des collines du promontoire du Gargano (nous sommes à 567 m au-dessus du niveau de la mer). Planté d'oliviers, encadré de cyprès, de lavande et de lierre, le parvis a pour ligne de fuite la très épurée grande croix en pierre. Du haut de ses 40 m de hauteur, elle domine une étonnante structure scandée d'arches en pierre, maillée de rets d'acier sur lesquels courent une reptation d'écailles une toiture en cuivre d'un vert lumineux de 20 000 m² de superficie. L'église s'ouvre sur le parvis grâce à un magnifique **vitrail**★ de 700 m². Les scènes tirées de l'Apocalypse selon saint Jean sont d'une belle vivacité. À l'intérieur, les arches partent de l'autel pour retomber en gerbes de pierre en différents points de l'église. Cette architecture renouvelle très audacieusement la lecture des espaces liturgiques : observez la très personnelle **croix en bronze**★ réalisée par l'un des plus grands sculpteurs contemporains, Arnaldo Pomodoro. L'**orgue**★ (12 m de haut sur 10 m de large, 5 814 tuyaux) a été entièrement réalisé à la main par l'atelier Pinchi. Une seconde église plus propice au recueillement (550 m²) se trouve en dessous de l'église supérieure. Un orgue de dimension plus modeste est tapi dans la pénombre. Il sort aussi de l'atelier Pinchi de Foligno.

San Marco in Lamis
À 10 km à l'ouest de San Giovanni par la S 272. Le village, juché sur le promontoire du Gargano, est surtout prisé pour la procession des *fracchie*, torches gigantesques embrasées chaque année le soir du Vendredi saint. Cette tradition remonterait au siècle dernier ; des paysans avaient alors chassé les ténèbres en brandissant au-dessus de leurs têtes d'immenses faisceaux de branchages. Ils rapportaient dans leur village la statue de la madonna Addolorata ou Vierge des Douleurs. Nombreux sanctuaires *(Madonna di Stignano)* et grottes *(Paglicci)* alentour.

San Severo★
À 23 km à l'ouest de San Marco par la S 272. Durement secouée par un tremblement de terre en 1627, la ville, développée au Moyen Âge, s'est magnifiquement reconstruite au 17ᵉ s. Ses belles rues pavées, flanquées d'édifices baroques aux lignes élégantes, font de cette ville un lieu de promenade d'une grande beauté. Le **centre historique**★ organisé autour du Palazzo di Città *(place de la Mairie)* est un bon point de départ pour découvrir d'innombrables églises et palais.

Lucera
À 22 km au sud de San Severo par la S 160. Cité importante sous l'Empire romain, attribuée par Frédéric II de Souabe aux Sarrasins de Sicile que Charles II d'Anjou chassa, Lucera conserve une imposante **forteresse**★ (900 m de périmètre), érigée au 13ᵉ s. par les Angevins, d'où l'on découvre un beau **panorama**★ sur le Tavoliere. Le centre historique est dominé par le **Dôme**★ (14ᵉ s.) qui s'ouvre sur une belle place. Non loin se trouve une autre belle église romane aux lignes sobres, dédiée à saint François d'Assise, mais liée aussi au personnage de saint François Fasani, qui vécut dans la région au 18ᵉ s. et s'occupa de sa restauration. À proximité, un joli palais malheureusement en mauvais état accueille le **musée municipal G. Fiorelli**, qui recèle une **Vénus**★ de marbre, copie romaine d'un modèle de l'école de Praxitèle (& - ✆ 0881 54 70 41. *En restauration lors de la rédaction du guide*). Tout près du centre, l'**amphithéâtre romain**★, construit sous Auguste, est très bien conservé.

Troia
À 29 km au sud de Lucera par la S 160. Dominant la plaine du Tavoliere, ce centre agricole possède une belle **cathédrale** de style roman apulien, commencée au 11ᵉ s., et achevée au 13ᵉ s. Sa façade est ornée d'arcatures et d'une **rosace**★ asymétrique. Une **porte de bronze**★ du 12ᵉ s., de style byzantin, s'ouvre sur un intérieur à trois vaisseaux séparés par des colonnes à beaux chapiteaux. À l'extérieur, sur le flanc gauche, la porte est surmontée d'un **tympan** sculpté où figure le Christ entre deux anges.

Foggia
À 19 km à l'est de Troia par la S 17. Situé au cœur du Tavoliere, vaste plateau cultivé de céréales, cet actuel centre industriel et commercial fut fondé vers 1050 par le Normand Robert Guiscard. Frédéric II de Souabe y bâtit en 1223 un château aujourd'hui détruit. De l'édifice élevé en 1172, la **cathédrale** conserve la partie inférieure, avec une rangée d'arcatures aveugles surmontée d'une corniche sculptée, et la crypte ; le reste fut détruit par le tremblement de terre de 1731. *Retour sur Manfredonia (38 km) ou Monte Sant'Angelo (50 km) par la S 89.*

Promontoire du Gargano pratique

Informations utiles

Parco Nazionale del Gargano – *Via S. Antonio Abate - 121 Monte Sant'Angelo - Foggia -* ℘ *0884 56 89 11 - www.parcogargano.it*

Transports

On peut se rendre aux **îles Tremiti** depuis Termoli (bac : 1h40, bateaux rapides : 50mn-1h), depuis Ortona (2h en hydrofoil), depuis Vieste (1h30 en vedette) ou depuis Punta Penne di Vasto (1h en hydrofoil). Compagnies de navigation : **Navigazione Libera del Golfo**, Agenzia Dibrino, corso Umberto I, 23 - Termoli (Campobasso), ℘ 0875 70 39 37 ; **Adriatica di Navigazione**, Agenzia Cafiero, via degli Abbati, largo Marina - Isole Tremiti - ℘ 0882 46 30 08.

Se loger

MANFREDONIA

Hotel Gargano – *Viale Beccarini, 2.* **Manfredonia** *-* ℘ *0884 58 76 21 - fax 0884 58 60 21 - www.hotelgargano.net -46 ch.-* P. L'hôtel, très bien placé entre front de mer et quartier historique, offre toutes les commodités modernes. Restaurant.

PESCHICI

Hotel Peschici – *Via San Martino, 31 -* ℘*/fax 0884 96 41 95 - fermé nov.-mars -* P *- 42 ch.* -Aussi épanoui qu'un blockhaus, l'hôtel domine à-pic l'Adriatique. Malgré ses atours disgracieux et des chambres sans apprêt, le lieu ne manque pourtant pas d'attraits puisqu'il conjugue une vue imprenable à des prix modérés à deux pas du centre historique.

Hotel Solemar – *Località San Nicola, 3 km à l'est de Peschici -* ℘ *0884 96 41 86 - fax 0884 96 41 88 - fermé 21 sept. au 19 mai -* P *- 66 ch. - restaurant.* Donnant sur une baie privée encerclée de verdure, cet hôtel est idéal pour un séjour balnéaire reposant. Les chambres lumineuses sont toutes tournées vers la mer, à laquelle on accède par de petites ruelles fleuries.

Park Hotel Paglianza e Paradiso – *Località Manacore, 7 km à l'est de Peschici -* ℘ *0884 91 10 18 - fax 0884 91 10 32 - www.grupposaccia.it - fermé 15 oct. à mars -* P *- 110 ch. - restaurant.* Situé dans un endroit tranquille, à deux pas de la mer mais à l'abri d'un bois de pins maritimes, c'est la solution idéale pour qui recherche confort, détente et possibilité de pratiquer une activité sportive.

SANT'ANGELO

San Michele Palace Hotel – *Via Madonna degli Angeli -* ℘ *0884 56 56 53 - fax 0884 56 57 37 - www.sanmichelepalace. it -* P *- 50 ch. -restaurant.* Cet hôtel, l'un des rares qui soit ouvert en période hivernale, domine magnifiquement l'éperon rocheux de Monte Sant'Angelo à quelques pas du château. Service un peu coincé.

SAN SEVERO

Hotel Cicolella – *viale San Bernardino, 20 -* ℘ *0882 22 39 77 - fax 0882 24 20 19 -* P *- 30 ch.* Bon hôtel sis au fond d'une petite cour arborée à un quart d'heure du centre historique.

VIESTE

Hotel Svevo – *Via Fratelli Bandiera, 10 -* ℘ *0884 70 88 30 - fax 0884 70 88 30 - fermé 16 oct. au 29 mai -* P *- 30 ch.* Une terrasse-solarium avec piscine donnant sur la mer et une magnifique vue panoramique font le charme de cet hôtel très agréable, situé à deux pas du château du même nom. L'accueil y est familial et dynamique, et l'ensemble simple mais bien tenu.

ÎLES TREMITI

Hotel San Domino – *San Domino (Île) -* ℘ *0882 46 34 04 - fax 0882 46 32 21 - 25 ch. - restaurant.* Pour des vacances placées sous le signe de la détente, du soleil et de la mer. Plongé dans un océan de verdure et situé dans un endroit isolé, cet hôtel vous permettra de passer un séjour agréable. Vous y serez accueillis chaleureusement et disposerez de chambres simples et confortables.

Se restaurer

Le Arcate – *Piazza Cavallotti, 29 -* **San Severo** *-* ℘ *0882 22 60 25.* Nourriture soignée à base de spécialités locales (les pâtes orecchiette sont délicieuses). Service rigoureux, salle superbe : l'une des meilleures tables de San Severo.

Taverna al Cantinone – *Via Mafrolla, 26 -* **Vieste** *-* ℘ *0884 70 77 53 - fermé vend. (jusqu'en mai), nov. à Pâques.* Une trattoria simple et accueillante, située en plein centre historique, et qui propose des spécialités maison dans le respect de la tradition régionale. La qualité des produits et un bon rapport qualité/prix en font une adresse intéressante.

Medioevo – *Via Castello, 21 -* **Monte Sant'Angelo** *-* ℘ *0884 56 53 56 - fermé lun. (sf juil.-sept.).* Une fois gravis les escaliers menant au cœur du centre historique, vous serez accueillis ici avec courtoisie et goûterez une cuisine régionale odorante, attentive à la qualité des matières premières. Sous une voûte rustique, l'ambiance y est simple et moderne.

La Collinetta – *Località Madonna di Loreto -* **Peschici** *- 2 km au sud-est de Peschici -* ℘ *0884 96 41 51 - fermé oct. - 15 mars et le midi - réserv. conseillée.* Si vous avez envie de déguster des plats de poisson (extra frais !), pourquoi ne pas le faire sur une terrasse avec vue sur le littoral… Vous serez accueillis par des gens sympathiques, qui proposent également quelques chambres.

DÉCOUVRIR LES POUILLES

Lecce★★

**90 300 HABITANTS
CARTE GÉNÉRALE C2 - CARTE MICHELIN N° 564 F36**

Pas une façade qui ne soit « parée de festons, d'astragales, de figurines, de cariatides. [...] Des draperies se cassent et des anges ouvrent leurs ailes », écrivait Paul Bourget. La « Florence des Pouilles » déploie son charme baroque. Dans cette pierre chaude et blonde qui respire la lumière, un peuple d'anges, de saints et d'animaux cascadent au-dessus de nos têtes. La ville imprime sa richesse sous le sceau de Charles Quint, puis sous ceux de la domination espagnole et des grands ordres religieux ; princes et prélats sont en effet soucieux de plaire au ciel.

- **Se repérer** – Lecce surgit au cœur de la péninsule du Salento, à l'extrême sud du « talon » ; pour s'y rendre, emprunter la S 613.
- **À ne pas manquer** – La place du Duomo, la façade de la basilique Santa Croce à Lecce. La mosaïque de la cathédrale d'Otrante, le centre historique de Gallipoli.
- **Organiser son temps** – On peut facilement passer une journée à Lecce et deux jours dans la province du Salento.
- **Avec les enfants** – Privilégier la côte entre Otrante et Leuca pour son aspect sauvage et autour de Gallipoli pour se livrer aux joies balnéaires.
- **Pour poursuivre le voyage** – Voir la Terre des Trulli.

La fabuleuse dentelle ornant la façade de la basilique Santa Croce.

Comprendre

L'incroyable richesse de ses monuments a valu à cette ville son surnom de « Florence baroque », et c'est à la tombée du soir qu'elle dévoile tous ses charmes, lorsque ses monuments illuminés la transforment en un fastueux décor de théâtre. Ancienne colonie grecque, l'antique Lupiæ des Romains, ville prospère, fut ensuite appréciée par les Normands qui la substituèrent à Otrante comme capitale de cette région, dite Terre d'Otrante. Avec l'arrivée de Charles Quint au début du 16e s., Lecce connut une ère nouvelle dont témoignent aujourd'hui le château, les remparts et l'arc de triomphe appelé désormais Porta Napoli. Sous la domination espagnole (1557-1707), l'art baroque explosa à Lecce, porté par de nombreux monuments Renaissance, rococo et baroques. Les plus remarquables, surtout pour leur exubérance décorative, sont l'œuvre des **Zimbalo**, famille d'artistes particulièrement inventifs, qui répandirent leur style, appliqué aux églises aussi bien qu'aux palais, dans toute la péninsule du Salento *(voir encadré ci-contre)*.

Découvrir

LA VILLE BAROQUE★★

Le centre historique, jadis clos par une muraille (16e s.) dont il ne subsiste que de rares vestiges et le **château** (*via XXV Luglio - lun.-dim., 9h-13h, 16h-20h, - gratuit*) édifié par Charles Quint à l'emplacement d'une forteresse angevine antérieure, est maintenant

cerné par un anneau de rues. Le cœur de la ville est la vivante **piazza Sant'Oronzo**, que domine la statue de saint Oronce, patron de la cité, hissée au faîte de l'une des deux colonnes qui marquaient le terme de la Via Appia à Brindisi *(voir p. 282)*.
Dans la partie sud de la place, on a découvert des restes de l'**amphithéâtre romain** (2e s. apr. J.-C.). Sur la place s'affichent la petite église **San Marco**, attribuée à Gabriele Riccardi et élevée pour la colonie vénitienne, et l'antique **palais du Seggio**, où est temporairement gardée une statue de saint Joseph (19e s.) en papier mâché, matériau dont l'usage est typique de la région.

Santa Croce★★ B1
Cette basilique, œuvre de plusieurs architectes qui y travaillèrent aux 16e et 17e s., est le monument le plus représentatif du style baroque à Lecce. Sa façade est fastueusement décorée, mais sans lourdeur (la partie basse, dans sa conception au moins, est Renaissance). Le registre supérieur, très richement décoré, est vraisemblablement l'œuvre du Zimbalo. Entre les deux registres, un long balcon est soutenu par des atlantes et des caryatides zoomorphes. La balustrade est, quant à elle, ornée de putti portant des mitres et des livres. Au-dessus, la rosace centrale semble avoir été réalisée par une experte dentellière.
L'**intérieur**, élancé et lumineux, d'une architecture simple rappelant le style inauguré à Florence par Brunelleschi, présente également une abondante ornementation baroque d'une grande finesse. La chapelle située au bout du collatéral gauche se caractérise par un beau **maître-autel**, dont les bas-reliefs sont ornés de scènes de la vie de saint François ciselées par Francesco Antonio Zimbalo.

Palazzo del Governo B1
À côté de l'église, l'ancien couvent des célestins abrite les services préfectoraux. Il fut édifié par le Zimbalo (rez-de-chaussée) et G. Cino. Sa façade à bossages est percée de fenêtres chargées de décorations, notamment au 1er étage.

Chiesa del Gesù, o del Buon Consiglio B1
Via Francesco Rubichi. Construite entre 1575 et 1579 par les jésuites, cette église contraste par son austérité avec les autres édifices religieux de Lecce. Admirer à l'intérieur un somptueux **autel baroque★**.

Sant'Irene A1
En restauration lors de la rédaction de ce guide. Construite par Francesco Grimaldi pour les moines théatins, l'église conserve de somptueux **autels baroques★**, attribués à **Francesco Antonio Zimbalo**.

Piazza del Duomo★★ A1
Entièrement entourée par un ensemble homogène d'édifices baroques et précédée d'un arc ouvrant sur le corso Vittorio Emanuele, c'est l'une des places les plus remarquables de l'Italie du Sud. Sur la gauche, le **campanile**, construit de 1661 à 1682 par Giuseppe Zimbalo, est suivi du **Dôme** (même architecte), du **palais épiscopal** (17e s.) et du **palais du Séminaire** (élevé en 1709 d'après un dessin de Giuseppe Cino), dont la cour s'orne d'un **puits★** somptueusement décoré par le même sculpteur.

Duomo – Le premier portail que l'on voit est celui du côté gauche, le plus fastueux. L'imposante entrée est surmontée d'une arcade aérienne abritant une statue de saint Oronce. La façade principale *(visible de la place uniquement)* est beaucoup plus sobre. À l'intérieur, la **crypte**, refaite au 16e s., est soutenue par 92 colonnes, dont les chapiteaux présentent une décoration zoomorphe.

Il Rosario★, o San Giovanni Battista A1-A2
Dernière œuvre de Giuseppe Zimbalo, la façade de cette église présente une surabondante décoration à la fois minutieuse et gracieuse. L'**intérieur★** est orné de plusieurs retables d'une somptuosité sans égale.

Architecte ou virtuose ?
Lecce ne serait pas la ville du baroque sans **Giuseppe Zimbalo** (1617-1710) ; et l'artiste local n'aurait probablement pas cette réputation sans la pierre molle de Lecce, composée à 65 % de chaux et dont on dit qu'elle se durcit au contact de l'air. Car à bien observer certaines façades, et particulièrement celle de la basilique Santa Croce, la surcharge décorative, la profusion des motifs ornementaux font oublier la simplicité, la pauvreté des formes, voire l'indigence de la structure. Zimbalo, architecte ou sculpteur maniériste ? Pyrotechnicien virtuose comme l'ont appelé certains ? Ses pairs ont-ils tranché en le surnommant **Lo Zingarello**, « le petit Tzigane » ?

DÉCOUVRIR LES POUILLES

Via Palmieri A1
Le long de cette rue se présentent plusieurs édifices élégants, dont le palais Marrese (ou Palmieri – 18e s.), en face de la piazzetta Falconieri. Au bout de la rue, la **porte de Naples** (ou Arc de triomphe) fut élevée au 16e s. en l'honneur de Charles Quint.

Sant'Angelo B1
Via Manfredi. Bien qu'inachevée, la façade (1663) de cette église, avec ses guirlandes, angelots et chérubins, est typique du style de Francesco Giuseppe Zimbalo.

San Matteo★ B2
Son harmonieuse façade (1667-1700) conçue par Achille Carducci porte la nette influence du Borromini de Saint-Charles-aux-Quatre-Fontaines de Rome.

Visiter

Museo Provinciale Sigismondo Castromediano★ B2
Le musée est en partie réouvert mais la réorganisation des salles n'est pas encore achevée. Viale Gallipoli, 28 - lun.-sam. : 9h-13h30, 14h30-19h30 ; dim. : 9h-13h30 - gratuit. ℘ 0832 30 74 15. Installé dans un bâtiment moderne, il propose une riche section archéologique *(rez-de-chaussée)* et une très importante **collection de céramiques**★★ *(1er étage)*, dont se détachent des vases attiques à figures rouges. On y verra encore de nombreuses épigraphes d'origines diverses et deux belles statuettes en bronze (3e s. av. J.-C.) figurant une femme et un prêtre. Au 3e étage, pinacothèque *(collection pour l'heure absente)*.

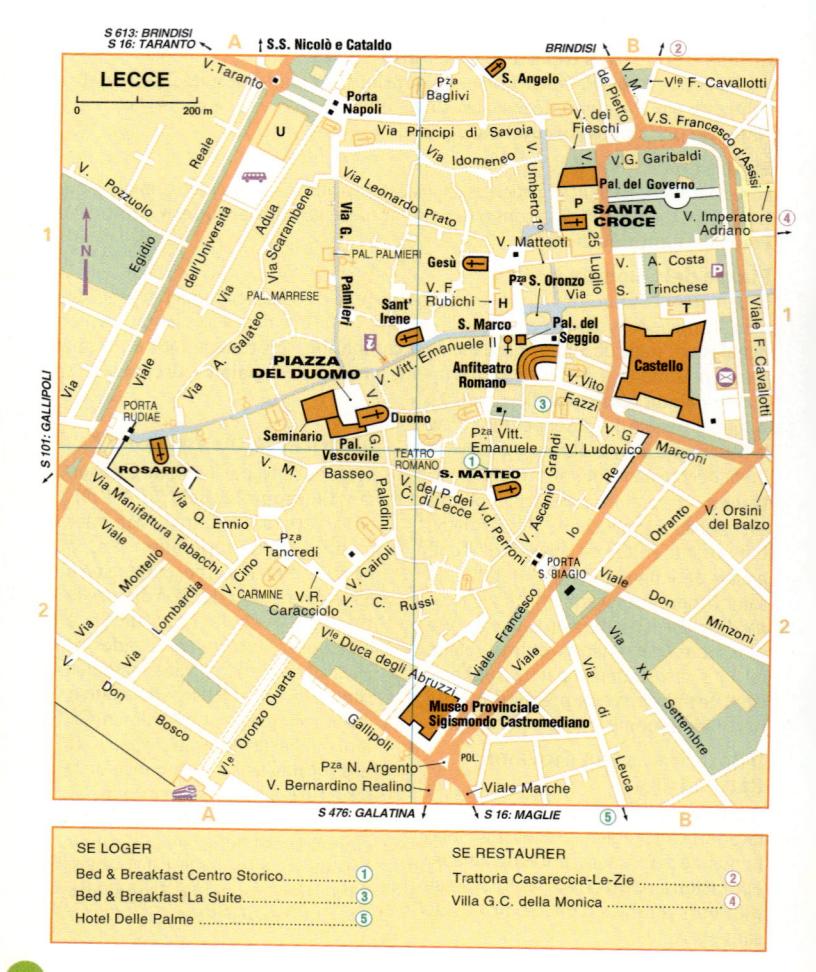

SE LOGER	
Bed & Breakfast Centro Storico	①
Bed & Breakfast La Suite	③
Hotel Delle Palme	⑤

SE RESTAURER	
Trattoria Casareccia-Le-Zie	②
Villa G.C. della Monica	④

Santi Nicolò e Cataldo
Au nord de la ville, près du cimetière. Construite par le Normand Tancrède de Lecce en 1180, cette église a été refaite en 1716, sans doute par Giuseppe Cino qui a respecté la partie centrale de l'ancienne façade romane, avec sa petite rosace et son portail normand. Le cloître, du 16ᵉ s., abrite un joli édicule baroque.

Aux alentours
Santa Maria di Cerrate★
14 km au nord par la S 613 vers Brindisi, puis à droite (signalisation). Totalement isolée dans la campagne, cette ravissante abbaye bénédictine remonte au 12ᵉ s. Un portique à beaux chapiteaux historiés (13ᵉ s.) flanque le côté gauche de l'**église**★, dont l'archivolte de l'élégant portail est décorée de scènes du Nouveau Testament. À l'intérieur subsiste une partie des fresques qui la décoraient entièrement. D'autres fresques ont été transférées au **musée des Traditions populaires**, installé dans les bâtiments conventuels, où sont encore exposés des outils et du matériel d'autrefois, utilisés surtout pour la fabrication d'huile (l'abbaye possède encore un pressoir souterrain).
℘ 0832 36 11 76 - tlj sf sam. mat. et apr.-midi - gratuit.

Galatina
22 km au sud par la SS 476. Centre artisanal et vinicole du Salento, péninsule plate et caillouteuse, Galatina possède une cathédrale dont la façade baroque rappelle le style gracieux de Lecce.
L'église **Santa Caterina d'Alessandria**★ (14ᵉ s.), commandée par Raimond des Baux Orsini, abrite un merveilleux cycle de **fresques**★ dues à plusieurs artistes du 15ᵉ s. et dans lesquelles les personnages féminins adoptent souvent les traits de Marie d'Enghien, épouse de Raimond. Dans la nef centrale, on peut admirer des scènes de l'Apocalypse, de la Genèse, de l'histoire de la Vie de Jésus ; le long du bas-côté droit, la Vie de la Vierge ; dans le chœur, des scènes de la Vie de sainte Catherine. L'abside de forme octogonale avec sa voûte en croix à tiercerons fut exécutée en 1455-1460.

Galàtone
24 km au sud-ouest par la SS 101. L'église du **Crocifisso della Pietà** présente une belle **façade**★ dorée d'un style baroque typique de la région de Lecce. Fastueux intérieur de stucs et d'ors.

Circuit de découverte
LA PÉNINSULE DU SALENTO★ (PENINSOLA SALENTINA) 6
180 km environ depuis Otranto, 225 km environ depuis Lecce. Voir carte p. 255. La plus orientale des régions italiennes (le Cap d'Otrante se trouve à 70 km de la côte albanaise) déroule plus de 200 km de côtes entre les mers Adriatique et Ionienne. **La costa meridionale**★, d'Otrante à **Santa Maria di Leuca** *(51 km)*, procure de très belles vues sur les indentations du littoral, sauvage et difficile d'accès. Côté ouest, de Leuca à Gallipoli *(49 km)*, le bord de mer dessert de belles plages de sables fin.

Otranto★
Ce port de pêche fut autrefois la capitale de la Terre d'Otrante, dernier réduit byzantin qui résista longtemps aux Lombards puis aux Normands. Au 15ᵉ s., les habitants, vaincus par les troupes de Mehmed II, se réfugièrent dans la cathédrale où ils furent massacrés ; les survivants, faits prisonniers, furent tués sur la colline de Minerve où a été élevé un sanctuaire en mémoire de ces « martyrs d'Otrante ». Sur la Terre d'Otrante, l'influence grecque fut telle qu'aujourd'hui encore les habitants parlent un dialecte très proche du grec.
Città Vecchia – On a une belle vue de la « Vieille Ville » depuis le port (môle nord-est) ; à gauche, **château aragonais** (15ᵉ s.) de forme trapézoïdale flanqué de grosses tours cylindriques. On accède à cette cité juchée sur une falaise par la Porta di Terra et la Porta Alfonsina (15ᵉ s.).
Cattedrale★ – *(Évitez les talons aiguilles car on entre de plain-pied sur la mosaïque).* Construite au 12ᵉ s., elle a été remaniée à la fin du 15ᵉ s. L'intérieur, à trois vaisseaux séparés par des colonnes antiques, est remarquable par son **pavement**★★★ de mosaïques réalisé entre 1163 et 1165 par un prêtre, **Pantaleone**. La décoration, aux formes simples, presque primitives, fascine par la vivacité des attitudes, la fraîcheur du coloris et la richesse des symboles. Dans la nef centrale, l'Arbre de vie, soutenu par deux éléphants indiens, déploie ses branches où bestiaires médiévaux, héros de poèmes chevaleresques, images mythologiques, cycle des mois et signes du

Santa Maria di Leuca.

zodiaque se mêlent aux scènes bibliques. Ce schéma est reproduit à l'extrémité des deux bas-côtés, avec deux autres arbres représentant le Paradis et l'Enfer *(à gauche)*, ainsi que des personnages bibliques et mythologiques *(à droite)*. Remarquer aussi l'immense **crypte** divisée en cinq vaisseaux et reposant sur une véritable forêt de chapiteaux antiques (classiques, byzantins et romans).

Porto Badisco – À une dizaine de kilomètres au sud d'Otrante, belle plage facilement accessible.

Santa Cesarea Terme
À 10 km au sud par la S 611. « La petite Vichy des terres d'Otrante », comme on la surnomme parfois en raison de ses sources sulfureuses, s'est développée grâce au tourisme thermal. Cette manne, parfaite pour les soins dermatologiques ou les maladies respiratoires, serait issue, selon la légende, de la décomposition des Titans tués par Hercule. Ne pas manquer, parmi les résidences historiques de la ville, l'incroyable **Palazzo Sticchi★** au style orientalisant.

La **grotte Zinzulusa**, au fond d'une crique rocheuse, abrite quelques concrétions et deux lacs, l'un marin, l'autre d'eau douce, où vivent des espèces animales rares. ☎ 320 43 28 752 ou 0836 94 38 12 - www.grottazinzulusa.com - de mi-juil. à mi-sept. : 9h30-19h ; de mi-sept. à mi-juil. : 10h-16h. Visites guidées uniquement (20mn), les visites sont suspendues les jours de grosse mer - 3 €.

Castro Marina
Ancien siège épiscopal flanqué d'un petit port de pêche au pied de la falaise. Belles grottes marines. Possibilité de louer des barques.

Santa Maria di Leuca
À 16 km au sud par la route côtière S 173. Posée à l'extrême pointe de la péninsule, la station balnéaire appelée également « Leuca » (*le cap* en dialecte), est un peu à Lecce ce que Deauville est aux Parisiens. Son front de mer est ponctué de villas ubuesques comme la villa Mellacqua, Episcopo ou San Daniele.

Gallipoli★
À 50 km au nord-ouest de Leuca par route côtière S 173. La « belle cité », *Kalè Polis* en grec, est l'un des joyaux du Salento. Blottie sur une île, la vieille ville est reliée à la ville moderne par un pont, point d'ancrage de tous les embouteillages en été. La petite ville de 23 000 habitants peut, pour le seul mois d'août, être submergée par des vagues touristiques de plus de 150 000 visiteurs. Il vaut donc mieux éviter les périodes estivales pour visiter ce petit bijou façonné au 17e et 18e s., enrichi grâce à la production d'huile d'olive destinée principalement à l'éclairage des villes. L'arrivée du pétrole en 1850 condamna Gallipoli à un long déclin.

Gallipoli possède un ravissant petit port. On y voit un château au donjon impressionnant, reconstruit au 16e s., où s'élevait un fortin angevin. Le centre historique s'arc-boute autour de la cathédrale **Sant'Agata** située sur le plus haut point de l'île. Commencée en 1629 sur le site d'une ancienne église romane, la cathédrale présente une façade en carparo (pierre locale) très contrastée : sobre, presque dépouillée sur son registre inférieur ; baroque sur la partie supérieure travaillée par l'architecte Giuseppe Zimbalo (voir p. 273). À l'intérieur, en cours de restauration, on peut observer entre échafaudages et retables, de nombreuses peintures des 17e et 18e s., d'artistes salentins pour l'essentiel.

Frantoio Ipogeo – À côté de la piazza Duomo, via Antonietta De Pace, 87 - ☎ 0833 26 42 42 ou 0833 26 25 29 - tlj 10h-12h30, 16h30-20h ; reste de l'année : sur demande préalable (possibilité de commentaires en français)- 1,50 €. Situés dans les caves (entièrement creusées dans la roche) du Palazzo Granafei, ces deux pressoirs à huile donnent une très bonne idée des procédés de fabrication employés au 18e s. et des conditions de travail des ouvriers oléagineux.

Museo Cavico – Situé en face du Frantoio Ipogeo - ☎ 0833 26 42 24 - mi-juin-mi-sept. : tlj sf dim. mat. et apr.-midi ; reste de l'année : fermé sam. et dim. - gratuit.
Ce musée, en fait un cabinet de curiosités, regroupe des objets très hétéroclites (insectes, minéraux, os de baleines, fœtus…). 2 800 volumes occupent les linéaires circulaires du premier étage.

Le long de la Riviera, empruntant le tracé de l'ancien mur, dont subsistent encore les remparts, se dresse l'**église de la Purità**, dont l'**intérieur**★ décoré de stucs fastueux présente de belles toiles du 18e s. et un remarquable pavement de majolique.

Porto Cesareo

À 36 km au nord-ouest de Gallipoli par la route côtière S 173. Cette petite ville qui ne présente pas de cachet particulier est surtout réputée des amateurs de plongée pour ses fonds marins. Le petit **musée de Biologie marine** *(via Vespucci, 16)* permet de se familiariser avec quelques espèces endémiques.
Le littoral est particulièrement urbanisé.

Pour prolonger le voyage

Vous pouvez prendre la S 174 jusqu'à Sava puis la S 7ter pour Tarente (88 km).

Tarente (Taranto)★

Fondée au 7e s. av. J.-C., ce fut une des plus importantes cités de la Grande Grèce. Son port naturel, magnifiquement abouché au golfe de Tarente, s'articule entre les eaux du *Mare Grande*, s'ouvrant sur le golfe et la mer Ionienne au sud, et celles du *Mare Piccolo*, vaste rade fermée au nord par deux îles fortifiées (la vieille ville et la ville moderne). Cette position stratégique a attiré de nombreux envahisseurs (Byzantins, Ostrogoths, Sarrasins, Normands, Souabes, Angevins, Aragonais). Sous Napoléon, la ville devint même une base navale très importante.

Aujourd'hui, c'est encore l'arsenal militaire qui pourvoit l'essentiel des emplois de Tarente. Car des gigantesques projets d'industrie lourde lancés dans les années 1960 ne subsiste vraiment que le complexe sidérurgique d'Ilva (ancien Italsider) autour du port de Tarente *(voir p. 264)*. Ces industries ont bien sûr mis à mal la beauté du littoral : les grandes cathédrales d'acier n'ont pas la chaleur des belles pierres calcaires. Malgré tout, Tarente reste une ville attractive pour son musée archéologique, pour ses grandes artères quadrillées fourmillant de monde et, surtout, pour sa vieille ville en ruines où flotte inévitablement, pour tous les lecteurs des *Liaisons dangereuses*, le souvenir fugace d'un étrange destin : celui de Choderlos de Laclos *(voir encadré)*.

En provenance du sud, on arrive automatiquement par la nouvelle ville.

Des « Liaisons dangereuses » à la ville de Tarente

Sa notoriété littéraire a éclipsé sa carrière militaire. C'est pourtant cette dernière qui va mobiliser son énergie pendant plus de 40 ans. Issu de la petite noblesse, Pierre-Ambroise **Choderlos de Laclos** embrassa la carrière des armes pour redorer son blason. L'officier spécialisé dans l'artillerie se piquait aussi de littérature. Des rares congés qu'il s'accorda, six mois suffirent pour écrire l'un des chefs-d'œuvre de la littérature française : *Les Liaisons dangereuses* (1782). Son roman épistolaire qui devait dénoncer le libertinage (« pour prévenir contre le vice, il faut bien le peindre… ») devint le bréviaire de tous les libertins en quête de passions délétères. C'est en qualité de commandant de l'artillerie de l'armée d'observation qu'il partit sur ordre de Napoléon pour les États de Naples. Après 40 jours d'un voyage exténuant, Laclos arriva à Tarente. Frappé de dysenterie, il mourut peu après. Sa tombe élevée dans l'île Saint-Paul, juste en face du port, fut détruite en 1815, date du retour au pouvoir des Bourbons.

DÉCOUVRIR LES POUILLES

Museo Nazionale Archeologico★★ – ☏ 099 453 21 12 - www.museotaranto.it - fermé 25 déc., 1er janv. et 1er Mai - 4 €. Il évoque, grâce à un matériel archéologique recueilli dans la région de Tarente, l'histoire de la Grande Grèce. Parmi les statues, le **Poséidon**★★ retrouvé à Ugento mérite une mention particulière : il est probable, en raison de sa posture archaïque, que cette statue de bronze remontant au 6e s. av. J.-C. soit de facture locale ; on a voulu y reconnaître le dieu de la Mer, mais on a supposé ensuite qu'il s'agissait de Zeus, tenant à la main un éclair et un oiseau (aujourd'hui perdus). La collection comprend un remarquable **ensemble de céramiques**★★★ comptant des vases de style corinthien, attique, proto-italiote et apulien à la décoration élégante et raffinée et surtout une exceptionnelle réunion de **joyaux en or**★★★, extraordinaires réalisations en filigrane et feuille d'or parfois incrustées de pierres dures et d'émaux, remontant à la période hellénistique (4e et 3e s. av. J.-C.).

Giardini comunali Villa Peripato★ – Embellis par une végétation exotique et luxuriante, ces jardins publics procurent une vue magnifique sur le bassin intérieur du port (Mare Piccolo).

Lungomare Vittorio Emanuele★★ – Face à la mer, superbe promenade plantée de palmiers et de lauriers-roses. Le **Palazzo delle poste** (la poste centrale), énorme forteresse qui s'élève en front de mer, est un legs du fascisme.

Passé le pont qui franchit le canal reliant le Mare Grande au Mare Piccolo se dresse le **château aragonais**, aujourd'hui siège du commandement de la Marine militaire et surveillant la pointe orientale de la Città vecchia.

Città vecchia★ – C'est une île reliée au continent par deux ponts, dont un pont tournant (ponte girovele). La Vieille ville est particulièrement délabrée ; toutes couleurs semblent bannies. Les ruelles feutrées d'ombres sont émaillées de gravats, éclairées seulement par le linge blanc qui réfléchit la lumière ; une atmosphère digne du cinéma néoréaliste italien d'après-guerre.

Duomo – Datant des 11e s. et 12e s., cet édifice remanié (façade baroque) présente un intérieur à trois vaisseaux séparés par des colonnes antiques à chapiteaux romains ou byzantins, un plafond du 17e s. et la **chapelle de San Cataldo**★ revêtue de marbres polychromes et ornée de statues au 18e s.

San Domenico Maggiore – Fondée au 14e s., cette église fut considérablement remaniée à l'époque baroque. Sa belle façade, bien que détériorée, présente un portail ogival surmonté d'une rosace.

Situé à quelques pas du couvent San Domenico (en bordure du Lungomare V. Emanuele II) se trouve le **Palazzo Pantaleo**, palais construit en 1770 dont les plafonds sont couverts de remarquables **fresques**★ peintes par Domenico Carella.

Massafra★

À 15 km au nord-ouest de Taranto par la S 7 (Via Appia). Terre d'une civilisation rupestre, nommée avec emphase « la Thèbes italienne », Massafra mérite un détour. Ce bourg se niche dans un paysage d'une grande beauté. La surprise est d'autant plus forte que la zone industrielle de Tarente semblait dessiner des contours illimités. La réputation de Massafra tient à ses ravins flanqués d'habitats rupestres. Celui de la **Madonna della Scala**★ qui s'étire sur plus de 4 km décline, outre une végétation luxuriante (plus de 600 espèces de plantes endémiques malheureusement abîmées par l'inondation de 2005), un vertigineux réseau souterrain. Le plus spectaculaire est celui de **mago Greguro**. Il met en relation une douzaine de grottes disséminant quelques 300 abris. Massafra possède aussi une trentaine d'églises rupestres, connues sous le nom de cryptes byzantines (7e et 8e s.). Visiter en particulier Buona Nuova, San Marco, la Candelora, San Leonardo, Sant'Antonio sans oublier le sanctuaire de la Madonna della Scala, église baroque enracinée sur une ancienne crypte au flanc de la Gravina. Visite guidée sur réservation à l'office de tourisme - 5 € (- 10 ans 2,50 €).

Mottola

À 10 km au nord-ouest de Massafra par la S 7. Cette petite cité de 17 000 habitants juchée sur une colline possède quelques beaux atours cultuels. La crypte de **San Nicolas**★ surnommée « La Cappella Sistina della Civiltà Rupestre » est décorée de fresques d'une étonnante vivacité (entre le 11e et le 14e s.) ; les églises rupestres de **Sant'Angelo** (11e, 12e s.) et de **Santa Margherita** (12e s.) complètent avec profit la visite. Visite guidée sur réservation auprès de l'Office de tourisme - 3 €, guide 30 € (- 6 ans gratuit).

Lecce pratique

Informations utiles

OFFICES DE TOURISME

Lecce – *Corso Vittorio Emanuele, 24 - ℘ 0832 24 80 92 - www.viaggiareinpuglia.it*
Gallipoli – *Piazza Imbriani, 10 - ℘ 0833 26 25 29 - www.viaggiareinpuglia.it*
Taranto – *Corso Umberto, 113 - ℘ 099 45 32 392 - www.viaggiareinpuglia.it*
Massafra – *Via Vittorio Veneto, 15 - ℘/fax 099 880 46 95 - www.comune dimassafra.it*
Mottola – *Via Vanvitelli, 4 - ℘ 099 886 69 48 - www.comune.mottola.ta.it t*

Se loger

LECCE

Bed & Breakfast Centro Storico – *Via Andre Vignes, 2/B - ℘/fax 0832 24 27 27. www.bedandbreakfast.lecce.it.* Au cœur du centre historique le plus animé de Lecce (à côté de la Piazza Sant'Oronzo). Les chambres aménagées dans ce palais du 16ᵉ s. peuvent être un peu sombres, mais la hauteur de plafond élèvera vos rêves. Excellente adresse, accueil des plus chaleureux. Très belle terrasse. Réservation salutaire.

Bed & Breakfast La Suite – *Via degli Acaya, 14 - ℘ 328 097 30 58 - www.lasuitebeb.it.* Studio ou chambre double en différents lieux de la ville.

Hotel Delle Palme – *Via di Leuca, 90 - ℘/fax 832 34 71 71 - www.hotel dellepalmelecce.it - 96 ch. -restaurant.* Non loin de l'atmosphère magique du centre historique, le bois et le cuir présents dans cet hôtel lui donnent de petits airs hispaniques. Le soin du détail s'étend aux chambres, lumineuses, dotées de lits en fer forgé et de mobilier décoré.

GALLIPOLI

Hotel Al Pescatore – *Riviera Colombo, 39 - ℘/fax 833 26 36 56 - 23 ch.* Belle demeure 17ᵉ s. située au cœur de l'îlot médiéval, gérée avec simplicité et convivialité. Bon restaurant avec cuisine de type familial.

TARENTE

Park Hotel – *Viale Virgilio, 90 - ℘ 099 33 10 51 - fax 099 37 39 42 - www.parkhotel taranto.it - 93 ch.* Situé en front de mer, cet hôtel facilement accessible en voiture, mais éloigné du centre historique, offre de bonnes prestations.

Se restaurer

LECCE

Trattoria Casareccia-Le-Zie – *Via Costadura, 19 - ℘ 0832 24 51 78 - fermé dim. soir et lun., 24 déc.-6 janv., 30 août-15 sept.* Une trattoria d'autrefois, au décor simple et soigné et où l'on vous accueillera avec cordialité. La cuisine consacre une tradition culinaire de plus de soixante ans. Les savoureuses recettes maison sont préparées à la commande, tout en restant à des prix très compétitifs.

Villa G.C. della Monica – *Via SS. Giacomo e Filippo, 40 - ℘ 0832 45 84 32 - fermé mar., 10 au 30 janv., 30 juil. au 6 août.* Un des restaurants les plus cotés de la ville, situé dans un palais du 16ᵉ s. du centre historique. Dans le cadre élégant des salles aux plafonds à voûte, où les huisseries précieuses font écho aux cheminées de marbre, vous dégusterez des plats d'inspiration traditionnelle.

TARENTE

Ristorante Ristoro – *Via Pitagora, 76 - ℘ 099 45 26 240 - fermé sam.* L'un des restaurants préférés des habitants. Copieux, peu cher et compartimenté en de nombreuses salles ; on retrouve un peu l'esprit des bouillons français du 19ᵉ s.

MASSAFRA

La Locanda – *Via Sans Leonardo, 2 - ℘ 099 450 80 46 - fermé mar. soir.* La cuisine de cette pizzeria-trattoria, tenue par Gislaine, est goûteuse et incroyablement copieuse. Tout est fait maison. Les pâtes fraîches sont un régal et d'une variété infinie : macaroni, capunti, cavatelli, orechiette, calzoni. Accueil extrêmement chaleureux.

Achats

Marcella Donno, Cartapesta Leccese – *Via Matteoti - Lecce - ℘ 392 37 38 200.* Exigence et qualité artisanales caractérisent les figurines en papier mâché qui sont vendues ici. Des pièces de collection sont également exposées dans une petite partie muséographique. Comptez environ 60 € pour les plus petits modèles.

Événements

LECCE

Un marché aux *Cartapesta*, figurines de papier mâché, où règnent les scènes de nativité se tient chaque année entre les 13 et 24 décembre. Une ambiance tout à fait particulière.

TARENTE

La Semaine sainte donne lieu à des cérémonies impressionnantes *(Processione dell'Addolorata)* : le jeudi et le vendredi, plusieurs processions – l'une dure douze heures, l'autre quatorze heures – parcourent la ville, allant d'église en église, avec une indescriptible lenteur.

DÉCOUVRIR LES POUILLES

Terre des Trulli★★★
Terra dei Trulli

CARTE MICHELIN N° 564 E 33-34

Entre Alberobello, Fasano, Ostuni et Martina Franca les murets de pierres sèches accompagnent de curieuses habitations. Les trulli sont des petites maisons blanches et coniques, coiffées de pierres plates et grises, de cette couleur d'ardoise que prennent les troncs d'oliviers racornis. Plantés sur cette belle terre rouge, les trulli sèment le long des petites routes arpentant la riante vallée d'Itria des petits univers féeriques qui nourrissent, sous le feuillage argenté des secs oliviers, notre regard d'un doux imaginaire.

- **Se repérer** – À 80 km de Bari par l'autoroute jusqu'à Monopoli (sortir par la S 377 en direction de Castellana puis de Putignano). La S 172 conduit à Alberobello.
- **À ne pas manquer** – La campagne enchanteresse parsemée de trulli ; le centre baroque majestueux de Martina Franca ; le site dépaysant d'Ostuni.
- **Organiser son temps** – Compter une demi-journée pour chacune des trois villes (Alberobello, Martina Franca, Ostuni). Prendre son temps à sillonner la région.
- **Avec les enfants** – organiser un pique-nique près d'un trulli abandonné au milieu d'un champ d'olivier.
- **Pour poursuivre le voyage** – Voir Lecce.

Les Trulli d'Alberobello

Comprendre

Les trulli, trullo au singulier (tiré du grec *tholos*, qui signifie dôme) étaient édifiés à l'origine sans utiliser de mortier *(voir encadré ci-contre)*. Cette technique de la pierre sèche était basée essentiellement sur ces pierres calcaires que les locaux trouvaient en grande quantité dans leurs champs. Ainsi d'une pierre, deux coups : en épierrant la terre pour la labourer, les paysans collectaient de façon économique les matériaux nécessaires à leurs constructions. Le trullo est directement érigé sur la roche (il n'y a pas de fondation et l'imperméabilité de la roche permet d'étancher le puits approvisionné exclusivement en eau de pluie). Dessinée sur un plan circulaire ou carré, chaque pièce correspond à une pièce d'habitation (aussi sont-elles groupées en principe par trois ou quatre). Elles sont surmontées d'une voûte en encorbellement (on pense aux bories de Provence) destinée à supporter le toit conique couvert de **chiancarelle**, tuiles en calcaire gris de la région. Au sommet se détachent des pinacles aux formes différentes. On n'en connaît pas exactement la signification (magique, religieuse, astrologique, ornementale, publicitaire, signature du maître trullaro ?), de même que les symboles (conjuratoires ?) qui sont peints à la chaux sur les toits.

TERRE DES TRULLI

Circuit de découverte
LA VALLÉE D'ITRIA 5
Voir la carte de la région p. 254-255.

Alberobello★★★
Classée au Patrimoine mondial de l'humanité par l'Unesco depuis 1996, pour son important quartier de trulli (autour de 1 400), la visite de cette petite ville est désormais en partie gâchée par l'exploitation touristique forcenée de son image. La majeure partie des trulli ayant été transformée en boutiques de souvenirs. La vieille ville se répartit en deux petites buttes qui se font face, de part et d'autre de la route principale traversant Alberobello. La **Rioni Monti**, est la partie touristique. À défaut d'acheter des trulli miniaturisés, on peut en profiter pour visiter de nombreux trulli et jouir, de leurs toits, d'une belle vue sur l'ensemble de l'agglomération. À son sommet s'élève l'**église Sant' Antonio**, elle-même imitée des trulli *(accès par la via Monte Sant'Angelo)* ; à l'intérieur, la croisée du transept est surmontée d'une coupole identique à celle que l'on observe dans les habitations particulières. En haut de la via Monte Nero, on pourra jeter un œil au **trullo siamois** identifiable aux deux cônes qui le composent. Ce trullo aurait été divisé en deux pour séparer les héritiers, deux frères querelleurs, suite à une affaire de cœur.

La partie opposée, l'**Aia Piccola**, est occupée par les anciens du village qui n'hésitent pas à se faire remarquer dans les cafés lors de parties de cartes endiablées. Derrière l'église principale juchée sur cette seconde butte, piazza Sacramento, s'élève le **Trullo Sovrano★**, seul trullo à deux étages, et comprenant pas moins de douze cônes. Érigé vers le milieu du 18ᵉ s., il conserve quelques meubles qui permettent d'établir la nature des différents locaux. Sa structure architecturale (voûte en croisée d'ogive, soutenue par quatre petits arcs romans) mérite une visite. ℘ 080 43 26 030 - www.trullosovrano.it - & - 1,50 € (- 12 ans 1 €).

En resdescendant sur la piazza XXVII Maggio, on découvre le **musée du Territoire** *(Museo del Territorio)*. Moins qu'un immense trullo, le musée est en fait composé d'une quinzaine de trulli. Les plus anciens datent du 18ᵉ s. De nombreux objets ethnographiques témoignent de l'univers rural et quotidien des trulli. Une exposition photographique illustre le jumelage d'Alberobello avec la région historique de Shirakawa-go pour ses grandes maisons au toit de chaume à double pente, uniques au Japon. ℘ 380 41 11 273 - & - juil.-1ᵉʳ oct. : 10h-19h30 (19h autrement et fermé le lun.) - 3 € (billet combiné avec entrée au musée du Vin).

On peut aussi visiter le **Musée du vin** *(museo del Vino)*, petit espace pédagogique attenant à la cave d'Alberobello, mettant en valeur les traditions vinicoles et viticoles des Pouilles. *Cantina Albea, Via Due Macelli, 8 -* ℘ *080 43 23 548 - www.albeavini.com (situé à 5mn de marche) - 3 € (billet combiné avec l'entrée au musée du Territoire).*

Locorotondo
À 9 km au sud-est d'Alberobello par la S 172. Cette ville est bâtie sur une colline autour de laquelle s'enroulent des ruelles concentriques, d'où son nom *(loco rotondo : lieu rond).* Le **centre historique★** renferme les églises San Giorgio, néoclassique, et Santa Maria la Greca, dont la façade est ornée d'une belle rosace gothique.

La route de Locorotondo à Martina Franca traverse la **vallée d'Itria★★**, fertile et vaste plaine cultivée de vignes et d'oliviers et parsemée de trulli.

Martina Franca★
À 6 km au sud de Locorotondo par la S 172. Cette cité toute blanche occupe une colline des Murge. Au sommet, la vieille ville, entourée de remparts, est un petit bijou baroque d'une grande élégance. Sur l'agréable **piazza Roma** s'élève l'ancien **palais**

Pour éviter l'ardoise...
Selon la légende, la technique à sec caractérisant la construction des trulli viendrait de l'idée ingénieuse de l'un des comtes d'Alberobello, Giangirolamo Acquaviva d'Aragona. Ce dernier, refusant de payer au roi de Naples les taxes indexées sur les bâtis élevés sur son territoire, donna l'ordre de construire des maisons *a secco*, c'est-à-dire sans fondation ni mortier, afin que les habitations, en cas d'inspection royale, se métamorphosent très rapidement en gravats. La légende fait fi des nombreuses constructions similaires qu'on trouvait fréquemment dans la région méditerranéenne jusqu'au 15ᵉ s.

ducal érigé en 1668 par la famille Petracone Caracciolo qui gouvernait alors la ville. Le palazzo – aujourd'hui l'hôtel de ville – possède un escalier monumental qui mène au premier étage enrichi de belles fresques du 18e s. *Lun.-sam. 8h-20h ; dim. et j. fériés 9h-12h, 17h-20h. Gratuit. (Téléphoner pour avoir confirmation des horaires)* 080 48 36 252.

En empruntant le corso Vittorio Emanuele, on rejoint la piazza Plebiscito, que domine la façade blanche de l'imposante cathédrale **San Martino**, dont le portail est orné d'un haut relief à l'effigie du saint, patron de la ville. À l'intérieur, le maître-autel (1773) est flanqué de deux belles statues de femmes en marbre personnifiant la Charité et l'Espérance. Sur la piazza Maria Immacolata attenante, caractérisée par des arcades à exèdres, s'ouvre la **via Cavour**★ bordée de nombreux palais baroques (Palazzo Fanelli-Torricella, Palazzo Magli, Palazzo Motolese, Palazzo Maggi). Tout près, dans la via Principe Umberto, l'église San Domenico arbore une belle façade baroque. Un peu plus à l'ouest en direction de la via Donizzetti et de la tour Mulini di San Martino, la **via Mazzini**, flanquée également de quelques palais, mérite un détour.

La **réserve naturelle Bosco delle Pianelle** – *SP 581 en direction de Massafra. Au kilomètre 14,9 panneau indicateur -* 080 440 09 50 *- www.boscopianelle.it*. Sur environ 650 hectares, bel exemple de forêts médiévales (chênaie, orchidées sauvages, pivoines etc.) sillonnées par 15 km de sentes pédestres et cyclables.

Ostuni★

À 29 km de Martina Franca par la SS 581, la SP 16 puis la SP 22. Ce gros bourg occupant plusieurs collines possède une vieille cité ceinte de remparts aragonais qui enroule ses ruelles blanches au pied de la **cathédrale**. Celle-ci, édifiée à la fin du 15e s., présente des éléments romans et gothiques. La **façade**★ s'achève sur un insolite jeu de lignes concaves *(partie centrale)* et convexes *(sur les côtés)* souligné par une décoration de petit arceaux. Au centre se détache une très belle **rosace**★, à la symbolique complexe liée au passage du temps : le nombre des arcades externes est de 24, comme les heures, celui des arcades internes est de 12, comme les mois, tandis que le Christ, au centre, est entouré de 7 têtes d'ange, comme les jours de la semaine.

Un peu plus loin, l'église San Vito (ou Santa Maria Maddalena dei Pazzi) abrite un minuscule **Musée archéologique** où est conservé le moulage de **Délia**, jeune femme qui vécut il y a environ 25 000 ans et qui mourut juste avant d'accoucher (le squelette montre les osselets du fœtus). - 0831 33 63 83 *- fermé au moment de la rédaction de ce guide.*

Pour prolonger le voyage

D'Ostuni, vous pouvez aller jusqu'à Brindisi à 45 km ; prendre la SP 20 puis la SS 379.

Brindisi

Son nom est probablement dérivé du grec *brenteséion* (tête de cerf), qui évoque la forme de la vieille ville enserrée entre ses deux anses du Levant et du Ponant. C'est Trajan qui, substituant à la vieille Via Appia une nouvelle route, la Via Traiana, à partir de Bénévent, contribua à accroître l'importance de Brindisi dès 109 apr. J.-C. Après la conquête normande, la ville devint, au même titre que Barletta, un point d'embarquement pour les croisés de Terre sainte et vit partir la 6e croisade (1228) conduite par l'empereur Frédéric II de Souabe. Avec Tarente et Bari, elle constitue un des sommets du fameux « triangle » de mise en valeur industrielle du Mezzogiorno *(voir p. 264)*.

Les monuments intéressants sont concentrés dans le centre. La **porte Mesagne**, ouverte au 13e s., constituait l'accès principal à la ville. Le **château souabe**, édifié sur ordre de Frédéric II en 1227 pour protéger l'anse du Ponant, accueille aujourd'hui l'amirauté. Près du port s'élève une **colonne romaine** de marbre, probable survivante des deux colonnes qui marquaient le terme de la Via Appia.

Piazza Duomo – Autour de la place se dressent la façade de la **Loggia Balsamo** *(à l'angle de la via Tarantini)*, construite au 14e s., le **porche des Templiers** (14e s.) et la cathédrale romane reconstruite au 18e s. À l'intérieur, au fond du collatéral gauche et autour du maître-autel, subsistent des restes de l'ancien pavement de mosaïque. Sur cette même place, le **Musée archéologique F. Ribezzo** regroupe de nombreux objets de fouilles, notamment une précieuse collection de vases apuliens, messapiens et attiques. *(Fermé pour restauration au moment de la rédaction de ce guide.)*

Les églises – Le noyau historique réunit de nombreuses églises. Le portail de **San Giovanni al Sepolcro**, église des Templiers érigée au 11e s., est précédé d'un auvent soutenu par des lions. L'intérieur de **San Benedetto** (11e s.) *(fermé pour restauration au moment*

TERRE DES TRULLI

de la rédaction de ce guide), très simple, présente trois vaisseaux séparés par des colonnes à chapiteaux corinthiens et décor zoomorphe (bœufs, lions, béliers) sous voûte à croisée d'ogives. L'ancien cloître est ceinturé d'un portique à colonnettes polygonales, aux chapiteaux très stylisés. La chapelle romane **Santa Lucia** garde des traces malheureusement très partielles de fresques du 13e s. Sous l'édifice subsiste le sanctuaire basilien antérieur, avec ses voûtes à croisée d'ogives portées par des colonnes à chapiteaux corinthiens. Les murs sont décorés de **fresques** du 12e s., parfois bien conservées, telles la Vierge à l'Enfant et, à sa droite, une Marie-Madeleine tenant un petit ciboire et deux burettes.

Santa Maria del Casale★

Environ 5 km au nord, près de l'aéroport. Magnifique exemple de transition romano-gothique, cette église fut édifiée au 14e s. à l'initiative de Philippe d'Anjou et de sa femme, Catherine de Valois. La façade, animée par les jeux géométriques de sa marqueterie bicolore, est caractérisée par un auvent décoré d'arcatures lombardes. Le cycle de fresques intérieures est d'inspiration byzantine. Remarquer notamment, au revers de la façade, les quatre registres du *Jugement dernier* et, dans le collatéral droit, *L'Arbre de la Croix*.

Terre des Trulli pratique

Informations utiles

Office du tourisme d'Alberobello – *Piazza Ferdinando IV -* ✆ *080 43 25 171.*

Se loger

ALBEROBELLO

Trulli holiday – *Piazza A. Curri, 1 -* ✆*/fax 080 43 25 970 - www.trulliholiday.com.* On vit de façon autonome dans son propre trullo habilement aménagé, au cœur d'Alberobello.

Trullidea – *Via Monte San Marco, 25 -* ✆*/fax 080 43 23 860 - www.trullidea.it.* Formule identique à la précédente, une quinzaine de trulli se disputent différentes gammes de confort.

MARTINA FRANCA

Villa ducale – *Piazzetta Sant'Antonio -* ✆ *080 48 05 055 - fax 080 48 05 885 -www.villaducalehotel.it -* 🅿 *- 24 ch.* Niché au cœur de la ville, entre le jardin communal et l'église. Chambres modernes et agréable terrasse. Bonnes prestations ; accueil très sympathique.

OSTUNI

Orchidea Nera – *Corso Giuseppe Mazzini, 118 -* ✆ *0831 30 13 66 - 5 ch.* Hôtel à la décoration un peu baroque, à 300 m du centre historique. Bonne adresse.

La Terra – *Via Gaspare Petrarcio, 20 -* ✆ *0831 33 66 51 - fax 0831 33 66 52 - 17 ch.* Ce splendide palais du 12e s. rénové avec une grande élégance, se trouve au cœur de la Ville Blanche. Vue panoramique imprenable. Petits-déjeuners copieux.

Se restaurer

ALBEROBELLO

La Cantina – *Vico Lippolis, 9 -* ✆ *080 432 34 73. Fermé mar.* Cuisine plébiscitée par tous les locaux depuis 1958. Vue sur les fourneaux. Charcuteries locales et viandes grillées de premier ordre.

Trullo d'Oro – *Via F. Cavalloti, 27 -* ✆ *080 432 39 09 - fermé dim., lun. soir et du 7 au 28 janv.* Dîner dans un trullo n'est pas chose courante ; l'expérience est d'autant plus intéressante que la cuisine est également au diapason de cette découverte. Grand choix d'antipasti, magnifiques grillades accompagnées pourquoi pas d'une purée de fèves.

MARTINA FRANCA

Trattoria La Tana da Nicolas – *Via Mascagni, 2-4-6 -* ✆ *080 480 53 20 - fermé mar.* Cette trattoria élégante, à l'arrière du Palazzo ducale est l'adresse la plus connue de cette petite ville. Cuisine traditionnelle basée sur de très bons produits.

OSTUNI

Restaurant San Pietro – *Via Gaspare Petrarcio, 20 -* ✆ *0831 33 66 51.* Dans ce cadre splendide, une annexe du palazzo du 12e s. (le restaurant appartient à l'hôtel La Terra), cuisine soignée et présentée avec élégance. Belle carte de vins italiens.

Faire une pause

Caffè Tripoli – *Via Garibaldi, 10 -* **Martina Franca** *-* ✆ *080 48 05 260.* Dans ce café digne d'une description stendhalienne, on peut déguster debout face au comptoir un bon capuccino avec un *bocconotto* (gateau sec fourré à la crème pâtissière).

Achats

Matarrese – *Via Monte Pertica, 9 - Zona Trulli -* **Alberobello** *-* ✆ *080 42 21 431 - www.trullo.net.* Cette boutique possède un choix exhaustif : pas moins de 9 000 sifflets différents sont ici exposés !

Événements

Le festival de la vallée d'Itria – *Rens. : Palazzo Ducale -* ✆ *080 48 05 100 - www.festivaldellavalleditria.it.* L'un des plus beaux festivals de musique classique d'Italie se déroule à Martina Franca (juil.-août).

La ville basse de Matera.

LA BASILICATE

597 000 HABITANTS
CARTE MICHELIN N° 561 G 4-5
CARTE DE LA RÉGION P. 254-255

La région de la Basilicate s'étend sur une superficie de 9 992 km², une région composée essentiellement de montagnes qui vont en s'aplanissant à destination de ses 30 km de côte tyrrhénienne. Cette région, montagneuse au centre, verdoyante et boisée au nord, argileuse et lunaire au sud, possède la beauté rude et sauvage d'une nature hostile, dont témoignent les modes de vie de ses habitants. Les Sassi, villes troglodytes, en sont bien sûr les signes les plus tangibles de même que leurs églises rupestres. Ici plus qu'ailleurs on entend annexer Dieu pour mieux combattre les superstitions qui fleurissent sur cette terre inhospitalière, isolée, faiblement peuplée et pourtant de tout temps courtisée par les hommes puisqu'on en trouve les traces dès le paléolithique inférieur (de 1 million d'années à 230 000 av. J.-C.).

- **Se repérer** – La Basilicate, appelée autrefois Lucanie (du latin *lucus* : terre recouverte de bois), est bordée par la mer Ionienne au sud-ouest et par la mer Tyrrhénienne au sud-est. Ses flancs plus septentrionaux se serrent entre la Campanie à l'ouest et les Pouilles à l'est. Elle occupe donc un point stratégique au cœur de l'Italie du Sud entre les mers Tyrrhénienne et Adriatique.
- **À ne pas manquer** – L'habitat et les églises rupestres de Matera avec la vue sur la *gravina* depuis la *Strada Panoramica*. Les magnifiques *calanchi* d'Aliano.
- **Organiser son temps** – Compter une journée pour Matera ; une seconde pour Aliano et ses *calanchi* ; une demi-journée suffit pour Venosa.
- **Avec les enfants** – La découverte des Sassi de Matera.

DÉCOUVRIR LA BASILICATE

Matera ★★

**58 643 HABITANTS
CARTE GÉNÉRALE C2 - CARTE MICHELIN Nº 564 E31**

Au cœur d'une région que l'érosion a creusée de gorges profondes, composant un paysage désolé aux vastes horizons, Matera surplombe le ravin qui la sépare des « Murge », collines des Pouilles. Tandis que la ville moderne et centre actif de Matera s'étend sur le plateau, sur son flanc lesté par une profonde crevasse, s'étire la ville basse qui, à fleur de ce tuf taillé, creusé, excavé, fait surgir un réseau d'alvéoles enchassées dans le lacis inextricable des sentes vertébrées d'escaliers. En 1993, ces maisons troglodytiques, d'où leur nom italien « Sassi » qui signifie « les cailloux », sont inscrits par l'Unesco à la liste du Patrimoine mondial de l'humanité. Les Sassi, ajoute l'organisation, sont les « exemples les plus intacts et les plus remarquables d'habitations troglodytiques en région méditerranéenne, parfaitement adaptées au terrain et à l'écosystème locaux ».

- **Se repérer** – Chef-lieu de l'une des deux provinces de la région, l'autre étant Potenza, Matera, qui se situe à 401 m au-dessus du niveau de la mer, se trouve au centre de la Basilicate, sur la S 7 (Via Appia).
- **À ne pas manquer** – Les Sassi de Matera et les calanchi d'Aliano.
- **Organiser son temps** – Compter une bonne journée pour visiter les Sassi.
- **Avec les enfants** – Les Sassi sont suffisamment énigmatiques pour attirer petits et grands.
- **Pour poursuivre le voyage** – Voir Venosa ; la Côte Tyrrhénienne (CALABRE) et le massif du Cilento (CAMPANIE).

Le noyau ancien de la ville.

Comprendre

Les **Sassi** ont été creusés dans le tuf du plateau de la Murgia, une roche tendre et calcaire qui affleure sur les flancs d'un profond ravin, *la Gravina*, où béent nombre de grottes naturelles. Dès le néolithique ces refuges sont habités puis aménagés, agrandis, abandonnés au fil du temps selon les vicissitudes de l'histoire qui connaît deux temps forts : au 8e s. les Sassi sont investis par les moines anachorètes des communautés basiliennes de la région. Ils fuient l'Empire d'Orient et la répression iconoclaste des Sarrasins qui remontent jusqu'à Rome en 846. Le tuf est creusé, de nouvelles cavités apparaissent, reliées ou non à des grottes qui sont agrandies. Ainsi se développe dans la région et dans les Pouilles voisines toute une architecture souterraine, dont l'agencement et la décoration révèlent cette influence byzantine. Pas moins de 130 églises rupestres sont en effet dénombrées dans la ville et ses environs. Quelques siècles plus tard les Sassi, – ils forment alors un un lacis inextricable de ruelles, d'escaliers et de petites maisons blanchies à la chaux, superposées de telle sorte que les toits servent de rues – sont confrontés au 19e et 20e s. à une profonde dégradation. Leurs habitants, principalement des groupes de familles paysannes sans terre, font face à des conditions de paupérisation extrêmes auxquelles s'ajoutent surpopulation et paludisme. Il faut attendre la publication du roman de Carlo Levi *(voir encadré p. 289)* pour que ce drame révélé à l'Italie toute entière trouve un aboutissement législatif. La loi De Gasperi ordonne le déplacement et le relogement de la population, qui compte alors en 1952 entre 16 000 et 20 000 personnes, dans de nouveaux quartiers de Matera. Les années 1980 voient leurs progressives réhabilitations. La population peut de nouveau vivre dans les Sassi. 2 000 habitants sont déjà présents.

Visiter

Piazza Pascoli

Ce peut-être le point de départ de la visite. On a en effet un très beau panorama sur le Sasso Caveoso et, par-delà la Gravina, sur le haut plateau de la Murgia.

Flanquant la Piazza Pascoli, le **palazzo Lanfranchi** (17e s) héberge le **Museo Nazionale d'Arte medievale e moderna della Basilicata**. *(Piazza Pascoli, 1 - ☎ 0835 25 62 11 - tlj sf lun. 9h-13h, 15h30-19h - 2 €).* L'ancien siège du séminaire diocésain abrite la pinacothèque Camillo D'Errico, grand collectionneur d'œuvres d'art, qui comprend quelque 300 toiles et 400 estampes de l'école Napolitaine du 17e et 18e s (Paolo Brill, Salvatore Rosa, Abraham Brueghel). Une section du musée est également consacrée à l'œuvre picturale de Carlo Levi *(voir encadré p. 289)*. On peut y voir notamment la grande fresque murale : « Lucania 61 ».

Duomo★

Fermé pour restauration lors de la rédaction de ce guide. De style roman apulien (13e s.), édifiée en pierre des carrières de la Vaglia, la cathédrale possède une façade tripartite, à un seul portail, qui s'orne d'une belle rosace et d'une galerie suspendue. Ses murs sont garnis d'arcs aveugles ; sur le flanc droit s'ouvrent deux riches portails. À l'intérieur, remanié aux 17e et 18e s., Madone de style byzantin (fresque des 12e-13e s.), crèche napolitaine du 16e s. en pierre, d'Altobello Persio (de Montescaglioso), un très bel exemple d'art populaire ; dans le chœur, les impressionnantes stalles ont été sculptées par Tantino, un artiste originaire d'Ariano Irpino (15e s.). La **chapelle de l'Annonciation★** (fin du 16e s.), œuvre de Giulio Persio de Matera, présente un beau décor Renaissance.

De la Piazza Duomo, très beau **panorama★** sur le Sasso Barsano.

Prendre la Via San Giacomo.

MUSMA, Museo della Scultura Contemporanea★

Via San Giacomo (Sasso Caveoso) - ☎ 320 53 50 910 - www.musma.it - ♿ - tlj sf lun. : 1er nov.-31 mars : 10h-14h ; 1er avr.-31 oct. : 10h-14h, 16h-20h - 5 € (- 19 ans 3,50 €).

Ouvert depuis octobre 2006, ce musée d'art contemporain logé dans l'élégant palais Pomarici (17e s.) est une petite merveille muséographique. Quelque 270 œuvres contemporaines, d'une plasticité souvent audacieuse, donnent vie à de magnifiques espaces, en particulier ceux qui s'inscrivent dans l'ancien réseau d'hypogées creusé dans la roche. La collection comprend des sculptures (en bronze, en bois, en papier mâché…) ainsi que des dessins, eaux-fortes, reliures, etc. Parmi les artistes en grande majorité italiens (Pomodoro, De Chirico…) figurent nombre de signatures internationales (Alechinsky, Beuys, Calder, Kounellis, Moore, Morellet, Richier, Tinguely, Zadkine…).

Museo Nazionale Ridola

Via Ridola, 24 - ☎ 0835 31 00 58 - ♿ - tlj sf lun. 9h-20h - fermé 1er janv., 1er Mai, 25 déc. - 2,50 €. Installé dans l'ancien couvent de Santa Chiara (17e s.), ce musée qui porte le nom du grand archéologue de Matera, abrite une collection de matériel archéologique d'autant plus intéressante que Matera témoigne d'une activité humaine dès le paléolithique (période qui s'étend du quaternaire jusqu'à 10 000 avant notre ère). Le musée est consacré à la préhistoire et à la Grèce antique.

> **Quand Matera fait son cinéma…**
>
> Les Sassi de Matera ont déjà séduit près d'une cinquantaine de metteurs en scène. Parmi les plus célèbres, Alberto Lattuada (*La Lupa*, 1953), Luigi Capuano (*Les Contes de Matera*, 1957), Luigi Zampa (*Gli Anni Ruggenti*, 1962), Pier Paolo Pasolini (*L'Évangile selon St Matthieu*, 1963), Francesco Rosi (*Le Christ s'est arrêté à Eboli*, 1979), Paolo e Vittorio Taviani (*Le soleil même la nuit*, 1990), Catherine Hardwicke (*Nativité*, 2006). Le film le plus lucratif pour les finances de la commune est bien sûr le très sulfureux film de Mel Gibson, diffusé dans le monde entier : *La Passion du Christ*, 2004.

DÉCOUVRIR LA BASILICATE

Les Sassi★★★
Les deux principaux quartiers troglodytiques de la vieille ville, qui s'étagent de part et d'autre de la Gravina sont le *Sasso Barisano*, au nord, et le *Sasso Caveoso*, au sud. Ce dernier formant l'ensemble le plus intéressant. Il héberge en effet les plus importantes églises creusées dans la roche.

Chiese rupestri di Sasso Caveoso★★
Via Madonna delle Virtù - ✆ *0835 31 94 58 ou* ✆ *0835 33 35 41 (office de tourisme) - www.sassitourism.it - tlj. 9h-17h - de 2,50 € à 6 € (- 16 ans 3 €) selon le nombre d'églises rupestres visitées : 1, 3 ou 5 églises.* L'avantage de cette visite qui se déroule dans le Sasso Caveoso est de découvrir quelques unes des plus belles églises rupestres : Convicinio di San Antonio (12e s.), Santa Maria de Armenis (12e-13e s.), Santa Barbara (13e -14e s.), mais aussi et surtout Santa Maria d'Idris (10e-11e s.) et Santa Lucia alla Malva (10e-11e s.). Elles contiennent toutes deux des fresques de l'époque byzantine remarquablement conservés.

Strada Panoramica dei Sassi★★
Cette voie panoramique, qui a pour nom Via Madonna delle Virtù, longe la gorge sauvage en contournant le rocher sur lequel est établie la cathédrale. Dans la paroi rocheuse qui fait face, on remarque de nombreuses grottes naturelles ou artificielles : « Les façades de toutes les grottes, qui ressemblent à des maisons, blanches et alignées, me regardaient, semble-t-il, avec les trous des portes, comme des yeux noirs », écrit Carlo Levi.

Points de vue sur Matera★★
Depuis les belvédères *(4 km, par la route d'Altamura, puis celle de Tarente et, à droite, par une route signalée « chiese rupestri »).*

Parco archeologico storico naturale delle Chiese Rupestri del Materano
Via Sette Dolori, 10 (rioni Sassi) - ✆ *0835 33 61 66 ou 0835 33 35 41 (office de tourisme) - www.parcomurgia.it - visite guidée sur demande préalable.*
On compte environ 130 églises rupestres dans Matera et ses environs. Une excursion dans le parc régional archéologique, historique et naturel (6 000 ha de territoire protégé) permet de découvrir l'une de ses composantes. Mieux vaut s'informer sur ce qu'il est possible de faire auprès du bureau de Matera car les accès sont parfois difficiles, les sites fermés et dangereux en bordure de la *Gravina*.

Cripta del Peccato originale★
À 14 km au sud de Matera, à Contrada Petrapenta, le long de la Gravina di Picciano. ✆ *320 535 09 10 (Coop. Artezetat) - www.artezeta.it - visite guidée sur demande préalable - tlj sf lun. - 8 €. On peut également avoir des informations au MUSMA.*
La crypte du péché originel, surnommée la grotte aux cent saints ou la « chapelle Sixtine de l'art rupestre », expression souvent usitée, témoigne cependant ici d'une manière assez rare de l'art sacré médiéval dans la région méditerranéenne. Cette fresque, véritable bible illustrée pour les ouailles illettrées, est datée du 9e s., soit 500 ans avant les premières fresques de Giotto (1267-1337), peintre rattaché au grand mouvement artistique de la Pré-Renaissance.

Aux alentours

Montescaglioso
À 19 km au sud de Matera par la S 175. Dominant la rivière Bradano, sa position stratégique a fait l'objet d'innombrables convoitises. Grecs, Romains, Normands se sont à tour de rôle emparés de cette ville qui connut son point d'orgue au 12e s. comme en témoignaient à l'époque son château et ses murs défensifs, comme en atteste aujourd'hui l'abbaye bénédictine de l'archange saint Michel (**Abbazia Benedettina di San Michele Arcangelo**). L'originalité du monastère, le plus imposant de la région, tient aux nombreux styles qui le composent. Il garde encore sur ses murs quelques fresques du 16e et du 17e s, époque à laquelle l'église a été reconstruite. Le mobilier a malheureusement été transféré au 18e s. à Lecce par les moines.

Metapontum
À 45 km au sud de Matera par la S 175. Metaponto, bourgade insignifiante et laide nous ferait presque oublier la cité florissante que fut Metapontum au 8e s. av. J.-C. De cette ancienne colonie grecque, prisée aujourd'hui pour son littoral balnéaire

(fleuri de villages de vacances), témoignent quelques **vestiges archéologiques**★ dont certains portent peut-être encore l'écho des voix du poète Horace *(voir encadré p. 292)* ou du mathématicien Pythagore.

Le Tavole Palatine – *Strada Statale Ionica, 106 - ℘ 0835 74 53 27 - 9h-1h av. le coucher du soleil - gratuit*. De style dorique, le temple dédié à Héra (530 av. J.-C.) conserve quelques parties de la colonnade extérieure. Les quinze colonnes cannelées toujours visibles ont été restaurées en 1961. Pour se faire une idée du site une petite vidéo est accessible à l'adresse : www.aptbasilicata.it/Tavole-Palatine.551.0.html.

Museo Archeologico Nazionale – *Via Aristea, 21 ℘ 0835 74 53 27 - ♿ - lun. : 9h-14h ; mar.-dim. : 9h-20h - fermé 24 déc., 1er janv. et 1er Mai - 2,50 € (- 18 ans gratuit)*. Le musée expose une belle collection de céramiques (originaires du *Kerameikos*, quartier des potiers) et de terres cuites (magnifiques statuettes de la fertilité des 7e et 6e s. av. J.-C.). Nombreux **vases cratères** (grands vases ouverts à deux anses dans lesquels on mêlait l'eau et le vin lors des banquets). Bijoux, fibules.

Parco Archeologico di Metaponto – *Metaponto Borgo - ℘ 0835 74 53 27 - 9h-14h - j. fériés : 9h-1h av. le coucher du soleil - gratuit*. Les pierres égrènent, de façon assez parsemée, les ruines de trois temples doriques (6e s. av. J.-C.) consacrés à Athéna, Héra et Apollon (auquel appartiennent les trois colonnes placées à l'entrée du parc) ; le quatrième, plus récent d'un siècle, affiche son ordre ionique. Surgissent les vestiges d'un *Ekklesiasterion* (édifice où se tenaient les réunions publiques) reconverti plus tard (4e s. av. J.-C.) en théâtre grec. Sa position dominante s'explique par la création d'un terre-plein qui palliait à l'époque à l'absence de déclivité naturelle.

Aliano★

À 84 km au sud-est de Matera. Prendre la S 7 jusqu'à l'intersection avec la S 40 où l'on suit sur sa gauche la direction de Pisticci Scalo. Prendre alors la S 176 (direction Peschiera), puis à Peschiera la S 103 (direction Montalbano). Au croisement de la S 598 prendre à droite en longeant l'Agri jusqu'à l'intersection avec S 92. Un panneau indique alors Aliano sur votre droite.

Les lecteurs de **Carlo Levi** peuvent faire un pèlerinage à Aliano. Ils reconnaîtront ce site d'une âpre et rare beauté, filmé d'ailleurs par Francesco Rosi lors de l'adaptation cinématographique du roman. Ce petit bourg de 1 300 âmes où l'écrivain vécut une grande partie de son exil (Aliano s'appelle alors Gagliano dans le récit) est agrippé à un éperon argileux au-dessus des plantations d'oliviers et des *calanchi*, ces fameuses « collines d'argile d'un blanc uniforme comme si la terre entière était morte et qu'il n'en était resté au soleil que le seul squelette blanchi et lavé par les eaux […] Le village à première vue, n'avait pas l'aspect d'un village, mais d'un petit ensemble de maisonnettes éparses, blanches, avec une certaine prétention dans leur misère », décrit Carlo Levi.

À l'extrémité du village se trouve la maison de Carlo Levi (**Casa e museo delle tele di Carlo Levi**) dont la partie inférieure (a priori une ancienne étable) héberge le musée de la Civilisation Rurale (**Museo della civiltà contadina**) (*℘ 0835 56 81 81 ou 0835 20 78 13 - tlj sf merc. 10h-12h30, 16h-18h30. - 3 €*). La vie de l'écrivain tout comme celle du paysan lucanien que Levi a fortement observée sont ici présentées. Les lecteurs retrouveront ce fameux espace de la vie paysanne alors divisé en trois

Un chef-d'œuvre incontournable

Ce récit autobiographique, écrit d'une plume sèche, a la sobriété et la précision d'une ordonnance. L'auteur il est vrai est médecin, mais aussi peintre et activiste politique. Ce sont d'ailleurs ses prises de position antifascistes sanctionnées par le régime mussolinien qui font basculer son destin. **Carlo Levi** est mis en résidence surveillée sur « cette terre sans consolation ni douceur, où le paysan vit, dans la misère et l'éloignement, sa vie immobile sur un sol aride en face de la mort ». Sa qualité de médecin lui ouvre progressivement les portes de ce milieu paysan, fruste et méfiant, désabusé et généreux, où sévissent paludisme et malnutrition. De ces deux années d'observation (1935-1936), il va faire une œuvre ethnographique et littéraire et révéler en 1945 à la face du monde la grande misère du Mezzogiorno des années 1930. « Sur cette terre sombre, sans péché et sans rédemption, où le mal n'est pas un fait moral, mais une douleur terrestre, le Christ n'est jamais descendu ». Se serait-il arrêté en route ? *Le Christ s'est arrêté à Eboli*, ville située à quelque 200 km au nord-ouest d'Aliano (Folio Gallimard, 1945).

Les austères calanchi d'Aliano.

couches : le berceau suspendu, le lit et sous le lit les bêtes ; le tout sous l'œil noir de la Madone de Viggiano aux côtés des dents blanches de Roosevelt, le président américain ayant été élevé au rang de ces divinités magnétiseuses de richesses. Nombre de paysans migraient alors aux États-Unis jusqu'à la terrible crise de 1929. Ne pas manquer de visiter, sur la petite éminence dominant le village, le cimetière d'Aliano. La **tombe** de Carlo Levi (1902-1975), d'une simplicité émouvante, domine sereinement les *calanchi*. L'écrivain souhaitait de sa « tombe-belvédère » observer encore sa maison.

Pour prolonger le voyage

La Basilicate se prolonge jusqu'à la mer Tyrrhénienne, sur une petite bande de terre arrachée à la Campanie et à la Calabre *(voir carte régionale p. 254-255).*

Maratea

À 169 km au sud-est de Matera. Prendre la S 7 jusqu'à l'intersection avec la SS 407 où l'on tourne à gauche pour Pisticci Scalo. Prendre alors la S 176 (direction Peschiera), puis à Peschiera la S 103 (direction Montalbano). Au croisement de la S 598 en direction de St Acangelo, prendre la SS 653.

Cette station balnéaire de 5 500 habitants aux nombreuses plages et criques, dissimule villas et hôtels dans une végétation luxuriante. Le bourg s'étage sur les pentes du mont Biagio (624 m), au sommet duquel se dressent la basilique San Biagio et la gigantesque statue blanche (22 m de haut) du Rédempteur. Ses bras ouverts ont un empan de 20 m. De là, on bénéficie d'un superbe **panorama★★** sur le golfe de Policastro et la côte calabraise. En aval (à 5 km) le **centre historique** se recroqueville sur de belles façades engoncées dans leurs pierres, pour céder la place 10 km plus bas devant l'aisance des jeunes pousses qui s'éparpillent sans apprêt particulier le long du littoral et autour du port de plaisance.

De Maratea on peut longer la route en corniche, la S 18 entre Policastro et Praia a Mare.

Golfo di Policastro★★

Le golfe de Policastro adossé aux montagnes dont les pointes déchiquetées évoquent par endroits l'univers karstique du Sud de l'Asie surplombe une mer d'émeraude où s'ouvrent de nombreuses et charmantes criques. Les pentes sont couvertes, en bas, de cultures de céréales et d'oliviers, plus haut, de futaies et de châtaigniers. De petites localités se succèdent dans un cadre enchanteur. *Pour la partie nord du golfe, voir Parc national du Cilento (CAMPANIE) p. 227.*

Matera pratique

Informations utiles

MATERA

Office de tourisme de Matera – *Via De Viti De Marco, 9 - ℘ 0835 33 19 83 ou Via Spine Bianche, 22 - ℘ 0835 33 18 17 - www.aptbasilicata.it*

Agenzia Viaggi e Turismo – *Via Casalnuovo, 15 - ℘ 0835 31 42 44 - www.gruppokarma.it.* L'agence peut fournir des guides interprètes très précieux.

MARATEA

Office de tourisme – *Piazza del Gesù, 32 - ℘ 0973 87 69 08 - www. aptbasilicata.it*

MONTESCAGLIOSO

Office de tourisme – *Piazza San Giovanni Battista - ℘/fax 0835 20 06 20.*

Se loger

MATERA

⊖ **Le Monacelle** – *Via Riscatto, 9/10 - ℘ 0835 34 40 97 - fax 0835 33 65 41 -www.lemonacelle.it - ⚏ - 8 ch.* Tout près du Dôme et des fameux « Sassi », cette maison a vue sur la gorge qui borde la ville. Elle propose des chambres et des pièces communes très spacieuses, et deux chambres « dortoir » de 15 personnes. Simple et tranquille, elle dispose également d'une chapelle consacrée.

⊖⊛ **Sassi Hotel** – *Vian San Giovanni Vecchio, 89 - ℘ 085 33 37 33 - www.hotelsassi.it - 23 ch.* Situé au cœur du Sasso Barisano, entre la via Giovanni Vecchio et la via Fiorentini, cet hôtel excavé dans le tuf de la gravina (crevasse), possède un charme incomparable. Les chambres rénovées avec élégance offrent à la nuit tombée un magnifique panorama sur le quartier historique. Notre adresse préférée.

ALIANO

⊖ **La Contadina Sisina** – *Via Roma, 13 - ℘/fax 0835 56 82 39 - www.lacontadinasisina.com.* Le café propose quelques chambres, les seules d'ailleurs du village, au confort très rustique mais d'un grand secours pour voir le village dans ses premières lueurs matinales. Pas de petit-déjeuner. Le café possède une belle salle de restauration (voir se restaurer).

MARATEA

⊖⊛ **La Dimora del Cardinale** – *Via Cardinal Gennari - ℘/fax 0973 87 77 12 ou 71 44 - www.ladimoradelcardinale.com - 16 ch.* L'hôtel – un peu pompeux – domine la petite piazza Immacolata du cœur historique de Maratea situé à quelques kilomètres en amont de la station balnéaire. Attention les prix peuvent connaître selon les saisons des fourchettes très extensibles. Le prix de la chambre standard passe ainsi de 70 € en avril ou mai à 125 € pour le mois d'août.

Se restaurer

MATERA

⊖ **Ristorante Il Terrazzino** – *Vico San Giuseppe, 7 - ℘ 0835 33 25 03 - fermé mar.* Dans les caves immenses d'un beau palazzo, la cuisine est servie dans une salle immense aux plafonds à voûte, où les huisseries précieuses font écho aux cheminées de marbre, vous dégusterez des plats d'inspiration traditionnelle.

ALIANO

⊖ **Taverna La Contadina Sisina** – *Via Roma, 13 - ℘/fax 0835 56 82 39 - www.lacontadinasisina.com.* C'est La table d'Aliano. La cuisine simple est indexée sur les produits régionaux selon les saisons. Bonne adresse avec des figures locales sorties tout droit du roman de Carlo Levi.

Evénements

ALIANO

Premio letterario Carlo Levi – *Via Martiri d'Ungheria, 1 - Aliano - ℘ 0835 56 85 29 - www.parcolevi.it ou www.aliano.it ou www.aptbasilica.it.* Chaque année une manifestation littéraire dédiée à Carlo Levi se tient à Aliano. Activités de recherche, concours littéraire rassemblent les grandes plumes du pays.

MARATEA

La Festa di Maria Santissima della Bruna – Cette fête célèbre chaque 2 juillet depuis 600 ans l'apparition de la Madone aux portes de la ville. La légende veut qu'elle se soit transformée en statue sur un char triomphal que la population avait détruit afin d'éviter que les autorités de la ville ne séquestrent la statue. Le point culminant de cette fête coïncide avec la destruction du char dont on se partage les fragments censés portés bonheur l'année durant.

⚐ *pour plus d'infos : voir le site www.festadellabruna.it (en anglais et en italien uniquement).*

DÉCOUVRIR LA BASILICATE

Venosa

12 159 HABITANTS
CARTE GÉNÉRALE B2 - CARTE MICHELIN N° 564 E29

Ville natale du poète Horace, cette petite ville élégante plantée au milieu des oliviers fut un carrefour historique important : à la croisée de la Via Appia pour les Romains et terre d'élection pour le plus connu des Normands, Robert Guiscard.

- **Se repérer** – D'une superficie de 17 km² à 415 m au-dessus du niveau de la mer, la ville (elle appartient à la province de Potenza) se trouve à 100 km environ au nord-ouest de Matera. De Matera prendre la S 175 jusqu'à Gravina in Puglia (23 km), puis la S 96 sur 10 km. Au croisement tourner à droite sur la S 655 pour 42 km, puis la S 529 sur votre gauche. Venosa est à 9 km.
- **À ne pas manquer** – L'abbaye de la Trinité après avoir déambulé via Vittorio Emanuele II.
- **Organiser son temps** – Compter une demi-journée.
- **Avec les enfants** – Le parc archéologique.
- **Pour poursuivre le voyage** – Voir Matera ; Bari et le Promontoire du Gargano (POUILLES) ; Bénévent (CAMPANIE).

Comprendre

Colonie romaine au début du 3ᵉ s. av. J.-C., l'antique Venusia se développe rapidement au contact de la via Appia Antica qui relie la Campanie aux Pouilles. La modification de son tracé par Trajan (98-117 ap. J.-C.) prive Venusia d'une grande partie de ses revenus. La ville tombe dans la décadence. Il faut attendre les Normands (11ᵉ s.) pour que la ville s'inscrive dans un nouveau réseau de prospérité avant de devenir, sous l'égide de Carlo Gesualdo, prince de Venosa et musicien expert en madrigaux, un centre artistique innovant et brillant au 16ᵉ s.

Visiter

Au sud-ouest de la ville, l'imposant château aragonais intronise le centre historique que l'on poursuit par la via Vittorio Emanuele II bordée de palais. Le parc archéologique et l'abbaye de la Trinité ferment au nord-est de Venosa cette parenthèse historique.

Castello

Ce château fortifié aux douves verdoyantes, érigé par le duc Pirro del Balzo Orsini (14ᵉ-15ᵉ s.), devint au 16ᵉ s. la résidence des cercles intellectuels de l'Italie par la volonté d'un homme aux ressorts très mystérieux : **Carlo Gesualdo** (1564-1610 ?). Neveu de cardinaux prestigieux, petit-fils du Pape Pie IV, ce musicien d'une grande inventivité à la légende sulfureuse et à la repentance sadomasochiste (il aurait assassiné sa femme et l'un de ses enfants), a fait résonner entre ces murs à la fois les cris de ses pénitences (il se faisait fouetter par ses serviteurs) et les notes de sa musique dissonante et sombre qui séduisirent jusqu'à Wagner ou Stravinski. Le château héberge le **Museo Archeologico**. Provenant de fouilles régionales, les matériaux présentés s'étendent du paléolithique inférieur (fossiles de rhinocéros, d'ours, de cerfs, d'éléphants, d'équidés) à la période normande. (✆ 0972 36 095 - ♿ - tlj sf mar. matin 9h-20h. - fermé 25 déc. et 1ᵉʳ janv. - 2,50 € (- 18 ans gratuit) ; billet combiné avec Parco Archeologico).

À mesure que l'on s'enfonce via Vittorio Emanuele II, on découvre l'ancien couvent de **San Dominico** (14ᵉ s.), piazza Orazio, le **Palazzo del Baliaggio** (14ᵉ s.), la **Fontana Di Messer Oto** (14ᵉ s.) dont le beau lion qui la domine provient des ruines romaines. De part et d'autre de

> ### Horace et Mécène
> De son nom latin Quintus Horatius Flaccus, Horace naquit en 65 av. J.-C. à Venusa, alors colonie romaine. Fils d'un esclave affranchi qui le poussa à s'instruire, il suivit des cours de philosophie et de poésie grecques avant d'être enrôlé dans l'armée républicaine de Brutus, l'un des sénateurs meurtriers de César. La défaite de Brutus face à Antoine et Octave lors de la bataille de Philippes (42 av. J.-C.), priva Horace de tous ses biens. Reconverti en scribe, il se piqua de poésie et rencontra Virgile qui le mit en relation avec un ministre d'Auguste ; ce personnage influent et fortuné s'appelait Mécène. Le plus grand nom de la poésie latine, est ainsi l'un des tous premiers artistes à avoir été sous mécénat.

VENOSA

la piazza Municipio, le **Palazzo Calvino** (18ᵉ s.) et la **Cattedrale di Sant'Andrea** (15ᵉ s.) construite par Pirro del Balzo Orsini sur la base d'une croix égyptienne. Une centaine de mètres plus loin, le vico Orazio conduit à la **maison d'Horace**, édifice romain à plan semi-circulaire qui tient davantage de la maison thermale. Il faut aller ensuite au-delà de la piazza Don Bosco : route provinciale Ofantina.

Parco archeologico
0972 36 095 - tlj sf mar. matin - 9h-1h avant le coucher de soleil - fermé 25 déc. et 1ᵉʳ janv. - 2,50 € (- 18 ans gratuit) ; billet combiné avec Museo Archeologico. Les vestiges de la Venusia antique comprennent des thermes, une chaussée romaine, l'amphithéâtre, la domus, ainsi que le baptistère paléochrétien de l'abbaye de la Trinité.

Abbazia della Santissima Trinita★
Tlj 8h30-11h30, 15h-17h30.
L'abbaye de la Trinité, joyau de Venosa, se compose de deux églises : la première, l'église vieille (*Chiesa Vecchia*) a été édifiée entre le 5ᵉ et le 6ᵉ s. sur un ancien temple païen consacré à Hymen, divinité présidant aux noces. Trois nefs portées par des arcs ogivaux sont complétées par un transept, une abside, et un déambulatoire pavé de mosaïques. Seule la tombe d'Aubrée, femme répudiée de Robert Guiscard a survécu de façon intacte aux siècles. La seconde église (11ᵉ et 12ᵉ s.) de style roman devait probablement agrandir la précédente. Construite à partir de matériaux prélevés sur l'amphithéâtre romain elle ne fut jamais achevée, raison pour laquelle elle est connue sous le nom de *chiesa Incompiuta*.

Catacombe ebraiche
Fermé pour restauration lors de la rédaction de ce guide. ✆ *0972 36 54 20.*
Cette catacombe hébraïque témoigne de la présence entre le 4ᵉ et 9ᵉ s. ap. J.-C. d'une très active communauté juive dans la région.

Venosa pratique

Informations utiles
Office de tourisme de Venosa – *Piazza Castello, 47 -* ✆ *097 23 16 09 - www.comune.venosa.pz.it*
Agenzia Guide turistiche – ✆ *097 23 25 69.*
Sites Internet :
www.lucaniatours.it
www.comune.venosa.pz.it
www.venosamelfiturismo.it

Se loger
Il Guiscardo – *Via Accademia dei Rinascenti, 106 -* ✆ *0972 32 362.* Un hôtel moderne et fonctionnel avec restaurant.

Robert Guiscard
Fils aîné de Tancrède, seigneur de Hauteville-la-Guichard, près de Coutances en Normandie, Robert Guiscard, « le Cuistre », (1015-1085), est la grande figure légendaire de ces conquérants normands qui déferlèrent sur l'Italie du Sud entre 1030 et 1190. Élu duc des Pouilles en 1057, il unifia la Calabre sous son autorité avant de lancer son frère Roger à la conquête de la Sicile en 1071. Deux ans plus tôt il avait choisi l'abbaye bénédictine de la Très-Sainte-Trinité de Venosa comme lieu de sépulture dynastique afin d'approfondir ses racines. Il y fait transférer les dépouilles de ses frères aînés avant de s'y faire inhumer en 1085.

La seule colonne subsistante du temple grec dédié à Héra Lacinia, sur le cap Colonna (près de Crotone), est un symbole de la longue histoire de la Calabre.

LA CALABRE

2 011 338 HABITANTS
CARTE MICHELIN N° 561 G 4-5
CARTE DE LA RÉGION P. 297

Située à l'extrême sud-ouest de l'Italie, à la pointe de la « botte », la Calabre a longtemps été un carrefour commercial et une terre d'invasions du fait de sa position privilégiée sur la mer. Pourtant, enclavée par sa forme péninsulaire et ses vastes massifs montagneux, elle a eu du mal à tisser des liens avec le reste de l'Italie. Elle a ainsi développé une identité très forte et des traditions toujours vivantes. Si la Calabre est une terre d'art et d'histoire, elle a aussi été merveilleusement gâtée par Dame Nature. La couleur de ses eaux cristallines, qui peuvent prendre des tons violets, comme en témoigne le nom de la côte qui s'étend de Gioia Tauro à Villa San Giovanni, fait écho au vert profond de ses montagnes et à l'ocre de ses terres parfois arides. Du nord au sud, son épine dorsale est formée par le massif du Pollino (2 248 m), la Sila, les Serre et l'Aspromonte. Une nature multiple et de toute beauté, des forêts épaisses aux plages enchanteresses et aux hauteurs solitaires de la montagne. Ses principales activités agricoles sont les oliviers, fournissant une huile excellente – celle de Rossano a un très faible taux d'acidité – et les agrumes, essentiellement les clémentines, les oranges blondes et la bergamote.

- **Se repérer** – La région calabraise, qui se divise en 5 provinces, est la partie la plus au sud de l'Italie péninsulaire. Baignée à l'ouest par la mer Tyrrhénienne et à l'est par la mer Ionienne, elle est séparée de la Basilicate, au nord, par le massif du Pollino et de la Sicile, au sud, par le détroit de Messine (la distance minimale entre les deux terres est de seulement 3,2 km). Le territoire est constitué de 4 massifs montagneux et de vallées étroites.
- **À ne pas manquer** – Le haut plateau de la Sila, les falaises de Tropea et les légendes de Scilla, et bien sûr les Bronzes de Riace (au Musée archéologique de Reggio di Calabria).
- **Organiser son temps** – Comptez une petite semaine pour faire le tour de la Calabre, en longeant les côtes. Si vous souhaitez explorer les montagnes, comptez deux ou trois jours de plus, selon vos aptitudes à la randonnée. Le climat est marqué par une longue sécheresse estivale et des mi-saisons pluvieuses : privilégiez les mois de mai, juin et septembre.
- **Avec les enfants** – Le centre de Cupone et la réserve des pins géants de Fallistro, qui proposent une initiation à la nature montagnarde ; le château de Le Castella auréolé de ses fabuleuses légendes ; le Musée ethnographique de Palmi pour leur faire découvrir l'histoire et les traditions calabraises.

DÉCOUVRIR LA CALABRE

Comprendre

Une histoire bouleversée

Grecs, Byzantins et moines basiliens (saint Basile, père de l'église grecque, vécut de 330 environ à 379) façonnèrent l'art et l'histoire de la Calabre antique : les premières colonies furent fondées au 8e s. av. J.-C. par les Grecs sur le littoral ionien. Ce n'est qu'au 3e s. av. J.-C. que Rome entreprit la conquête de l'Italie méridionale. Après la chute de l'Empire, la Calabre subit, comme les régions voisines, la domination des Lombards, des Sarrasins et des Byzantins avant d'être réunie au royaume de Naples puis des Deux-Siciles, avec lequel elle fut rattachée à l'Italie en 1860.

Les catastrophes naturelles, telles que les violents tremblements de terre de 1783 et de 1908, les famines, la misère, le brigandage, les problèmes sociaux et l'émigration ont durement éprouvé cette région, qui, grâce à la réforme agraire et à un engagement dans les domaines touristique et culturel, entretient désormais le légitime espoir de connaître une renaissance.

Un joyau de la période byzantine : la Cattolica de Stilo, sur la Côte Ionienne.

Une diversité ethnique et culturelle

Pendant de longs siècles, la Calabre a été une terre de refuge idéale pour les expatriés du pourtour méditerranéen, venus se cacher à l'ombre de ses forêts et de ses montagnes. Nombre d'entre eux en ont fait leur terre d'adoption, et c'est pourquoi on trouve en Calabre plusieurs minorités bien vivantes qui ont conservé leurs us et coutumes.

Les **Grecs d'Italie du Sud**, établis en Calabre depuis l'Antiquité, entretiennent encore leur dialecte grec. Ils occupent la partie la plus au sud de la région, et aussi la plus sauvage. Ce sont pour la plupart des bergers et des agriculteurs, qui ont gardé de fabuleuses traditions *(voir encadré p. 300)*.

Les **Occitans** ou **Vaudois** se sont réfugiés au 12e s. dans la région de Cosenza, chassés par la Sainte Inquisition qui les taxait d'hérétiques. Ils ont conservé leur dialecte qui viendrait de l'illustre « langue d'oc », ainsi que leurs coutumes et leurs traditions.

Les **Albanais** ont eux aussi fui leur terre natale pour se soustraire aux persécutions religieuses et aux invasions arabes, dès le 15e s. Concentrés dans la plaine de Sybaris *(voir encadré p. 299)*, ils jouissent d'une véritable autonomie religieuse et honorent leurs traditions et leurs coutumes par des fêtes fastueuses *(vallje)*.

LA CALABRE

DÉCOUVRIR LA CALABRE

Au cœur de la Calabre★★

CARTE GÉNÉRALE B/C2-3 - CARTE MICHELIN Nº 564 G/N 28-33

Véritable péninsule à l'intérieur de la botte italienne, la Calabre est une succession de massifs s'alignant jusqu'à la Sicile. Au nord, le Pollino, la porte de la région, a longtemps isolé ses habitants du reste du pays. Au sud, l'Aspromonte forme l'ultime signal méridional du continent en direction de l'Afrique. Entre les deux, les profondes vallées de la Serra, aux versants alpestres, et le haut plateau de la Sila, aux allures de pays nordique, forment des paysages insolites en plein cœur de la Méditerranée. La nature est le véritable joyau de la Calabre : vastes forêts de hêtres, chênes, pins, châtaigniers et mélèzes, fréquentées par les loups, daims et autres rapaces… Perchés au milieu de ce décor sauvage, la plupart des villages conservent la langue et les traditions de leurs lointains ancêtres. Au cœur de la plus vaste vallée de la région, Cosenza, la capitale de cœur des Calabrais, est encore surnommée, comme dans l'Antiquité, l'Athènes calabraise, avec ses milliers d'étudiants et sa vénérable académie. N'hésitez pas à sortir des routes littorales, et allez découvrir les beautés de cette Calabre encore méconnue.

- **Se repérer** – La Calabre forme une péninsule de 30 à 90 km de large, comprise entre le golfe de Policastro et celui de Tarente ; elle s'incurve vers la mer au point de presque toucher la Sicile. On peut s'y rendre par l'A 3 Salerne-Reggio.
- **À ne pas manquer** – Le haut plateau de la Sila et les villages de Civita et Bova.
- **Organiser son temps** – Comptez au moins trois jours.
- **Avec les enfants** – Le centre de visite de Cupone et la réserve des pins géants de Fallistro, dans le massif de la Sila, proposent des parcours ludiques à faire en famille.
- **Pour poursuivre le voyage** – Voir la Côte Ionienne, La Côte Tyrrhénienne, Reggio di Calabria ET LA BASILICATE.

Neige sur le lac de Cecita, dans le Parc national de la Sila.

Découvrir

LE MASSIF DU POLLINO

À cheval entre la Calabre et la Basilicate, le **Parc national du Pollino**★ occupe près de 2 000 km², avec plusieurs sommets dépassant 2 000 m d'altitude, dont la Serra Dolcedorme, le point culminant, à 2 267 m. Son relief est très accidenté, avec de nombreux phénomènes karstiques, grottes, précipices et gorges ; ses versants sont recouverts de vastes forêts de chênes, hêtres et sapins. Symbole du parc, le **pin des Balkans**, poussant en petits groupes ou isolément, possède une écorce recouverte d'écailles argentées, d'où son nom italien *pino lorica* (pin cuirassé). Les plus anciens spécimens, multiséculaires, peuvent dépasser 30 m de haut.

AU CŒUR DE LA CALABRE

Altomonte

Au-dessus du gros bourg d'Altomonte se dresse une imposante cathédrale angevine, construite au 14e s. et dédiée à **Santa Maria della Consolazione**. Sa façade est ornée d'un portail et d'une élégante rosace. L'intérieur, à nef unique et chevet plat, abrite le beau **tombeau★** de Filippo Sangineto. À côté de l'église, le petit **Musée municipal** (Museo Civico) contient un **Saint Ladislas★** attribué à Simone Martini, ainsi que d'autres œuvres précieuses. ✆ 0981 94 82 16 - mat. et apr.-midi - fermé 25 déc. - 3 € (- 18 ans 1 €).

Civita★

Situé à l'intérieur du Parc national, sur les contreforts de la Serra Dolcedorme, Civita est un village perché sur un éperon rocheux, fondé par les Albanais à la fin du 15e s. (Çifti en albanais), et où l'on parle encore la langue des lointains ancêtres venus des Balkans. Sur la place principale du village, le **musée ethnique Arbëresh** occupe l'ancien siège de la mairie. Il est illustré d'objets traditionnels, de tableaux anciens, d'icônes de facture byzantine et de nombreuses photographies : les mariages et les fêtes de Pâques, les plus importantes de la communauté, sont ici toujours célébrés avec une grande ferveur, suivis d'hymnes religieux, de chants populaires et, surtout, des célèbres danses traditionnelles, appelées *Vallje*. Vous pourrez voir notamment un ancien costume d'échange des vœux matrimoniaux. Comme en témoigne un vieux métier, le tissage était l'une des activités principales de la région avec la vie pastorale. Une section présente également le Parc national (✆ 0981 73 032 ou ✆ 0981 73 150 - www.museoetnicoarbresh.it - ♿ - juil.-août : apr.-midi et sur demande préalable ; reste de l'année : sur demande préalable - gratuit).

Au pied de Civita, un chemin mène aux **gorges de Raganello★★**, étroites et profondes, parmi les plus impressionnantes d'Italie, que le **pont du Diable**, reconstruit après des intempéries en 1998, enjambe avec majesté.

LE PLATEAU DE LA SILA

Le nom de Sila dérive d'un nom antique signifiant forêt : *hyla* en grec et *silva* en latin. Trois adjectifs l'accompagnent : Grande, Piccola et Greca. C'est un haut plateau de 1 700 km², où forêts de mélèzes et de hêtres alternent avec les prairies. L'altitude moyenne est de 1 200 m. Institué en 2002, le **Parc national de la Sila★★** remplace l'ancien parc national de la Calabre créé en 1968, avec une superficie qui a été étendue à plus de 700 km².

Dans la Sila Grande se trouvent les deux villages de Camigliatello et Lorica. À une dizaine de kilomètres de Camigliatello, le **centre de visite de Cupone** (Centro Visita Cupone), l'un des trois du parc national, offre la possibilité de se promener autour d'enclos, où, dans des cabanes de bois aux fenêtres à vitres réfléchissantes, on peut voir

---

Les Arbëresh

Descendants chrétiens des Albanais, les Arbëresh ont fui leur pays suite à l'invasion ottomane et à la mort de leur héros national, Skanderberg, en 1468. Ils se réfugièrent dans toute l'Italie méridionale, à l'intérieur de l'ancien royaume des Deux-Siciles, de Palerme à Pescara. La communauté la plus importante se concentre dans la province de Cosenza. Ils sont catholiques, mais de rite gréco-byzantin, reconnus par le Pape et organisés en deux diocèses institués par le Vatican au début du 20e s.

Quel est le rapport entre la Calabre et Souccoth ?

Souccoth est la fête juive des Cabanes, célébrée en souvenir des temps de l'Exode, quand les Juifs dormaient dans des cabanes. D'après *Le Lévitique*, 23. 39-40 : « Le quinzième jour du septième mois, quand vous récolterez les produits du pays, vous célébrerez donc une fête à l'Éternel, pendant sept jours : le premier jour sera un jour de repos, et le huitième sera un jour de repos. Vous prendrez, le premier jour, du fruit des beaux arbres, des branches de palmiers, des rameaux d'arbres touffus et des saules de rivière ; et vous vous réjouirez devant l'Éternel, votre Dieu, pendant sept jours ».

Le fruit que la tradition requiert pour la fête et dont elle exige également des critères de choix très précis, est le cédrat. C'est pourquoi, chaque été, arrivent du monde entier à **Santa Maria del Cedro**, dans la province de Cosenza, où les cédratiers bénéficient de conditions idéales, les rabbins chargés de choisir les cédrats pour leur communauté.

DÉCOUVRIR LA CALABRE

sans être vu daims et loups dans leur environnement. Le centre propose également un parcours botanique. Toujours à quelques kilomètres de Camigliatello, la **réserve naturelle des géants de Fallistro★★** (*I Giganti di Fallistro*) permet, à travers un petit parcours, d'observer des pins noirs centenaires pouvant dépasser 40 m de haut et 6 m de circonférence. Les maisons en bois qui apparaissent çà et là contribuent à provoquer l'illusoire impression que l'on se trouve dans un pays du Nord, surtout le long des berges des lacs Cecita, **Arvo★** et Ampollino.

Le tour des lacs peut s'achever à **San Giovanni in Fiore**, où Joachim de Flore (vers 1130-vers 1202) fonda un ermitage et établit une congrégation nouvelle dite « de Flore », dont la règle est semblable à celle des Cisterciens, avec plus de rigueur.

Cosenza★
31 km à l'ouest de Camigliatello.

Au pied du plateau de la Sila, Cosenza se déploie le long de la vallée du Crati. Elle doit sa célébrité à son académie fondée au début du 16ᵉ s. et portée par **Bernardino Telesio** (1508-1588), philosophe naturaliste et matérialiste considéré comme l'un des fondateurs de la pensée moderne. Longtemps surnommée l'Athènes de la Calabre, la ville abrite la plus importante université de la région, dont le siège se situe à Rende, à quelques kilomètres du centre.

Avec ses rues sinueuses bordées de nombreux palais qui surplombent la ville moderne, le **centre historique★** témoigne de la prospérité que connut la cité aux époques angevine et aragonaise : Cosenza était considérée comme la capitale artistique et religieuse de la Calabre. L'artère principale, le **corso Telesio★**, présente de belles façades décorées de balcons en fer forgé et d'anciennes devantures en bois. Elle conduit au **Duomo**, construit aux 12ᵉ-13ᵉ s. et rendu à sa forme première par une restauration récente. Il abrite le **mausolée★** du cœur d'Isabelle d'Aragon, morte à l'entrée de Cosenza en 1271 alors qu'elle revenait de Tunis avec la dépouille de son beau-père, le roi saint Louis. Son corps, ramené en France, reçut une sépulture digne d'elle à la basilique Saint-Denis. Le corso achève son ascension à la **piazza 15 Marzo**, dallée et entourée du palais du gouverneur (18ᵉ s.), du théâtre communal néoclassique et de la bibliothèque municipale, qui abrita la fameuse Accademia Cosentina. Au centre, la statue en bronze de Bernardino Telesio.

Au sommet de la Rocca di Brezia, la butte sur laquelle s'accrochent les toits de la vieille ville, le **château normand** domine l'ensemble de la cité : la **vue★★** s'étend sur toute la vallée du Crati, bordée par le plateau de la Sila et le massif de la Catena, enneigés en hiver. Doté par Frédéric II d'imposantes tours d'angle octogonales, le château a été en partie détruit par un tremblement de terre au 18ᵉ s.

LE MASSIF DES SERRE

Boisé de vastes forêts de hêtres, d'aulnes, de châtaigniers et de chênes, le **Parc naturel régional des Serre** protège les montagnes de granit coincées entre les côtes tyrrhéniennes et ioniennes, avec des sommets culminant entre 1 000 et 1 300 m d'altitude. Les chutes d'eau sont ici très nombreuses, et la plus impressionnante, la **cascade de Marmarico**, à Bivongi, tombe sur plus de 100 m. Vous pourrez également apercevoir, survolant les cimes, des vautours, des faucons pèlerins, des éperviers et des hiboux royaux.

Serra San Bruno

Au cœur du massif des Serre, Serra San Bruno est un petit bourg qui s'est développé, au milieu de **forêts★** de hêtres et de conifères, autour d'un **ermitage** fondé par saint Bruno. Une chartreuse du 12ᵉ s. et la grotte *(4 km au sud-ouest de la chartreuse)* où l'ermite se retirait évoquent le souvenir du saint, qui y mourut en 1101.

LE MASSIF DE L'ASPROMONTE

L'extrême pointe de la Calabre est protégée par le **Parc national de l'Aspromonte★**, avec des sommets culminant à près de 2 000 m. Le versant

---

L'Area Grecanica

Appelée également Bovesìa, la région de **Bova**, qui s'étend de part et d'autre du fleuve Amendolea, rassemble la communauté d'origine grecque. Nombre d'habitants parlent encore le grec dit calabrais ou **grecanico**. Les linguistes sont d'ailleurs partagés sur l'origine de la langue, assez proche du grec ancien : elle pourrait provenir directement des premiers colons Grecs, qui fondèrent la fameuse *Magna Graecia*, la Grande Grèce, à partir du 8ᵉ s. av. J.-C., ou des Byzantins, lorsque Constantinople domina la région, du 6ᵉ au 11ᵉ s. Le grec de Calabre est en général transcrit en lettres latines.

AU CŒUR DE LA CALABRE

tyrrhénien plonge rapidement dans la mer, en formant de larges terrasses ; du côté de la mer Ionienne, la pente est plus douce. Richement couvert de châtaigniers, chênes, pins et hêtres, l'Aspromonte est un réservoir d'eau d'où rayonnent de profondes vallées creusées par les *fiumare*, ces larges lits de torrents, à sec l'été, mais qui peuvent se remplir de courants très violents et causer d'importants dégâts. La route S 183, de la S 112 à Melito di Porto Salvo, permet d'admirer la variété et la beauté des paysages, et de jouir de nombreux et étonnants **panoramas**★★★.

Au départ de Santa Lucia, un sentier permet de rejoindre la **Pietra Cappa**★★ (839 m d'altitude), spectaculaire monolithe sombre s'érigeant à 100 m au-dessus d'une forêt de chênes verts et de châtaigniers. *Compter 3h aller (500 m de dénivelé).*

Bova★

14 km au nord de Bova Marina. Perché à 900 m d'altitude sur un éperon rocheux, le village de Bova (*Vùa* en grec) forme la capitale de la minorité grecque de Calabre *(voir encadré ci-contre).* Situé à l'entrée du Parc national de l'Aspromonte, il conserve de beaux exemples d'architecture locale, avec ses élégants **palais** (18e-19e s.) aux murs de pierre et de brique rouge. Le **musée de Paléontologie et des Sciences naturelles** de l'Aspromonte possède une intéressante collection de fossiles, datant de 100 000 à 120 millions d'années.

Au sommet de l'éperon s'accrochent les ruines d'un château normand (10e-11e s.) : **panorama**★★★ époustouflant sur le massif de l'Aspromonte aux vallées encaissées, la Côte Ionienne, et, par temps dégagé, la Sicile et l'Etna.

Au cœur de la Calabre pratique

Informations utiles

Parco Nazionale del Pollino - *Via delle Frecce Tricolori, 6 - Rotonda (Potenza) - ℘ 0973 66 93 11 - www.parcopollino.it - lun.-vend. 9h30-13h, lun. et merc. 16h-17h.*

Parco Nazionale della Sila - *Via della Repubblica, 26 - Cosenza - ℘ 0984 76 760 - www.parcosila.it*

Parco Naturale Regionale delle Serre - *Corso Umberto I, 341 - Serra San Bruno - ℘ 0963 77 28 25 - www.parcodelleserre.it*

Parco Nazionale dell'Aspromonte - *Via Aurora - Gambarie di S. Stefano in Aspromonte - ℘ 0965 74 30 60 - www.parcoaspromonte.it*

Se loger

Agriturismo Caldeo – *Contrada Fontana, 28 - **Castiglione Cosentino** (12 km au nord de Cosenza) - ℘ / fax 0984 44 25 75 - www.agriturismocaldeo.com - 12 ch - ▣.* Agritourisme perché sur les collines au-dessus de la vallée du Crati, au milieu des oliveraies et des cultures maraîchères. Vue panoramique sur le massif Catena Costiera et les lumières de la ville. Chambres simples, lambrissées pour la plupart, pouvant accueillir jusqu'à 4 personnes.

Aquila Edelweiss – *Via Stazione, 11 - **Camigliatello Silano** - ℘ 0984 57 80 44 - fax 0984 57 87 53 - www.hotelaquila edelweiss.com - fermé mi-nov.-mi-déc. - 40 ch - ▣.* Sur la rue principale, à l'orée de la forêt de conifères, un hôtel à l'atmosphère familiale. Décoration des années 1950 parfaitement entretenue, avec murs lambrissés. Le restaurant mérite qu'on s'y arrête pour sa cuisine typique et les produits de la région. Vaste salon avec cheminée pour les soirées d'hiver.

Se restaurer

Taverna Arco Vecchio – *Piazza Archi di Ciaccio, 21 - **Cosenza** (centre historique) - ℘ 0984 72 564 - fax 0984 57 90 26 - fermé dim. en été, lun. en hiver.* À deux pas de la vieille arche, une belle adresse nichée dans un édifice ancien. Tissus à motifs, plafonds avec poutres apparentes et vaste véranda à l'arrière. Cuisine soignée : spaghetti aux artichauts et aux noix, veau en daube et aux oignons de Tropea.

La Tavernetta – *Contrada Campo San Lorenzo, 14 (localité Campo San Lorenzo) - **Camigliatello Silano** (à 10 km à l'est du centre) - ℘ 0984 57 90 26 - www.latavernetta.info - fermé merc.* En plein cœur du haut plateau de la Sila, face au lac de Cecita, Pietro Lecce, le chef prodige du pays, fait honneur au terroir local et régional avec une cuisine originale et raffinée, où les champignons ont la part belle. Feuilleté de châtaigne au ragoût de *finferli* (champignons) et pesto léger, crêpes de sarrasin aux cèpes et à l'anis. Sélection de vins de choix conservés dans une cave naturelle à quartzite. À déguster dans un décor contemporain et coloré.

Événements

Semaine sainte à Civita – *℘ 0981 73 012 - www.comunedicivita.it.* La Semaine sainte célébrée selon le rite gréco-byzantin est fêtée avec des chants populaires, les *Kalimere*, des chants polyphoniques, les *Vjershë*, et des danses traditionnelles, les *Vallje*.

Paleariza à Bova – *juil.-août - ℘ 0965 76 20 13 - www.paleariza.com.* Festival de musiques traditionnelles grecques de Calabre.

DÉCOUVRIR LA CALABRE

La **Côte Ionienne** ★
Costa Ionia
CARTE GÉNÉRALE C2/3 - CARTE MICHELIN N° 564 G/N 29-33

Avec ses grandes plaines fertiles et son vaste littoral hospitalier, la Côte Ionienne a toujours été un rivage de prédilection pour les envahisseurs venus d'Orient. Les premiers comptoirs grecs de la fameuse Magnia Grecia s'établirent ici, les Byzantins y élirent leur siège pour l'ensemble de la péninsule et les Arabes, toujours menaçants au Moyen Âge, obligèrent les puissances de la péninsule à édifier nombre de forteresses le long de ses rivages. Aujourd'hui, ses longues plages accueillantes attirent les foules étrangères comme les Calabrais, qui ont fui leurs anciens villages perdus dans la montagne. Et malgré une urbanisation croissante, les richesses du littoral sont encore nombreuses.

- **Se repérer** – La côte s'étend sur environ 500 km, du détroit de Messine au golfe de Tarente.
- **À ne pas manquer** – Les villes de Gerace et de Crotone sont chargées d'histoire et très agréables à vivre.
- **Organiser son temps** – Prévoyez deux jours.
- **Avec les enfants** – Le château de Le Castella tissé de fabuleuses légendes.
- **Pour poursuivre le voyage** – Voir Au cœur de la Calabre, Reggio di Calabria.

Le village de Pentedattilo, accroché à la montagne.

Circuit de découverte

Après la pointe de la « botte », en remontant la Côte Ionienne. 500 km environ en suivant la SS 106 de Reggio di Calabria à la Basilicate. Compter 2 jours. Voir circuit ② sur carte régionale p. 297.

Pentedattilo★
10 km au nord-ouest de Melito di Porto Salvo.
Pentedattilo est un impressionnant village fantôme. Une légende veut que la menaçante main rocheuse qui le domine (en grec, *pentedàktylos* signifie « cinq doigts ») mettra fin à la violence des hommes. Il y a du vrai dans cette prophétie : depuis les années 1960, plus une voix ne résonne dans les ruelles de Pentedattilo, déclaré zone dangereuse pour risque d'éboulement et vidé de ses habitants… Cependant, depuis 1996, l'association Pro Pentedattilo tente de redonner vie au village en réhabilitant des maisons qui accueillent des jeunes pendant l'été.

Locri
Locres fut fondé par les Grecs au 7ᵉ s. av. J.-C. La ville, régie par des lois sévères édictées par Zaleucos, premier législateur de la Grande Grèce, fut la rivale de Crotone, qu'elle vainquit lors de la bataille de Sagra. Après avoir pris le parti d'Hannibal, comme

les autres villes de la Côte Ionienne, pendant la seconde guerre punique, elle perdit son importance et fut détruite par les Sarrasins au 9e s. de notre ère. La plupart des antiquités de Locres sont au musée de Reggio di Calabria. **Le musée national de Locri Epizefiri**, en référence à l'antique cap Zefir aujourd'hui appelé cap Bruzzano, permet néanmoins d'apprécier quelques beaux **miroirs** en bronze du 4e s. av. J.-C., aux manches figurant notamment Europe sur un taureau et un satyre caressant un éphèbe. À l'arrière (*S 106, dir. Reggio*), la zone archéologique conduit au sanctuaire de Marasà où se dresse encore une colonne ionique et dont les belles statues équestres sont visibles au musée de Reggio. ℘ *0964 39 00 23 - tlj sf lun. 9h-19h - fermé 1er janv. et 1er Mai - 2 € (- 18 ans gratuit).*

Gerace★
À 12 km au nord-ouest de Locri, sur la route S 111.
Gerace s'élève sur une colline à 480 m d'altitude. Son symbole est l'épervier, *hierax* en grec, terme qui a forgé le nom de la localité. Elle conserva longtemps la culture et la liturgie grecques. Byzantins et Normands y vécurent, puis elle fut dominée par les Souabes, les Angevins et les Aragonais. Ce fut un célèbre centre épiscopal, qui possédait tant d'églises qu'on l'appelait « la ville aux cent clochers ». Sa **cathédrale★** du 11e s. est de vastes dimensions : 73 m x 26 m. Les trois vaisseaux sont divisés par 20 colonnes grecques et romaines provenant du site de Locri Epizefiri.
Dans le largo delle Tre Chiese se dresse l'église **San Francesco** (13e s.), qui possède un portail où se mêlent influences arabe et gothique, et un **maître-autel★** du 17e s. en marbre polychrome.

Stilo
15 km à l'ouest de Monasterace Marina par la SS 110.
La ville natale du philosophe **Tommaso Campanella** (1568-1639), qui accueillit plusieurs ermitages et monastères basiliens, est perchée sur les flancs d'une montagne, à 400 m d'altitude. Plus haut s'élève son joyau byzantin, la **Cattolica★★**, qui semble presque vouloir se camoufler. Cette église du 10e s., sur plan carré, est couronnée par cinq petits dômes cylindriques *(voir photo p. 296)*. La disposition des briques, la fenêtre géminée du dôme central ainsi que les tuiles composent l'ornementation extérieure, très raffinée. À l'intérieur, la croix grecque est formée de neuf carrés, fermés par quatre colonnes de marbre et surmontés de petites coupoles et de voûtes en berceau. On est malheureusement privé du plaisir de contempler les mosaïques, très endommagées.

Le Castella
Cerné par les eaux, le **château aragonais★** remonterait aux guerres puniques, avec une première tour qui aurait été construite par Hannibal pour résister aux légions romaines. Après l'édification de fortifications normandes et d'une tour circulaire angevine, il prit sa forme actuelle sous Alphonse d'Aragon qui le dota de la longue muraille qui englobe l'ensemble (℘ *0962 79 55 11 - ouvert juil.-mi-sept. : 9h-1h - 3 €).*
La zone côtière comprise entre Le Castella et le cap Colonna forme la **réserve marine du Cap Rizzuto**, la plus vaste du pays, s'étendant sur 15 000 ha. Elle possède de très beaux fonds marins, fréquentés notamment par la tortue caouanne *(Caretta caretta)*, espèce protégée dont les plus grands spécimens peuvent mesurer jusqu'à 1,50 m de longueur.

Capo Colonna
Appelé promontoire Lacinium dans l'Antiquité, il fut à partir des dernières décennies du 8e s. av. J.-C. le siège d'un temple de Junon (Héra Lacinia). Celui-ci, qui comptait parmi les plus célèbres de la Grande Grèce, connut sa période de gloire au 5e s. av. J.-C. et commença à décliner en 173 av. J.-C., après que le consul Fulvius Flaccus l'eut dépouillé d'une partie de son toit en marbre. Contraint de le remettre en place, le consul échoua du fait de la complexité de la conception d'origine. Le temple fut ensuite la proie des pirates et servit de carrière aux Aragonais qui, au 16e s., y puisèrent les matériaux pour fortifier Crotone. Le coup de grâce fut porté par le tremblement de terre de 1783. Pour imaginer aujourd'hui ce que fut ce grand temple voué à la principale déesse de l'Olympe, il ne subsiste plus qu'une de ses 48 colonnes.
En 1964, **Pier Paolo Pasolini** tourna ici quelques scènes de son film l'*Évangile selon saint Matthieu*.

Crotone★
Colonie achéenne de la Grande Grèce fondée en 710 av. J.-C., Crotone a été célébrée dans l'Antiquité pour sa richesse, la beauté de ses femmes et les prouesses de ses

DÉCOUVRIR LA CALABRE

Le « thème » de Calabre

Près d'un millénaire après la fondation des premières colonies grecques sur le littoral ionien (8e s. av. J.-C.), les Byzantins chassent, au 6e s. de notre ère, les Ostrogoths de la péninsule calabraise et forment la seconde vague d'hellénisation de la région avec l'afflux des moines basiliens (saint Basile, père de l'église grecque, vécut de 330 environ à 379). Ils fondent le « thème » de Calabre, circonscription à la fois administrative et militaire, et choisissent Reggio pour capitale. Mais avec la conquête de la Sicile, la menace sarrasine devient permanente sur le détroit et le siège du Stratège, le chef militaire de l'autorité byzantine, est transféré au 10e s. à Rossano. Les moines basiliens suivent le Stratège et se réfugient alors en masse dans la région. Les Normands conquièrent ces terres un siècle plus tard.

athlètes, tel Milon de Crotone, chanté par Virgile. Vers 532 av. J.-C., **Pythagore** y fonda plusieurs communautés religieuses adonnées aux mathématiques et qui, devenues plus tard trop puissantes, furent chassées vers Métaponte. Rivale de Locres, qui la vainquit au milieu du 6e s. av. J.-C., Crotone réussit à éliminer Sybaris, son autre concurrente. Ayant accueilli Hannibal lors de la deuxième guerre punique, elle fut annexée peu après par Rome.

Aujourd'hui la ville est un port maritime florissant, doté de nombreuses industries. Le **centre historique★**, dominé par un château aragonais (12e-14e s.), conserve quelques beaux palais datant des 16e-19e s.

Le **Musée archéologique national** abrite le **trésor d'Héra★**, retrouvé dans le sanctuaire du Cap Colonna, dont un diadème en or et trois bronzes représentant un sphinx, une sirène et une gorgone (6e s. av. J.-C.). ✆ 0962 23 082 - tlj sf lun. ♿ - 9h-20h (la billetterie ferme à 19h30) - possibilité de visite guidée sur demande préalable - 2 € (enf. gratuit).

Santa Severina★

30 km à l'ouest de Crotone par la SS 107 bis. La cathédrale, du 13e s., conserve un remarquable **baptistère★** du 8e s., d'inspiration byzantine, sur plan circulaire, et dont la coupole s'appuie sur huit colonnes d'origine antique. Voir également le château normand.

Rossano

8 km au sud de la route littorale par la SS 177. Cette ville, étagée sur les pentes d'une colline couverte d'oliviers, fut au Moyen Âge la capitale du monachisme grec en Occident ; les moines basiliens chassés ou persécutés vinrent s'y réfugier, occupant des grottes que l'on visite encore. Rossano a conservé de cette période une parfaite petite église byzantine, **San Marco**, au chevet plat, sur lequel font saillie trois chapelles semi-cylindriques, percées de jolies baies. À droite de la cathédrale, le **Musée diocésain** (Museo Diocesano), ancien archevêché, abrite le précieux **Codex Purpureus★**, évangéliaire du 6e s. aux pages de couleurs vives. ✆ 0983 52 52 63 - tlj sf lun. mat. et apr.-midi - 3 €.

À 20 km à l'ouest de la ville, la route mène à une petite église, **Santa Maria del Patire**, unique vestige d'un grand couvent basilien, présentant trois belles absides ornées d'arcs aveugles et quelques mosaïques figurant divers animaux.

Sibari

Fondée au 8e s. av. J.-C., au cœur d'une plaine d'une fertilité extraordinaire qui fut la principale source de l'exceptionnelle richesse de l'antique **Sybaris**, la ville fut rasée en 510 av. J.-C. par la cité voisine de Crotone. On visite un petit **Musée archéologique** (Museo Archeologico) et, au sud de la ville, une **zone de fouilles**, le **Parco Archeologico della Sibaritide**. ✆ 0981 79 391 - ♿ - tlj sf lun. tte la journée - fermé 25 déc. et 1er janv. - 2 € (- 18 ans gratuit).

Rocca Imperiale★

Village pittoresque qui monte à l'assaut de la colline au sommet de laquelle se dresse un puissant château érigé par Frédéric II de Souabe.

La Côte Ionienne pratique

Offices de tourisme

IAT Locri – *Via Fiume, 1 -* ☎ *0964 296 00.*
Pro Loco Locri – *Piazza Stazione -* ☎ *0964 232 760.*
IAT Gerace – *Piazza Tribuna, 10 -* ☎ *0964 356 888.*
APT Crotone – *Via Torino, 148 -* ☎ *0962 23 185*

Se loger

◌ **Agriturismo Trapesimi** – *Contrada Amica -* **Rossano Scalo** *(dir. Crotone) -* ☎ *0983 64 392 - fax 0983 29 08 48 - www.agriturismotrapesimi.it - 4 ch. -* 🅿. Vieille ferme du 18ᵉ s. bâtie sur les restes d'une ancienne église byzantine, perdue au milieu des oliviers, séculaires pour la plupart. La famille Pace vous accueillera avec chaleur et simplicité et le père de famille vous fera peut-être découvrir sa bibliothèque classée.

◌ **Il Giardino di Gerace** – *Via Fanfani, 8 -* **Gerace** *-* ☎ */ fax 0964 35 67 32 - www.ilgiardinodigerace.it - fermé janv.-fév. - 3 ch.* Un inoubliable B&B perdu dans une venelle du vieux Gerace, à l'écart de l'artère principale. Les trois chaleureuses chambres s'ouvrent sur le jardin panoramique, planté d'acacias, de saules de palmiers et d'agrumes. Dîner possible sur demande.

◌ **Stillhotel** – *Via Melito di Porto Salvo, 102 -* **Catanzaro Lido** *(14 km au sud de Catanzaro) -* ☎ *0961 32 851 - fax 0961 33 818 - - www.stillhotel.it - 31 ch. -* 🅿. Dans une zone vallonnée très calme et verdoyante, un hôtel de type commercial, aux chambres spacieuses et bien aménagées, dont quelques-unes avec vue sur la mer. Service discret. Dans le restaurant annexe, vous pourrez goûter des plats de poisson et de viande traditionnels (fermé lundi).

◌⊛ **Annibale** – *Via duomo, 35 -* **Le Castella** *-* ☎ *0962 79 50 04 - fax 0962 79 53 84 - 14 ch. -* 🅿. Au centre de l'ancien bourg de pêcheurs, cet établissement propose des chambres rustiques, meublées en pin massif. Dans la salle du restaurant, vous pourrez profiter de la cheminée tout en admirant la profusion de marmites et de charcuteries accrochées au plafond en bois. En été, service dans le jardin, sous une tonnelle.

◌⊛ **Helios** – *Via per Capocolonna -* **Crotone** *(dir. Capo Colonna) -* ☎ *0962 90 12 91 - fax 0962 27 997 - www.helioshotels.it - 42 ch. -* 🅿. À quelques pas seulement de la plage de sable, un hôtel moderne et des chambres spacieuses et tranquilles, avec balcon sur la mer.

Se restaurer

◌⊛ **Annibale** – *Via duomo, 35 -* **Le Castella** *-* ☎ *0962 79 50 04.* Sous la glycine ou devant la cheminée, ne manquez pas de goûter aux ravioli à la noix et aux zestes de citron. À déguster aussi, la soupe de poisson, les *linguine* aux légumes, aux crevettes et à la ricotta fumée.

◌⊛ **La Casa di Gianna** – *Via Paolo Frascà, 6 -* **Gerace** *-* ☎ *0964 35 50 24.* Belles salles voûtées aux arches en pierre, occupant une ancienne cave à vin. Cuisine raffinée concoctée par le chef Lello, originaire de Pavie. Excellents risottos aux crevettes ou aux asperges. L'établissement tient également un restaurant à l'intérieur du palais Sant'Anna : vue imprenable sur la Côte Ionienne.

◌⊛ **Trattoria del Sole** – *Via Piave, 14 bis -* **Trebisacce** *(15 km au nord de Sibari sur la S 106) -* ☎ *0981 51 797 - fermé lun.* Perdu dans le dédale des ruelles du centre historique, un endroit simple et familial où vous pourrez vous laisser conseiller par les hôtes et déguster de délicieux plats de poisson, de fruits de mer ou de viande, préparés à base de produits d'une qualité irréprochable. Service en terrasse l'été.

◌⊛ **Gambero Rosso** – *Via Montezemolo, 65 -* **Marina di Gioiosa Jonica** *(10 km au nord de Locri sur la S 106) -* ☎ *0964 41 58 06 - fermé lun. et nov.* Un restaurant classique qui donne sur la rue principale de la ville, très passante. Un grand choix d'antipasti, présentés sur un buffet à l'entrée de la salle principale, et de nombreuses spécialités de produits de la mer, d'une extrême fraîcheur. Excellent assortiment de crustacés et poissons crus, mille-feuille de poisson aux pommes de terre, à la tomate et au basilic.

Sports et loisirs

Pro Pentedalitto – Cette association organise des activités, en été, pour les jeunes de tous les pays. Elle propose aussi des excursions dans la vieille ville. *Associazone Pro Pentedalitto - Via Lanzaro Pentedattilo - 89063 Melito Porto Salvo (Reggio di Calabria) -* ☎ *0965 771 548 - www.pentedattilo.info.*

DÉCOUVRIR LA CALABRE

La **Côte Tyrrhénienne**★
Costa Tirrena

CARTE GÉNÉRALE C2/3 - CARTE MICHELIN N° 564 G/N 29-33

Littoral encaissé bordé de hautes montagnes, falaises, caps vertigineux, cités dressées sur des promontoires dominant le rivage… Les sites remarquables et les stations réputées se succèdent le long de la plus célèbre des côtes calabraises. Tournée vers les îles du dieu Éole, la Côte Tyrrhénienne est pleine de légendes, de contes et de croyances ancestrales : la redoutable Scylla, monstre marin surveillant l'entrée du détroit, Grifone et Mata, les Géants inconciliables de Palmi, . Mais c'est sans aucun doute à l'espadon que les habitants vouent le plus grand culte, ce noble poisson attirant tous les pêcheurs et leurs embarcations élancées dès les premiers jours de mai.

- **Se repérer** – La Côte Tyrrhénienne s'étend sur environ 200 km, du golfe de Policastro au détroit de Messine, face aux îles éoliennes (Sicile).
- **À ne pas manquer** – Tropea et Scilla pour leur histoire et leurs légendes.
- **Organiser son temps** – Prévoyez une bonne journée.
- **Avec les enfants** – Le musée ethnographique de Palmi est l'occasion de faire connaître les traditions calabraises à vos enfants de façon ludique.
- **Pour poursuivre le voyage** – Voir Au cœur de la Calabre. On peut facilement poursuivre avec le circuit 2 (voir la Côte Ionienne), ou rejoindre, à partir de Tropea et Scilla, les Îles éoliennes (voir Reggio di Calabria).

Baignade impérative sur les plages de Capo Vaticano !

Circuit de découverte

Circuit 1 sur la Carte régionale p. 297. 200 km environ par la SS 18, compter une journée.

Paola
Saint François de Paule y naquit vers 1416 et un **sanctuaire** porte son nom. Vaste ensemble de bâtiments, la basilique, à la belle façade baroque, abrite les reliques du saint. Cloître et ermitage creusés en grottes rassemblent d'impressionnants ex-voto.
☎ 0982 58 25 18 - été : 6h30-12h30, 15h-20h ; hiver : 6h30-12h30, 15h-17h30.

Pizzo★
85 km au sud de Paola par la SS 18. Dressée sur un promontoire surplombant le golfe de Sant'Eufemia, cette ancienne cité portuaire, unique débouché maritime de la région jusqu'au milieu du 19ᵉ s., conserve intact le souvenir des dernières heures de **Joachim Murat** : après le retour des Bourbons en 1815, l'ancien maréchal fait roi de Naples par Napoléon tente de renverser le pouvoir en débarquant à Pizzo. Mais il sera rapidement capturé puis emprisonné et fusillé à l'intérieur du **château aragonais**. ☎ 0963 53 25 23 - www.castellodipizzo.it - lun.-vend. 8h-20h ; w.-end sur demande préalable - 3 € (- 6 ans 1 €).

La CÔTE TYRRHÉNIENNE

Tropea★★
35 km à l'ouest de Pizzo par la SS 522. Tropea s'élève sur une roche arénacée, entourée de **falaises**★ à-pic au-dessus de la mer. Solitaire, lui faisant face accrochée à un rocher, se tient l'**église Santa Maria dell'Isola**. Très beau souvenir du passé, la **cathédrale**★ romane normande, a conservé sa façade et sa partie latérale d'origine. Le portique souabe rattaché à la façade relie l'église à l'évêché. Le **Musée diocésain** occupe le palais épiscopal attenant et rassemble une belle collection d'icônes, de peintures et de sculptures religieuses (13e-18e s.). ✆ 0963 61034 - www.museodiocesanotropea.it - avr.-oct. : mat. et apr.-midi (juil.- août apr.-midi) ; reste de l'année : sur demande préalable - 2 € (- 10 ans gratuit).

À 12 km au sud de Tropea. Le **Capo Vaticano**★ avec ses criques, ses plages de sable blanc et ses grottes marines se dresse à 107 m au-dessus de la mer : panorama époustouflant sur l'ensemble de la Côte Tyrrhénienne jusqu'au détroit de Messine.

Palmi★
60 km au sud de Tropea par la SP 22 et la SS 18. Perchée au-dessus de la mer, cette petite ville dispose d'une belle plage de sable et d'un petit port de pêche. En outre, elle possède un intéressant **Musée ethnographique**★ évoquant la vie traditionnelle en Calabre grâce notamment aux fameux **masques** en terre cuite aux têtes grimaçantes pour éloigner le mal ou les Géants en carton-pâte soulevés pendant la fête des Giganti. *Casa della Cultura, via San Giorgio (dir. Scilla) -* ✆ *0966 26 22 50 - hiver : tlj mat., jeu tte la journée - 1,55 € (- 18 ans gratuit).*

Scilla★★
27 km au sud de Palmi par la SS 18. Dans ses eaux, comme dans celles de Bagnara Calabra, on pêche l'espadon. Son nom est mythologique : **Scylla** est une femme pouvant se transformer en monstre marin. Elle vit entourée de chiens dévorant le voyageur qui se trouve à passer dans les parages. Ce fut le destin de six compagnons d'Ulysse. En face, près de Messine, guette **Charybde**, monstre marin par volonté de Zeus qui entendait la punir de sa voracité. Cependant, même monstrueuse, Charybde ne perd pas son appétit : trois fois par jour, elle engloutit les flux, avalant ainsi tout ce qui se trouve dans la mer, après quoi elle rejette l'eau, provoquant un fort courant. Ulysse lui échappa de justesse, grâce à un… figuier, auquel il s'agrippa à l'entrée de la grotte du monstre.

Le **quartier des pêcheurs**★, la Chianalèa, est un enchevêtrement de maisons et de passages qui ne prend fin qu'en s'ouvrant sur la mer. Plus haut, le **château des Ruffo** (1255) embrasse le village de son regard noble et rassurant.

La Côte Tyrrhénienne pratique

Se loger

Cala di Volpe – *Contrada Torre Marino - Ricadi (dir. Tropea) -* ✆ *0963 66 96 99 - www.caladivolpe.it - 70 ch. et appart. - fermé nov.-avr. -* 🅿️. Agréable hôtel isolé en bord de mer. Chambres et appartements spacieux, pouvant accueillir jusqu'à 6 personnes.

Principe di Scilla – *Via Grotte, 2 - Scilla (village des pêcheurs) -* ✆ *0965 70 43 24 - fax 0965 70 42 98 - www.hotelubais.it - 6 ch.* Une petite folie pour passer la nuit dans un palais les pieds dans l'eau et entendre, la nuit tombée, l'appel des sirènes. Excellent restaurant.

Se restaurer

Pimm's – *Largo Migliarese (près de la mer) - Tropea* ✆ *0963 66 61 05 - fermé dim. soir.* Agréable salle voûtée s'ouvrant sur la mer, au-dessus de la falaise. Cuisine soignée et raffinée. Calamars farcis aux oignons de Tropea.

Sports et loisirs

LIAISON AVEC LES ÎLES ÉOLIENNES
Tropea – Excursion à la journée pour Stromboli, Vulcano et Lipari (avr.-oct. 3/sem., août tlj, départ 8h, retour minuit).

PÊCHE TOURISTIQUE À L'ESPADON
Scilla – *Custos Maris Societa Cooperativa, Station ferroviaire -* ✆ *0965 75 40 03.* Excursion d'une journée (mai-août).

Événements

Palmi – en février : **I Giganti** représentent Grifone, un Turc, et Mata, une femme calabraise enlevée pour le harem mais qui préfère se jeter à la mer ; le 16 août, la **Festa di San Rocco**, célèbre procession des pénitents où les fidèles portent des buissons d'épines.

Tropea – en juillet, la **Sagra del pesce azzurro e della cipolla rossa** met à l'honneur l'oignon rouge.

DÉCOUVRIR LA CALABRE

Reggio di Calabria

181 440 HABITANTS
CARTE GÉNÉRALE B3 - CARTE MICHELIN N° 564 M28

En plein milieu du détroit, Reggio étale ses belles façades Art nouveau et Belle Époque le long de son lungomare luxuriant, avec les champs de bergamote en arrière-plan. Cité phénix, Reggio n'a cessé de vivre destructions et reconstructions tout au long de ses trois mille ans d'histoire, où envahisseurs et catastrophes naturelles se sont succédés. De son passé antique glorieux, elle n'a conservé que deux statues en bronze, chefs d'œuvre de l'art grec. Cité de passage, les voyageurs viennent y admirer, pour quelques heures tout au plus, ses guerriers de Riace et son panorama extraordinaire sur la Sicile : à la nuit tombée, l'horizon scintille des lumières de la grande île. Mais il est déjà temps de partir, les beautés de la Sicile et des îles Éoliennes n'attendent pas !

- **Se repérer** – Reggio est le « terminus » de l'A 3. La ville dispose d'un aéroport à 15mn du centre en bus et facilement accessible en train.
- **À ne pas manquer** – Les Bronzes de Riace, le panorama depuis le lungomare et une excursion dans les îles éoliennes en Sicile.
- **Organiser son temps** – Comptez une demi-journée pour Reggio, et au moins une journée pour une excursion dans les îles éoliennes.
- **Pour poursuivre le voyage** – Voir la Côte tyrrhénienne, la Côte Ionienne et Au cœur de la Calabre.

Visiter

Lungomare★
Longue et élégante promenade de bord de mer, plantée de magnifiques palmiers et de magnolias. On y jouit d'une ample vue sur les côtes siciliennes et l'Etna.

Museo Nazionale Archeologico★★
Piazza De Nava, 26 - ℘ 0965 81 22 55 - ♿ - 4 €.
Même si nombre de visiteurs ne franchissent le seuil de ce musée que pour les deux mystérieux guerriers sortis des ondes, il serait dommage de ne pas consacrer quelques instants aux autres vestiges qu'il conserve. On s'arrêtera donc devant les **pinakes★**, bas-reliefs en terre cuite qui, à Locres, au 5e s. av. J.-C., faisaient office d'ex-voto. Ils étaient destinés à Perséphone, épouse d'Hadès, qui enleva la déesse alors qu'elle cueillait des fleurs et l'emmena aux Enfers. *La Femme rangeant un peplum à l'intérieur d'un coffre historié* constitue une scène d'intérieur familière.

Le sous-sol est la demeure des deux **Guerriers de Riace★★★**, statues en bronze découvertes en 1972 au fond de la mer.

Les Guerriers de Riace

Nés en Grèce au 5e s. av. J.-C., ils mesurent respectivement 1,98 m et 2 m, et, quoique vides à l'intérieur, pèsent 250 kg chacun. Si leur désignation par les lettres A et B leur confère un anonymat certain, leurs expressions, quant à elles, sont des plus parlantes… Leurs yeux (il en manque un à A) sont pourvus de cornée en ivoire et en calcaire, de pupilles en pâte de verre et de cils en argent, métal utilisé aussi pour les dents de A, le seul à en avoir. S'ils portent encore tous deux la courroie d'un bouclier au bras gauche, la hampe qu'ils tenaient de la main droite a disparu. Des sentiments différents semblent les animer : A, la tête légèrement tournée, l'air invincible et agressif, est figé dans un mouvement en avant de sa jambe gauche et semble sur le point de parler ; B, au contraire, le regard effrayé, paraît hésiter et ébaucher un mouvement de recul.

Excursions en Sicile

ISOLE EOLIE (ÎLES ÉOLIENNES)★★★
Les îles Éoliennes se trouvent dans la mer Tyrrhénienne, au large de Milazzo. Les îles Éoliennes ou Lipari sont ainsi appelées parce que les Anciens les croyaient habitées par Éole, dieu des Vents. L'archipel comprend sept îles principales : Lipari, Vulcano, Stromboli, Salina, Filicudi, Alicudi et Panarea, toutes d'un intérêt exceptionnel par

leur nature volcanique et leur beauté, par leur lumière et leur climat. Les habitants pêchent, cultivent la vigne et, à Lipari, exploitent la pierre ponce.

Une mer transparente et chaude, d'un bleu profond, peuplée d'une faune très originale (poissons volants, espadons, tortues, hippocampes, poissons marteaux) et propice à la chasse sous-marine fait de ces îles le refuge de ceux qui aiment une vie proche de la nature. De nombreuses excursions en bateau permettent de découvrir les très belles côtes découpées, les anses cachées et les baies.

Voir l'encadré pratique pour l'accès aux îles éoliennes depuis Reggio ; voir aussi l'encadré pratique de « La Côte Tyrrhénienne » p. 307. Carte p. 310-311.

Lipari★

Cette île, la plus vaste de l'archipel, est formée de rochers volcaniques plongeant à pic dans la mer. Dans l'Antiquité, Lipari était un grand fournisseur d'obsidienne, lave vitrifiée de couleur noire, et on extrayait la pierre ponce sur la côte orientale (à l'heure actuelle, l'activité est en baisse) ; de nos jours on y cultive céréales et câpres et on y pratique la pêche.

Deux baies (Marina Lunga bordée d'une plage et Marina Corta) encadrent la ville de **Lipari★**, dominée par son vieux quartier qu'entourent des murailles édifiées aux 13e et 14e s. et d'où s'élève un château rebâti par les Espagnols au 16e s. sur un édifice normand. Celui-ci abrite un **Musée archéologique★★** (Museo Archeologico Eoliano) : reconstitutions de nécropoles de l'âge du bronze, belle collection de **cratères à figures rouges★**, d'**amphores★** et de **masques de théâtre★★** en terre cuite. ℘ 090 98 80 174 - ♿ - mat. et apr.-midi - 6 € (- 18 ans gratuit).

On peut effectuer, à partir de Marina Corta, une **promenade en bateau★★** qui permet d'admirer la côte très accidentée du sud-ouest de l'île. Si l'on fait le **tour de l'île en voiture★★**, on s'arrêtera à Canneto et à Campo Bianco où l'on peut visiter des **carrières★** de pierre ponce. Du promontoire des Puntazze, la **vue★★**, splendide, embrasse cinq îles : Alicudi, Filicudi, Salina, Panarea et Stromboli. Mais c'est du belvédère de **Quattrocchi** que l'on bénéficie de l'un des plus beaux **panoramas★★★** de l'archipel.

Vulcano★★★

Dans cette île de 21 km^2, née de la fusion de quatre volcans, la mythologie situait les forges de Vulcain, dieu du Feu ; de ce nom vient le terme volcanisme. Bien qu'aucune éruption n'ait eu lieu à Vulcano depuis 1890, les manifestations y restent importantes : fumerolles, jets de gaz parfois sous-marins, jaillissements de boues sulfureuses et chaudes appréciées pour leurs propriétés thérapeutiques. Des côtes rocheuses, d'un tracé tourmenté, des espaces désolés, un sol que la présence de soufre, d'oxydes de fer, d'alun, pare de couleurs étranges, confèrent à cette île une inquiétante et farouche beauté. Au pied du Grand Cratère, **Porto di Levante** est le principal centre de Vulcano. Sa plage a pour particularité d'être baignée par des eaux très chaudes, grâce à des émanations sous-marines de gaz.

L'**excursion au Grand Cratère★★★** *(environ 2h AR)* revêt un exceptionnel intérêt pour l'aspect impressionnant que présente le cratère lui-même et pour les vues qu'elle procure sur l'archipel. Du **cap Grillo**, on embrasse plusieurs îles.

Les fumerolles de Vulcano.

DÉCOUVRIR LA CALABRE

Le **tour de l'île en bateau** *(au départ de Porto Ponente)* constitue un périple riche en perspectives curieuses, notamment le long de la côte nord-ouest frangée d'impressionnants écueils basaltiques.

Stromboli★★★

Surmonté de son panache, le volcan Stromboli, d'une sombre beauté, forme une île sauvage aux pentes abruptes, que ne parcourt pratiquement aucune route. Le peu de terre cultivable est occupé par des vignes fournissant le délicieux vin doré malvasia (malvoisie). Les petites maisons blanches et cubiques sont d'un type arabe prononcé.

Le **cratère★★★**, formé d'un cône de 924 m de haut, se manifeste fréquemment : explosions bruyantes accompagnées d'éruptions de lave. On peut assister au **spectacle★★★** en montant au cratère *(environ 5h AR, marche pénible ; il est préférable de se faire accompagner d'un guide)*, ou bien observer, d'une barque, la fameuse coulée vers la mer, dite *sciara del fuoco* (traînée de feu). La nuit, la vision prend toute sa grandeur, terrible et féerique. *Pour toute information : guides autorisés -* ℘ *090 98 62 63*.

Salina★

Elle est constituée par six anciens volcans, dont deux ont gardé leur caractéristique profil. Le plus élevé, le **mont Fossa delle Felci** (962 m), est le point culminant de l'archipel. Une agréable route panoramique parcourt l'île. Sur les basses pentes, cultivées en terrasses, croissent les câpriers et la vigne produisant le *malvasia*.

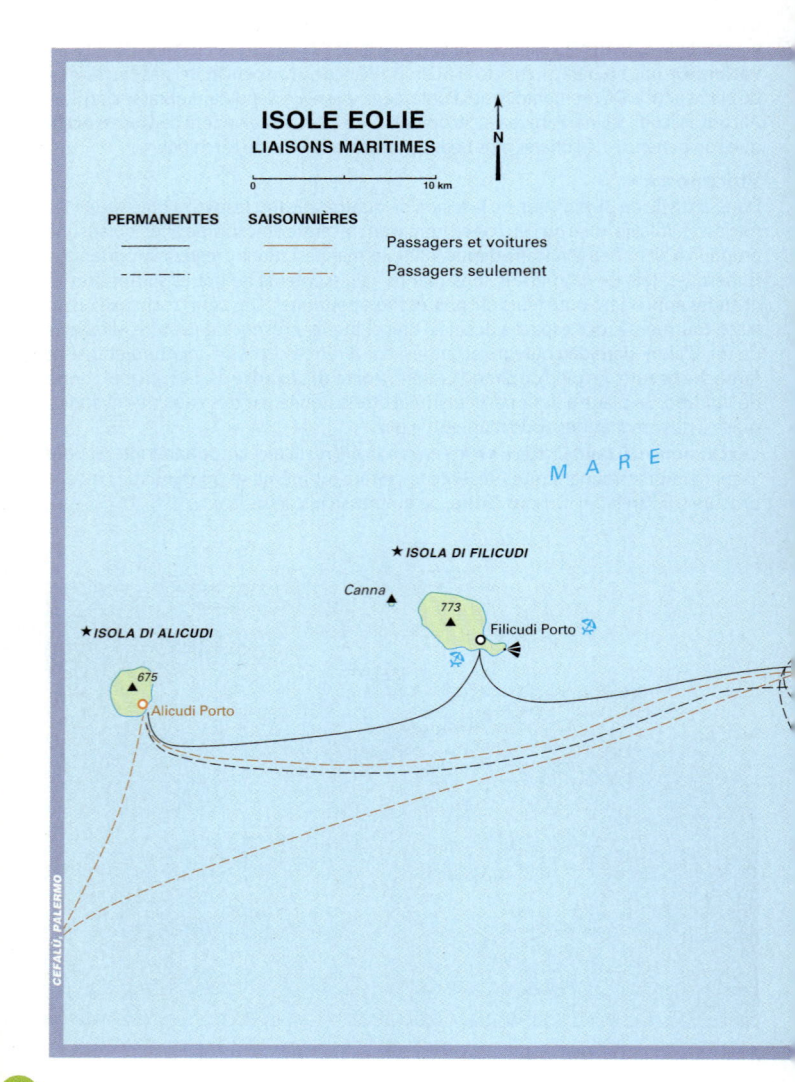

REGGIO DI CALABRIA

TAORMINA★★★

À 53 km de Messina par l'A 20 jusqu'à Catania, puis par l'A 18. Sur la côte est de la Sicile, dans un **site★★★** spectaculaire, à 250 m d'altitude, Taormine, en balcon sur la mer et face à l'Etna, est réputée pour son calme, la beauté de ses monuments et de ses jardins. Le charme de la ville a séduit de nombreux artistes ; elle a notamment servi de décor au film *Le Grand Bleu* de Luc Besson.

Tout à côté, la petite ville de Giardini Naxos est connue pour ses nombreux événements culturels et musicaux.

Teatro Greco★★★
6 € (- 18 ans gratuit).

Datant du 3e s. av. J.-C., il fut transformé par les Romains pour accueillir les jeux du cirque. On y donne en été de nombreux spectacles, des représentations classiques notamment. Du haut des gradins, entre les colonnes de la scène, on découvre une **vue★★★** admirable sur le littoral et l'Etna.

Corso Umberto★

Artère principale de Taormine, le cours est jalonné par trois portes : de Catane, du Milieu *(porta di Mezzo)* avec la tour de l'Horloge, et de Messine.

Sur la piazza del Duomo, ornée d'une jolie fontaine baroque, s'élève la **cathédrale** à la façade gothique.

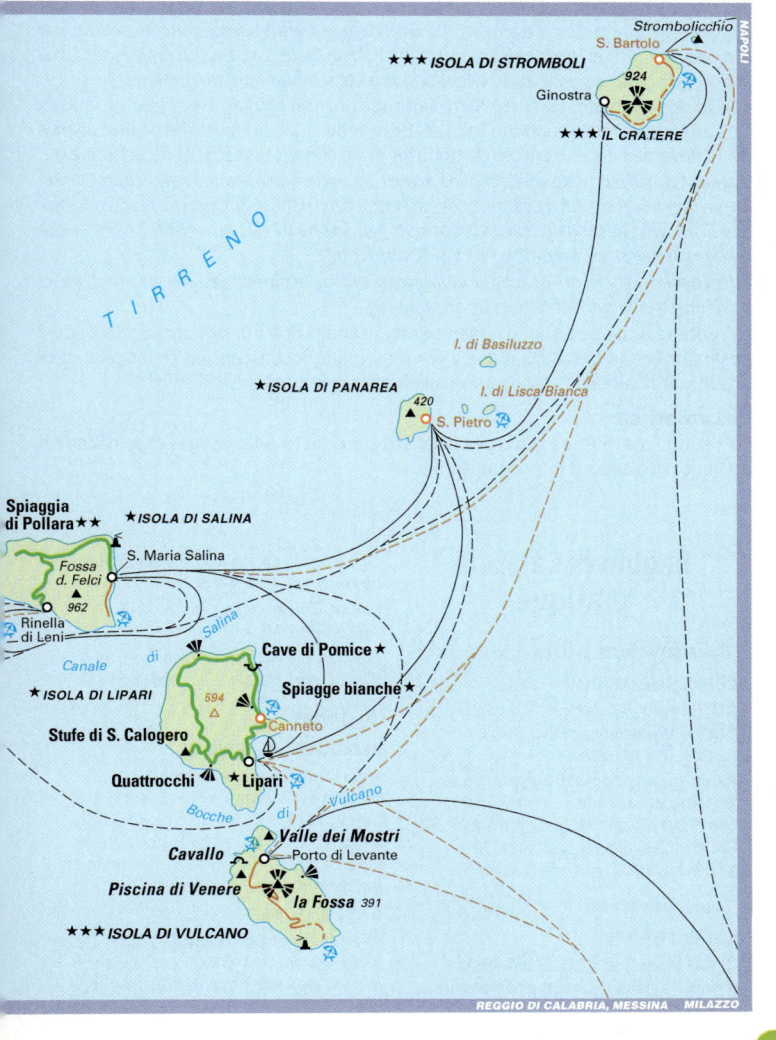

DÉCOUVRIR LA CALABRE

À peu près à mi-parcours, la **piazza 9 Aprile**★ forme une terrasse offrant un splendide **panorama**★★ sur le golfe. Sur la piazza Vittorio Emanuele, jadis forum, s'élève le **palais Corvaja** datant du 15e s.

Giardini della Villa Comunale★
Agrémentés de fleurs et de plantes exotiques, ces jardins en terrasses, dominent toute la côte.

ETNA★★★
Point culminant de l'île, encapuchonné de neige une grande partie de l'année, l'Etna, encore en activité, est le plus grand et l'un des plus fameux volcans d'Europe. Il naquit d'éruptions sous-marines qui formèrent aussi la plaine de Catane, occupée auparavant par un golfe marin.

Ascension du volcan★★★
La montée à l'Etna peut se faire soit par le versant sud au départ de Catane, par Nicolosi, soit par le versant nord-est au départ de Taormine, par Linguaglossa. Se vêtir chaudement et se munir de chaussures solides.

Versant sud – Les excursions, en fonction de l'enneigement, sont possibles de la semaine précédant Pâques au 31 oct. Durée : environ 3h AR. 28,41 € (assurance et guide compris). Pour plus de détails et des informations sur les excursions de nuit, s'adresser au Bureau des guides alpins Etna Sud, via Etnea, 49, Nicolosi - 095 79 14 755 - www.etnaguide.com ou au téléphérique de l'Etna, piazza V. Emanuele, 45, Nicolosi - 095 91 41 42 - www.funiviaetna.com - été : tte la journée (dernière montée 17h30) ; hiver : mat. (dernière montée 15h30). Sur demande, les guides alpins organisent des trekkings, du ski alpin et des visites de grottes formées par écoulement de lave. Certains tracés ont été détruits par l'éruption de 2001 et les chemins permettant d'atteindre les coulées du sommet sont plus difficiles d'accès. Le parcours du téléphérique a été remplacé par un minibus.

L'excursion conduit jusqu'à 3 000 m d'altitude environ et varie avec l'état du volcan. On s'arrête près de la grandiose Valle del Bove limitée par des murailles de lave de plus de 1 200 m de hauteur, percée de gouffres et de crevasses crachant de la fumée.

Versant nord-est – Mai-oct. Point de départ des excursions : Piano Provenzana. Durée : 3h environ AR. Pour plus de détails et des informations sur les excursions de nuit, s'adresser à la STAR, via Santangelo Fulci, 40, Catania - 347 49 57 091 ou 346 60 02 176 - visite guidée sur demande préalable - 44 € (- 12 ans réduit).

Après avoir traversé, au-delà de Linguaglossa, une belle pinède peuplée de pins Laricio, on dépasse Villaggio Mareneve (sports d'hiver).

La route revêtue se termine à Piano Provenzana (1 800 m). Des abords du nouvel observatoire, on bénéficie d'une vue★★ magnifique. L'ascension se termine dans un extraordinaire paysage de lave parfois encore fumante.

Circumetnea
Cette route qui ceinture l'Etna permet d'en apprécier tous les visages et de découvrir quelques habitations intéressantes.

Reggio di Calabria pratique

Informations utiles

OFFICES DE TOURIME

ATP Reggio di Calabria – Corso Garibaldi (station ferroviaire) - 0965 89 20 12 - tlj sf dim. 8h-12h, 14h-20h.

Azienda Autonoma di Soggiorno e Turismo di Taormina – Piazza Santa Caterina (Palazzo Corvaja) - 0942 23 243 ; **Giardini Naxos** - via Tysandros, 54 - 0942 51 010.

Transports

ÎLES ÉOLIENNES

Ustica Lines – 0965 29 568 (Reggio) - www.usticalines.it. L'unique compagnie effectuant la liaison avec les îles au départ de Reggio (1-4 départ par jour).

Eolian Tours – Via Amendola, 10 - 98055 Lipari (Messine) - 090 98 11 312.

Eol Travel – Via Vittorio Emanuele, 83 - 98055 Lipari (Messine) - 090 98 11 122.

Se loger

REGGIO DI CALABRIA

Lungomare – Via Zerbi, 13B - Reggio di Calabria - 0965 20 486 - fax 0965 21 439 - www.hotellungomare.rc.it - 31 ch. Hôtel en belle position, le long du fameux lungomare, et à quelques pas du Musée archéologique.

ÎLES ÉOLIENNES

Hotel Ericusa – Alicudi - 090 98 89 902 - fax 090 98 89 671 - fermé oct.-mai - 12 ch. Seule possibilité de gîte et de couvert, cet hôtel est une petite structure toute simple qui donne directement sur la plage. Il propose des chambres avec entrée indépendante et des plats de légumes frais et de poisson fraîchement pêché. Une bonne adresse pour les amoureux de soleil et de mer, et surtout… de silence et de solitude !

⊝⊜ **Hotel La Canna** – *Contrada Rosa - Filicudi -* 📞 *090 98 89 956 - fax 090 98 89 966 - fermé nov. - 14 ch.* Dominant le port et la mer, cet ensemble de style éolien est bien intégré dans le paysage environnant. Deux chambres romantiques avec une petite terrasse sont réservées aux éventuels « jeunes mariés » ; la terrasse-solarium et la piscine sont quant à elles à la disposition de chacun.

⊝⊜ **Hotel Poseidon** – *Via Ausonia, 7 - Lipari -* 📞 *090 98 12 876 - fax 090 98 80 252 - fermé nov.-fév. - 18 ch.* On ne peut plus central, un petit complexe de style méditerranéen où dominent les teintes de blanc et de bleu. Les chambres, extrêmement bien entretenues, sont meublées de façon fonctionnelle et disposent de tout le confort moderne. Agréable terrasse-solarium. Un accueil plein de courtoisie.

⊝⊜ **Locanda del Barbablù** – *Via Vittorio Emanuele, 17/19 -* **Stromboli** *-* 📞 *090 98 61 18 - fax 090 98 63 23 - fermé le midi, nov. et fév. -* 🚭 *- 6 ch.* Une auberge qui accueillera et abritera les « voyageurs » dans ses chambres très agréables, où art moderne et quelques objets anciens se marient avec succès. Au menu du jour, des plats d'inspiration variée, qui satisferont les goûts les plus divers.

TAORMINA

⊝ **Bed & Breakfast Villa Regina** – *Punta San Giorgio -* **Castelmola** *- 5 km au nord-ouest de Taormine -* 📞 */ fax 0942 28 228 - www.villareginataormina.com - 10 ch.* Très simple, mais avec un petit jardin frais et ombragé, ce B&B jouit d'une vue enchanteresse sur Taormine et sur la côte. Prix mis à part, c'est une adresse à ne pas manquer si vous voyagez en couple et cherchez un endroit intime et romantique.

⊝⊜ **Andromaco Palace Hotel** – *Via Fontana Vecchia -* **Taormina** *-* 📞 *0942 23 834 - fax 0942 24 985 - 20 ch.* En dépit de son nom un peu pompeux, il s'agit d'un hôtel familial, intime et accueillant, où vous serez accueillis par des gens très sympathiques. Avec une vue panoramique, situé non loin du centre, un endroit confortable, tout simplement.

Se restaurer

REGGIO DI CALABRIA

⊝⊜ **Baylik** – *Via Vico Leone -* **Reggio di Calabria** *-* 📞 *0965 48 624 - www.baylik.it - fermé lun.* Le chef Fortunato Zappia prend bien soin de ses clients, de l'accueil jusqu'à l'assiette. Spécialités de poisson savoureuses : antipasti de la mer, carbonara d'espadon.

ÎLES ÉOLIENNES

⊝⊜ **E Pulera** – *Via Isabella Conti Vainicher -* **Lipari** *-* 📞 *090 98 11 158 - fermé le midi, nov.-mai - réserv. conseillée.* Dans le très beau jardin fleuri, offrez-vous un dîner typiquement éolien. Vous pourrez également, lors des chaudes soirées de juillet et d'août, y profiter d'animations musicales « live » et de spectacles folkloriques.

⊝⊜ **Filippino** – *Piazza Municipio -* **Lipari** *-* 📞 *090 98 11 002 - fermé lun. (sf juin-sept.), 16 nov. au 15 déc.* Avec ses nombreuses tables extérieures installées sur la piazza della Rocca, ce restaurant est une véritable institution, aussi bien dans l'archipel que dans toute la Sicile. Le poisson local, préparé de manière traditionnelle, est servi dans une ambiance décontractée, qui n'empêche pas un service rapide et efficace.

⊝⊜ **Punta Lena** – *Via Marina, località Ficogrande -* **Stromboli** *-* 📞 *090 98 62 04 - fermé nov.-mars.* Le poisson y est toujours excellent, très frais, cuisiné selon de savoureuses recettes, mais si cela n'était pas un argument suffisant, sachez aussi qu'il vous sera servi sous une tonnelle, avec une magnifique vue sur la mer.

TAORMINA

⊝⊜ **Vicolo Stretto by Charly** – *Via Vicolo Stretto, 6 -* **Taormina** *-* 📞 *0942 22 49 95 - fermé mi-nov. à mi-déc.* Un endroit où l'on se sent tout de suite à l'aise, que l'on soit installé dans la petite salle, chaleureuse et accueillante, ou sur la terrasse donnant sur les toits de Taormine. Les plats, à base de poisson, trahissent les origines du cuisinier (natif de Trapani)… thon et couscous ne manquent donc pas !

Faire une pause

TAORMINA

Caffè Bar San Giorgio – *Piazza S. Antonio, 1 -* **Castelmola** *(5 km au nord-ouest) -* 🚭. Fondé au début du 20e s., il a compté parmi ses clients Rolls et Royce, Rockefeller et le duc d'Aoste. Depuis sa splendide terrasse, vous profiterez d'un panorama époustouflant sur Taormine et sur la côte.

Soleil et mer turquoise : bienvenue en Sardaigne.

LA SARDAIGNE

1 643 096 HABITANTS
CARTE MICHELIN N° 566
CARTE DE LA RÉGION P. 317

Eaux méditerranéennes d'une incroyable transparence, falaises majestueuses, roches polies par la mer et par les vents, grottes aux stalagmites géantes, prairies enivrantes de senteurs… Les charmes naturels de la Sardaigne ensorcellent le voyageur dès son arrivée. Une terre sauvage aux mille légendes, avec ses fées cachées sous la terre, ses tombes de géants et ses divinités ancestrales habitant les sources et les puits. Ruines antiques et préhistoriques, dolmens plantés au milieu de la nature, cités médiévales fortifiées, églises romanes, la Sardaigne a su préserver ses mythes et ses mystères autant que ses côtes et ses paysages. Un coin de Méditerranée à mille lieues des foules et des métropoles turbulentes.

- **Se repérer** – La Sardaigne est la deuxième île méditerranéenne en surface (24 089 km^2) après la Sicile. Séparée de la Corse au Nord par les Bouches de Bonifacio, elle fait le partage entre le bassin occidental de la Méditerranée, à l'ouest, et la mer Tyrrhénienne à l'est et au sud. La Sardaigne est échancrée par quatre golfes principaux : Asinara au nord, Orosei à l'est, Cagliari au sud et Oristano à l'ouest. Quelques petites îles en dépendent, dont Asinara, l'archipel de la Maddalena, Tavolara, Sant'Antioco et San Pietro. Le point culminant est la pointe la Marmora (1 834 m), dans le massif du Gennargentu.
- **À ne pas manquer** – La route Arbatax-Dorgali, les majestueux nuraghi, la grotte de Neptune et la Côte d'Émeraude.
- **Organiser son temps** – Prévoyez une bonne semaine pour faire le tour des principales richesses naturelles et culturelles de l'île.
- **Avec les enfants** – Les grottes de Neptune, du Bue Marino (bœuf marin) et d'Ispinigòli, et le jardin botanique de Cagliari.

Comprendre

Une histoire ancienne

Les roches de Sardaigne – *domus de janas* (maisons des sorcières) aux inquiétants traits humains, dolmens surgissant au beau milieu d'un champ ou nuraghi insensibles au temps qui passe – content une histoire ancienne. La civilisation nuragique se maintint de 1800 à 500 av. J.-C. et devint « la belle époque des nuraghi » de 1200 à 900 av. J.-C.

La religion de la population nuragique se rapportait à l'eau, bien précieux. La divinité qui habitait les sources et les puits et qui savait éloigner la sécheresse, était le taureau, très souvent représenté.

Les **nuraghi**, 7 000 environ, sont des tours tronconiques, creuses et surmontées d'une voûte. Leur nom provient de la racine *nur*, que l'on retrouve également dans *nurra*, qui signifie « monticule » mais aussi « cavité ». Les pierres qui les constituent ont été disposées à sec, sans doute à l'aide d'un plan incliné, où elles étaient poussées sur des rouleaux. Les nuraghi servaient d'habitation, de tour de guet d'où l'on surveillait le bétail et le territoire, et, dans le cas des nuraghi multiples, de forteresse.

Cette époque lointaine a laissé d'autres traces : les **dolmens** d'abord, ou allées couvertes, monuments funéraires constitués d'une salle rectangulaire couverte par des dalles de pierre et un tumulus, et les **tombes des géants** ensuite, sépultures plus évoluées que les dolmens.

Le temps des invasions

D'autres populations viennent fouler la terre de Sardaigne. Au 8e s. av. J.-C. arrivent les Phéniciens, suivis des Carthaginois : ces marins commerçants s'établissent surtout sur les côtes, évitant certes la montagne mais déboisant notamment la plaine de Campidano pour la culture céréalière. Les Romains, qui arrivent en 238 av. J.-C., pratiquent en revanche une véritable colonisation agricole. Les Vandales (455 apr. J.-C.) puis les Byzantins (534) soumettent l'île, qui, vers le 7e s., est attaquée par les Sarrasins.

Après l'an 1000, les républiques maritimes de Gênes et Pise se la disputent. L'an 1295 marque le début de la domination espagnole, qui s'achèvera en 1713, lorsque la guerre de Succession entérinera l'appartenance de l'île à l'Autriche. En 1718, celle-ci l'échange contre la Sicile avec **Victor-Amédée II de Savoie**, qui fonde les États sardes et prend le titre de roi de Sardaigne. À partir de 1861, le sort de l'île est lié à celui de l'unité italienne. En 1948 elle devient région autonome, jouissant d'un statut particulier.

La Sardaigne pratique

Informations générales

On ne se lassera pas d'une île qui possède une nature âpre aux réserves inépuisables, des couleurs marines et des empreintes laissées par l'homme depuis des millénaires. Cependant, si l'on est pressé, il est conseillé de séjourner au moins une semaine et de rester… itinérant.

Si l'on voyage sur les routes de la partie orientale, il vaut mieux ne pas attendre de tomber en panne pour prendre de l'essence car les stations-service n'abondent guère.

Sur la carte ci-contre, les lieux décrits dans les pages suivantes sont marqués en gras ; en noir, d'autres destinations pour ceux qui disposent d'un peu plus de temps.

Transports

Des **liaisons maritimes** saisonnières relient la Sardaigne à Toulon et Marseille. Toute l'année, on peut gagner l'île au départ de Bonifacio, Gênes, Livourne, Civitavecchia ou Naples. Il est conseillé, aux voyageurs qui ont choisi la saison estivale pour leur séjour, de réserver longtemps à l'avance.

Par **avion**, on arrive à Alghero, Cagliari, Olbia ou Sassari.

Le Guide Michelin Italia et la carte Michelin n° 566 fournissent des informations complémentaires sur les compagnies et les itinéraires.

Achats

Ateliers d'artisans – La Sardaigne est aussi l'île des artisans qui se consacrent à l'art ancien de l'orfèvrerie, travaillent céramique, cuir, bois et liège, tissent des tapis et tressent des paniers.

SARDEGNA

DÉCOUVRIR LA SARDAIGNE

Alghero ★

**39 985 HABITANTS
CARTE GÉNÉRALE A2 - CARTE MICHELIN N° 566 F6**

On ignore l'origine de ce charmant petit port, que ceinturent oliviers, eucalyptus et pins parasols, où se pratique encore la pêche au corail. En 1354, la principale ville de la côte de Corail fut conquise par les Catalans, qui y introduisirent leur style gothique, que l'on reconnaît dans certains édifices du centre, et leur langue, toujours parlée. C'est pourquoi Alghero est appelé la « Barcellonetta sarde », du nom de ce vieux quartier de Barcelone. Une plage de 5 km de long s'étend au nord de la localité.

- **Se repérer** – Alghero se trouve à 35 km au sud-ouest de Sassari. Il est desservi par l'aéroport d'Alghero-Fertilia (www.aeroportodialghero.com).
- **À ne pas manquer** – Les splendeurs naturelles de la grotte de Neptune.
- **Organiser son temps** – Prévoyez une journée avec les alentours.
- **Avec les enfants** – La grotte de Neptune.
- **Pour poursuivre le voyage** – Voir Sassari.

Jeux de couleur dans la coupole de San Michele.

Se promener

Vieille ville★

Ses rues étroites se serrent au milieu d'une petite presqu'île que ceignent des fortifications. La **cathédrale** *(via Roma)* possède un beau portail et un campanile de style gothique catalan. L'**église San Francesco**, des 14ᵉ-15ᵉ s., présente un bel intérieur gothique et un charmant **cloître** en tuf doré.

Le port de pêche est situé au nord, au pied des fortifications. De là partent les excursions en bateau pour la **grotte de Neptune**. ℘ 079 97 90 54 - juin-sept. : tte la journée ; reste de l'année : mat. - 13 € (enf. 7 €).

Aux alentours

Grotta di Nettuno★★★

27 km à l'ouest, mais on peut également y accéder en barque. Une route, offrant de splendides **vues**★★ sur la côte escarpée, conduit au **cap Caccia**, dans lequel s'ouvre la profonde grotte dégagée par la mer.

On y accède par un escalier de 654 marches accroché à la falaise. Un lac aux reflets marmoréens (d'où son nom de Lamarmora), des concrétions en forme de tuyaux d'orgue ou aussi délicates et étincelantes que des cheveux d'ange constituent les attraits de cette visite.

ALGHERO

À table !

La Sardaigne est une île aux parfums intenses, généreusement diffusés par ses plantes et ses herbes. Ce sont ces mêmes arômes que l'on retrouve dans ses spécialités aux plats simples et savoureux.

Le pain est souvent celui de la mince feuille du carasau, ou « papier à musique » (carta da musica) pour qui n'est point Sarde.

Parmi les sortes de pâtes, on trouve les gnocchettis sardes, qui n'ont rien à voir avec les gnocchis mais sont constitués d'une pâte travaillée comme les coquillettes. Ils sont aussi appelés « malloreddus » et sont souvent accompagnés de saucisses et sauce tomate.

Nombreuses sont les variétés de fromages, de chèvre ou de brebis, mais aussi fiore sardo (sorte de mozzarelle au lait de vache).

En pâtisserie, les « papassinos », polyédriques et souvent recouverts de sucre glace où sont éparpillées de minuscules boules de sucre colorées, sont très courants, tout comme les « sebadas », ou seadas, de forme ronde, frites et recouvertes de miel.

Les repas sont accompagnés de vins fameux tels que l'anghelu ruju et le cannonau ; parmi les liqueurs, le mirto est excellent.

Nuraghe Palmavera★

À 10 km environ, sur la route de Porto Conte. ✆ 079 97 90 54 - mars-oct. tte la journée ; reste de l'année : mat. - possibilité de visite guidée - 3 € (billet combiné avec l'entrée à la nécropole d'Anghelu Rujo 5 €).

Un nuraghe, que l'on trouve essentiellement en Sardaigne, est un ouvrage fortifié de l'époque de l'âge de bronze, qui a la forme d'une tour tronquée. Ce nuraghe est entouré des restes d'un village préhistorique formé de cabanes tassées les unes contre les autres. C'est une belle construction en calcaire blanc groupant deux tours voûtées, et qui possède deux entrées.

Necropoli d'Anghelu Ruju

À 10 km sur la route de Porto Torres. ✆ 079 97 90 54 - Mêmes conditions de visite que pour le Nuraghe Palmavera.

Elle est composée de 38 hypogées, tombes souterraines, du début de l'âge du bronze (3 000 avant J.-C.).

Alghero pratique

Informations utiles

Office de tourisme – *Piazza Portaterra, 9 - ✆ 079 97 90 54 - www.comune.alghero.ss.it*

Se loger

Florida – *Via Lido, 15 -* **Alghero** *- ✆ 079 95 05 35 - www.hotelfloridaalghero.com* *it - fermé nov.-fév. - 73 ch. -* 🅿. Un hôtel des années 1970 à la gestion familiale, à proximité de la plage.

Se restaurer

Rafael – *Via Lido, 20 -* **Alghero** *- ✆ 070 95 03 85 - fermé jeu. en basse sais. et fin déc.-fin janv.* Agréable restaurant sur la plage, où les produits de la mer sont naturellement à l'honneur.

DÉCOUVRIR LA SARDAIGNE

Arzachena

11 521 HABITANTS
CARTE GÉNÉRALE A2 - CARTE MICHELIN N° 566 D10

La renommée d'Arzachena, autrefois petit village de paysans et d'éleveurs, est due à sa situation au pied d'un étrange rocher érodé en forme de champignon, à sa position au cœur de l'arrière-pays de la Côte d'Émeraude et aux vestiges archéologiques des environs.

- **Se repérer** – Arzachena est située le long de la S 125, qui traverse l'arrière-pays de la Côte d'Émeraude.
- **À ne pas manquer** – Les tombes de géants.
- **Organiser son temps** – Comptez une demi-journée.
- **Pour poursuivre le voyage** – Voir la Côte d'Émeraude.

Découvrir

VIEILLES PIERRES

À deux pas d'Arzachena, s'élèvent, solitaires, les restes d'une tombe de géants et d'une nécropole.

Tomba di Giganti di Li Golghi★

D'Arzachena, prendre la direction de Luogosanto. Après 7 km environ, tourner à droite. Suivre les indications.
Cette tombe mégalithique remonte à une période située entre 1 800 et 1 200 av. J.-C. Un tumulus ellipsoïdal long de 27 m la surmontait.

Nécropole de Li Muri

De retour à l'intersection, suivre la direction de la nécropole de Li Muri et continuer jusqu'à la première ou deuxième maison, où il est conseillé de laisser sa voiture, car la route, non revêtue, est en assez mauvais état. Terminer à pied sur 500 m environ.
Cette nécropole circulaire remonte à 3 500-2 700 avant J.-C. Elle est composée d'un dolmen central, la sépulture, autour duquel cinq cercles concentriques en pierre régissaient le tumulus de couverture.

> **Les tombes de géants**
> L'imagination populaire a donné ce nom aux tombes d'époque nuragique, évolution de sépultures plus rudimentaires telles que les dolmens. La chambre sépulcrale, un couloir, était surmontée d'un tumulus. Sur l'avant se trouvait l'exèdre, pièce rituelle formée de dalles verticales. La « façade » est constituée d'une grande stèle ornée de reliefs et percée d'un passage pour le corridor. Cette « fausse porte » symbolisait peut-être l'union avec l'au-delà.

Arzachena pratique

Informations utiles

Office de tourisme – *Piazza Risorgimento* - ✆ 0789 84 93 00.

Se loger

Centro Vacanze Isuledda – Cannigione (6,5 km au nord-est d'Arzachena) - ✆ 0789 86 003 - fax 0789 86 089 - www.isuledda.it - fermé mi-oct.-mi-avr. Idéalement situé, face à l'archipel de la Maddalena, ce centre propose des emplacements de tente, des bungalows, des chambres, des cases et des mobil-homes… de quoi satisfaire des plus aux moins aventureux. Supermarchés, services et commerces en tout genre. Pour des vacances animées.

Se restaurer

Lu Stazzu – *Croisement pour Baia Sardinia* - **Arzachena** (route départementale en direction de Porto Cervo) - ✆ 0789 82 711 - fermé oct.-Pâques - 🅿. Cuisine traditionnelle de la Gallura, à déguster entre les oliviers et les genévriers.

LA BARBAGIA

La Barbagia
CARTE GÉNÉRALE A3 - CARTE MICHELIN N° 566 G/H 9-10

Terre sauvage pleine de charme, la Barbagia abonde en crevasses connues des seuls bergers, où vivent de nombreuses variétés végétales (chênes verts, châtaigniers, noisetiers, houx, genévriers nains, thym, ifs, etc.) et animales (aigle royal, aigle de Bonelli, faucon pèlerin, milan, sanglier, renard, mouflon). Elle fait partie intégrante des monts du Gennargentu★★ et englobe le Supramonte, haut plateau calcaire proche d'Orgosolo, Oliena et Dorgali.

- **Se repérer** – Cette région sarde, traditionnellement vouée à l'élevage, est abritée par le Gennargentu.
- **À ne pas manquer** – Emprunter la route entre Arbatax et Dorgali qui découvre un paysage magnifique ; visiter la grotte d'Ispinigòli.
- **Organiser son temps** – L'itinéraire fait environ 160 km, prévoyez deux jours.
- **Avec les enfants** – Les stalagmites et les stalactites aux formes fantasmagoriques des grottes d'Ispinigòli et du bœuf marin (Bue Marino).
- **Pour poursuivre le voyage** – Voir la Côte d'Émeraude et Oristano.

Les étranges créatures du carnaval de Mamoiada, près de Nuoro.

Visiter

Nuoro
Situé au pied du mont Ortobene, à la lisière de la Barbagia et des monts du Gennargentu, ce gros bourg du centre de la Sardaigne a gardé ses coutumes et ses traditions folkloriques. Celles-ci se manifestent tout particulièrement le jour de la fête du Rédempteur *(Sagra del Redentore)*, qui donne lieu à un grand défilé en costumes régionaux à travers la ville et s'accompagne d'un festival du Folklore. L'écrivain Grazia Deledda (prix Nobel en 1926) était originaire de Nuoro.

Museo della Vita e delle Tradizioni Popolari Sarde – Via A. Mereu, 56 - ☎ 0784 24 29 00 - www.isresardegna.org - mi-juin-sept. : tte la journée - reste de l'année : mat. et apr.-midi - 4 €. Le musée rassemble une belle collection de vêtements typiques de toutes les régions de Sardaigne.

Monte Ortobene★ – 9 km à l'est. Promenade appréciée des habitants de Nuoro, la route conduit au sommet, d'où l'on jouit de beaux points de vue sur la région.

Circuit de découverte

VOYAGE AU CŒUR D'UNE TERRE ANTIQUE
Voir le détail du circuit sur la carte détaillée p. 317.

Tortolì
Tortolì est le centre principal de l'**Ogliastra**, région sauvage caractérisée par ses roches tronconiques appelées « talons » *(Tacchi)*. Dans les terres, on pratique l'élevage,

sur la côte, l'agriculture. La mer polit le littoral, surtout à Gairo, où les galets sont appelés *coccorocci*. À **Orrì** pousse le genévrier cade.

Arbatax
C'est l'ouverture sur la mer de Tortolì. Les rochers rouges de porphyre, près du port, donnent à Arbatax son visage le plus connu. La vue sur la baie, fermée par les montagnes, est très belle. La Cala Moresca est plus intime et plus petite *(suivre les indications)*.

> **Domus de janas**
> Cette dénomination, qui signifie « maison de fées », a été donnée à des hypogées (tombes souterraines) réalisés entre le début du 4e millénaire et le milieu du 3e millénaire av. J.-C. Ils ont été creusés dans des roches granitiques, calcaires, basaltiques et gréseuses. Certains renferment des dessins représentant des bovidés ou des caprins.

Entre Lotzorai et Baunei
Magnifique et déserte, la **route d'Arbatax à Dorgali**★★★ (S 125) s'enfonce dans une nature d'autant plus somptueuse qu'elle avance vers la Barbagia.

À **Lotzorai**, un panneau jaune signale la route d'accès aux **domus de janas**. La zone archéologique comprend une dizaine de ces constructions de pierre, à l'allure assez inquiétante (les ouvertures dans la roche sont parfois conçues de telle sorte que l'on a l'impression de voir des visages).

Du point le plus élevé de la zone, qui s'élève à plus de 1 000 m, un arrêt donne l'occasion de contempler la montagne, qui, à la belle saison, se constelle du jaune des genêts en fleur, dont le parfum soutenu envahit alors l'atmosphère.

Dorgali
Principale localité touristique de la Barbagia, c'est aussi un centre d'artisanat, de culture et de gastronomie, dont l'ouverture sur la mer se situe à Cala Gonone. Sa rue principale, la via Lamarmora, bordée de boutiques typiques (les tapis locaux sont tissés selon un nœud particulier), évoque un passé particulièrement riche. De ses caves sortent depuis deux millénaires un vin réputé, produit avec le raisin cannonau.

Sur la route qui relie Dorgali à la S 129, on peut voir le village nuragique de **Serra Orrios**★, et la tombe de géants **Sa Ena 'e Thomes**, en poursuivant vers Lula. Conforme au schéma traditionnel des tombes de géants, cette dernière présente une chambre funéraire à couloir, couverte de dalles à la manière des dolmens. Elle est précédée d'une rangée de pierres dressées en arc de cercle, que domine une belle dalle centrale ovale gravée d'une moulure et creusée d'un petit passage inférieur.

Cala Gonone
Une **route**★★ en lacet descend vers ce petit village que ceint une belle baie et dont le petit port sert de point de départ aux vedettes assurant les excursions.

Cala Luna – La plage s'étend au bord d'une mer transparente qui caresse les grottes et déferle faiblement.

Grotta del Bue Marino – ☎ 0784 96 243 - juin-sept. : tte la journée ; reste de l'année : mat. - 8 € (enf. 4 €) Le « bœuf marin » est le phoque moine qui, autrefois et jusqu'à la fin des années 1970, vivait dans cette grotte. Au milieu de stalactites et stalagmites, on se promène jusqu'au bout de la partie ouverte au public, où s'écoule une rivière.

Dolmen Mottorra
En allant vers le nord, après un tournant, au kilomètre 207 de la S 125, un panneau signale le sentier qui conduit au dolmen.

Il faut prendre ce sentier et ne pas s'étonner si le dolmen n'apparaît pas immédiatement. Une marche de 5mn est nécessaire pour le découvrir, seul au milieu d'un champ. La couverture repose sur sept stèles (placées debout). Il date des débuts du 3e millénaire av. J.-C.

Grotta di Ispingòli★★
À 7 km environ de Dorgali, sur la SS 125 se trouve la route conduisant à la grotte. ☎ 0784 96 243 - mars-déc. : mat. et apr.-midi ; janv.-fév. mat. - 7,50 € (enf. 3,50 €).

Que la forme de cette grotte soit en puits et non en tunnel, on le comprend sitôt entré et que l'on se trouve au-dessus du gouffre. Le regard impressionné est absorbé par la **stalagmite** qui semble soutenir le plafond. C'est la deuxième du monde par sa hauteur de 38 m (la première se trouvant au Nouveau-Mexique). La grotte est désormais fossile, et l'eau, indispensable à la formation de concrétions ici lamellaires (en couteau ou en rideau) et en chou-fleur (si elles se sont formées sous l'eau, comme les coraux), n'y coule plus. La couleur dominante est le rouge, car la couche rocheuse du plafond est assez mince. Si celle-ci avait été épaisse, elle aurait

LA BARBAGIA

Les murs peints d'Orgosolo racontent la fierté d'un peuple.

filtré l'eau qui n'aurait ainsi déposé que le calcaire, conférant aux concrétions une tonalité blanche.

Les stalagmites sont beaucoup plus grandes que les stalactites, car l'eau, en descendant abondamment, déposait rapidement la matière en bas.

Les bijoux de facture phénicienne et les ossements humains retrouvés ici donnent à penser que la grotte servait de site sacrificiel ou qu'elle pouvait aussi avoir été choisie par les populations nuragiques comme lieu de sépulture.

Su Gologone★

17 km à l'ouest de Dorgali par la route d'Oliena. Au-delà d'**Oliena**, grosse bourgade située au pied d'un versant particulièrement escarpé du Sopramonte et dont les femmes revêtent encore le costume traditionnel, on atteint *(par une petite route s'embranchant à gauche, environ 6 km après cette localité)* la belle source de Su Gologone, surgissant d'une fissure rocheuse dans un site verdoyant.

Dans le secteur du Supramonte de Dorgali, dans une grotte à ciel ouvert se dissimule le **village nuragique de Tiscali**.

Orgosolo

18 km au sud d'Oliena. Cette grosse bourgade pastorale, tristement célèbre pour les actes de banditisme qui s'y déroulèrent (le metteur en scène Vittorio De Seta les a popularisés dans son film *Bandits à Orgosolo* en 1961), a retrouvé un aspect accueillant, auquel contribuent ses murailles colorées.

La Barbagia pratique

Se loger

L'Oasi – *Via Garcia Lorca, 13 -* **Cala Gonone** *-* ✆ *0784 93 111 - loasihotel@tiscali.it - fax 0784 93 444 - fermé début oct.-Pâques - 30 ch. -* 🅿. Autrefois habitation privée, c'est aujourd'hui un petit complexe hôtelier qui propose des chambres et des appartements spacieux et agréablement meublés. Point fort : la partie dans laquelle a été installé le restaurant surplombe la falaise et la mer, offrant une magnifique vue sur toute la baie.

Se restaurer

Restaurant de l'Hotel Monteviore – *Route S 125 (au km 196), localité Monteviore -* **Dorgali** *(9 km au sud de Dorgali) -* ✆ *0784 96 293 - fermé nov.-mars.* Plongée dans un océan de verdure et loin des destinations touristiques habituelles, une ferme réaménagée avec goût et qui propose des spécialités régionales, ainsi que de grandes et belles chambres. À quelque distance, se trouve également un camping… naturiste.

Enis – *Localité Monte Maccione -* **Oliena** *(4 km à l'ouest du centre) -* ✆ *0784 28 83 63 - fermé début nov.-mi-mars.* Un restaurant typique, à l'écart et dans une position panoramique, comprenant également un petit camping. Cuisine régionale.

Barumini ★★

1 390 HABITANTS
CARTE GÉNÉRALE A3 - CARTE MICHELIN N° 566 H9

C'est à Barumini que l'on trouve les vestiges nuragiques les plus intéressants de Sardaigne. Ce fabuleux site préhistorique, est classé au Patrimoine mondial de l'Unesco.

- **Se repérer** – Barumini se trouve au centre de la Sardaigne, à 10 km au nord de Villanovaforru, sur la S 197.
- **À ne pas manquer** – Le village nuragique, vieux de 15 siècles avant J.-C.
- **Organiser son temps** – Prévoyez une heure environ.
- **Avec les enfants** – L'histoire et les vestiges du village nuragique.
- **Pour poursuivre le voyage** – Voir Oristano.

Le plan complexe de Su Nuraxi.

Découvrir

Nuraghe Su Nuraxi★★
2 km à l'ouest, à gauche de la route de Tuili. ℘ *070 936 85 10 - www.sunuraxi.it - visite guidée tte la journée - 4,20 € (enf. 3,10 €)*

La partie la plus ancienne de Su Nuraxi date du 15ᵉ s. av. J.-C. La menace que représentaient les Phéniciens, entre le 8ᵉ et le 7ᵉ s. av. J.-C., rendit indispensable la consolidation de la forteresse, qui fut finalement conquise par les Carthaginois entre le 5ᵉ et le 4ᵉ s. av. J.-C. Le grand village nuragique qui s'étendait à l'est de la forteresse fut abandonné au 3ᵉ s., lors de l'arrivée des Romains.

Aux alentours

Santa Vittoria di Serri★
38 km à l'est, par la route de Nuoro, puis à Nurallao une route à droite.
Vestiges d'un centre religieux préhistorique. La route qui y conduit traverse le village d'**Isili**, où l'artisanat est vivace (mobilier, tissage).

Cagliari ★

162 560 HABITANTS
CARTE GÉNÉRALE A3 - CARTE MICHELIN N° 566 J9

Capitale de l'île, Cagliari est une ville d'aspect moderne, dotée d'un port actif, ayant conservé un noyau enfermé à l'intérieur de fortifications élevées au 13e s. par les Pisans. Cagliari fut une florissante cité carthaginoise sous le nom de Karalis, avant de devenir romaine. De la Terrazza Umberto I, on jouit d'une vue★★ admirable sur la ville, le port et le golfe. La fête de Sant'Efisio, saint patron de la Sardaigne, est l'une des plus fabuleuses qu'il soit donné de voir en Italie.

- **Se repérer** – Cagliari se trouve dans le golfe du même nom, au sud de l'île. On s'y rend par la S 195, la S 130, la S 131, la S 125 et la route côtière qui mène à Villasimius.
- **À ne pas manquer** – La route de Muravera qui serpente dans un paysage grandiose, et la cathédrale de Cagliari.
- **Organiser son temps** – Prévoyez une journée.
- **Avec les enfants** – Le jardin botanique est l'occasion d'un bel après-midi en famille.
- **Pour poursuivre le voyage** – Voir Île de Sant'Antioco.

Visiter

Cattedrale
Élevée au 13e s. en style pisan, elle fut remaniée au 17e s. L'édifice renferme deux magnifiques **chaires**★★ exécutées par **Guglielmo da Pisa** (1162), dont les panneaux sont sculptés de scènes de la vie du Christ remarquablement composées.
Par une petite porte à droite du chœur, on descend au **santuario**, crypte décorée au 17e s. qui abrite 292 dépouilles de martyrs chrétiens dans des urnes disposées le long des murs. Une porte s'ouvre à droite sur une chapelle renfermant le tombeau de Marie-Louise de Savoie, épouse du futur Louis XVIII et sœur du roi de Sardaigne.

Museo Archeologico Nazionale ★
Cittadella dei Musei, Piazza Arsenale 1 - ☏ 070 60 51 82 45 - fermé le lun. - 4 € (- 18 ans gratuit).
Il abrite des collections d'armes, de poteries et surtout de petits **bronzes**★★★ des premiers temps de l'histoire sarde. Les arts phénicien, punique et romain sont représentés dans les autres salles.

Torre dell'Elefante et Torre di San Pancrazio ★
Datant du début du 14e s., ces deux tours sont des vestiges des fortifications pisanes.

Anfiteatro Romano
C'est l'édifice romain le plus important de Sardaigne.

Les plages de Villasimius sur la côte à l'est de Cagliari.

DÉCOUVRIR LA SARDAIGNE

Sant'Efisio, saint patron de la Sardaigne

Né près de de Jérusalem vers 250 d'un père chrétien et d'une mère païenne, il fut pourtant officier dans l'armée de Dioclétien pour combattre le christianisme. Mais un jour, en Sardaigne, Dieu lui apparut et lui révéla la vraie foi. Il se convertit, et de féroce persécuteur il devint fervent défenseur des Chrétiens. Emprisonné, torturé, son corps restait indemne ; il fut donc condamné à être décapité.

Si le martyre de Sant'Efisio est né ainsi, son culte ne s'est vraiment développé qu'au 17e s. En 1656, Cagliari, alors victime d'une effrayante épidémie de peste invoqua le saint, lui promettant de lui vouer un culte solennel s'il faisait cesser l'épidémie. La peste s'éteignit, et depuis le saint est vénéré dans toute la Sardaigne avec beaucoup de sérieux.

Orto Botanico
Dans ce jardin botanique, vous apprécierez les végétations méditerranéenne et tropicale, les plates-bandes aromatiques pour les non-voyants et les vestiges archéologiques.

Aux alentours

Route de Muravera★★★
À 30 km de Cagliari, cette route (SS 125) s'enfonce dans des défilés rocheux sauvages d'une coloration rougeâtre (granits porphyriques).

Cagliari pratique

Informations pratiques
Office de tourisme – *Piazza Matteotti* - 070 66 92 55 - www.regione.sardegna.it

Se loger
Caesar's – *Via Darwin, 2/4* - **Cagliari** - 070 34 07 50 - - fax 070 34 07 55 - www.caesarhote.it - *fermé en août.* Un hôtel moderne tout confort, organisé autour d'un patio intérieur.

Se restaurer
Flora – *Via Sassari, 43/45* - **Cagliari** - 070 66 47 35 - *fermé en août.* Une adresse originale, où se mélangent antiquités et objets contemporains. Jardin intérieur.

Faire une pause
Antico Caffè – *Piazza Costituzione, 10/11* - **Cagliari** - www.anticocaffe1855.it
Un incontournable café historique, fréquenté par le passé par de célèbres écrivains (Sibilla Aleramo, Grazia Deledda, D. H. Lawrence, Gabriele D'Annunzio, Salvatore Quasimodo, Elio Vittorini, Beniamino Gigli). Géré aujourd'hui par le ministère de la Culture, c'est un lieu très accueillant. À peine aurez-vous passé la porte que vous serez sous le charme de ce café à l'atmosphère élégante et vivante, que vous soyez de Cagliari, touriste, simple passant, intellectuel, ou homme d'affaire.

Événements
Sant' Efisio – *1er Mai*. Tout Cagliari fête Sant' Efisio, avec procession en costume, défilé de chars, garde montée, sonneries des « launeddas » et calèche dorée exhibant la statue du saint.

La Côte d'ÉMERAUDE

La Côte d'Émeraude★★
Costa Smeralda
CARTE GÉNÉRALE A2 - CARTE MICHELIN N° 566 D10

Ici, la terre, modelée par le vent, a un aspect sauvage. Les collines, où le maquis recouvre le granit, descendent vers la mer aux couleurs et aux transparences d'émeraude. Il n'y a pas si longtemps encore, elle était terre de bergers et de paysans ; depuis 1962, c'est un lieu de séjour pour la jet-set du monde entier. À cette époque en effet, le prince Karim Agha Khan eut l'idée de réaliser ici, avec un groupe d'investisseurs, un paradis touristique. Ainsi, cette partie orientale de la Gallura est aujourd'hui un endroit de rêve pour les amateurs de voile, planche à voile, golf et tennis. Les principaux centres sont Porto Cervo★★, Cala di Volpe et Baia Sardinia.

- **Se repérer** – La Côte d'Émeraude, portion de côte située au nord-est de l'île, doit son nom à la magnifique couleur vert émeraude de ses eaux.
- **À ne pas manquer** – Une excursion dans l'archipel de la Maddalena.
- **Organiser son temps** – Prévoyez deux bonnes journées si vous souhaitez faire l'itinéraire côtier, un tour sur les îles de Maddalena et Caprera.
- **Avec les enfants** – La mer, magnifique, et l'histoire de Garibaldi, contée à l'intérieur de la maison de Caprera.
- **Pour poursuivre le voyage** – Voir Arzachena.

Un petit coin de paradis !

Découvrir

ARCIPELAGO DELLA MADDALENA★★
Aux **Bouches de Bonifacio**, l'archipel de la Maddalena se compose des îles de La Maddalena, de Caprera, Santo Stefano, Spargi, Budelli, Razzoli, Santa Maria et autres îlots.
Ces îles solitaires, où se rassemblaient parfois les bergers, furent annexées au royaume de Sardaigne en 1767. La Maddalena, qui fut dès lors une base militaire (plus récemment, de l'Otan), est depuis 1996 un **Parc national**.

La Maddalena★★
Il suffit de suivre la **route panoramique** (20 km) pour comprendre la raison de la renommée d'une si petite île. En se faufilant dans les baies et les criques, la mer se teinte de couleurs surprenantes.

Caprera★
Cette île, dont Garibaldi acheta une partie, est reliée à La Maddalena par la digue du Passo della Moneta. Elle accueille aujourd'hui un célèbre centre de voile.
Casa di Garibaldi★ – ✆ 0789 72 71 62 - tlj sf lun. mat. et apr.-midi, dim. mat. - 5 € (- 18 ans gratuit).

DÉCOUVRIR LA SARDAIGNE

La Gallura

La Gallura est la « pointe » nord-est de la Sardaigne. Le voyageur qui en visite l'intérieur, dominé par le mont Limbara (1 359 m), découvrira de hauts plateaux granitiques, chênes-lièges et roches creusées de grottes. Qui se tournera vers la côte embrassera un paysage tout aussi âpre, et ne pourra certes se rappeler avoir jamais vu dans la nature des couleurs semblables à celles que la mer revêt ici.

Dans le jardin, l'arbre planté par Garibaldi (1807-1882) à la naissance de sa fille Clelia (1867) est toujours en vie. À l'intérieur, les pièces renferment des objets et des vêtements liés à l'histoire du « généralissime », des femmes qu'il aima et de ses enfants. De la fenêtre d'une des pièces, on aperçoit la Corse ; c'est là que Garibaldi choisit de mourir en 1882. Il est enterré dans le jardin, à côté de ses enfants et de sa dernière épouse.

La Côte d'Émeraude pratique

Se loger

Da Cecco – *Via Po, 3* - **Santa Teresa di Gallura** *(17 km à l'ouest de Palau sur la S 133b)* - ℘ *0789 75 42 20 - fax 0789 75 56 34 - www.hoteldacecco.com - fermé nov.-fin mars - 32 ch.* - 🅿. Depuis les chambres, et surtout depuis la terrasse-solarium du dernier étage, vous bénéficierez d'une vue magnifique sur les bouches de Bonifacio. Un petit hôtel moderne, pour des vacances sous le signe de la détente et de l'hospitalité sarde.

Se restaurer

La Terrazza – *Via Villa Glori, 6* - **La Maddalena** - ℘ *0789 73 53 05 - fermé dim. (sf mai-sept.)*. Les gérants, Bolonais d'origine, se sont laissés séduire par cette belle terre et sa cuisine savoureuse. Sur la terrasse panoramique qui domine le port, vous pourrez choisir entre de nombreux plats de poisson, frais et de grande qualité, et des plats régionaux.

La Vecchia Costa – *Localité La Punga* - **Arzachena** *(5 km au sud-ouest de Porto Cervo direction Arzachena)* - ℘ *0789 98 688 -* 🍴. Si vous avez envie d'une bonne pizza, l'endroit est fait pour vous. Et dans l'île du *carasau*, le pain ne peut être que fin et croquant, et d'une taille… respectable ! Étant donné la situation, les prix, plus qu'honnêtes, sont en revanche presque incroyables.

Tattoo – *Liscia di Vacca Alta* - **Porto Cervo** *(2 km de Porto Cervo)* - ℘ *0789 91 944 - fermé oct.-mars -* 🍴. Au milieu des élégantes résidences méditerranéennes aux délicates couleurs pastels, à deux kilomètres de la plage de Liscia di Vacca, sélective s'il en est, une adresse qui permet de « survivre » plus que dignement dans cette enclave mondaine. Et qui est d'ailleurs également fréquentée par les VIP.

UN PEU PLUS ÉLOIGNÉ…

Terza Spiaggia – *Località Terza Spiaggia* - **Golfo Aranci** *(44 km au sud-est d'Arzachena)* - ℘ *0789 46 485 - fermé oct.* Pour déguster un bon sandwich à l'ombre d'un parasol, sur une plage où la mer est d'une clarté sans égale, avec une vue imprenable sur le golfe d'Aranci. À moins que vous préfériez un plat à base de poisson ultra-frais (pêché par les propriétaires eux-mêmes), dans la salle toute simple aux allures balnéaires.

Faire une pause

Panino Giusto – *Piazzetta Clipper* - **Porto Cervo Marina** - ℘ *0789 91 259 - fermé nov.-mai -* 🍴. À l'entrée de Porto Cervo Marina, cette adresse est située face au port de yacht. À toute heure, plats, salades et panini à déguster à l'extérieur, ou dans la petite salle intérieure, dans le style des pubs anglais.

Oristano

**32 238 HABITANTS
CARTE GÉNÉRALE A3 - CARTE MICHELIN N° 566 H7**

Principal centre de la région occidentale de l'île, Oristano, fondé en 1070 par les habitants de Tharros, opposa une lutte farouche à la domination aragonaise au 14e s.

- **Se repérer** – Oristano fait face au golfe du même nom. Pour s'y rendre, emprunter la S 131.
- **À ne pas manquer** – L'antique cité punico-romaine de Tharros.
- **Organiser son temps** – Prévoyez une journée avec les alentours.
- **Pour poursuivre le voyage** – Voir Barumini.

Les vestiges de la cité phénicienne de Tharros, sur le cap San Marco.

Se promener

Piazza Roma
Vaste esplanade où s'élève la Torre di San Cristoforo, tour crénelée qui faisait partie d'une muraille construite en 1291. De là part le **corso Umberto**, principale artère commerçante de la ville.

San Francesco
Réédifiée au 19e s., cette église conserve d'intéressantes **œuvres d'art**★, dont un Christ en bois (école rhénane du 14e s.), un fragment de polyptyque *(Saint François recevant les stigmates)* par Pietro Cavaro, peintre sarde du 16e s., et une statue de saint Basile par Nino Pisano (14e s.).

Aux alentours

Santa Giusta★
3 km au sud.
Dans la bourgade du même nom, groupant ses maisons sur les rives d'un étang, s'élève cette **basilique** édifiée entre 1135 et 1145. Elle a la sobriété et l'élégance caractéristiques de ces églises sardes, où se conjuguent harmonieusement les influences pisane et lombarde : façade tripartite à la manière lombarde, possédant un joli portail sculpté de type pisan. À l'intérieur, les trois nefs reposent sur des colonnes dont les bases et les chapiteaux proviennent d'édifices romains et médiévaux. Le vaisseau central est surélevé et à plafond angulaire, tandis que les collatéraux présentent des voûtes d'arête. Les chapelles du collatéral droit et le campanile sont des réalisations modernes. Sous l'arrière-chœur, surélevé, s'ouvre une crypte.

San Giovanni di Sinis
19 km à l'ouest d'Oristano, sur le cap San Marco. Elle a des allures d'église orthodoxe grecque, avec ses formes basses et massives, sa couverture à flèches et ses coupoles. L'édifice remonte au 5e s. Il ne reste de cette époque que la coupole centrale car il a été notablement transformé au 11e s.

Tharros★
Sur le cap San Marco, qui ferme le golfe au nord.
Cette ville, fondée par les Phéniciens vers le 8e ou 7e s. av. J.-C. au bord de la mer sur l'étroite presqu'île de Sinis qui ferme au nord le vaste golfe d'Oristano, devint une importante escale entre Marseille et Carthage, avant d'être conquise, au 3e s. av. J.-C., par les Romains. Vers l'an 1000, elle fut soudainement abandonnée par ses habitants qui s'installèrent à Oristano, et laissée aux sables qui l'ensevelirent.
Zone archéologique – ✆ 0783 37 00 19 - tte la journée - 4 € (- 16 ans 2 €).
Elle s'étend près d'une colline couronnée par une tour espagnole (Torre di San Giovanni). On y reconnaît le canevas urbain, tout à fait punique dans sa conception, matérialisé par les égouts, les citernes et les thermes, les quartiers d'habitation, le temple punique à demi-colonnes doriques et, sur la colline, le tophet *(voir Sant'Antioco)*. Les deux colonnes qui se détachent, blanches et solitaires, ont été refaites dans les années 1960.

Arborea
18 km au sud. Cette coquette petite ville a été créée de toutes pièces en 1928 dans une région de marécages assainis par le gouvernement fasciste.

Oristano pratique

Informations pratiques
Office de tourisme – *Via Ciuttadella de Menorca, 14* - ✆ *0783 70621.*

Se loger, se restaurer
Mistral – *Via Martiri di Belfiore - Oristano -* ✆ *070 97 70 33 - fax 0783 21 00 58 - www.lacaletta.it.* Un hôtel simple et fonctionnel, à prix raisonnables.

La Caletta – *Localité Torre dei Corsari -* **Marina di Arbus** *(20 km au sud d'Arborea par le Stagno di Marceddi) -* ✆ *070 97 70 33 - fax 070 97 71 73 - www.lacaletta.it - fermé oct.-Pâques - 32 ch. -* 🅿. Un hôtel qui n'est peut-être pas en harmonie avec le paysage, mais qui jouit d'une splendide position panoramique, dos à la falaise et avec vue sur une mer et une côte d'une rare beauté. Les chambres sont simples et modernes.

Île de **Sant'Antioco** ★
Isola di Sant'Antioco
11 753 HABITANTS
CARTE GÉNÉRALE A3 - CARTE MICHELIN N° 566 J/K 7

C'est l'île la plus importante de l'archipel de Sulcis, d'origine volcanique, assez vallonnée et bordée à l'ouest par de hautes falaises. Le centre principal de l'île, lui aussi dénommé Sant'Antioco, est relié à la côte sarde par une route. Juste sous la basilique dédiée à saint Antioche se trouvent les catacombes, taillées dans des hypogées puniques. Elles remontent aux 4e-6e s. apr. J.-C.

- **Se repérer** – Sant'Antioco est un contrefort de la côte sud-ouest, qui s'avance dans la mer, et où l'on accède par la S 126.
- **À ne pas manquer** – Les vestiges et les œuvres d'art de la zone archéologique, très richement fournie.
- **Organiser son temps** – Prévoyez une journée pour les visites et le tour de l'île.
- **Pour poursuivre le voyage** – Voir Cagliari.

Une île idéale pour les fans de voile.

Découvrir

Area Archeologica★
☎ 389 796 21 14 - fermé j. fériés - 4 € (- 6 ans gratuit) ; billet combiné avec le tophet 5 €.
À l'époque préhistorique, l'île est habitée par des populations nuragiques. Dans la partie du nord-est, une agglomération appelée Solki est fondée par les Phéniciens au alentours du 8e s. av. J.-C. Elle est ensuite conquise par les Carthaginois vers le 6e s. av. J.-C., puis soumise à l'empire romain après les guerres puniques sous le nom de Sulcis qui a donné son nom actuel à la région avoisinante. Sant'Antioco a connu son apogée sous les Phéniciens (puis les Romains) grâce au commerce de minerais précieux.
La visite s'articule en différentes phases et comprend cinq sites : le **musée archéologique Ferrucio Barreca** et sa riche collection d'objets retrouvés sur place, en particulier une belle série de **stèles**★ ; le **tophet**★ phénicio-punique, lieu où, croyait-on, l'on sacrifiait le premier enfant mâle, mais qui servait en fait de cimetière aux enfants morts-nés ou qui mouraient en bas âge ; le **musée ethnographique** ; le **village hypogée** et le **fortin savoyard**.

Aux alentours

Tratalias
18 km environ au nord-est de Sant'Antioco. Dans un village semblant venu du Far West se dresse l'église romano-pisane Santa Maria (13e s.).

DÉCOUVRIR LA SARDAIGNE

Monte Sirai
19 km au nord de Sant'Antioco. Sur une colline subsistent les traces d'une fondation phénicienne (vers 750 av. J.-C.), que les Carthaginois détruisirent vers 520 av. J.-C., avant de s'y établir et de la fortifier. Puis vinrent les Romains, qui à leur tour rasèrent (238 av. J.-C.) et reconstruisirent, avant que la ville ne fût désertée par ses habitants en 110 av. J.-C.

Sant'Antioco pratique

Informations utiles
Office de tourisme – *Piazza Repubblica, 31A -* ✆ *0781 82 031.*

Se loger, se restaurer
🛏🍴 **Hotel Moderno** – *Via nazionale, 82 - Sant'Antioco -* ✆ *0781 84 02 52.* Un petit hôtel, simple et bien tenu, décoré de fresques peintes par le propriétaire. Agréable salle de restaurant.

Sassari

121 849 HABITANTS
CARTE GÉNÉRALE A2 - CARTE MICHELIN N° 566 E7
PLAN DANS LE GUIDE MICHELIN ITALIA

Deuxième ville de Sardaigne, Sassari présente au touriste le contraste de ses quartiers modernes, aérés, avec son noyau médiéval, serré autour de la cathédrale. La piazza d'Italia et le corso Vittorio Emanuele II sont les lieux les plus animés de la ville.

- ▶ **Se repérer** – Sassari se situe à une vingtaine de kilomètres du golfe de l'Asinara. On s'y rend par la S 131, la S 291 et la S 597.
- ✦ **À ne pas manquer** – Visiter la Trinità di Saccargia et participer aux nombreuses fêtes traditionnelles de Sassari.
- ⏱ **Organiser son temps** – Prévoyez une demi-journée.
- ➤ **Pour poursuivre le voyage** – Voir Alghero.

Un joyau roman solitaire : l'église de la Santissima Trinità di Saccargia.

Visiter

Museo Nazionale Sanna★
Via Roma, 64 - ✆ *079 27 22 03 -* ♿ *- tlj sf lun. mat. - 3,10 €*
Il abrite de riches collections archéologiques, une intéressante section consacrée à l'ethnographie sarde, et une pinacothèque.

Duomo
On remarque la diversité des styles : campanile du 13ᵉ s. avec couronnement du 17ᵉ s., **façade★** de style baroque espagnol (fin 17ᵉ s.) et intérieur gothique.

Aux alentours

Santissima Trinità di Saccargia★★

17 km au sud-est, par la route de Cagliari (S 131), puis celle d'Olbia (S 597).

Au milieu du paysage dépouillé que l'on traverse en venant de Sassari apparaît soudain cette église, vestige d'un couvent de camaldules. Elle fut bâtie au 12e s. en strates de pierres blanches et noires comme le requérait le style pisan.

> **Le symbole de Sassari**
> Il s'agit de la fontaine de Rosello, près de l'église de la Trinità di Saccargia. Elle a conservé son aspect actuel depuis 1605, date de sa construction par les Génois, mais on a retrouvé des documents indiquant la présence d'une fontaine à cet endroit dès la fin du 13e s.

La façade, flanquée d'un campanile très élancé, possède un portique du 13e s. L'intérieur a le charme de toute église romane. Dans l'abside, les fresques d'inspiration byzantine (13e s.) représentent des scènes de la Passion, et, sur le registre supérieur, la Vierge et les Apôtres, dans la coupole, le Christ entre des anges et les archanges.

Porto Torres

Cette ville, située au fond d'un vaste golfe, sert de port à Sassari. Fondée par César, elle eut une importance considérable à l'époque romaine, ainsi qu'en témoignent certains vestiges aux abords de la gare.

San Gavino★ – Église bâtie à la fin du 11e s. par les Pisans (comme en témoigne la longue série d'arcatures aveugles de son flanc gauche) et modifiée peu après par des maîtres lombards qui l'agrandirent, c'est un bel exemple de l'art médiéval sarde. Entre les arcatures s'ouvre un portail du 15e s. de style gothique catalan. À l'intérieur, l'alternance de groupes de quatre colonnes avec des piliers est d'un bel effet. Une grande **crypte** abrite les reliques de saint Gavin et un beau **sarcophage★** romain, orné de sculptures représentant les muses.

Sassari pratique

Informations utiles

Office de tourisme – *Via Roma, 62,* ☏ *079 23 17 77.*

Se loger

😊😊 **Leonardo da Vinci** – *Via Roma, 79 -* **Sassari** *-* ☏ *079 28 07 44 - fax 079 28 57 233 - www.leonardodavincihotel.it.* Un hôtel moderne et fonctionnel, avec un hall vaste et élégant.

Se restaurer

😊😊 **Il Senato** – *Via Alghero, 36 -* **Sassari** *-* ☏ *079 27 77 88 - fermé dim. et 2 sem. en août.* Restaurant simple et agréable proposant une cuisine typique.

Événements

De nombreuses fêtes se déroulent à Sassari, parmi lesquelles :

La Cavalcata sarda – Le dernier dimanche de mai, un cortège folklorique formé de groupes venus de toutes les parties de l'île parcourt les rues ; ce défilé, à l'occasion duquel il est donné d'admirer la beauté et l'extraordinaire variété des costumes sardes, s'achève par une cavalcade effrénée.

♿ www.cavalcatasarda.it

La Festa dei Ceri – Une autre fête importante, la Festa dei Ceri (la fête des Cierges), instituée à la fin du 16e s. en accomplissement d'un vœu fait à la Vierge lors d'une épidémie de peste, donne lieu chaque année le 14 août à un défilé des représentants des différentes corporations, qui transportent à travers la ville d'énormes cierges enrubannés, en bois doré ou argenté.

Naples : villes, curiosités et régions touristiques.
Pretti, Mattia : noms historiques et termes faisant l'objet d'une explication.
Les sites isolés (châteaux, abbayes, grottes…) sont répertoriés à leur propre nom.
Nous indiquons entre parenthèses la région auquel appartient chaque ville ou site.

A

Abruzzes.............. 8, 9, 10, 28, 42, 163
Achat................................. 25, 29
Adriana, Villa (Latium)............... 128
Agences de voyage.................... 12
Agnone (Molise).................... 182
Agriculture............................ 90
Agritourisme..................... 14, 23
Agus, Milena....................... 81
Alatri (Latium)..................... 146
Alba Fucens (Abruzzes)........... 173
Albano Laziale (Latium)........... 134
Alberobello (Pouilles).............. 281
Alberti, Leon Battista............... 64
Albrerini, Filoteo 89
Alfedena (Abruzzes)............... 166
Alghero (Sardaigne)............... 318
Aliano (Basilicate) 289
Alphonse V d'Aragon............... 49
Altamura (Pouilles) 258
Altilia Sæpinum (Molise)........... 182
Altomonte (Calabre)............... 299
Amalfi (Campanie) 233
Amalfi, république d' (Campanie) ... 234
Ambassades 18
Amiternum (Abruzzes) 172
Ammaniti, Niccolò.................. 81
Anacapri (Campanie) 221
Anagni (Latium)................... 144
Anguillara Sabazia (Latium)....... 133
Animaux domestiques............... 13
Antonelli, Alessandro................ 70
Antonioni, Michelangelo 85
Anzio (Latium) 151
Apennins 42
Arbatax-Dorgali,
  strada di (Sardaigne)............ 322
Arbëresh........................... 299
Arborea (Sardaigne) 330
Architecture 54
Arco Felice (Campanie) 212
Argent............................. 25
Ariccia (Latium) 134
Art baroque............... 67, 189, 272
Art byzantin....................... 60
Art contemporain 71, 195
Art gothique 62
Art grec...................... 54, 308
Artisanat....................... 29, 93
Art italique........................ 55
Art moderne 70
Art romain 56
Art roman......................... 61
Art roman abruzzain ... 62, 171, 174, 181
Art roman apulien.......... 62, 256, 259
Arvo, lac (Calabre) 300
Arzachena (Sardaigne) 320
Associations et centres culturels 37
Atrani (Campanie).................. 234
Atri (Abruzzes) 177
Auberge de jeunesse 24
Autoroute.......................... 15
Averno, lac (Campanie) 212
Avion....................... 17, 18, 20

B

Bacoli (Campanie).................. 210
Bagnaia (Latium) 159
Bagnoli (Campanie) 209
Baia (Campanie)................... 210
Barbagia, la (Sardaigne) 321
Bari (Pouilles) 256
Barletta (Pouilles) 259
Barumini (Sardaigne) 324
Basilicate 8, 9, 10, 43, 285
Bassolino, Antonio 89, 187
Bateau........................ 17, 22
Baunei (Sardaigne) 322
Bellini, Giovanni.................... 65
Bénévent (Campanie)............... 218
Benigni, Roberto 87
Bennato, Edoardo 84
Benoît, saint 148
Berlusconi, Silvio................... 53
Bernin, Gian Lorenzo Bernini
  dit le 68, 110, 115, 121, 122, 125
Bisceglie (Pouilles) 259
Bitonto (Pouilles)................... 262
Boccace............................ 77
Bolsena (Latium) 160
Bolsena, lac de (Latium) 160
Bomarzo (Latium) 159
Bominaco (Abruzzes)............... 174
Borromini, Francesco Castelli ... 69, 114, 115, 116, 121, 124, 127
Boscoreale (Campanie) 214
Botticcelli, Sandro.................. 65
Bova (Calabre) 301
Bracciano (Latium) 133
Bracciano, lac de (Latium).......... 133
Bramante, Donato.......... 66, 110, 116
Brindisi (Pouilles)................... 282

INDEX

Brunelleschi, Filippo 64
Budget 14, 18
Burri, Alberto 71
Bus 17, 22
Buzzati, Dino....................... 80

C

Cagliari (Sardaigne) 325
Calabre 9, 10, 28, 43, 295
Calabre, thème de.................. 304
Cala Gonone (Sardaigne) 322
Calanchi, riserva
    naturale dei (Abruzzes) 178
Calvino, Italo 80
Cambio, Arnolfo di 63, 111, 128
Campanie............... 8, 9, 10, 28, 185
Campi Flegrei 45, 208
Camping........................... 23
Campli (Abruzzes).................. 170
Campo Imperatore (Abruzzes) 168
Campovalano (Abruzzes) 170
Canne della Battaglia (Pouilles) 260
Canosa di Puglia (Pouilles) 261
Canova, Antonio 70, 110, 121
Capestrano, guerriers (Abruzzes).... 176
Capo Colonna (Calabre)............. 303
Capo d'Orso (Campanie)............ 235
Capo Palinuro (Campanie) 228
Capo Vaticano (Calabre) 307
Caprarola, palazzo Farnese
    di (Latium) 160
Caprera (Sardaigne) 327
Capri, île (Campanie) 220
Capri, ville (Campanie)............. 220
Capua (Campanie).................. 225
Caravage, Le 68, 112, 113,
    114, 115, 119, 121, 188, 193, 203
Carburant........................... 20
Carducci, Giosuè 79
Carrache, Annibal 117
Casamari, abbazia (Latium) 145
Caserta Vecchia (Campanie) 225
Caserte, palais royal (Campanie) 224
Castagno, Andrea del................ 65
Castelcivita, grotte (Campanie) 229
Castel del Monte (Pouilles)......... 261
Castel Gandolfo (Latium) 134
Le Castella (Calabre)................ 303
Castellammare di Stabia (Campanie) 214
Castellana, grotte di (Pouilles) 263
Castelli (Abruzzes)................. 169
Castelli Romani (Latium)........... 133
Castro Marina (Pouilles) 276
Cava dei Tirreni (Campanie)........ 235
Cavallini, Pietro 63, 125
Cerveteri (Latium) 132
Champs Phlégréens 45, 208

Chieti (Abruzzes) 176
Cimabue............................. 63
Cimarosa 81
Cimitile (Campanie) 226
Cinecittà........................ 84, 143
Cinéma 9, 35, 36, 38, 84, 287
Cinquemiglia, plateau (Abruzzes) ... 165
Ciociaria (Latium) 145
Citara, plage (Campanie) 241
Civilisation nuragique . 46, 316, 320, 324
Civita (Calabre).................... 299
Civita Castellana (Latium).......... 160
Civita di Bagnoregio (Latium) 161
Civitavecchia (Latium) 156
Civitella del Tronto (Abruzzes) 170
Climat 8, 42
Cocullo (Abruzzes) 180
Code de la route 19
Comencini, Luigi 85
Contre-Réforme.................... 108
Conversano (Pouilles) 264
Corno Grande (Abruzzes) 168
Cortone, Pierre de.................. 116
Cosenza (Calabre) 300
Costa Smeralda (Sardaigne)........ 327
Côte Amalfitaine (Campanie) 8, 231
Côte d'Émeraude (Sardaigne) 327
Côte Ionienne (Calabre)............ 302
Côte Tyrrhénienne (Calabre) 306
Courrier........................... 27
Crèches napolitaines 191, 200
Crotone (Calabre) 303
Cuma (Campanie) 211

D

D'Annunzio, Gabriele............ 79, 175
Daniele, Pino....................... 83
Dante Alighieri..................... 77
De Gregori, Francesco 83
Deledda, Grazia 79
Della Porta, Giacomo 110, 114
Della Robbia, Luca 65
De Luca, Erri 80
De Nittis, Giuseppe 70, 260
De Santis, Giuseppe 85
De Sica, Vittorio 85
Dominiquin,
    Domenico Zampieri dit le 117
Domus de janas (Sardaigne) 322
Donatello........................... 64
Dorgali (Sardaigne)................. 322
Duras, Marguerite.................. 156

E

Eco, Umberto 80
Économie.......................... 90
Efisio, saint........................ 326

Églises rupestres 61, 278, 288
Émeraude, côte (Sardaigne)......... 327
Environnement 45, 166
Éoliennes, îles (Sicile)............... 308
Ercolano (Campanie) 238
Este, villa d' (Latium) 130
Etna (Sicile) 312
Étrusques............... 9, 46, 121, 155

F

Fallistro, i giganti di (Calabre) 300
Famille........................... 19, 31
Faune............................. 166
Fellini, Federico 85, 86
Ferentino (Latium) 145
Ferento, teatro romano (Latium) 159
Fêtes 31, 92, 126, 158,
        160, 180, 192, 257, 270
Fiuggi (Latium)..................... 146
Fo, Dario............................. 80
Foggia (Pouilles) 270
Fois, Marcello 81
Fontana, Carlo 114
Fontana, Domenico 110
Fontana, Lucio 71
Fonte Colombo,
    convento di (Latium)............ 153
Football 93
Foresta Umbra (Pouilles)............ 268
Forio (Campanie)................... 241
Formalités 13
Fossa, necropoli di (Abruzzes) 173
Fossanova, abbazia (Latium)........ 150
Fra Angelico 65, 113
Francesca, Piero della............... 65
François d'Assise, saint 153, 154
Frascati (Latium) 143
Frédéric II.......... 49, 63, 255, 261, 262
Furore, vallone (Campanie) 232
Fusaro, lac (Campanie).............. 211
Futurisme........................... 70

G

Gadda, Carlo Emilio 80
Gaète (Latium) 147
Galatina (Pouilles) 275
Galàtone (Pouilles) 275
Gallipoli (Pouilles) 276
Gallura, la (Sardaigne) 328
Gargano, promontoire (Pouilles) 266
Garibaldi, Giuseppe 327
Gastronomie............. 36, 38, 93, 319
Gennargentu, monti del 321
Gennaro, San 192
Gentileschi, Artemisia 68, 188
Gerace (Calabre) 303
Ghezzi, Pier Leone................... 88

Giacomelli, Mario................ 88, 166
Gioia del Colle (Pouilles) 263
Giordano, Luca........ 68, 189, 192, 193
Giorgione........................... 66
Giotto 64
Giovinazzo (Pouilles) 259
Giulianova (Abruzzes) 178
Gozzoli, Benozzo.................... 65
Grande Grèce 9, 46, 54,
        254, 296, 300, 303
Gran Sasso, massif du (Abruzzes).... 168
Greccio (Latium) 154
Grotta di Nettuno (Sardaigne) 318
Grottaferrata (Latium).............. 143
Guardia Vomano (Abruzzes) 178
Guiscard, Robert 236, 293
Guttuso, Renato..................... 71

H

Hadrien (empereur) 128
Handicap 13
Hayez, Francesco.................... 70
Hébergement................... 14, 22
Herculanum (Campanie)....... 203, 238
Horaires de visite................... 26
Huile d'olive 93

I

Industrie...................... 91, 264
Institutions religieuses 24
Ionienne, côte (Calabre) 302
Ischia, île (Campanie)............... 240
Ispingòli, grotta (Sardaigne)........ 322
Italiques 46, 55, 172, 173
Itria, vallée (Pouilles) 281

J

Janvier, saint...................... 192
Jazz 84
Jours fériés 27

L

L'Aquila 171
Labro (Latium) 154
Lacco Ameno (Campanie)........... 241
Laclos, Choderlos de 277
La Foresta, convento (Latium)...... 154
Lanfranco, Giovanni 116, 117
Latium.................... 9, 10, 28, 99
Lecce (Pouilles).................. 69, 272
Leopardi, Giacomo 78
Le Tasse............................ 78
Le Tintoret......................... 67
Levi, Carlo 80, 287, 289
Levi, Primo......................... 80
Le Vignole 66
Librairie............................ 37

Lipari (Sicile) 309
Lippi, Filippino 112
Littérature 34, 77
Location de voiture 19
Locorotondo (Pouilles) 281
Locri (Calabre) 302
Logement chez l'habitant 14
Loisirs 28
Loreto Aprutino (Abruzzes) 177
Lucera (Pouilles) 270
Lucrino, lac (Campanie) 209

M

Macchiaioli 70
Machiavel 78
Maderno, Carlo 110, 116, 121
Maderno, Stefano 125
Madonna della Quercia (Latium) 159
Mafia 91
Maiori (Campanie) 235
Manfredonia (Pouilles) 267
Maniérisme 67
Manzoni, Alessandro 78
Manzù, Giacomo 71, 110
Marais pontins 151
Maratea (Basilicate) 290
Marechiaro (Campanie) 209
Margherita di Savoia,
   saline (Pouilles) 260
Marinetti, Filippo Tommaso 79
Martina Franca (Pouilles) 281
Masaccio 65
Masaniello 197
Masolino da Panicale 108
Massafra (Pouilles) 278
Matera (Basilicate) 286
Mattinata (Pouilles) 267
Messina, Antonello da 65
Metapontum (Basilicate) 288
Métastase 78
Michel-Ange 66, 109, 110, 112, 117
Miseno (Campanie) 211
Mola di Bari (Pouilles) 262
Molfetta (Pouilles) 259
Molise 42, 163, 182
Monicelli, Mario 85
Monopoli (Pouilles) 263
Montagna Spaccata,
   santuario della (Latium) 148
Montale, Eugenio 79
Montecassino, abbazia di (Latium) .. 148
Monte Cavo (Latium) 134
Monte Epomeo (Campanie) 240
Monte Faito (Campanie) 214
Montefiascone (Latium) 160
Monte Nuovo (Campanie) 212
Monte Petroso (Abruzzes) 164
Monterozzi, necropoli di (Latium) ... 155
Monte Sant'Angelo (Pouilles) 268
Montescaglioso (Basilicate) 288
Monte Solaro (Campanie) 221
Monti della Laga (Abruzzes) 168
Morante, Elsa 80
Moravia, Alberto 80
Moretti, Nanni 86
Mottola (Pouilles) 278
Mottorra, dolmen (Sardaigne) 322
Muravera, strada di (Sardaigne) ... 326
Musique 36, 81
Musique napolitaine 83, 84, 190
Mussolini, Benito 151, 169

N

Naples (Campanie) 11, 185, 186
   Cappella Sansevero 191
   Castel Capuano 192
   Castel dell'Ovo 197
   Castel Nuovo 195
   Castel Sant'Elmo 200
   Catacombe di San Gaudioso 200
   Catacombe di San Gennaro 201
   Certosa di San Martino 200
   Cimitero delle Fontanelle 201
   Duomo 191
   Galleria Nazionale di Capodimonte ... 203
   Galleria Umberto I 195
   Gesù Nuovo, chiesa del 190
   Lungomare 197
   Mergellina 200
   Molo Angioino 196
   Museo Archeologico Nazionale 201
   Museo d'Arte contemporanea 195
   Museo Nazionale di Ceramica Duca
      di Martina 200
   Museo Principe di Aragona Cortes ... 199
   Napoli Sotterranea 193
   Palazzo Cuomo 191
   Palazzo Reale 196
   Palazzo Spinelli di Laurino 194
   Piazza Dante 194
   Piazza del Gesù Nuovo 190
   Piazza del Mercato 197
   Piazza del Plebiscito 196
   Piazza Vanvitelli 200
   Piazzetta del Nilo 191
   Pio Monte della Misericordia 192
   Port 196
   Porta Alba 194
   Porta Capuana 192
   Porto di Santa Lucia 197
   Purgatorio ad Arco, chiesa del 193
   Quadreria dei Girolamini 193
   Quartieri spagnoli 194
   San Domenico Maggiore 190

San Francesco di Paola 196
San Giacomo degli Spagnoli 195
San Giovanni a Carbonara 194
San Gregorio Armeno 191
Sanità, quartier de la 200
San Lorenzo Maggiore 193
San Nicola alla Carità 194
San Paolo Maggiore................... 193
San Pietro a Maiella 194
Santa Anna dei Lombardi............... 194
Santa Chiara 190
Santa Maria del Carmine 196
Santa Maria della Sanità.............. 200
Santa Maria Donnaregina 192
Santa Maria Maggiore.................. 194
Spaccanapoli 190
Teatro San Carlo 195
Via Toledo 194
Villa Comunale....................... 198
Villa Floridiana....................... 200
Vomero, quartier du................... 200
Naples, golfe de (Campanie) 8, 208
Navelli (Abruzzes) 174
Necropoli d'Anghelu
   Ruju (Sardaigne) 319
Nemi (Latium)....................... 134
Néoréalisme 84, 87
Nicolas, saint....................... 257
Niffoi, Salvatore 81
Nuoro (Sardaigne).................... 321
Nuraghe Palmavera (Sardaigne)..... 319
Nuraghi (Sardaigne) 316

O

Ocre, valle (Abruzzes) 173
Office de tourisme 12, 18
Ogliastra (Sardaigne) 321
Oplontis, villa di (Campanie) 214
Orgosolo (Sardaigne)................. 323
Oristano (Sardaigne) 329
Orso, capo (Campanie) 235
Ortese, Anna Maria................... 80
Ostia Antica (Latium) 131
Ostuni (Pouilles)..................... 282
Otrante (Pouilles).................... 275
Ours brun marsicain................ 166
Ovide............................... 179

P

Padre Pio 269
Padula (Campanie) 228
Padula, certosa di (Campanie) 228
Pæstum (Campanie)................. 243
Paisiello............................. 81
Palestrina (Latium) 130
Palinuro, cap (Campanie) 228
Palladio, Andrea..................... 66

Palmi (Calabre)...................... 307
Paola (Calabre)...................... 306
Pape........................ 48, 51, 102
Parc national de l'archipel
   de la Maddalena (Sardaigne) . 28, 327
Parc national de l'Aspromonte
   (Calabre) 28, 45, 300
Parc national de la Maiella
   (Abruzzes)................ 28, 45, 180
Parc national de la Sila (Calabre) 28, 299
Parc national des Abruzzes .. 28, 45, 164
Parc national du Cilento
   (Campanie) 28, 45, 227
Parc national du Circeo (Latium) . 28, 151
Parc national du Gargano
   (Pouilles) 28, 45, 266
Parc national du Gennargentu et du
   golfe d'Orosei (Sardaigne) 28, 45
Parc national du Gran Sasso
   (Abruzzes)................ 28, 45, 168
Parc national du Pollino
   (Calabre) 28, 45, 298
Parc national du Vésuve
   (Campanie).................... 28, 213
Parco Virgiliano (Campanie) 209
Parc régional des Serre (Calabre).... 300
Parc régional
   Sirente Velino (Abruzzes) 172
Parcs naturels 28, 45
Parking 20
Pascoli, Giovanni 79
Pasolini, Pier Paolo 80, 86, 303
Pâtes 93
Pavese, Cesare 80
Penne (Abruzzes).................... 177
Pentedattilo (Calabre) 302
Pergolèse........................... 81
Persano, oasis WWF (Campanie) 229
Pertosa, grotta (Campanie) 228
Pescara (Abruzzes) 175
Pescasseroli (Abruzzes)............. 166
Peschici (Pouilles) 268
Pescocostanzo (Abruzzes) 165
Pétrarque........................... 77
Photographie 35, 87
Piano delle Cinquemiglia (Abruzzes) 165
Pietrabbondante (Molise).......... 182
Pietra Cappa (Calabre)............. 301
Pirandello, Luigi.................... 79
Pisano, Giovanni 63
Pisano, Nicola...................... 63
Pizza 94
Pizzo (Calabre) 306
Poggio Bustone (Latium) 154
Policastro, golfe (Basilicate)........ 290
Polignano a Mare (Pouilles) 262
Pollaiolo, Antonio 111

Pompéi (Campanie) 203, 246
Pontormo, Le 67
Ponza, île (Latium) 149
Popoli (Abruzzes) 180
Portici (Campanie) 213
Porto Cervo (Sardaigne) 327
Porto Cesareo (Pouilles) 277
Porto Torres (Sardaigne) 333
Posillipo (Campanie) 209
Positano (Campanie) 231
Poste 27
Pouilles 8, 10, 28, 253
Pouzzoles (Campanie) 209
Pozzo, Andrea 108, 114
Pozzuoli (Campanie) 209
Praiano (Campanie) 232
Pretti, Mattia 68
Procida, île (Campanie) 241
Prodi, Romano 53
Pythagore 88, 304

Q – R

Quasimodo, Salvatore 79
Radio 38
Randonnée pédestre 13
Raphaël 66, 111, 112, 119, 121
Ravello (Campanie) 234
Reggio di Calabria 308
Relief 42
Religion 90
Remus 101
Renaissance 64, 77
Réseau autoroutier 15
Restauration 24
Rieti (Latium) 153
Righetti, Francesco 89
Risi, Dino 85
Riviera di Ulisse (Latium) 147
Rocca di Papa (Latium) 134
Rocca Imperiale (Calabre) 304
Romain, Jules 114
Rome (Latium) 8, 11, 46, 99, 100
   Antico Caffè della Pace 116
   Appia Antica 126
   Aula Ottagona 122
   Caffè Greco 119, 120
   Campidoglio (Capitole) 106
   Caracalla, terme di 109
   Casa-Museo De Chirico 119
   Catacombes 126
   Centrale Montemartini 126
   Chapelle Sixtine 112
   Circo Massimo 109
   Colosseo (Colisée) 103
   Domus Aurea 103
   EUR 127
   Explora-Museo dei Bambini 119

Fontana del Tritone 121
Fontana di Trevi 121
Fori Imperiali (Forums impériaux) 106
Foro Romano (Forum romain) 103
Galleria Borghese 120
Galleria Doria Pamphili 113
Galleria Nazionale d'Arte Moderna 121
Gesù, chiesa del 108
Maddalena, chiesa della 114
Musei Vaticani 111
Museo di Roma 116
Museo di Roma in Trastevere 125
Museo Keats-Shelley 118
Museo Napoleonico 115
Museo Nazionale Etrusco di Villa Giulia . 121
Museo Nazionale Romano 115
Palatino (Mont Palatin) 106
Palazzo Braschi 116
Palazzo Consulta 124
Palazzo della Sapienza 114
Palazzo Farnese 117
Palazzo Farnesina ai Baullari 116
Palazzo Massimo Alle Terme 122
Palazzo Quirinale 124
Palazzo Spada 116
Palazzo Venezia 107
Pantheon 112
Piazza Bocca della Verità 108
Piazza Campo dei Fiori 117
Piazza del Popolo 119
Piazza di Spagna 117
Piazza Navona 115
Piazza Quirinale 124
Piazza San Pietro 110
Piazza Venezia 107
Pincio 120
San Benedetto in Piscinula 124
San Carlo alle Quatro Fontane 123
San Clemente 108
San Crisogono 124
San Francesco a Ripa 125
San Giovanni in Laterano 127
San Luigi dei Francesi 114
San Marco 107
San Paolo fuori le Mura 128
San Pietro 110
San Pietro in Vincoli 109
Sant'Andrea al Quirinale 124
Sant'Andrea della Valle 116
Sant'Angelo, castel 112
Sant'Ignazio 114
Santa Cecilia 125
Santa Maria degli Angeli 122
Santa Maria della Vittoria 121
Santa Maria del Popolo 119
Santa Maria in Trastevere, basilica 125
Santa Maria Maggiore 123

Santa Maria sopra Minerva 112
Santa Susanna 121
Trastevere 124
Trinità dei Monti 118
Vatican 109
Villa Borghese 120
Villa Farnesina 126
Villa Médicis 120
Vittoriano............................ 107
Romulus............................... 101
Rosa, Salvatore........................ 68
Rosi, Francesco........................ 86
Rossano (Calabre) 304
Rossellini, Roberto 84
Rotella, Mimmo 89
Routes historiques 10
Royaume des Deux-Siciles 49, 50
Rutigliano (Pouilles) 264
Ruvo di Puglia (Pouilles) 261

S

Saba, Umberto........................ 80
Sabaudia (Latium).................... 151
Sabins 172
Saccargia, santissima Trinità di...... 333
Safran 174
Sagittario, gorges du (Abruzzes) 166
Salento, péninsule (Pouilles) 275
Salerne (Campanie) 236
Salina (Sicile)......................... 310
Salvi, Niccolò......................... 89
Salvi, Nicola......................... 121
San Clemente a Casauria (Abruzzes). 181
San Clemente al Vomano (Abruzzes) 178
Sanfelice, Ferdinando 69, 189
San Francesco, convento di (Latium) 154
San Francesco di Paola,
    santuario (Calabre) 306
Sangallo 117
San Giacomo, convento di (Latium) . 154
San Giovanni di Sinis (Sardaigne).... 330
San Giovanni in Venere (Abruzzes) .. 176
San Giovanni Rotondo (Pouilles) 269
San Leucio, complesso (Campanie).. 225
San Lorenzo, certosa di (Campanie) . 228
San Marco in Lamis (Pouilles) 270
Sanmartino, Giuseppe................ 191
Sannazaro, Iacopo..................... 88
San Pelino, basilica (Abruzzes) 180
San Severo (Pouilles) 270
Sansovino, Andrea 119
Sant'Angelo (Campanie) 241
Sant'Angelo in Formis (Campanie) .. 225
Sant'Antioco, île (Sardaigne) 331
Santa Cesarea Terme (Pouilles)...... 276
Santa Giusta, basilica (Sardaigne) ... 329
Santa Maria
    Capua Vetere (Campanie) 226
Santa Maria del Casale (Pouilles) 283
Santa Maria del Cedro (Calabre)..... 299
Santa Maria delle Grotte (Abruzzes) . 173
Santa Maria del Patire (Calabre)..... 304
Santa Maria di Canneto (Molise)..... 183
Santa Maria di Cerrate (Pouilles) 275
Santa Maria
    di Collemaggio (Abruzzes) 171
Santa Maria di Leuca (Pouilles)...... 276
Santa Severina (Calabre)............. 304
Santa Vittoria di Serri (Sardaigne) ... 324
Santé 14, 18
Santissima Trinità (Campanie)....... 235
Santissima Trinità
    di Saccargia (Sardaigne) 333
Santo Stefano, lido (Pouilles)........ 263
San Vincenzo al Volturno (Molise)... 183
Sardaigne.............. 9, 11, 28, 43, 315
Sassari (Sardaigne) 332
Sassi (Basilicate).............. 286, 288
Scanno (Abruzzes) 166
Scanno, lac de (Abruzzes)........... 166
Scilla (Calabre) 307
Scola, Ettore 86
Secchiaroli, Tazio..................... 89
Semaine sainte 92
Serrara Fontana (Campanie) 241
Serra San Bruno (Calabre)........... 300
Sibari (Calabre)...................... 304
Sibylle de Cumes..................... 212
Sirai, monte (Sardaigne) 332
Sites Internet.................... 12, 38
Slow Food 95
Smeraldo, grotta dello (Campanie).. 233
Solfatara (Campanie) 209
Solimena, Francesco.... 69, 189, 192, 193
Sorrente (Campanie) 215
Sperlonga (Latium).................. 149
Spoltore (Abruzzes) 177
Stiffe, grotte (Abruzzes) 173
Stilo (Calabre) 303
Stromboli (Sicile) 310
Subiaco (Latium) 145
Su Gologone (Sardaigne) 323
Sulmona (Abruzzes) 179
Svevo, Italo 79

T

Taormina (Sicile) 311
Tarabanda 84
Tarente (Pouilles)............. 254, 277
Tarquinia (Latium)................... 155
Tavoliere, plaine du (Pouilles) 268
Téléphone 27
Teramo (Abruzzes) 169
Termoli (Molise)..................... 183
Terracina (Latium)................... 149

Tharros (Sardaigne) 330
Tibère 149, 221
Tiberio, grotta (Latium)............ 149
Titien.......................... 67, 203
Tivoli (Latium)..................... 128
Todde, Giorgio 81
Torre Annunziata (Campanie) 213
Torre del Greco (Campanie) 213
Tortolì (Sardaigne) 321
Totò 89
Tourisme........................... 91
Trabucchi 176, 267
Train..................... 15, 18, 19, 20
Trani (Pouilles) 259
Tratalias (Sardaigne)............... 331
Tremiti, îles (Pouilles) 267
Trevignano Romano (Latium) 133
Troia (Pouilles) 270
Troisi, Massimo..................... 86
Tropea (Calabre).................... 307
Trulli.............................. 64
Trulli, terre des (Pouilles)........... 280
Tuscania (Latium) 157
Tuscolo (Latium) 143
Tyrrhénienne, Côte (Calabre)........ 306

U – V

Uccello, Paolo 65
Ungaretti, Giuseppe................. 79
Vanvitelli, Gaspare 88
Vanvitelli, Luigi........ 69, 190, 198, 224
Vasari, Giorgio 67

Vatican, État du 48, 51, 102, 109
Velia (Campanie) 228
Velletri (Latium).................... 134
Venosa (Basilicate) 292
Verga, Giovanni 79
Véroli (Latium) 146
Vésuve (Campanie)............. 45, 213
Vettica Maggiore (Campanie) 232
Vico, Giambattista................... 78
Vico, lac (Latium) 160
Vico Equense (Campanie).......... 215
Vieste (Pouilles) 267
Vietri sul Mare (Campanie).......... 235
Vignole, Giacomo Barozzi dit le 117
Villa Lante 159
Vinci, Léonard de................ 66, 112
Virgiliano, parco (Campanie)........ 209
Visconti, Luchino.................... 84
Viterbe (Latium).................... 158
Voiture 15, 19
Volcan 45
Vomano, vallée du (Abruzzes)....... 169
Voyager en famille 19, 31
Vulcano (Sicile)..................... 309

W – Y – Z

Wagner, Richard.................... 234
Yourcenar, Marguerite.............. 128
Zagare, baie delle (Pouilles)......... 267
Zimbalo, Giuseppe 69, 273
Zinzulusa, grotte (Pouilles).......... 276

MES COUPS DE CŒUR

Nom ....

Date de la visite .... Lieu ....
😊 ....
....
....
....
....

Nom ....

Date de la visite .... Lieu ....
😊 ....
....
....
....
....

Nom ....

Date de la visite .... Lieu ....
😊 ....
....
....
....
....

Nom ....

Date de la visite .... Lieu ....
😊 ....
....
....
....
....

Nom ....

Date de la visite .... Lieu ....
😊 ....
....
....
....
....

Nom ....

Date de la visite .... Lieu ....
😊 ....
....
....
....
....

MES COUPS DE CŒUR

Nom ....

Date de la visite .... Lieu ....
😊 ....
....
....
....
....

Nom ....

Date de la visite .... Lieu ....
😊 ....
....
....
....
....

Nom ....

Date de la visite .... Lieu ....
😊 ....
....
....
....
....

Nom ....

Date de la visite .... Lieu ....
😊 ....
....
....
....
....

Nom ....

Date de la visite .... Lieu ....
😊 ....
....
....
....
....

Nom ....

Date de la visite .... Lieu ....
😊 ....
....
....
....
....

MES DÉPENSES

date	objet	montant

MES DÉPENSES

date	objet	montant

NOTES

NOTES

NOTES

CARTES ET PLANS

CARTE GÉNÉRALE

Les plus beaux sites. . . . .
. . . . 1er rabat de couverture

CARTES THÉMATIQUES

Le réseau autoroutier 16
Le relief 43
Les régions italiennes 44
L'unité italienne 50
Civilisations et cités antiques 56
Sardaigne 317

PLANS DE VILLES ET DE QUARTIERS

Rome : plan général 104-105
Rome : piazza Navona-
    Campo dei Fiori 113
Rome : piazza di Spagna-
    Piazza del Popolo 118
Rome : Fontana di Trevi-
    Quirinale 123
Naples : plan centre 188-189
Naples : plan général 198-199
Bari 258
Lecce 274

PLANS DE SITES

Tivoli : Villa Adriana 129
Herculanum 238
Paestum 244
Pompéi 248

CARTES DES CIRCUITS

Castelli Romani 133
Abruzzes 165
Golfe de Naples 210-211
Île de Capri 222
Côte amalfitaine 232
Île d'Ischia 241
Pouilles-Basilicate 254-255
Promontoire du Gargano 269
Calabre 297
Îles éoliennes 310-311

Manufacture française des pneumatiques Michelin
Société en commandite par actions au capital de 304 000 000 EUR
Place des Carmes-Déchaux - 63000 Clermont-Ferrand (France)
R.C.S. Clermont-Fd B 855 200 507

Toute reproduction, même partielle et quel qu'en soit le support,
est interdite sans autorisation préalable de l'éditeur.

© Michelin, Propriétaires-éditeurs.
Compogravure : Nord Compo à Villeneuve-d'Ascq
Impression et brochage : AUBIN, Ligugé
Dépôt légal janvier 2008 – ISSN 0293-9436
Imprimé en France 01/2008

QUESTIONNAIRE
LE GUIDE VERT

VOTRE AVIS NOUS INTÉRESSE...
TOUTES VOS REMARQUES NOUS AIDERONT À ENRICHIR NOS GUIDES.

Merci de renvoyer ce questionnaire à l'adresse suivante :
MICHELIN
Questionnaire Le Guide Vert
46, avenue de Breteuil
75324 PARIS CEDEX 07

En remerciement,
les 100 premières réponses recevront en cadeau
la carte Michelin Départements de leur choix !

VOTRE GUIDE VERT

Titre acheté : ......
Date d'achat : ......
Lieu d'achat *(point de vente et ville)* : ......

VOS HABITUDES D'ACHAT DE GUIDES

1) Aviez-vous déjà acheté un Guide Vert Michelin ?
　　　　○ oui　　　　　　○ non

2) Achetez-vous régulièrement des Guides Verts Michelin ?
　　　　○ tous les ans　　　○ tous les 2 ans
　　　　○ tous les 3 ans　　　○ plus

3) Si oui, quel type de Guides Verts ?
– des Guides Verts sur les régions françaises : lesquelles ? ......

– des Guides Verts sur les pays étrangers : lesquels ? ......

– Guides Verts Thématiques : lesquels ? ......

4) Quelles autres collections de guides touristiques achetez-vous ?
......

5) Quelles autres sources d'information touristique utilisez-vous ?
○ Internet : quels sites ? ......

○ Presse : quels titres ? ......

○ Brochures des offices de tourisme

Les informations recueillies font l'objet d'un traitement informatique destiné à actualiser notre base de données clients et permettre l'élaboration de statistiques.
Ces données personnelles sont réservées à un usage strictement interne au groupe Michelin et ne feront l'objet d'aucune exploitation commerciale ni de transmission ou cession à quiconque pour des fins commerciales ou de prospection. Elles ne seront pas conservées au-delà du temps nécessaire pour traiter ce questionnaire et au maximum 6 mois, mais seulement utilisées pour y répondre.
Conformément à la loi « Informatique et libertés » du 6 janvier 1978, applicable sur le territoire français, vous bénéficiez d'un droit d'accès, de modification, de rectification ou suppression des données vous concernant. Si vous souhaitez exercer ce droit, veuillez vous adresser à MICHELIN, Guide Vert, 46 avenue de Breteuil, 75324 Paris Cedex 07

VOTRE APPRÉCIATION DU GUIDE

1) Notez votre guide sur 20 : ....

2) Quelles parties avez-vous utilisées ? ....

3) Qu'avez-vous aimé dans ce guide ? ....

4) Qu'est-ce que vous n'avez pas aimé ? ....

5) Avez-vous apprécié ?

	Pas du tout	Peu	Beaucoup	Énormément	Sans réponse
a. La présentation du guide (maquette intérieure, couleurs, photos…)	O	O	O	O	O
b. Les conseils du guide (sites et itinéraires)	O	O	O	O	O
c. L'intérêt des explications sur les sites	O	O	O	O	O
d. Les adresses d'hôtels, de restaurants	O	O	O	O	O
e. Les plans, les cartes	O	O	O	O	O
f. Le détail des informations pratiques (transport, horaires, prix…)	O	O	O	O	O
g. La couverture	O	O	O	O	O

Vos commentaires ....

6) Rachèterez-vous un Guide Vert lors de votre prochain voyage ?

    O oui   O non

VOUS ÊTES

O Homme   O Femme   Âge : ....

Profession :

- O Agriculteur, Exploitant
- O Artisan, commerçant, chef d'entreprise
- O Cadre ou profession libérale
- O Employé
- O Enseignant
- O Étudiant
- O Ouvrier
- O Retraité
- O Sans activité professionnelle

Nom ....

Prénom ....

Adresse ....

Acceptez-vous d'être contacté dans le cadre d'études sur nos ouvrages ?

    O oui   O non

Quelle carte Michelin Départements souhaitez-vous recevoir ?
Indiquez le département : ....

Offre proposée aux 100 premières personnes ayant renvoyé un questionnaire complet.
Une seule carte offerte par foyer, dans la limite des stocks disponibles.